イメージ＆クレバー方式でよくわかる

かやのき先生のITパスポート教室

令和07年

Webサイト連動

栢木 厚 著

シラバス6.3対応

技術評論社

はじめに

独立行政法人 情報処理推進機構（略称：IPA）によれば，ITパスポートは，「職業人および職業人となる誰もが備えておくべき，ITに関する共通的な基礎知識を測る」国家試験となっています。

「就業経験のない学生」や「ITに関する基礎知識を持たない社会人」を対象として，将来的に「ITに携わる業務に就く」もしくは「担当業務に対してITを活用していく」ことを目指しています。

現在は，IT関連企業だけでなく，業種・職種を問わずあらゆる企業において，コンピュータを使って仕事することが当たり前の時代です。また，学校ではパソコンやタブレットを使った情報の授業が始まり，各家庭でもパソコンやタブレット，スマートフォンを使って，インターネットやメールは生活をする上でも必須アイテムとなっています。

ITパスポート試験は，エントリーレベルということで難易度は高くありませんが，出題範囲は広範囲にわたります。このような試験の不合格者の多くは，試験勉強が進むにつれて次から次へと知らない用語が出てきて，徐々にモチベーションが下がり，その結果，途中で挫折してしまう受験者も多くいるのも確かです。

そこで，本書は，「途中で挫折することなく」合格を目指す手助けとなるように，受験者（エンドユーザ）の立場に立ち，「出題頻度の高い分野」・「理解しがたいと思われる分野」を中心に，わかりやすく，イメージしやすいように工夫しています。

ぜひともITパスポート試験にチャレンジしていただき，「見事合格すること」・「高得点を獲得すること」を契機として，さらに自己啓発の意欲が高まり，「業務に精通したエンドユーザの立場で自部門の情報化を推進するリーダ」や「業務にも精通したエンドユーザにとって使いやすいシステム構築ができる開発者」になることを期待しております。

栢木　厚

本書のコンセプト

「難しい知識を難しく教えても意味がない。
難しい知識をわかりやすく教えることが重要である。」

目次
[学習予定表]

受験予定日　　年　　月　　日

第1章 ハードウェアと基礎理論 [テクノロジ系]

第2章 ソフトウェア [テクノロジ系]

第3章 システム構成 [テクノロジ系]

		ページ	出題頻度	学習予定日	学習日	メモ
3-01	コンピュータの形態	110	時々出			
3-02	システム構成	116	必須			
3-03	システムの信頼性	122	超重要			
3-04	システムの評価	128	時々出			
3-05	IoTシステムと組込みシステム	132	超重要			
3-06	ソリューションビジネスとシステム活用促進	138	必須			
	3章の復習					

第4章 ネットワーク [テクノロジ系]

		ページ	出題頻度	学習予定日	学習日	メモ
4-01	ネットワークの構成	146	時々出			
4-02	無線LAN	152	超重要			
4-03	通信プロトコル	156	必須			
4-04	インターネットの仕組み	162	必須			
4-05	通信サービス	172	時々出			
4-06	Webページ	176	時々出			
4-07	電子メール	180	超重要			
	4章の復習					

第5章 セキュリティ [テクノロジ系]

		ページ	出題頻度	学習予定日	学習日	メモ
5-01	情報資産と脅威	186	超重要			
5-02	サイバー攻撃	194	超重要			
5-03	情報セキュリティマネジメント	202	超重要			

第8章 マネジメント [マネジメント系]

		ページ	出題頻度	学習予定日	学習日	メモ
8-01	企画・要件定義プロセス	306	必須			
8-02	開発プロセス	312	時々出			
8-03	テスト手法と運用・保守プロセス	316	必須			
8-04	ソフトウェア開発手法	322	超重要			
8-05	プロジェクトマネジメント	330	超重要			
8-06	タイムマネジメント	338	必須			
8-07	IT サービスマネジメント	348	超重要			
8-08	システム監査	356	超重要			
	8章の復習					

第9章 企業活動と法務 [ストラテジ系]

		ページ	出題頻度	学習予定日	学習日	メモ
9-01	財務諸表	362	超重要			
9-02	損益分岐点と資産管理	372	必須			
9-03	知的財産権	382	超重要			
9-04	セキュリティ関連・個人情報関連法規	390	超重要			
9-05	労働関連・取引関連法規	396	必須			
9-06	業務分析	402	必須			
9-07	データ利活用と問題解決	408	時々出			
9-08	標準化	414	必須			
	9章の復習					

第10章 経営戦略とシステム戦略［ストラテジ系］

●スマホで読める「厳選英略語100暗記カード」「頻出単語100暗記カード」の入手

①右のQRコードを読み込んで下さい。

②［本書のサポートページ］→［ダウンロード］で，次のパスワードを入力し，PDFファイルをダウンロードして下さい。

パスワード　Q2qHPbRW

③PDFリーダーソフトなどで読むことができます。

本書の使い方

本書は，ITパスポート試験によく出題されるテーマだけを集め，構成しました。一つのテーマは，短い時間で読み切れる分量になっており，細切れの時間でも学習しやすいようにしてあります。紙面は，次の要素からなっています。

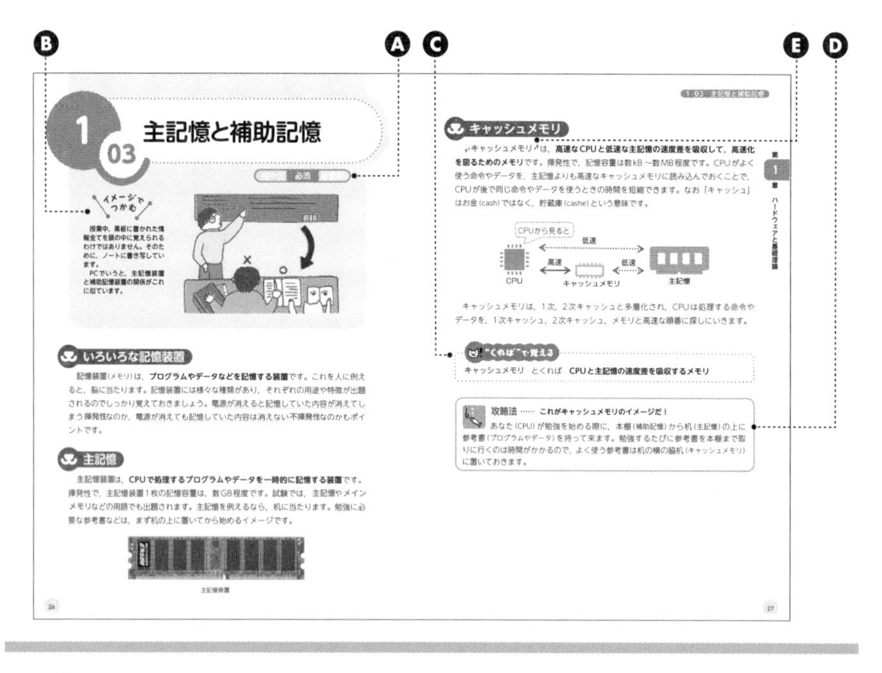

1 03 主記憶と補助記憶

必須

イメージでつかむ

授業中，黒板に書かれた情報全てを頭の中に覚えられるわけではありません。そのために，ノートに書き写しています。

PCでいうと，主記憶装置と補助記憶装置の関係がこれに似ています。

いろいろな記憶装置

記憶装置(メモリ)は，**プログラムやデータなどを記憶する装置**です。これを人に例えると，脳に当たります。記憶装置には様々な種類があり，それぞれの用途や特徴が出題されるのでしっかり覚えておきましょう。電源が消えると記憶していた内容が消えてしまう揮発性なのか，電源が消えても記憶していた内容は消えない不揮発性なのかもポイントです。

主記憶

主記憶装置は，**CPUで処理するプログラムやデータを一時的に記憶する装置**です。揮発性で，主記憶装置1枚の記憶容量は，数GB程度です。試験では，主記憶やメインメモリなどの用語でも出題されます。主記憶を例えるなら，机に当たります。勉強に必要な参考書などは，まず机の上に置いてから始めるイメージです。

主記憶装置

26

キャッシュメモリ

キャッシュメモリは，**高速なCPUと低速な主記憶の速度差を吸収して，高速化を図るためのメモリ**です。揮発性で，記憶容量は数kB～数MB程度です。CPUがよく使う命令やデータを，主記憶よりも高速なキャッシュメモリに読み込んでおくことで，CPUが後で同じ命令やデータを使うときの時間を短縮できます。なお「キャッシュ」はお金(cash)ではなく，貯蔵庫(cashe)という意味です。

CPUから見ると
低速
高速
低速
CPU
キャッシュメモリ
主記憶

キャッシュメモリは，1次，2次キャッシュと多層化され，CPUは処理する命令やデータを，1次キャッシュ，2次キャッシュ，メモリと高速な順番に探しにいきます。

"くれば"で覚える

キャッシュメモリ　とくれば　**CPUと主記憶の速度差を吸収するメモリ**

攻略法……　これがキャッシュメモリのイメージだ！

あなた(CPU)が勉強を始める際に，本棚(補助記憶)から机(主記憶)の上に参考書(プログラムやデータ)を持って来ます。勉強するたびに参考書を本棚まで取りに行くのは時間がかかるので，よく使う参考書は机の横の脇机(キャッシュメモリ)に置いておきます。

第1章 ハードウェアと基礎理論

27

A 出題頻度	**時々出**	よく出題される，要注意テーマ
	必須	ほぼ毎回出題される，必須のテーマ
	超重要	絶対に取りこぼせない，最重要のテーマ

B イメージでつかむ　導入部では，そのテーマを理解するための手がかりを，イラストを使ってイメージしやすく解説

C "くれば"で覚える　例えば「プリンタの解像度　とくれば　dpi」のように，そのテーマの重要なポイントや，用語の要点を「～とくれば～」方式で再確認

→ **イメージ＆クレバー方式**

D 囲み記事	**知っ得情報**	関連した知識を，まとめて効率よく覚える
	攻略法	わかりにくい概念を，図解や例えでやさしく説明する
	もっと詳しく	ちょっと掘り下げて，より深い理解を得る
	アドバイス	試験合格のためのポイントを提示する
	参考	理解を手助けするために背景を説明する

E 頻出用語　赤シートで隠せる。✦✦ マーク付きは超頻出の用語

テーマごとに，関連する問題や他試験の過去問題を載せてあります。良問を選りすぐっていますので，本試験で同じ問題・似た問題が出題されるかも！

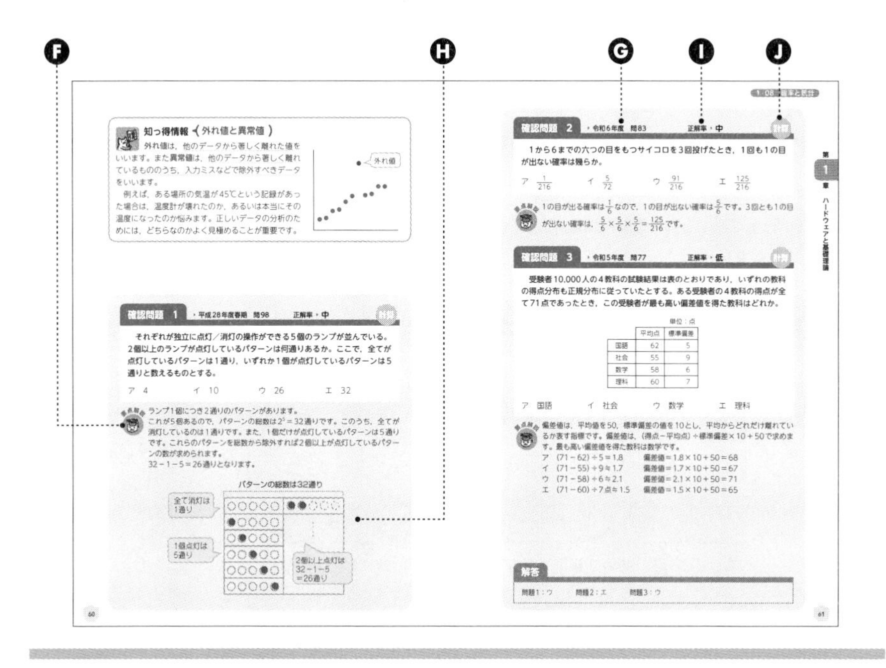

F 要点解説 その問題を解く上で，最重要のポイントを解説

G 年度表示 その問題が，いつ出題（公開）されたかひと目でわかる

H 図解 問題の解説にも，図解を多用して理解を助ける

I 正解率 独自の実測調査により，全問題に表示

J アイコン

- **基本** 基礎的な用語の知識を問う
- **応用** 具体的事例などで問う
- **計算** 数値を求める計算問題
- **頻出** 特によく出る要注意の問題

本書は，試験センターから発表されたシラバスに基づき，かつ学習が進めやすいような順に構成しています。
なおCBT実施後は問題が非公開ですが，年1回，100問ずつCBTで出題された問題が公開されます。

試験の概要

●ITパスポート試験は，社会人なら必須の国家試験

ITパスポート試験は，今どきの社会人として必要なITの基礎知識を問う国家試験です。試験に合格すると，「この人はITの基礎知識を持っていて，仕事で活用できる」と国が証明してくれます。合格者には，経済産業大臣名で合格証書が届きます。

●受験者は年間30万人

幅広い年齢の方が受験しています。ここ2，3年で30代以上の方の受験が急増し，平均年齢が上昇傾向にあります。令和6年度の9月時点の平均年齢は31.9歳です。最近は「ITとは無関係の仕事だが，会社に受験を命じられた」という方も多いようです。

受験者は増加傾向で，令和5年度は約30万人が受験しています。

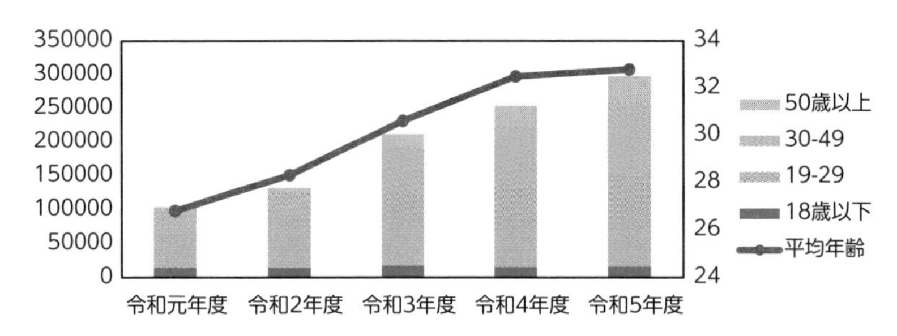

▲受験者の年齢層と平均年齢の推移

●学生にも社会人にもメリットがたくさん

ITの基礎知識をもち，向上心や自己管理能力がある人物だとアピールできることはもちろんですが，他にもたくさんのメリットがあります。

大学では，入試の優遇措置や単位認定を行っている学校が数多くあります。また，就職活動の際には，エントリーシートでITパスポート試験の合格やスコアを確認する企業もあるようです。国家公務員の採用でも，採用面接時に確認する省庁があります。

企業の中には，昇格の条件として人事制度に組み込んだり，受験手数料や教材の購入費，合格者に対する報奨金を支給する制度を整備していたりするところもあります。

●合格率は5割くらい

職業により異なりますが，50%程度となっています。ITに関する知識（テクノロジ分野）に加えて，経営戦略（ストラテジ分野）やシステム開発（マネジメント分野）の知識も出題されるため，学生よりも社会人のほうが合格率が高くなっています。

なお，IT系よりも非IT系の社会人のほうが合格率が高くなっています。

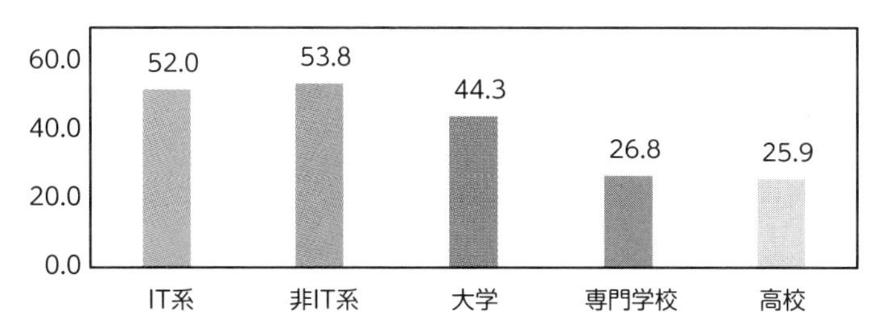

▲職業別合格率（令和6年9月度）

試験の形式はCBT

試験時間は2時間で，4択の問題が100問出題されます。試験会場に設置されたコンピュータ上で問題に解答するCBT（Computer Based Testing）方式です。

受験者ごとに別の問題が出題されますが，項目応答理論という仕組みで難易度が調整され，受験者の実力が公平に測定できるようになっています。

以下は，試験センターが提供している，試験疑似体験ソフトの画面です。

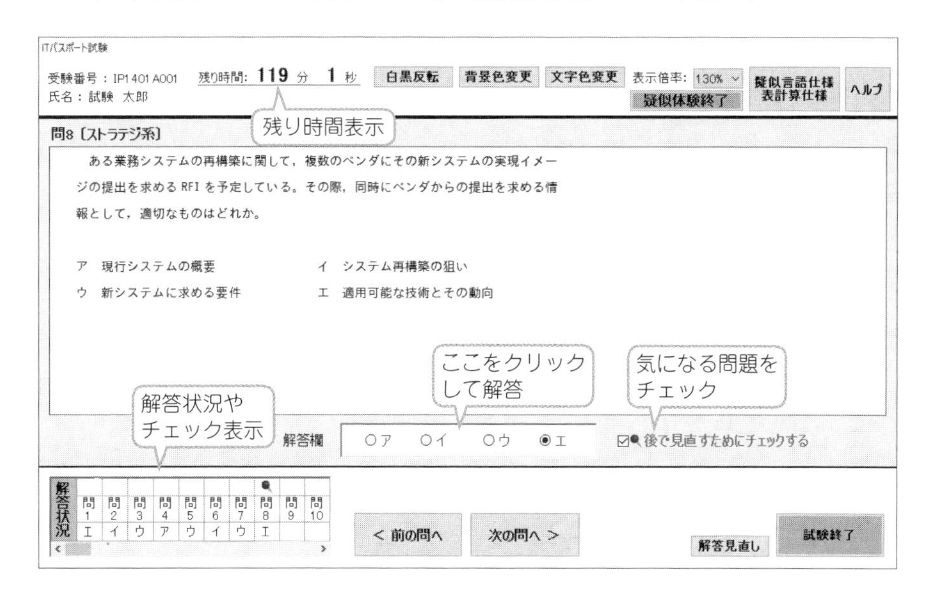

試験会場は各地に設置

試験会場は全都道府県で，毎月実施されています。大都市圏では，都道府県に複数の試験会場があり，週に3日以上実施する会場もあります。

傾向と対策

試験範囲はとても広い

ITパスポートの試験範囲は，試験センターのWebサイトに掲載されているシラバスに明記されています。現在の最新のシラバスは令和6年10月から実施の6.3です。

ここ数年の分野別出題数は以下の通りです。幅広く出題されています。

分野	分類	令和4年度	令和5年度	令和6年度
ストラテジ（35%）	企業と法務	17	16	15
	経営戦略	11	12	14
	システム戦略	7	7	6
マネジメント（20%）	開発技術	6	5	4
	プロジェクトマネジメント	3	4	6
	サービスマネジメント・監査	10	10	10
テクノロジ（45%）	ハードウェア・基礎理論	12	9	13
	ソフトウェア	5	2	3
	システム構成	1	5	1
	ネットワーク	7	6	5
	セキュリティ	17	20	18
	データベース	4	4	5

最も出題が多いのはセキュリティです。基礎理論では，令和4年度からプログラミング系の思考問題が追加されています。シラバス6.3では，企業活動，法務，経営戦略，基礎理論の各所にAI関連知識が掲載されており，出題の増加が予想されます。

どの分野も必須

合格のためには満点を取る必要はありません。点数は問題ごとの難易度などを加味した「スコア」で計算され，**1000点満点の総合評価点のうち600点取れば合格**となります。単純化するとだいたい6割とれればいいわけです。

ただし，ストラテジ・マネジメント・テクノロジの分野もそれぞれ1000点満点で分野別に評価されます。**これらの分野がすべて，1000点中300点以上にならなければ合格にはなりません。**

このため，「マネジメントが苦手だから全部捨てて，ストラテジとテクノロジでがんばろう」ということはできません。不得意分野をなるべく出さずに1冊の参考書を仕上げて，早い段階から過去問題に取り組むことができるかが合格の鍵となります。

出題頻度には濃淡がある

シラバスには大量の用語が載っていますが，すべての用語が同じように出題されるわけではありません。毎回必ず出題される用語もあれば，ほとんど出ない用語もあり，**出題頻度にはかなりの差**があります。また，年ごとに出題傾向も変化しています。

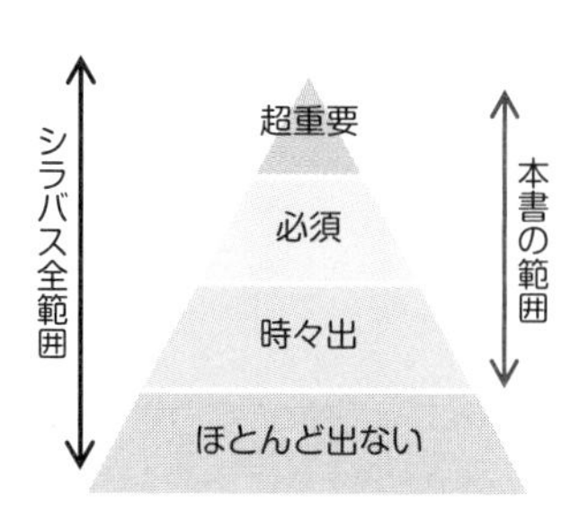

そこで本書では，最新の傾向に基づき，各節の出題頻度を「時々出」「必須」「超重要」の三つに分け，さらに超頻出の用語には**頻出マーク**を付け，効率良く学習できるように工夫しています。

過去問を制する者は合格を制する

CBT方式では，過去問題とは切り口が異なる問題が出題されることもあるようです。しかし，求められている知識レベルは同じですので，**本書の太字や下線で強調してある重要ポイントをしっかり押さえつつ，公開された過去問題を解いて対策**しておけば，変化球にも対応でき，確実に合格ラインをクリアできます。

なお，本試験では，**採点されない新作問題が8問出題**されます。これは，新作問題自体の難易度をはかることが目的ですが，どれが採点されない問題なのかは明示されず，区別できません。見たことのない問題は必ず出るものと考え，解けるようならがんばって解いてみましょう。難しい言い回しでも，よく読んでみると簡単な問題であることも多いのです。消去法も有効です。

まずは申し込んでしまおう

ITパスポートの参考書を購入して学習を開始したときにはモチベーションがあったのに，試験勉強をしていくうちにモチベーションがなくなっていき，途中で挫折してしまう方がたくさん見受けられます。

3ヶ月先の試験まで予約できるので，「自信がついてから申し込む」のではなく，**学習を開始する前に申し込んでしまいましょう。**さらに，目次の学習予定表も活用し，毎日少しずつ進めるようにしましょう。理想的には，試験日の1か月前までに本書を読み終えて，過去問演習にシフトしたいところです。

申込み方法

受験の申込みは，以下の試験センター Web サイトから行います。

https://www3.jitec.ipa.go.jp/JitesCbt/index.html

●受験可能日の確認

試験センター Web サイトで［受験申込み］→［試験開催状況一覧］に進むと，都道府県別の試験会場一覧と，会場ごとの試験実施の日時，座席数，空席数が確認できます。空席のある日時を確認して，メモしておきます。土日や月末は早い段階で満席になることが多いので，余裕をもって申し込みましょう。

●申込み

初めて受験する場合は，利用者IDとパスワードを登録する必要があります。利用者IDの登録には，有効なメールアドレスが必要になります。

試験センター Web サイトの［受験申込み］の中ほどにある，［初めて受験する方はこちら］または，［すでに利用者IDをお持ちの方］のボタンをクリックして，必要事項を入力し，申込みを進めます。

受験手数料は7,500円（税込み）です。クレジットカード決裁ならば空席があれば申込日の翌日から，コンビニ決済の場合は5日後から受験できます。

申込み完了後，受験確認票がダウンロードできるようになります。すぐダウンロードしておくことをお勧めします。試験当日にダウンロードしようとして，パスワードを忘れてしまいあわてる方もいるようです。

●試験当日

受験確認票と，写真付きの身分証明書が必要になります。当日忘れてしまい受験できなかった方も少なくないようですので，くれぐれも気を付けて下さい。

受験確認票には受験会場の地図も掲載されているので印刷しておくと便利ですが，プリンタを持っていない場合は，受験番号，利用者ID，確認コードの三つをメモしておき，試験会場に持参して下さい。

私物はロッカーに預けることになります。試験会場に持ち込めるのは，目薬，ハンカチ，ポケットティッシュのみです。

計算用のシャープペンシルや計算用紙は会場内に用意してあるものを使用します。計算用紙は試験終了後に回収されます。

試験対策

 木を描くイメージで試験対策を！

あなたに1枚の紙が渡され，「1本の木を描いてください」と言われたら，どのように描いていくでしょうか。

まずは，アウトラインを描いて全体の構図を考えるでしょう。そして，幹や枝などの大まかな部分を描き，最後は葉や花などの細かな部分を描いていくのではないでしょうか。

ITパスポート試験の試験範囲は広範囲にわたり，まんべんなく出題されるので，試験勉強は「木を描く」イメージで進めていきましょう。

情報の知識や業務の経験にもよりますが，最初のうちは知らない用語，理解できない知識が次から次へと出てくるはずです。

まずは，ぼやっとでもITパスポート試験の出題範囲（＝全体の構図）を実際に感じ取ることが重要です。そして，分野別によく出題される過去問（＝大まかな部分），最後は年度別の過去問（＝細かな部分）を解いていきましょう。ここまでくれば，もう合格も見えてくるはずです。

 合格への難敵は途中で挫折すること！

試験を申し込んだときは，「私にもできるだろう」と思っていたのに，試験勉強が進むにつれて「？？？」の連続でモチベーションが下がり，挫折する人がたくさんいます。「合格すること＝挫折しないこと」といっても過言ではありません。いかに挫折しないかが合格へのポイントになるということです。

実際に合格された方の体験談に基いた五つのポイントを挙げておきますので，参考にしてください。

ポイント1 勉強時間は作るもの

勉強時間を作ること自体が大変な人もいます。机の前に座ることだけが勉強ではありません。通勤・通学電車の中，昼休憩の合間，トイレの中などちょっとした時間を有効に使いましょう。毎日行っていると日課となって苦にならずに勉強できるものです。

ポイント2 最初から完璧を目指さない

参考書を完璧に覚えてから過去問に取り組もうと考えている方は，挫折するか，時間切れのまま試験を迎えることになるかもしれません。少しぐらい理解できない分野があっても，気にせず次に進みましょう。あとで振り返ると「これはこういうことだったのか」ということがたくさんあります。これを繰り返すことによって，知らず知らずのうちに点の知識が線の知識へと膨らんでいきます。

ポイント3 理解できない知識や問題が出てくるたびに喜ぼう

試験勉強を進めていくと，次から次へ理解できない知識や問題が出てきます。しかし，本試験までに理解すればいいのです。「理解できない知識や問題が出てくるたびに，新しい知識が身に付く」と，プラス思考で勉強しましょう。試験を受ける頃には，たくさんの知識が身に付いていることに驚くはずです。

ポイント4 勉強仲間を作ろう

試験勉強を進めていくと，モチベーションが下がることがあります。そんなときは勉強仲間を作ることをおすすめします。独学で身近に勉強仲間がいなくても，ネットの掲示板なども利用することができます。同じ目標を持つ者どうしが刺激し合うことで，モチベーションを保つことができます。

ポイント5 理解できない知識や問題はgive and take

試験勉強を進めていくと，理解できない知識や問題が出てきて行き詰まってしまいます。そんなとき，質問に答えてくれる先生や友人が身近にいればなあと思ったことはありませんか？　独学で身近に先生や友人がいなくても，ネットの掲示板なども利用することができます。

第1章

ハードウェアと基礎理論

〔テクノロジ系〕

1

01 情報に関する理論

時々出　必須　超重要

イメージでつかむ

スマホに写真やアプリをたくさん入れると，容量不足になることがあります。アプリや写真，文字など，スマホで扱う情報は全て，内部では1と0だけの情報として扱われ，同じ単位で情報量を比較できます。

アナログとデジタル

私たちは日常では，時間や温度，長さ，重さなど，様々な量を使って生活しています。この量の表し方は，次の二つに分類できます。

1. **アナログ**は，**連続的に変化する量で表現する方式**です。この方式で表現されたデータをアナログデータといいます。
2. **デジタル**は，**不連続的な量で表現する方式**です。連続する量を細かく区切って「0」と「1」に置き換えます。この方式で表現されたデータをデジタルデータといいます。

例えば，時計にもアナログ時計とデジタル時計があり，アナログ時計では，「1秒」と「2秒」の間でも秒針が連続的に動いていますが，デジタル時計では，「1秒」の次は「2秒」が表示されます。

また，デジタルデータはアナログデータと比べると，加工・編集がしやすく，ノイズ（雑音）に強く，複製しても劣化しにくいなどの特徴があります。

情報量の単位

コンピュータでは，文字や画像や動画，アプリなどの様々な情報を扱います。これらの情報は，電気信号の「ON」と「OFF」，電圧の「高い」と「低い」のように2値で扱われ，これを2進数の「1」と「0」に置き換えたデジタルで表現しています。この2進数1桁を**ビット**(bit)といい，さらに2進数8桁をまとめた単位を**バイト**(Byte)といいます。1バイトは8ビット，2バイトは16ビット，…で，バイトはコンピュータで扱う情報量の基本単位となっています。

例えば，「10001111」は1バイト(8ビット)の情報量で，このような「1」と「0」の羅列を**ビット列**と呼ぶこともあります。

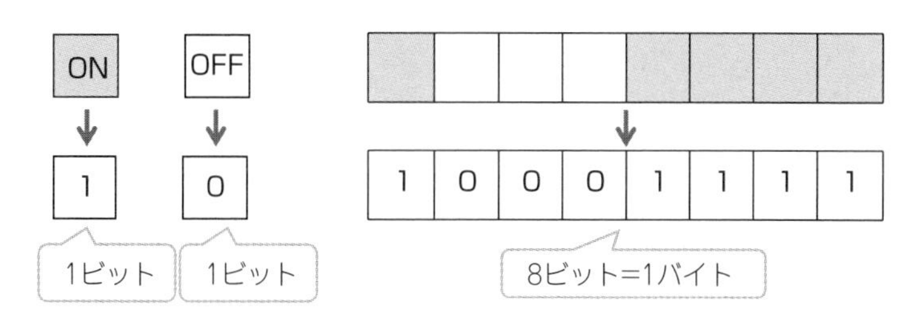

"くれば"で覚える

1バイト　とくれば　**8ビット**

表現可能な情報量

10進数1桁では「0」～「9」の10種類，2桁では「00」～「99」の100種類，…，10進数n桁では10^n種類の情報量が表現できます。

2進数も同じ考え方で，2進数1ビットでは「0」と「1」の2種類，2ビットでは「00」，「01」，「10」，「11」の4種類，…，2進数nビットでは2^n種類の情報量が表現できます。

"くれば"で覚える

2進数nビット　とくれば　**2^n種類を表現可能**

大きな数値を表す接頭語

コンピュータが扱う情報量は非常に大きいので，情報量を表す「B(バイト)」の前に10の整数乗倍を表す接頭語，**k**(キロ)，**M**(メガ)，**G**(ギガ)，**T**(テラ)，**P**(ペタ)が用いられています。例えば，「今月のスマートフォンの通信量が○GB(ギガバイト)」，「ハードディスクの容量は○TB(テラバイト)」などです。

小さいほうから「キ(K)ミ(M)が(G)ト(T)ップ(P)」で覚えましょう。

接頭語	意味
k (キロ)	10^3
M (メガ)	10^6
G (ギガ)	10^9
T (テラ)	10^{12}
P (ペタ)	10^{15}

“くれば”で覚える

大きな数値を表す接頭語　とくれば　k(キロ) (10^3), M(メガ) (10^6), G(ギガ) (10^9), T(テラ) (10^{12}), P(ペタ) (10^{15})

小さな数値を表す接頭語

コンピュータの処理速度は非常に小さい(速い)ので，時間を表す「秒」の前に10の整数乗倍を表す接頭語，m(ミリ)，μ(マイクロ)，n(ナノ)，p(ピコ)が用いられています。

接頭語	意味
m (ミリ)	10^{-3}
μ (マイクロ)	10^{-6}
n (ナノ)	10^{-9}
p (ピコ)	10^{-12}

“くれば”で覚える

小さな数値を表す接頭語　とくれば　m(ミリ) (10^{-3})，μ(マイクロ) (10^{-6})，n(ナノ) (10^{-9})，p(ピコ) (10^{-12})

参考 [指数の公式]

データ量や処理時間を計算するときに役立つのが，指数の公式です。主な公式をおさらいしておきましょう。なお，m，nは，正の整数とします。

指数計算	例
$a^m \times a^n = a^{m+n}$	$2^4 \times 2^3 = 2^{4+3} = 2^7$
$a^m \div a^n = a^{m-n}$ ($a \neq 0$，$m > n$のとき)	$2^4 \div 2^3 = 2^{4-3} = 2^1$
$(a^m)^n = a^{m \times n}$	$(2^4)^3 = 2^{4 \times 3} = 2^{12}$
$\mathbf{a^0 = 1}$ ($a \neq 0$のとき)	$2^0 = 1$
$\mathbf{a^{-m} = 1/a^m}$ ($a \neq 0$，$m > 0$のとき)	$2^{-4} = 1/2^4$

文字コード

コンピュータでは，文字なども2進数の「1」と「0」のビット列で表現しています。文字一つひとつに割り当てられた固有の番号(ビット列)を**文字コード**といい，文字をどのようなビット列で表現するかを決めたルールが文字コード体系です。

文字コード体系には，半角英数字を中心に扱える米国標準符号の**ASCII(アスキー)コード**があり，日本ではASCIIコードを拡張して日本語を扱えるようにした**シフトJIS(ジス)コード**などがあります。さらに現在最も普及しているものに，**世界の文字の多くを一つに体系化したUnicode(ユニコード)**があり，それを符号化した方式の一つがUTF-8です。

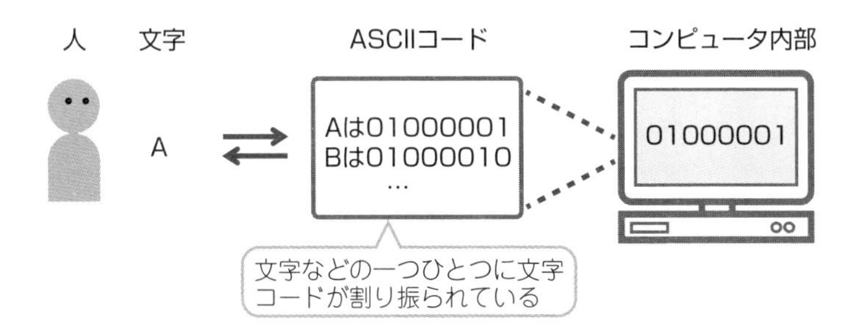

確認問題 1

▸ 令和5年度　問96　　正解率 ▸ 高　　基本

CPUのクロック周波数や通信速度などを表すときに用いられる国際単位系（SI）接頭語に関する記述のうち，適切なものはどれか。

ア　Gの10の6乗倍は，Tである。
イ　Mの10の3乗倍は，Gである。
ウ　Mの10の6乗倍は，Gである。
エ　Tの10の3乗倍は，Gである。

要点解説

小さいほうから，k (10^3) → M (10^6) → G (10^9) → T (10^{12}) → P (10^{15}) です。
Mの10の3乗倍は，Gです。
ア　Gの10の6乗倍は，Pです。
ウ　Mの10の6乗倍は，Tです。
エ　Tの10の3乗倍は，Pです。

確認問題 2

▸ 平成30年度春期　問75　　正解率 ▸ 中　　計算

A～Zの26種類の文字を表現する文字コードに最小限必要なビット数は幾つか。

ア　4　　イ　5　　ウ　6　　エ　7

要点解説

nビットなら，2^n通りの情報を表現できます。
$2^4 = 16$なので，4ビットなら16文字が表現できますが，26文字には足りません。
$2^5 = 32$なので，5ビットなら32文字が表現できます。26文字を表現するのに十分です。

解答

問題1：イ　　問題2：イ

1 02 コンピュータの構成とCPU

時々出　必須　超重要

イメージでつかむ

オーケストラの演奏者は，指揮者の指揮棒を見て演奏します。
CPUのクロック信号は，PCというオーケストラの指揮者のようなものです。

コンピュータの構成

コンピュータのハードウェアは，**制御装置・演算装置・記憶装置・入力装置・出力装置**の五つの要素（5大装置という）から構成されています。

スマートフォンなどは，入力装置と出力装置を兼ねたタッチパネルが採用され，PC（Personal Computer）と見た目が違いますが，同じ構成をしています。

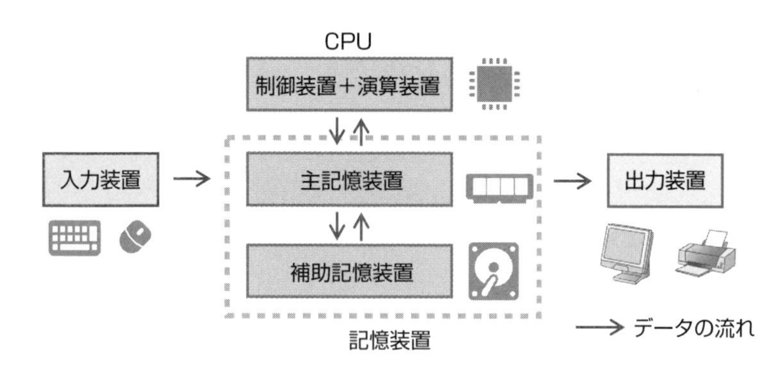

5大装置		役 割	主な装置
制御装置	中央処理装置	主記憶装置から命令を取り出し，解釈して各装置を制御する	CPU
演算装置		四則演算や比較演算，論理演算（6-04参照）などを行う	
記憶装置	主記憶装置	プログラムやデータを一時的に記憶する	メインメモリ
	補助記憶装置	プログラムやデータを長期的に記憶する	ハードディスク，SSD，光ディスク，フラッシュメモリ
入力装置		プログラムやデータを外部から読み込む	キーボード，マウス
出力装置		処理されたデータを外部へ書き出す	ディスプレイ，プリンタ

CPU

制御装置と演算装置を合わせてCPU（Central Processing Unit：中央処理装置）といいます。これはコンピュータの中枢となるもので，人に例えると脳に当たります。

CPUには，一度に処理できるビット数により，32ビットCPUと64ビットCPUがあります。64ビットCPUのほうが処理能力が高く現在の主流となっています。

さらに，最近のCPUは**複数のコア（演算回路）を搭載したマルチコア**が主流です。コアが2個ならデュアルコア，4個ならクアッドコアといいます。それぞれのコアが同時に別の処理をすることで，処理能力の向上を図っています。

クロック周波数

CPU内はたくさんの回路で構成され，各回路間の処理にずれが生じないように，**同期をとるための周期的信号**（**クロック信号**という）に合わせて各回路が動作しています。このクロック信号が**1秒間に繰り返される回数**を**クロック周波数**といい，単位は**Hz**（ヘルツ）です。例えば，PCのカタログに「CPUのクロック周波数3GHz」とあった場合は，1秒間に30億（3×10^9）周期のクロック信号に合わせて，各回路が同期をとりながら動作しているという意味です。

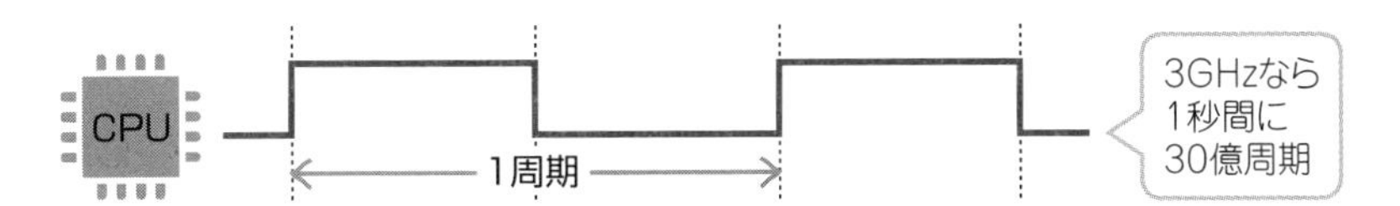

ここで，同じ構造のCPUであれば，クロック周波数を上げると処理速度が向上します。これは，オーケストラの演奏者が指揮棒を見て演奏するのと同じで，指揮棒を速く振るほど演奏が速くなるイメージです。ただし，クロック周波数を上げるほどCPUの発熱量が増加するので，放熱処理の対策などが必要になります。

もっと詳しく（ターボブースト）

マルチコアのCPUでは，常に全てのコアがフルに稼働しているわけではありません。そこで，特定のコアに負荷がかかると，許容発熱量や消費電力量に余裕があれば，そのコアだけ一時的にクロック周波数を上げています。この機能を**ターボブースト**といいます。

GPU

GPU（Graphics Processing Unit：画像処理装置）は，**3Dグラフィックスなどの画像処理に特化した装置**です。CPUでも画像処理はできますが，最近の高精度なグラフィック描写に見られるように，画像をより鮮明に，スムーズに表示させたければ，GPUを用います。大量の定型データの処理が得意というGPUの特性を生かしてAIの機械学習（1-07参照）にも応用されています。

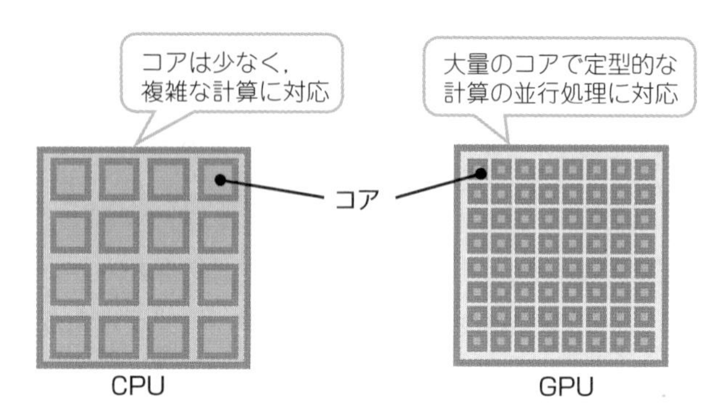

“くれば”で覚える

GPU　とくれば　**画像処理に特化した装置**

知っ得情報（バス）

バスは，コンピュータ内の装置間を結び，データや制御情報などのやり取りのために共有される伝送路です。これを人に例えると，血管や神経に当たります。バスには，CPU内部の回路間を結ぶ「内部バス」や，CPUと主記憶・ハードディスクなどの装置間を結ぶ「外部バス（システムバス）」などがあります。また，一度の伝送で同時に送れるデータ量をバス幅といい，単位はビットで表します。バス幅が広くなればなるほど，一度にバス上で伝送できるデータ量も大きくなります。

確認問題　1　▸平成28年度秋期　問58　正解率▸高　基本

GPUの説明として，適切なものはどれか。

ア　1秒間に何十億回の命令が実行できるかを示すCPUの処理能力を表す指標の一つ
イ　CPUが演算処理の同期をとるための周期的信号
ウ　CPUと主記憶装置との間に設けられた，主記憶装置よりも読み書きが高速な記憶装置
エ　三次元グラフィックスの画像処理などをCPUに代わって高速に実行する演算装置

GPUは，Graphics Processing Unitの略です。Graphicsという名の通り，画像処理のために開発されたプロセッサです。CPUに内蔵されることもありますが，後付けで追加する場合もあります。
ア：GFLOPS（覚えなくて大丈夫です）　イ：クロック
ウ：キャッシュメモリ（1-03参照）

確認問題　2　▸令和3年度　問90　正解率▸低　応用

CPUのクロックに関する説明のうち，適切なものはどれか。

ア　USB接続された周辺機器とCPUの間のデータ転送速度は，クロックの周波数によって決まる。
イ　クロックの間隔が短いほど命令実行に時間が掛かる。
ウ　クロックは，次に実行すべき命令の格納位置を記録する。
エ　クロックは，命令実行のタイミングを調整する。

要点解説

ア　USBの規格の低いほうに合わせます（1-06参照）。
イ　クロックの間隔が短ければ実行時間は短くなります。
ウ　次に実行すべき命令の格納位置を記録するのはプログラムカウンタというCPUに内蔵されている記憶回路です。
エ　命令実行のタイミングを調整します。

解答

問題1：エ　　問題2：エ

1 03

主記憶と補助記憶

時々出 必須 超重要

イメージでつかむ

授業中，黒板に書かれた情報全てを頭の中に覚えられるわけではありません。そのために，ノートに書き写しています。

PCでいうと，主記憶装置と補助記憶装置の関係がこれに似ています。

いろいろな記憶装置

記憶装置（メモリ）は，**プログラムやデータなどを記憶する装置**です。これを人に例えると，脳に当たります。記憶装置には様々な種類があり，それぞれの用途や特徴が出題されるのでしっかり覚えておきましょう。電源が消えると記憶していた内容が消えてしまう**揮発性**なのか，電源が消えても記憶していた内容は消えない**不揮発性**なのかもポイントです。

主記憶

主記憶装置は，**CPUで処理するプログラムやデータを一時的に記憶する装置**です。揮発性で，主記憶装置１枚の記憶容量は，数GB程度です。試験では，**主記憶**や**メインメモリ**などの用語でも出題されます。主記憶を例えるなら，机に当たります。勉強に必要な参考書などは，まず机の上に置いてから始めるイメージです。

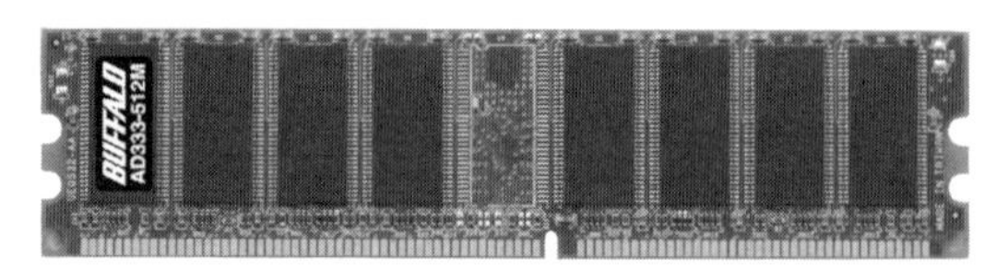

主記憶装置

キャッシュメモリ

キャッシュメモリは，**高速なCPUと低速な主記憶の速度差を吸収して，高速化を図るためのメモリ**です。揮発性で，記憶容量は数kB～数MB程度です。CPUがよく使う命令やデータを，主記憶よりも高速なキャッシュメモリに読み込んでおくことで，CPUが後で同じ命令やデータを使うときの時間を短縮できます。なお「キャッシュ」はお金(cash)ではなく，貯蔵庫(cashe)という意味です。

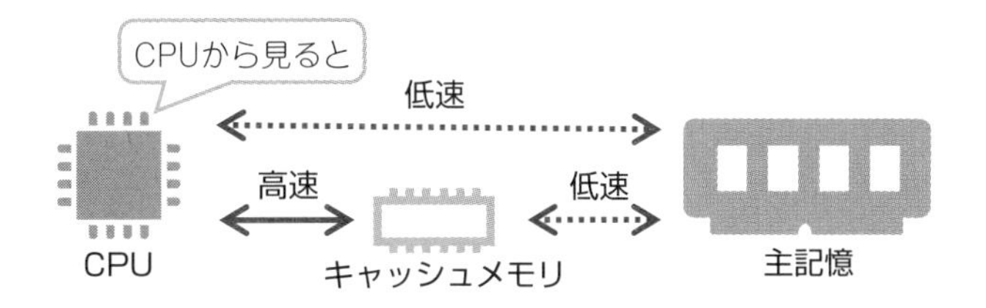

キャッシュメモリは，1次，2次キャッシュと多層化され，CPUは処理する命令やデータを，1次キャッシュ，2次キャッシュ，メモリと高速な順番に探しにいきます。

"くれば"で覚える

キャッシュメモリ とくれば **CPUと主記憶の速度差を吸収するメモリ**

攻略法 …… これがキャッシュメモリのイメージだ！

あなた(CPU)が勉強を始める際に，本棚(補助記憶)から机(主記憶)の上に参考書(プログラムやデータ)を持って来ます。勉強するたびに参考書を本棚まで取りに行くのは時間がかかるので，よく使う参考書は机の横の脇机(キャッシュメモリ)に置いておきます。

補助記憶装置

補助記憶装置は，**プログラムやデータを長期的に記憶する装置**です。不揮発性・大容量が特徴です。補助記憶装置には，「主記憶装置を補う」という意味があります。これを人に例えると，たくさんの情報が頭(主記憶)の中に入り切らない，またはすぐに忘れてしまうので，ノート(補助記憶)などに書き写しているイメージです。

攻略法 …… **これが主記憶と補助記憶だ！**

実体験で考えてみましょう。PCで作業中のデータは，主記憶にあります。これを「保存」すると補助記憶(ハードディスクなど)に記録されますが，保存せずに電源を切ると，作業中のデータは消えてしまいます。

また，スマートフォンでは，「RAM8GB」，「ROM128GB」などと表現されますが，このRAMは主記憶，ROMは補助記憶の意味で使われています。

補助記憶装置の種類

種　類	特　徴	主な記憶媒体
磁気ディスク	磁性体を塗ったディスクに磁気を使ってデータを読み書きする	ハードディスク
フラッシュメモリ	半導体メモリを埋め込み，電気を使ってデータを読み書きする	SSD，USBメモリ，SDカード
光ディスク	レーザ光を使ってデータを読み書きする	CD，DVD，BD

ハードディスク装置

ハードディスク装置は，**磁気を使ってデータを読み書きする記憶装置**です。試験では，**ハードディスク**や**HDD** (Hard Disk Drive) などの用語で出題されます。内部で金属製のディスクが高速回転しており，データのアクセス速度が比較的速いことから，プログラムやデータはHDDに保存されています。記憶容量は，数百MB～数TBが主流です。

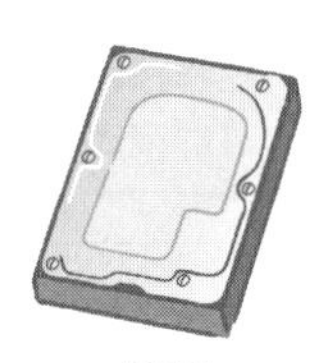

HDD

RAID（レイド）

RAID (Redundant Arrays of Inexpensive Disks) は，**複数のHDDを連結させ，あたかも一つのHDDのように使用する技術**です。複数のHDDにデータを分散して書き込むことで，アクセス速度や可用性(必要なときに情報を使用できること)の向上を図っています。試験では，次の三つの方式が出題されます。

RAID0

ストライピングともいう。データを分割して，2台以上のHDDに分散して書き込む。アクセス速度の向上を図ることが目的である

HDD1		HDD2
データ①	≠	データ②
データ③		データ④

RAID1

ミラーリングともいう。2台以上のHDDに同じデータを書き込む。1台が故障しても別のHDDで継続できる。可用性の向上を図ることが目的である

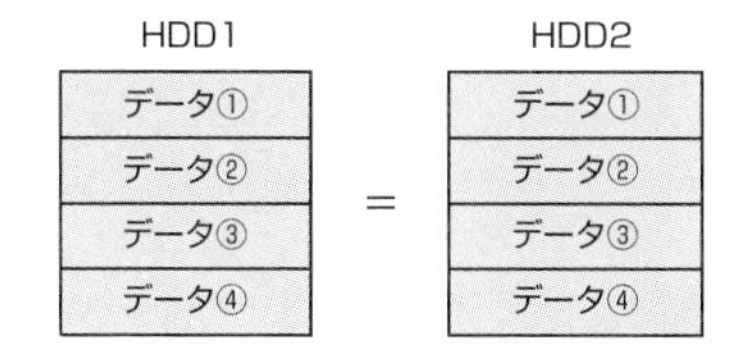

RAID5

データとパリティ（データの復元に用いる情報）を，3台以上のHDDに分散して書き込む。1台が故障しても，残りのデータとパリティからデータを復元して継続できる。例えば，次の3台のうちHDD2が故障しても，HDD1とHDD3のデータとパリティからデータを復元できる。アクセス速度・可用性の向上を図ることが目的である

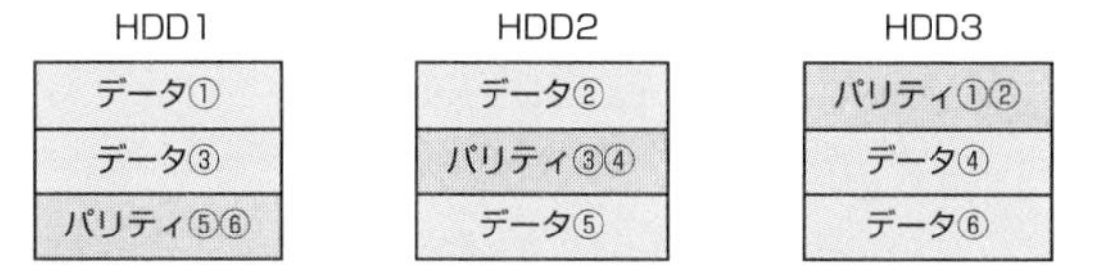

"くれば"で覚える

RAID0　とくれば　**ストライピング（データを複数のHDDに分散）**
RAID1　とくれば　**ミラーリング（同一データを同時に複数のHDDに記録）**
RAID5　とくれば　**データとパリティを複数のHDDに分散**

知っ得情報（ハードディスクの廃棄）

機密性（許可された者のみ情報を使用できること）の高いファイルを格納したHDDを廃棄する際には，情報漏えい対策が必要です。ファイルをゴミ箱から消去したり，HDDを単に初期化したりするだけでは，データを復元される恐れがあります。データ消去ソフトで全領域にランダムなビット列を上書きしたり，ディスクを破砕（はさい）したりするなど，元のデータにアクセスできないようにしましょう。

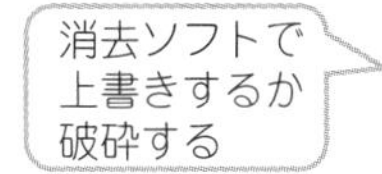

フラッシュメモリ

フラッシュメモリは，**電気を使ってデータを読み書きする記憶装置**です。**USBメモリ**や**SDカード**のほかに，次のようなものもあります。

SSD

SSD (Solid State Drive) はHDDとは違い，機械的動作がなく，高速・静音・省電力などの特徴があります。スマートフォンやIoT機器(3-05参照)などの記憶装置としても使われ，最近はPCでもHDDに代わってSSDが搭載されることも多くなっています。記憶容量は，数百MB～数TBが主流です。

光ディスク

光ディスクは，**レーザ光を使ってデータを読み書きする記憶媒体**です。大容量，安価で耐久性に優れていて，次のようなものがあります。

CD	Compact Discの略。音楽用のCDをPCのデータ記録用に応用したもの。ソフトウェアなどの配布に用いられる	最大700MB
DVD	Digital Versatile Discの略。PCのデータ記録用だけでなく，映画などの映像を記録できる	最大17.08GB
BD	Blu-ray Discの略。青紫色のレーザ光線を使って，ハイビジョン映像を2時間以上記録できる	最大100GB

光ディスクの記憶方式には，再生専用型・追記型・書換え型があります。

再生専用型 (利用者は書込み不可)	CD-ROM，DVD-ROM，BD-ROM
追記型 (書込み可能。書換え不可)	CD-R，DVD-R，BD-Rなど
書換え型 (書込み可能。書換え可能)	CD-RW，DVD-RW，BD-REなど

攻略法 …… アクセス速度と容量

「アクセス速度の速い順番に並べなさい」という問題がよく出題されます。次の図のイメージを頭に入れて「レ・キ・シ・スゴク・ハヤイ」で覚えましょう。なお，**レジスタ**は，**CPUに内蔵されている演算処理用の記憶回路**です。

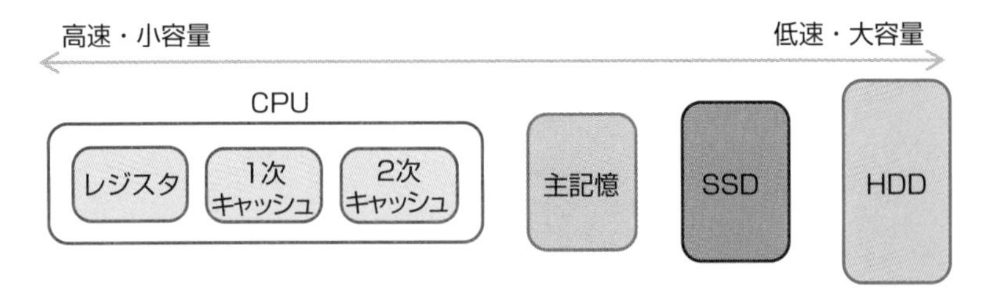

確認問題　1

▸令和5年度　問63　　正解率 ▸ 中　　応用

容量が500GバイトのHDDを2台使用して，RAID0，RAID1を構成したとき，実際に利用可能な記憶容量の組合せとして，適切なものはどれか。

	RAID0	RAID1
ア	1Tバイト	1Tバイト
イ	1Tバイト	500Gバイト
ウ	500Gバイト	1Tバイト
エ	500Gバイト	500Gバイト

要点解説　RAID0ではデータを分散し，500Gバイト×2台＝1,000Gバイト＝1Tバイトを使用できますが，RAID1では2台に同じデータを書き込むので，実際は1台分の500Gバイトしか使用できません。

確認問題　2

▸平成31年度春期　問70　　正解率 ▸ 中　　応用

次の記憶装置のうち，アクセス時間が最も短いものはどれか。

ア　HDD　　イ　SSD　　ウ　キャッシュメモリ　　エ　主記憶

要点解説　この中では，アクセス時間が短いものの順に並べると，キャッシュメモリ，主記憶，SSD，HDDとなります。

確認問題　3

▸令和3年度　問64　　正解率 ▸ 低　　応用

CPU内部にある高速小容量の記憶回路であり，演算や制御に関わるデータを一時的に記憶するのに用いられるものはどれか。

ア　GPU　　イ　SSD　　ウ　主記憶　　エ　レジスタ

要点解説　もしレジスタという言葉がわからなくても，GPUは記憶回路ではないことと，SSDや主記憶はCPUの外にある記憶装置であることを知っていれば消去法で解けます。CPU内の小さな記憶回路はレジスタと呼ばれます。

解答

問題1：イ　　問題2：ウ　　問題3：エ

1-04 半導体メモリ

時々出　必須　超重要

イメージでつかむ

小学校で習った九九表は，今も覚えているけれど，難しい公式は忘れてしまっています。人の頭には，ずっと覚えておける部分とすぐに忘れてしまう部分があるようです。

PCにも，ずっと覚えておける部分と，すぐ忘れる部分があります。

半導体メモリ

半導体メモリは，半導体の回路から構成されるメモリで，次の二つに分類できます。

1. **RAM** (Random Access Memory) は，**読書き可能な揮発性のメモリ**です。
2. **ROM** (Read Only Memory) は，**読出し専用の不揮発性のメモリ**です。

半導体メモリを人の脳に例えると，記憶していた内容をすぐに忘れてしまう部分と，ずっと忘れない部分とがあるイメージです。

"くれば"で覚える

RAM　とくれば　**読書き可能な揮発性のメモリ**
ROM　とくれば　**読出し専用の不揮発性のメモリ**

RAM

RAMは，さらに次の二つに分類できます。

1. **DRAM** (Dynamic RAM) は，**主記憶**に用いられています。リフレッシュ（後述）が必要で，SRAMと比べると高密度で消費電力が大きいのが特徴です。
2. **SRAM** (Static RAM) は，**キャッシュメモリ**に用いられています。リフレッシュが不要で，DRAMと比べると動作速度が高速で消費電力が小さいのが特徴です。

DRAMは，コンデンサに電荷を蓄えることで情報を保持していますが，放置しておくと自然放電してしまいます。そのために，一定時間ごとに情報を再書込みする必要があります。この動作を**リフレッシュ**といいます。DRAMはリフレッシュが必要なのでDynamic（動的），SRAMはリフレッシュが必要ないのでStatic（静的）ということです。

“くれば”で覚える

DRAM　とくれば　**主記憶に用いられる。リフレッシュが必要**

SRAM　とくれば　**キャッシュメモリに用いられる。リフレッシュが不要**

ROM

ROMは，さらに次の二つに分類できます。

1. マスクROMは利用者が書換えできないメモリです。
2. PROM（Programmable ROM）は利用者が書換えできるメモリです。

ROMは本来，読出し専用のメモリでしたが，現在は書換えできるROMも多くなっています。

さらに，PROMには，紫外線でデータを消去して書換えできるUV-EPROM，電気でデータを消去して書換えできるEEPROM，それを改良した**フラッシュメモリ**があります。

半導体メモリをまとめると，次のような体系になります。このうち，試験で問われるのは太字のものです。覚えるのはそれだけで大丈夫です。

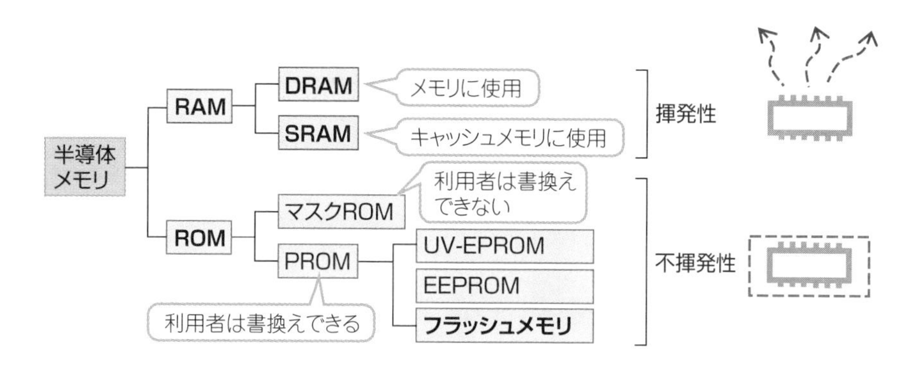

アドバイス［5分だけ］

今日はやる気が出ないなあ…　というときもあるでしょう。そんなときは，タイマーをかけて5分だけ，または10分だけ集中して勉強してみるというのはどうでしょうか。読み始めると乗ってくるということもあります。タイマーが鳴っても続けたい気分ならそのまま続ければいいし，どうしてもダメなら，とにかく5分は勉強した自分をほめつつ，続きは明日にすることにしましょう。

確認問題 1　▸令和6年度　問56　正解率▸中　基本

PCにおいて，電力供給を断つと記憶内容が失われるメモリ又は記憶媒体はどれか。

ア　DVD-RAM　　イ　DRAM
ウ　ROM　　エ　フラッシュメモリ

揮発性のメモリはDRAMで，主記憶に用いられています。その他は不揮発性のメモリで，記憶内容は失われません。

確認問題 2　▸平成30年度春期　問76　正解率▸中　頻出　応用

メモリに関する説明のうち，適切なものはどれか。

ア　DRAMは，定期的に再書込みを行う必要があり，主に主記憶に使われる。
イ　ROMは，アクセス速度が速いので，キャッシュメモリなどに使われる。
ウ　SRAMは，不揮発性メモリであり，USBメモリとして使われる。
エ　フラッシュメモリは，製造時にプログラムやデータが書き込まれ，利用者が内容を変更することはできない。

イ　キャッシュメモリにはSRAMが使われます。
ウ　SRAMは揮発性メモリです。
エ　フラッシュメモリは利用者が内容を変更できます。

確認問題　3

▶令和元年度秋期　問60　　正解率▶低　**基本**

コンピュータの記憶階層におけるキャッシュメモリ，主記憶及び補助記憶と，それぞれに用いられる記憶装置の組合せとして，適切なものはどれか。

	キャッシュメモリ	主記憶	補助記憶
ア	DRAM	HDD	DVD
イ	DRAM	SSD	SRAM
ウ	SRAM	DRAM	SSD
エ	SRAM	HDD	DRAM

この問題は，主記憶にはHDDやSSDが使われないことに気付けば，DRAMやSRAMの区別がつかなくても解けてしまいます。このような問題だとラッキーですが，そうでないものも出るので，DRAMとSRAM，どちらが速くてどう使われるのかしっかり覚えておきましょう。
キャッシュメモリにはSRAMが，主記憶にはDRAMが使われます。また，補助記憶にはHDDやSSD，DVDが使われます。この組み合わせに該当するのはウです。

確認問題　4

▶平成29年度秋期　問67　　正解率▶中　**基本**

フラッシュメモリの説明として，適切なものはどれか。

ア　紫外線を利用してデータを消去し，書き換えることができるメモリである。
イ　データ読出し速度が速いメモリで，CPUと主記憶の性能差を埋めるキャッシュメモリによく使われる。
ウ　電気的に書換え可能な，不揮発性のメモリである。
エ　リフレッシュ動作が必要なメモリで，主記憶によく使われる。

要点解説

フラッシュメモリは，電気的に全部又は一部を消して内容を書き直せる，不揮発性メモリです。
ア　UV-EPROM　　イ　SRAM　　エ　DRAM

解答

問題1：イ　　問題2：ア　　問題3：ウ　　問題4：ウ

1 05 入出力装置

時々出　必須　超重要

イメージでつかむ

点描画で絵を描いたことはありませんか？　点描画では，直線や曲線を使って描くのではなく，色の付いた無数の点の集合を描きます。見る者の目の中で合成されて，はじめて一つの絵に見えます。

皆さんが目にするディスプレイも，色の付いた点の集合なのです。

入力装置

入力装置は，**コンピュータにプログラムやデータなどを入力したり，指示を与えたりする装置**です。これを人に例えると，目・耳・口・鼻・皮膚の五感に当たります。

入力装置は，キーボードなどの文字や数字を入力する装置，マウスなどの位置情報を入力する装置（**ポインティングデバイス**という），イメージスキャナなどのイメージを入力する装置などに分類できます。

もっと詳しく（キーボード）

キーボードには，文字以外のキーがあります。

* **テンキー**は，キーボードなどの右側に配置されている，数字や四則演算子（＋－＊/）などのキーです。数値や計算式を素早く入力できます。
* **ファンクションキー**は，キーボードの上側に配置されている，F1やF2などのキーです。OS（2-01参照）やアプリケーションごとに，特定の機能が割り当てられています。

OCR

OCR（Optical Character Recognition：光学文字認識）は，**手書きの文字や印刷された文字を読み取り，テキストデータに変換する技術**です。スマホのカメラでも，読み取った文字を認識する機能があります。

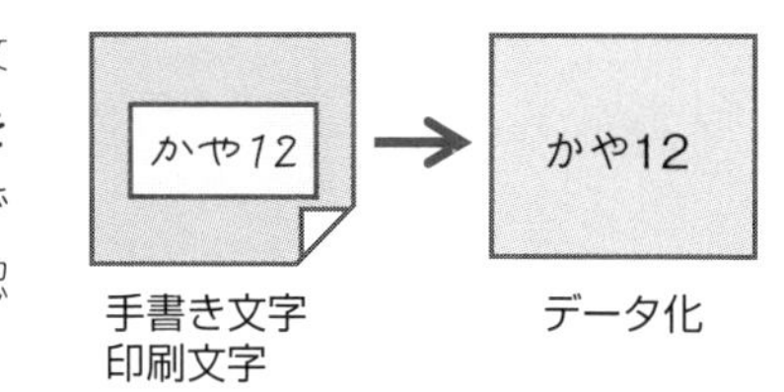

バーコードリーダ

バーコードリーダは，**バーコードを光学的に読み取る装置**です。スーパーやコンビニのPOSシステム（10-09参照）などで利用されています。バーコードには，次のような種類があります。

JAN（ジャン）コード

JANコードは，**商品のパッケージなどに印刷された，商品を識別・管理するためのコード**です。「国コード」，「メーカコード」，「商品アイテムコード」，「チェックディジット」から構成されています。**チェックディジット**は，コードの読み取り誤りや入力誤りを検出するために付加された数字です。

QRコード

QRコードは，**小さな領域に多くの情報を格納できる二次元コード**です。3個の検出シンボルで，360度のどの方向からでも読み取れ，汚れなどでコードの一部が読めなくても，正しく読み出せるようにエラーを訂正する機能があります。

最近はスマホに表示させたり，スマホのカメラで読み取らせたりでき，「○○pay」などのQRキャッシュレス決済で使用できます。

出力装置

出力装置は，**コンピュータで処理された結果を画面や紙などに出力する装置**です。これを人に例えると，顔(表情)・口(話す)などに当たります。

ディスプレイ

ディスプレイは，**コンピュータで処理された結果を画面に表示する装置**です。長く主流として使われてきた液晶ディスプレイに加え，有機ELディスプレイを使用する製品も増えています。

液晶ディスプレイ	電圧を加えると，光の透過性が変わる液晶分子を利用する
有機ELディスプレイ	電圧を加えると，自ら発光する有機化合物を利用する

ディスプレイの解像度

ディスプレイでは，文字や画像を**ピクセル**(**画素**)と呼ばれる点の集まりで表示しています。これは，点描画で絵を描いているイメージです。

例えば，ディスプレイの解像度1,024×768とは，「横方向に1,024ピクセル，縦方向に768ピクセルで表示している」という意味です。ピクセル数が多いほど解像度が高く，1画面に表示できる情報量が多くなりますが，同じサイズのディスプレイなら文字やアイコンは小さくなります。

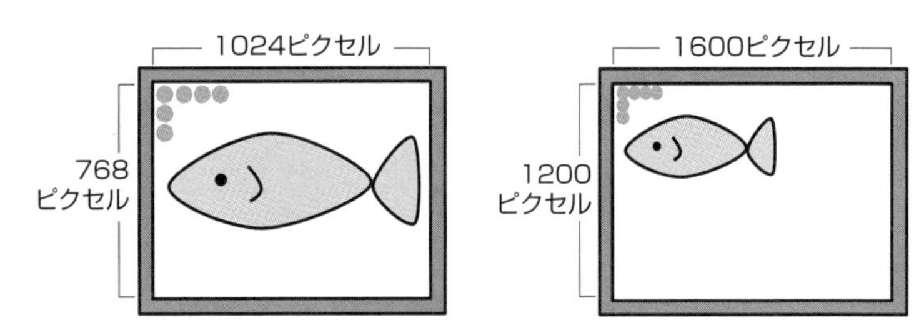

また，地上デジタル放送(フルハイビジョン)は1,920×1,080ピクセルの解像度で，水平方向に約2,000ということで**2K**と呼ばれています。これに対して，**4K**は3,840×2,160ピクセル，**8K**は7,680×4,320ピクセルの解像度です。

ディスプレイの色

ディスプレイの色は，赤(Red)・緑(Green)・青(Blue)の3色の組合せで表現しています。この3色を**光の三原色**(**RGB**)といい，全て重ねると白色になります。例えば，24ビットカラーでは，1ピクセルに対してRGBの3色それぞれに8ビット(2^8＝256階調)ずつ割り当てると，3色の組合せで256×256×256＝16,777,216色を表現できます。このように表現されたカラー画像は**フルカラー**画像と呼ばれています。

プリンタ

プリンタは，**コンピュータで処理された結果を紙に出力する装置**です。プリンタには，次のような種類があります。

レーザプリンタ

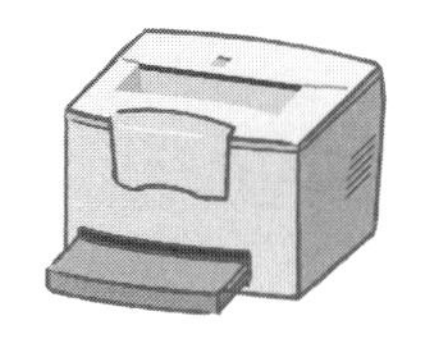

レーザプリンタは，コピー機と同じ原理で，**レーザ光と静電気を使って，トナーを定着させることで印字する装置**です。印字音が静かで，印刷品質も非常に高く，高速印字できるので，主にビジネス用として使われています。

インクジェットプリンタ

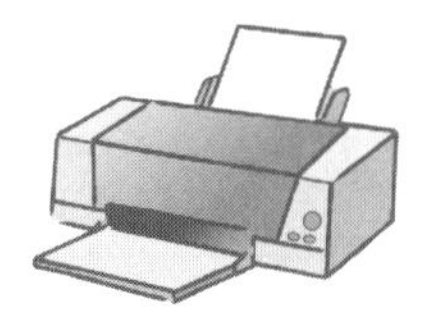

インクジェットプリンタは，**印字ヘッドのノズルからインクを吹き付けることで印字する装置**です。印字音が静かで，印刷品質も高く，低価格でカラー印刷ができるので，主に個人用として使われています。

ドットインパクトプリンタ

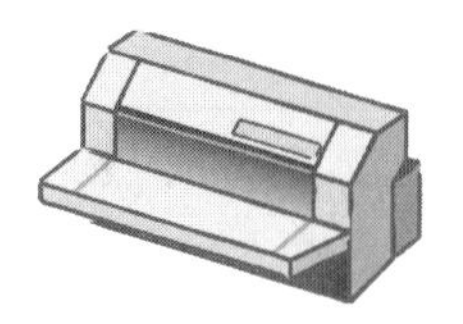

ドットインパクトプリンタは，**印字ヘッドの多数のピンでインクリボンに衝撃を与えることで印字する装置**です。印字音が大きく，印刷品質もあまり高くないですが，複写式の伝票印刷に使われています。

プリンタの解像度

プリンタの解像度は，**1インチ(2.54cm)あたりのドット数**で表し，単位は**dpi**(dot per inch)です。この数値が大きいほど解像度が高くなります。また，写真や書類をデジタルデータとして読み込むイメージスキャナの解像度も，同じくdpiを用います。

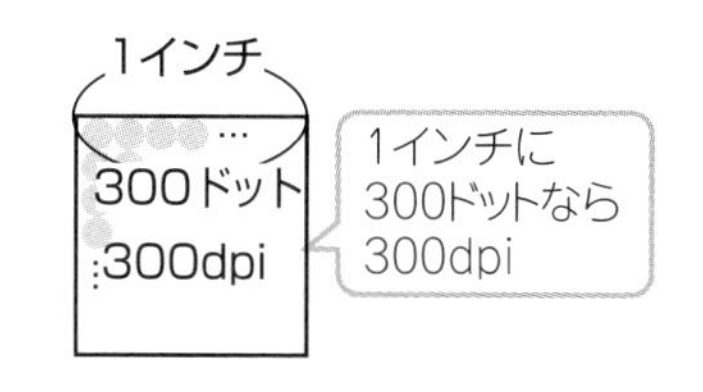

カラープリンタの色

カラープリンタの色は，C (Cyan：青緑)，M (Magenta：赤紫)，Y (Yellow：黄) の3色の組合せで表現しています。この3色を**色の三原色**といい，CMYを均等に混ぜ合わせると理論上は黒になります。これは，絵の具で様々な色を作るイメージですが，実際には黒をきれいに表現しにくいので，K (Key plate：黒) を加えた**CMYK**の4色が基本となっています。

3Dプリンタ

通常のプリンタは，紙などの平面 (2次元) に印刷しますが，**3Dプリンタ**は，**3次元のデータを用いて，樹脂や金属などの材料を層状に少しずつ積み重ねることで立体物を造形する装置**です。試作品の製作や鋳型，模型，少数の生産品などに利用されます。方式によっては造形時に着色までできるものもあります。

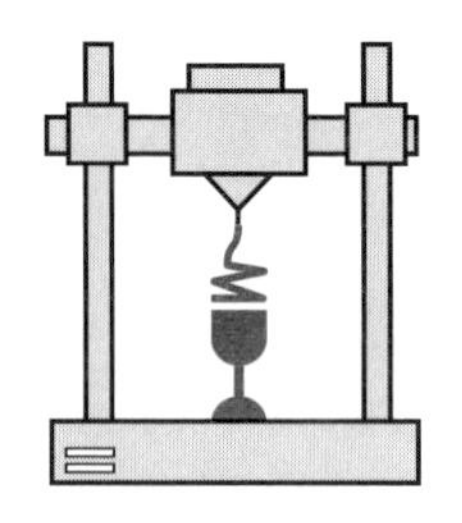

知っ得情報 〔静電容量方式のタッチパネル〕

タッチパネルは，ポインティングデバイスと画面表示の機能を持つ入出力装置です。

静電容量方式のタッチパネルは，タッチパネルに指が近づくと，指とタッチパネルの間で発生する微細な静電容量 (電気を蓄える力) の値が変化することでタッチした位置を検出できます。スマートフォンやタブレット，ノートパソコン，ATMなどの様々なデバイスで使われています。

アドバイス ［始めれば半分］

新しく物事を始めるのには勇気がいるもので，つい後回しにしがちです。ことわざに「始めてしまえば，もう半分終わったのと同じ」というものがあります。このページまで読んだ皆さんは，すでにスタートを切っているので，半分終わったも同じかもしれません！　毎日少しずつ読むことを習慣にして，がんばってみましょう。

確認問題 1 ▸令和3年度 問66 正解率▸低 計算

RGBの各色の階調を，それぞれ3桁の2進数で表す場合，混色によって表すことができる色は何通りか。

ア 8　　イ 24　　ウ 256　　エ 512

要点解説 2進数3桁で表現できるのは2^3＝8通りです。RGBの3色とも8通りが表現できるので，8×8×8＝512通りです。

確認問題 2 ▸令和4年度 問20 正解率▸高 応用

あるデータを表現するために，1個のJANコードか1個のQRコードのどちらかの利用を検討する。表現できる最大のデータ量の大きい方を採用する場合，検討結果として，適切なものはどれか。

ア JANコードを採用する。
イ QRコードを採用する。
ウ 表現する内容によって最大のデータ量は変化するので決められない。
エ 表現できる最大のデータ量は同じなので決められない。

要点解説 JANコードは通常13桁の数字で構成されますが，QRコードは数字だけでなく，アルファベットや漢字なども含むことができ，最大で約7,000文字以上の情報を格納できる二次元バーコードです。

確認問題 3 ▸令和4年度 問94 正解率▸高

インクジェットプリンタの印字方式を説明したものはどれか。

ア インクの微細な粒子を用紙に直接吹き付けて印字する。
イ インクリボンを印字用のワイヤなどで用紙に打ち付けて印字する。
ウ 熱で溶けるインクを印字ヘッドで加熱して用紙に印字する。
エ レーザ光によって感光体にトナーを付着させて用紙に印字する。

要点解説
ア インクジェットプリンタ　　イ ドットインパクトプリンタ
ウ サーマルプリンタ　　エ レーザプリンタ
サーマルプリンタは，特にレシート印刷で用いられています。

解答

問題1：エ　　問題2：イ　　問題3：ア

1-06 入出力インタフェース

時々出 必須 超重要

イメージでつかむ

国内の電気製品のコンセントや差込口はどれも同じです。家にあるドライヤーを国内の旅行先に持って行っても使えます。

入出力インタフェース

コンピュータ本体と周辺装置の接点を**入出力インタフェース**といいます。周辺装置が接続できるように，ケーブルやコネクタの形状，データ転送などの規格が決められており，用途や目的に応じて合ったものを選ぶ必要があります。これは，日本のコンセントの規格が決まっており，この規格に合ったドライヤーは国内のどこへ持って行っても使えるイメージです。

USB

USB (Universal Serial Bus) は，**PCと，HDDやプリンタなどの多種多様な周辺装置を接続するための標準的なインタフェース**です。USBには通信速度や給電容量などの違いにより現在は3.0，3.1，3.2などの規格があり，数字が大きいほど通信速度は速くなります。互換性があるので規格が異なっていても通信できますが，低いほうの通信速度が適用されます。

また，USBはケーブルの両端のコネクタ形状が異なっており，次のようなものがあります。最近では，両端の形状が同じで，コネクタの上下の区別が不要なType-Cを採用する機器が増えています。Type-AとType-Bには，小さいサイズのmini（ミニ）やmicro（マイクロ）もあります。

USB　とくれば　**周辺機器を接続する標準的なインタフェース**

もっと詳しく（USBの特徴）

以前はいろいろな規格が乱立していましたが，USBは次のような特徴があり，便利なため普及しました。

* **ホットプラグ**は，PCの電源を入れたままケーブルの脱着ができる方式です。「温かいうちに抜き差しできる」という意味です。以前はこれが当たり前ではなく，「ケーブルを抜くときは電源を落としてから」というお約束がありました。
* **プラグアンドプレイ**は，PCにケーブルを差し込むとOS（2-01参照）が自動認識し，必要な設定が行われる方式です。難しい設定は必要なく，「差し込むと使える」という意味です。
* **バスパワー方式**は，USBのケーブルを介して，必要な電力をPC本体から供給する方式です。ACアダプターが不要ですが，接続する機器の消費電力が大きい場合は，ACアダプターから電源を供給します。

HDMI

HDMI（High-Definition Multimedia Interface）は，**映像や音声，制御信号を，1本のケーブルで入出力できるAV機器向けのインタフェース**です。例えば，PCやデジカメ，スマートフォンなどの映像・音声をTVに出力できます。

知っ得情報（ポートが足りないとき）

ポートリプリケータは，USBやHDMI，LANケーブル（4-01参照）などを接続する複数のポート（差し込み口）を装備した機器です。ノートPCなどは，入出力インタフェースのポートをたくさん搭載できないので，ノートPCにポートリプリケータを接続して，この機器を介して様々な周辺機器を接続します。

無線インタフェース

有線のほかに，次のような無線を使ったインタフェースもあります。

Bluetooth（ブルートゥース）

Bluetoothは，**電波を利用した無線通信のインタフェース**です。2.4GHz帯の電波を利用し，半径数m～数十mの範囲で通信できます。電波は四方に広がって反射するので，遮蔽物（しゃへいぶつ）があっても通信できます。無線のマウスやキーボード，スマートフォン用のワイヤレスイヤホン，ゲーム機器の無線コントローラなど，最近は多種多様な周辺装置に利用されています。さらに，Bluetooth4.0で追加された仕様に，**BLE**（Bluetooth Low Energy）があります。超省電力なのでIoT機器（3-05参照）にも採用されています。

IrDA

IrDAは，**赤外線を利用した無線通信のインタフェース**です。もともとテレビなどのリモコンに使われていた赤外線通信をデータ通信用に標準化したもので，遮蔽物があると通信できません。

知っ得情報 ICタグ

RFIDは，**ICチップと小型アンテナを埋め込んだ荷札**です。ICタグとも呼ばれています。従来のバーコードに比べて，汚れに強い，格納ができるデータ量が大きい，内容の書き換えができるなどの特徴があります。無線通信で梱包（こんぽう）の外からも記録された情報を読むことができます。ユニクロなどで採用されていて，一度に複数のICタグを読み取ることでレジ操作が短縮できます。また，Suica（スイカ），ICOCA（イコカ）などの交通系ICカードもRFIDを利用しています。

なお，**RFIDの国際規格**として，**NFC**（Near Field Communication）があります。

デバイスドライバ

デバイスドライバは，**PCに接続されている周辺機器を制御・操作するためのソフトウェア**です。PCに接続した周辺機器をアプリケーションから利用できるように，メーカの周辺機器ごとにデバイスドライバが用意されています。例えば，新しくプリンタを購入した場合は，そのプリンタのデバイスドライバをインストールする必要があります。最近はOS（オーエス）（2-01参照）に，主な周辺機器のデバイスドライバがあらかじめ用意されているので，プラグアンドプレイで自動的に組み込まれることも多くなっています。

なお，OSを再インストールする場合には，OSとは別にインストールしたデバイスドライバは消えてしまうので，再度組み込む必要があります。

確認問題 1

▸令和4年度　問92　正解率▸低　基本

IoTエリアネットワークの通信などに利用されるBLEは，Bluetooth4.0で追加された仕様である。BLEに関する記述のうち，適切なものはどれか。

ア　Wi-Fiのアクセスポイントとも通信ができるようになった。
イ　一般的なボタン電池で，半年から数年間の連続動作が可能なほどに低消費電力である。
ウ　従来の規格であるBluetooth3.0以前と互換性がある。
エ　デバイスとの通信には，赤外線も使用できる。

要点解説　BLEは無線通信です。Bluetooth4.0で追加された仕様でBluetooth3.0以前と互換性がありませんが，低消費電力が特徴です。

確認問題 2

▸令和元年度秋期　問58　正解率▸中　頻出　応用

PCの周辺装置を利用可能にするためのデバイスドライバに関する記述のうち，適切なものはどれか。

ア　HDDを初期化してOSを再インストールした場合，OSとは別にインストールしていたデバイスドライバは再インストールする必要がある。
イ　新しいアプリケーションソフトウェアをインストールした場合，そのソフトウェアが使用する全てのデバイスドライバを再インストールする必要がある。
ウ　不要になったデバイスドライバであっても，一度インストールしたデバイスドライバを利用者が削除することはできない。
エ　プリンタのデバイスドライバを一つだけインストールしていれば，メーカや機種を問わず全てのプリンタが使用できる。

要点解説
ア　デバイスドライバは再度インストールする必要があります。
イ　すでにインストールされているものについては不要です。
ウ　削除できます。
エ　同一メーカ内ではある程度共通の場合もありますが，メーカが異なれば使用できません。

解答

問題1：イ　　問題2：ア

1 07 AI

イメージでつかむ

とうとう人間のように学習できる人工知能が現れました。私たちも負けてはいられない！

AI

AI（Artificial Intelligence：人工知能）は，**人間が行うような知的な活動を行うプログラムやシステム**です。身近な例として，iPhoneなどに搭載されているAIアシスタントSiriや，Googleの画像検索などがあります。

現在のAIを支える基礎技術が機械学習やディープラーニング（後述）で，これらを土台として，画像認識や動画認識，音声認識，自然言語処理などの応用技術が発展しています。さらには，人の判断の支援，人が立てた仮説の検証，未知の知識の発見，できごとの原因究明，人の活動の代替などに応用され，自動翻訳や自動運転など，より高度な判断を要する処理を担（にな）うことも期待されています。

機械学習

以前のAIは**ルールベース型AI**といい，「もしAならBの処理」のように，人がルールを考えてコンピュータに教え込むタイプのものでした。ルール通りに処理するものには役立ちますが，教えられていないものは処理できないという弱点があります。

現在は，**過去のデータを経験としてコンピュータ自らが学習し，予測や判断ができる**ようになっています。これが**機械学習**と呼ばれるものです。AIの学習方法には，次のようなものがあります。

教師あり学習

教師あり学習は，**学習データとその正解(ラベル)を与えることで学習させる方法**です。AIが学習データとその正解の関係性を学習することで，あらかじめ定めた分類に振り分ける**分類**と，連続するデータの将来の値を予測する**回帰**と呼ばれる手法があります。なお，学習データは，教師データや訓練データともいいます。

例えば，大量の猫の画像に「猫」とラベルを付け提示し，猫とはどういう特徴があるかをコンピュータが学習することで，ラベルがなくても猫を判断できるようになります。売上予測などの推測に役立ちます。

教師なし学習

教師なし学習は，**学習データのみを与えることで学習させる方法**です。学習データに対する正解は与えないので，AI自らが統計的性質や類似性などに基づき**クラスタリング**と呼ばれる手法などで次第にグループ分けや情報の集約ができるようになります。

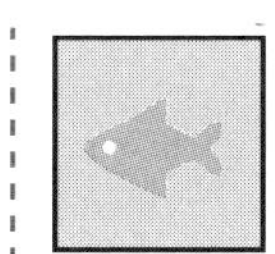

自らグループ分け

強化学習

強化学習は，**学習データに対する正解を与えずに試行錯誤を繰り返すことで学習させる方法**です。学習目標として成功と判断するための報酬(評価)を与えることで，AIに何が成功かを学習させます。例えば，将棋や囲碁のようなゲーム用の人工知能や自動運転の制御に応用されています。

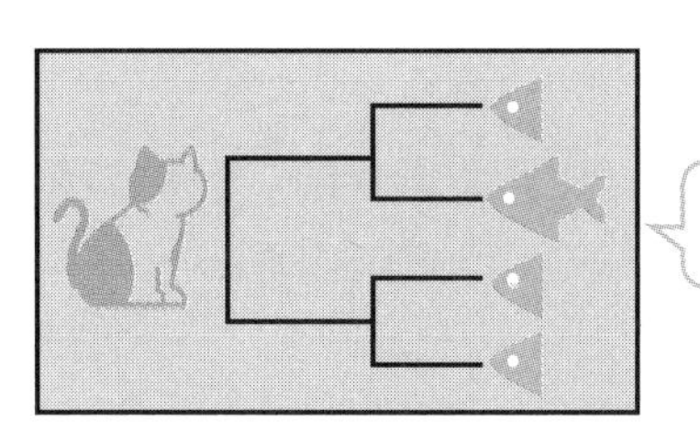

試行錯誤で高報酬
を追求

“くれば”で覚える

教師あり学習　とくれば　**予測による分類と回帰**
教師なし学習　とくれば　**クラスタリング（グループ分け）**
強化学習　　　とくれば　**報酬を最大化**

ディープラーニング

ディープラーニング（Deep Learning：深層学習）は，**人の脳神経回路を模倣したモデル**（**ニューラルネットワーク**という）**を多層に重ねることで，学習能力を高めた機械学習**です。これにより，データの特徴をより深く学習し，複雑な処理ができます。

例えば，Googleが大量のYouTubeデータをコンピュータに読み込ませたところ，猫の識別を学習した例が有名です。

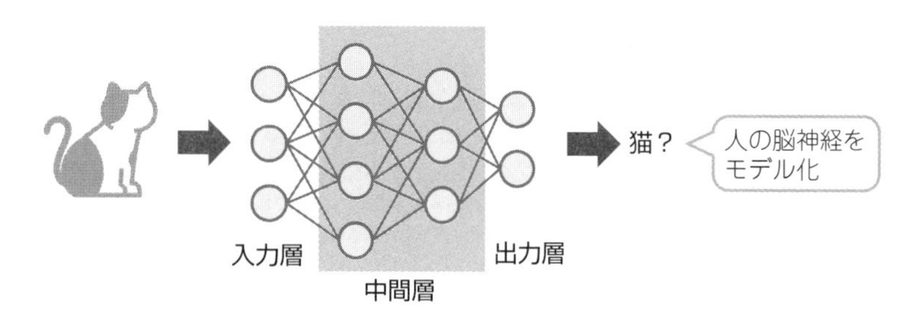

“くれば”で覚える

ニューラルネットワーク　とくれば　**人間の脳神経をモデル化**

もっと詳しく（活性化関数）

AIのニューロン（人の脳の神経細胞の働きを模倣したもの）は，入力された値を基に**活性化関数**と呼ばれる関数を通し処理して，次のニューロンへ値を渡していくことで，より深く学習できるようになります。

バックプロパゲーション

バックプロパゲーションは，AIが出力した結果が期待している結果とかけ離れている場合に，**その間違いを逆方向に遡（さかのぼ）りながら再学習させせることで修正していくこと**です。「誤差逆伝播法」ともいいます。これは，先生が生徒に対して間違った箇所を指摘しながら再学習させていくイメージです。

過学習

過学習は，**AIが学習データに過剰に適合しすぎて，未知のデータに適合できない現象**です。これは，過去問の「問題」と「正解」の組合せのみを学習しすぎて，試験本番の新規の問題に対応できないようなイメージです。原因は，「学習データの不足」や「偏ったデータの学習」などが挙げられます。

ハルシネーション

ハルシネーションは，**AIが事実に基づかない情報を生成してしまう現象**です。Hallucination（ハルシネーション）は「幻覚」という意味です。原因は，「学習データの不足」や「偏ったデータの学習」，「文脈の誤解」などが挙げられます。

もっと詳しく（AIにおける基盤モデル）

大量のデータ（一般的にはラベルなしデータ）を用いて学習させ，その後も再学習させながら微調整を行っていく機械学習モデルを，**基盤モデル**といいます。汎用性が高く，質疑応答や情報抽出，画像認識などの幅広い分野に応用できます。

生成AI

生成AIは，**文章や音声，画像，動画，デザイン，プログラムコードなどを生成するAI**です。生成AIでは，AIが自ら情報やデータを入力し学習を続けることで，今まで人にしかできなかったクリエイティブなコンテンツまでも創り出してしまいます。Open AIが開発した，AIを使ったチャットサービスであるChatGPTが有名で，文章の要約や小説，プログラムコード，イラストなどが生成できます。

知っ得情報（マルチモーダルAI）

マルチモーダルAIは，テキストだけでなく音声や画像などの様々な情報を同時に理解できるAIです。例えば，写真を見ながらその説明をしたり，周囲のカメラ映像やセンサの情報を同時に使って自動運転したりできるようになります。

AIの問題点

AIの利活用で様々な社会的課題が解決できると期待が高まっていますが，AIは大量の学習データから学習するので，学習データに誤った情報や偏った情報（バイアス）があるとそれらを反映したものとなる可能性があり，必ずしも正しい情報が得られるとは限りません。場合によっては，人の尊厳や生命，財産，公平性が脅かされる場合もあります。

例えば，採用支援AIで学習データとして過去の履歴書を使ったところ，男性ばかりが採用されてしまったことがありました。また，自動運転で「対向車と正面衝突しそうだが，歩道側によけると歩行者にぶつかってしまう」というような場合の判断をどうするのかという倫理的な問題も重要な課題となっています。

そのほかにも，機密情報の漏えい，個人情報の漏えい，人権の侵害，プライバシーの侵害，知的財産権の侵害，…，と様々な課題や問題を含んでおり，各分野において法整備やルール作りなどを早急に進める必要があります。

説明可能なAI

AIが導き出した結果の過程がブラックボックスとならないように，AIがどのような過程で意思決定をしたのかを人が理解できるようにすることが重要です。これを**説明可能なAI**といいます。現在，研究が進められており，人が理解できるように説明することで，AIの信頼性や透明性が高まり，AIの活用促進につながります。

知っ得情報（ヒューマンインザループ）

ヒューマンインザループは，AIが考える過程で人が関わり判断やフィードバックをしていくことです。これによりAIがより良い判断ができるようになり，正確で役立つ結果が出力できます。これは，生徒が考える過程で先生が適切なアドバイスをしていくイメージです。

ディープフェイク

ディープフェイクは，**AIを使って画像や動画などを部分的に交換させることで，元とは異なるものを生成する技術**です。Deep Learning（ディープラーニング）（深層学習）とFake（フェイク）（偽物）を合わせた造語です。虚偽の情報を流すフェイクニュースなども作成できるので悪用されるという懸念があります。

人間中心のAI社会原則

政府において，「AI-Readyな社会」への変革を推進する観点から「人間中心のAI社会原則」が策定されました。次の三つの価値の実現を追求する社会を構築することを基本理念としています。

1. 人間の尊厳が尊重される社会
2. 多様な背景を持つ人々が多様な幸せを追求できる社会
3. 持続性ある社会

さらに，人々が安心してAIを使用できるように政府が以下の7つの原則を定めています。

①人間中心の原則	AIは，基本的人権を侵さない
②教育・リテラシーの原則	AIを利用できる教育環境を，全ての人に平等に提供する
③プライバシー確保の原則	パーソナルデータは，その重要性・要配慮性に応じて適切に保護する
④セキュリティ確保の原則	サイバーセキュリティの確保を含むリスク管理に取り組む
⑤公正競争確保の原則	特定の企業にAIに関する資源が集中することなく，公正な競争環境を確保する
⑥公平性・責任説明・透明性の原則	公平性・透明性のある意思決定と，その結果に対する説明責任を適切に確保する
⑦イノベーションの原則	徹底的な国際化・多様化と産学官民連携を推進する

AI利活用ガイドライン

AI利活用ガイドラインは，AIサービスを提供するプロバイダや，AIシステムのビジネス利用者が留意すべき事項をまとめたもので，以下の10原則で構成されています。

①適正利用	人間とAIを適正に役割分担し，適正な範囲で利用する
②適正学習	学習に用いるデータの質に留意する
③連携	AIシステム相互の連携と，連携によるリスクの増幅に留意する
④安全	人間の生命・体・財産に危害が及ばないよう配慮する
⑤セキュリティ	セキュリティに留意する
⑥プライバシー	プライバシー侵害のないよう配慮する
⑦尊厳・自立	人間の尊厳・個人の自律を尊重する
⑧公平性	AI判断のバイアス（偏り）に留意し，差別を生まないよう配慮する
⑨透明性	検証可能性や判断結果の説明可能性に留意する
⑩アカウンタビリティ	ステークホルダへの説明責任を果たすよう努力する

知っ得情報（シンギュラリティ）

AIがこのまま進化していくと，AIの知能が人の知能を上回ってしまうのではないかと言われています。この時点（技術的特異点）を**シンギュラリティ**といい，AIが人の知的活動もできてしまうことで，社会が大きく変化すると予測されています。

知っ得情報 〈CPSとデジタルツイン〉

＊ **サイバーフィジカルシステム**（**CPS**：Cyber Physical System）は，実世界（フィジカル）でIoT機器（3-05参照）のセンサなどからビッグデータ（10-01参照）を収集し，それをサイバー空間でAIを使ってデータを分析して，解析結果を実世界にフィードバックすることで付加価値を創造する仕組みです。今までの情報社会では，人が情報を解析することで価値が生まれてきましたが，これにより新たな価値を産業や社会にもたらすことが期待されています。

＊ IoTなどを活用して実世界の情報をサイバー空間に送り，サイバー空間に実世界の環境を再現することを**デジタルツイン**といいます。例えば，プラントの運転状況を監視したり，プラントの最適な運転方法をAIが学習して実際の運転支援につなげたりできるとされています。

プロンプトエンジニアリング

プロンプトエンジニアリングは，**生成AIから最適な回答を引き出せるように，適切で効果的な質問や指示**（**プロンプト**という）**が出せるスキルのこと**です。このスキルを持った，生成AIの能力を最大限に引き出せる専門家をプロンプトエンジニアといいます。

確認問題 1

令和元年度秋期　問21　　正解率：高　　基本

ディープラーニングに関する記述として，最も適切なものはどれか。

ア　営業，マーケティング，アフタサービスなどの顧客に関わる部門間で情報や業務の流れを統合する仕組み

イ　コンピュータなどのデジタル機器，通信ネットワークを利用して実施される教育，学習，研修の形態

ウ　組織内の各個人がもつ知識やノウハウを組織全体で共有し，有効活用する仕組み

エ　大量のデータを人間の脳神経回路を模したモデルで解析することによって，コンピュータ自体がデータの特徴を抽出，学習する技術

要点解説

ア　CRM（10-08参照）　　イ　e-ラーニング（10-02参照）

ウ　ナレッジマネジメント（10-08参照）　　エ　ディープラーニング

確認問題 2

▸令和5年度　問74　　正解率▸高　　基本

ニューラルネットワークに関する記述として，最も適切なものはどれか。

ア　PC，携帯電話，情報家電などの様々な情報機器が，社会の至る所に存在し，いつでもどこでもネットワークに接続できる環境
イ　国立情報学研究所が運用している，大学や研究機関などを結ぶ学術研究用途のネットワーク
ウ　全国の自治体が，氏名，生年月日，性別，住所などの情報を居住地以外の自治体から引き出せるようにネットワーク化したシステム
エ　ディープラーニングなどで用いられる，脳神経系の仕組みをコンピュータで模したモデル

ア　ユビキタスネットワーク　　イ　学術情報ネットワーク（SINET（サイネット））
ウ　住民基本台帳ネットワーク　　エ　ニューラルネットワーク
なお，本問の正解以外の用語は特に覚える必要はありません。

確認問題 3

▸令和6年度　問12　　正解率▸中　　応用

AIに関するガイドラインの一つである“人間中心のAI社会原則”に定められている七つの“AI社会原則”のうち，“イノベーションの原則”に関する記述として，最も適切なものはどれか。

ア　AIの発展によって人も併せて進化するように，国際化や多様化を推進し，大学，研究機関，企業など，官民における連携と，柔軟な人材の移動を促進する。
イ　AIの利用がもたらす結果については，問題の特性に応じて，AIの開発，提供，利用に携わった関係者が分担して責任を負う。
ウ　サービスの提供者は，AIを利用している事実やデータの取得方法や使用方法，結果の適切性について，利用者に対する適切な説明を行う。
エ　情報弱者を生み出さないために，幼児教育や初等中等教育において，AI活用や情報リテラシーに関する教育を行う。

ア　イノベーションの原則　　イ　人間中心の原則
ウ　公平性・責任説明・透明性の原則　　エ　教育・リテラシーの原則

確認問題 4　▸令和6年度　問78　正解率▸高　応用

利用者がスマートスピーカーに向けて話し掛けた内容に対して，スマートスピーカーから音声で応答するための処理手順が(1)～(4)のとおりであるとき，音声認識に該当する処理はどれか。

(1) 利用者の音声をテキストデータに変換する。
(2) テキストデータを解析して，その意味を理解する。
(3) 応答する内容を決定して，テキストデータを生成する。
(4) 生成したテキストデータを読み上げる。

ア　(1)　　イ　(2)　　ウ　(3)　　エ　(4)

要点解説　音声データを認識してテキストデータに変換する技術が音声認識です。その他は自然言語処理で，人の言語を理解して使う技術です。

確認問題 5　▸令和4年度　問24　正解率▸低　頻出　応用

教師あり学習の事例に関する記述として，最も適切なものはどれか。

ア　衣料品を販売するサイトで，利用者が気に入った服の画像を送信すると，画像の特徴から利用者の好みを自動的に把握し，好みに合った商品を提案する。
イ　気温，天候，積雪，風などの条件を与えて，あらかじめ準備しておいたルールベースのプログラムによって，ゲレンデの状態がスキーに適しているか判断する。
ウ　麺類の山からアームを使って一人分を取り，容器に盛り付ける動作の訓練を繰り返したロボットが，弁当の盛り付けを上手に行う。
エ　録音された乳児の泣き声と，泣いている原因から成るデータを収集して入力することによって，乳児が泣いている原因を泣き声から推測する。

要点解説　最近頻出のパターンです。教師あり学習・教師なし学習・強化学習を区別できるようにしておきましょう。

ア　教師なし学習　　イ　ルールベースAI
ウ　強化学習　　エ　教師あり学習

確認問題 6

▸令和6年度　問28　　正解率 ▸ 中　応用

次の事例のうち，AIを導入することによって業務の作業効率が向上したものだけを全て挙げたものはどれか。

a　食品専門商社のA社が，取引先ごとに様式が異なる手書きの請求書に記載された文字を自動で読み取ってデータ化することによって，事務作業時間を削減した。
b　繊維製造会社のB社が，原材料を取引先に発注する定型的なPCの操作を自動化するツールを導入し，事務部門の人員を削減した。
c　損害保険会社のC社が，自社のコールセンターへの問合せに対して，オペレーターにつなげる前に音声チャットボットでヒアリングを行うことによってオペレーターの対応時間を短縮した。
d　物流会社のD社が，配送荷物に電子タグを装着して出荷時に配送先を電子タグに書き込み，配送時にそれを確認することによって，誤配送を削減した。

ア　a，c　　イ　b，c　　ウ　b，d　　エ　c，d

aは「様式が異なる手書きの請求書に記載された文字」，cは「音声チャットボット」を使用するとあるので，AIの自然言語処理や音声認識を導入した事例です。bはRPA（10-05節参照），dはRFIDを導入した事例です。

解答

問題1：エ　問題2：エ　問題3：ア　問題4：ア　問題5：エ
問題6：ア

1-08 確率と統計

時々出　必須　超重要

イメージでつかむ

「本日の降水確率が30％」という場合は，裏返していえば雨が降らない確率が70％ということです。

確率

確率は，**ある事象の起こる可能性の度合い**です。次の式で求められます。

$$確率 = \frac{ある事象が起こる場合の数}{起こりうる事象の全ての場合の数}$$

例えば，ボール5個（①，②，③，④，⑤）の中からボール①を取り出すときの確率は，$\frac{1}{5}$です。

なお，全ての場合の確率を足すと1となるので，ボール①以外を取り出すときの確率は，$1 - \frac{1}{5} = \frac{4}{5}$です。

場合の数

確率を考えるときに重要なのが「場合の数」です。全部で何通りあるかを求めます。

複数の事象が同時に起こる場合の数を考えるときは，掛け算で求めます。例えば，大小二つのサイコロを投げたときに，両方とも奇数になるパターンは，大「1・3・5」の3通り，小「1・3・5」の3通りがあるので，合計3×3＝9通りです。

次に，複数の事象が別々に起こる場合の数を考えるときは，足し算で求めます。例えば，大小二つのサイコロを投げたときに，目の数を足して11以上になるパターンは，「5・6」，「6・5」，「6・6」のパターンがあるので，合計3通りです。

順列

順列は，**n個の中からr個を順番に取り出して並べること**です。何通りの並び順があるかは，次の式で求められます。

n個の中からr個を取り出す順列の数は， $_{n}P_{r} = \dfrac{n!}{(n-r)!} \quad (n \geqq r)$

ここで，n！は「nの階乗」といいます。5！＝5×4×3×2×1＝120です。

例えば，ボール5個（①，②，③，④，⑤）の中から2個取り出すときの順列を，先ほどの式で求めてみましょう。

$$_{5}P_{2} = \frac{5!}{(5-2)!} = \frac{5!}{3!} = \frac{5 \times 4 \times \cancel{3 \times 2 \times 1}}{\cancel{3 \times 2 \times 1}} = 20\text{通り}$$

なお，全て数え上げると以下のようになりますが，順列では①②と②①は，順番も問うので違うものとして扱います。

①②，①③，①④，①⑤
②①，②③，②④，②⑤
③①，③②，③④，③⑤
④①，④②，④③，④⑤
⑤①，⑤②，⑤③，⑤④

組合せ

組合せは，**n個の中から並び順を考慮せずに，r個取り出すこと**です。何通りの組合せがあるかは，次の式で求められます。

n個の中からr個を取り出す組合せの数は， $_{n}C_{r} = \dfrac{n!}{r!(n-r)!} \quad (n \geqq r)$

例えば，ボール5個（①，②，③，④，⑤）の中から2個取り出すときの組合せを，この式で求めてみましょう。

$$_{5}C_{2} = \frac{5!}{2!(5-2)!} = \frac{5!}{2!\,3!} = \frac{5 \times \cancelto{2}{4} \times \cancel{3 \times 2 \times 1}}{\cancel{2} \times 1 \times \cancel{3 \times 2 \times 1}} = 10\text{通り}$$

なお，全て数え上げると以下のようになりますが，組合せでは①②と②①は，同じものとして扱います。

①②，①③，①④，①⑤
②③，②④，②⑤
③④，③⑤
④⑤

統計

データを集めて全体の傾向を割り出すものが統計です。次のような指標が使われます。次の8個のデータで考えてみましょう。

データ

45	55	55	55	65	65	70	70

平均値は，**各データの合計をデータの個数で割った値**です。

$(45+55+55+55+65+65+70+70) \div 8 = 60$ です。

メジアン（中央値）は，**データを順番に並べて中央に位置する値**です。データの個数が偶数の場合は，中央の二つの値の平均値です。$(55+65) \div 2 = 60$ です。

45	55	55	**55**	**65**	65	70	70

モード（最頻値）は，**出現頻度の最も高い値**です。55です。

45	**55**	**55**	**55**	65	65	70	70

レンジ（範囲）は，**データの最大値と最小値の差**です。$70-45=25$ です。

45	55	55	55	65	65	70	**70**

“くれば”で覚える

メジアン　とくれば　**中央値（真ん中の値）**
モード　とくれば　**最頻値（最も頻繁に現れる値）**
レンジ　とくれば　**範囲（最大値－最小値）**

分散は，**平均値からのばらつきを表し，偏差（平均値との差）の2乗の平均値**です。

$$\{(45-60)^2+(55-60)^2+(55-60)^2 \cdots (70-60)^2\} \div 8 = 68.75 \text{ です。}$$

標準偏差は，**分散の平方根（$\sqrt{}$）**です。

$$\sqrt{68.75} \fallingdotseq 8.29 \text{ です。}$$

標準偏差が小さければ，平均値のまわりのデータが多く，ばらつきが小さい，標準偏差が大きければ，ばらつきが大きいということになります。

正規分布

正規分布は，**平均値を中心とした左右対称の釣り鐘型の分布**です。テストの点数や身長などの分布は，通常は正規分布に近くなります。

次のグラフは，平均値が60，標準偏差が10の正規分布です。

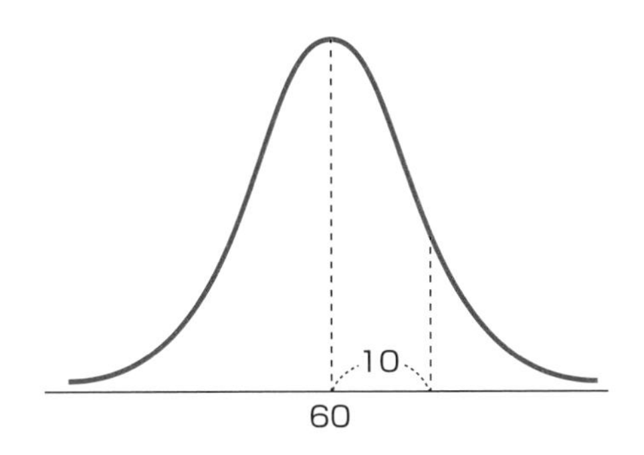

なお，正規分布では，平均値±標準偏差の範囲に約68%，平均値±標準偏差×2の範囲に約95%のデータが含まれます。

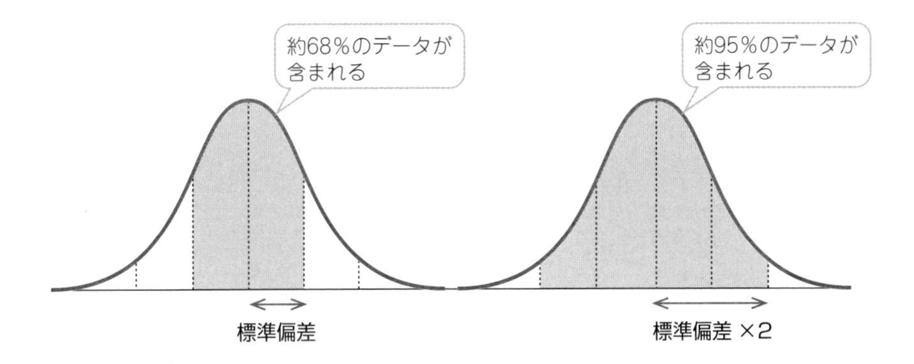

受験でおなじみの**偏差値**は，平均値を50，標準偏差の値を10とし，平均からどれだけ離れているか表す指標です。(得点－平均点)÷標準偏差×10＋50で求めます。

“くれば”で覚える

正規分布　とくれば　**釣り鐘型に分布する**

知っ得情報 （外れ値と異常値）

外れ値は，他のデータから著しく離れた値をいいます。また**異常値**は，他のデータから著しく離れているもののうち，入力ミスなどで除外すべきデータをいいます。

例えば，ある場所の気温が45℃という記録があった場合は，温度計が壊れたのか，あるいは本当にその温度になったのか悩みます。正しいデータの分析のためには，どちらなのかよく見極めることが重要です。

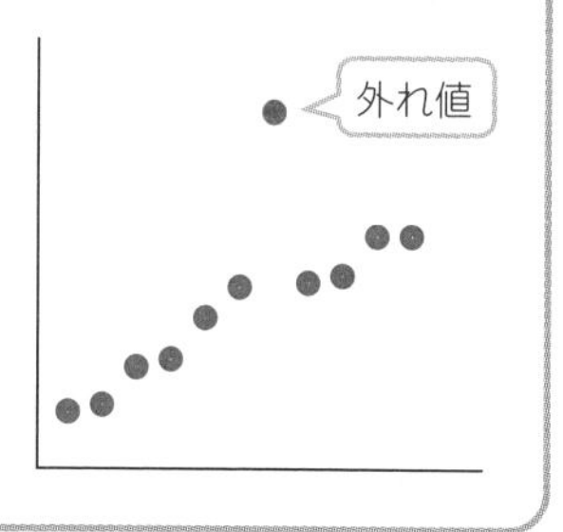

確認問題 1

平成28年度春期　問98　　正解率 中　　計算

それぞれが独立に点灯／消灯の操作ができる5個のランプが並んでいる。2個以上のランプが点灯しているパターンは何通りあるか。ここで，全てが点灯しているパターンは1通り，いずれか1個が点灯しているパターンは5通りと数えるものとする。

ア　4　　イ　10　　ウ　26　　エ　32

ランプ1個につき2通りのパターンがあります。
これが5個あるので，パターンの総数は2^5＝32通りです。このうち，全てが消灯しているのは1通りです。また，1個だけが点灯しているパターンは5通りです。これらのパターンを総数から除外すれば2個以上が点灯しているパターンの数が求められます。
32－1－5＝26通りとなります。

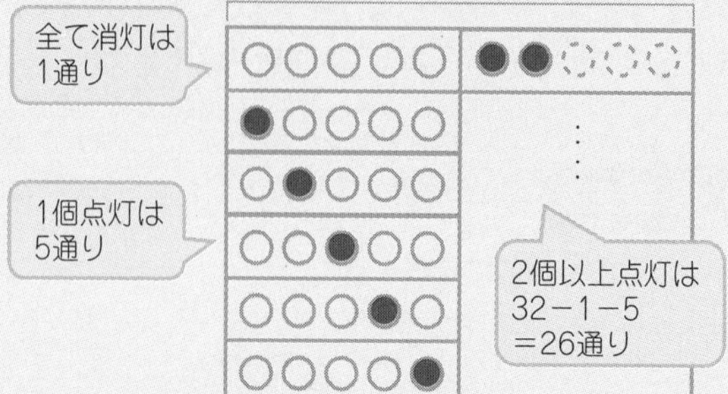

確認問題 2

▸令和6年度　問83　　正解率▸中

1から6までの六つの目をもつサイコロを3回投げたとき，1回も1の目が出ない確率は幾らか。

ア　$\frac{1}{216}$　　イ　$\frac{5}{72}$　　ウ　$\frac{91}{216}$　　エ　$\frac{125}{216}$

要点解説　1の目が出る確率は$\frac{1}{6}$なので，1の目が出ない確率は$\frac{5}{6}$です。3回とも1の目が出ない確率は，$\frac{5}{6} \times \frac{5}{6} \times \frac{5}{6} = \frac{125}{216}$です。

確認問題 3

▸令和5年度　問77　　正解率▸低

受験者10,000人の4教科の試験結果は表のとおりであり，いずれの教科の得点分布も正規分布に従っていたとする。ある受験者の4教科の得点が全て71点であったとき，この受験者が最も高い偏差値を得た教科はどれか。

単位：点

	平均点	標準偏差
国語	62	5
社会	55	9
数学	58	6
理科	60	7

ア　国語　　イ　社会　　ウ　数学　　エ　理科

要点解説　偏差値は，平均値を50，標準偏差の値を10とし，平均からどれだけ離れているか表す指標です。偏差値は，(得点－平均点)÷標準偏差×10＋50で求めます。最も高い偏差値を得た教科は数学です。

ア　$(71-62) \div 5 = 1.8$　　偏差値$= 1.8 \times 10 + 50 = 68$
イ　$(71-55) \div 9 \fallingdotseq 1.7$　　偏差値$= 1.7 \times 10 + 50 = 67$
ウ　$(71-58) \div 6 \fallingdotseq 2.1$　　偏差値$= 2.1 \times 10 + 50 = 71$
エ　$(71-60) \div 7$点$\fallingdotseq 1.5$　　偏差値$= 1.5 \times 10 + 50 = 65$

解答

問題1：ウ　　問題2：エ　　問題3：ウ

1 09

基数変換

時々出　必須　超重要

イメージでつかむ

10進数では，9の次が桁上がりします。
2 進数では，1の次が桁上がりします。
コンピュータ内部では2進数が使われています。

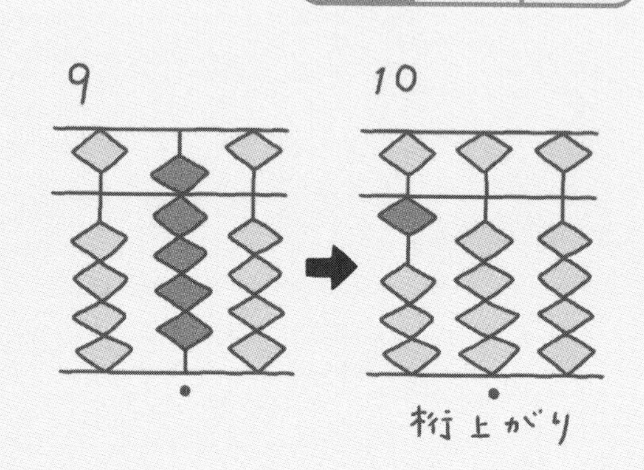

10進数と2進数・16進数

人の世界では10進数，コンピュータ内部では2進数が使われています。ただし，2進数は桁数が非常に多くなるので，人が考えるときには，2進数と簡単に変換できる，16進数などが使われます。

10進数	0から9までの10種類の数字を使って，9の次が桁上がりする
2進数	0と1の2種類の数字を使って，1の次が桁上がりする
16進数	0から9までの数字とA，B，C，D，E，Fの英字の16種類を使って，Fの次が桁上がりする ※AからFは数字扱い。10進数でいう10～15を，16進数では1桁で表すために代用する

（2進数）

```
  1
+ 1
 10
```

1の次が一つ桁上がりする

（16進数）

```
  F
+ 1
 10
```

Fの次が一つ桁上がりする

10進数と2進数・16進数の関係は，次の表のようになります。

10進数	2進数	16進数
0	0	0
1	1	1
2	10	2
3	11	3
4	100	4
5	101	5
6	110	6
7	111	7
8	1000	8
9	1001	9
10	1010	A
11	1011	B
12	1100	C
13	1101	D
14	1110	E
15	1111	F
16	10000	10

1桁の数字は，0から9までしかないため，英字を代用する

色が付いているところで桁上がりしている

2進数の筆算

2進数も10進数と同様に下位桁から筆算で計算できます。例えば「10＋11」は，次のようになります。1＋1＝**10**となるので，繰り上がることに注意しましょう。

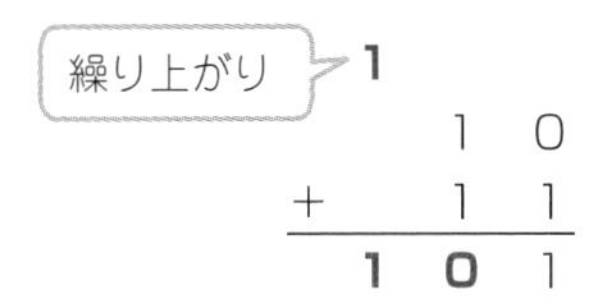

アドバイス［2進数も10進数も仕組みは同じ］

私たちが扱っている文字や音声，映像などの全ての情報は，コンピュータの世界では0と1の組み合わせで表現され，処理されています。コンピュータの仕組みを理解するには0と1だけで表現される2進数を理解することから始まります。将来，上位試験である基本情報技術者へのステップアップにもつながります。

2進数は慣れないと難しく感じるかもしれません。でも，2進数も10進数も同じ仕組みになっていて，基礎になる数字がちょっと違うだけなので，10進数がわかれば2進数もわかるはずです。問題を解きながら，ゆっくり慣れていきましょう。

10進数から2進数への基数変換

基数変換は，**ある進数で表現されている数値を，別の進数に変換すること**です。

10進数から2進数への基数変換は，次の手順で求めます。

① 10進数の値を**2**で割って，商が0になるまでこれを繰り返す

② 最後に余りを，計算とは逆順に（上位桁から）並べる

例えば，10進数の「5」を2進数に基数変換してみましょう。

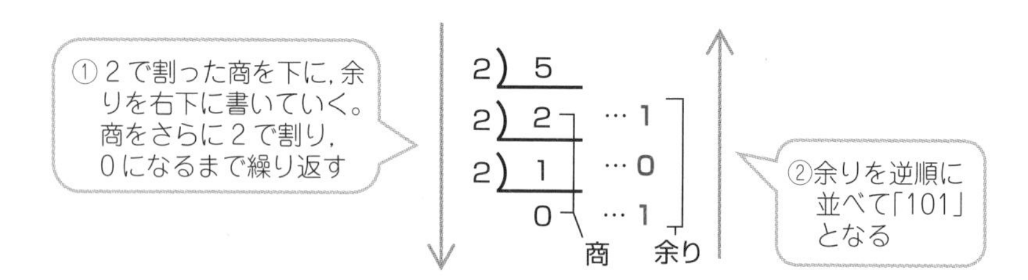

10進数の「5」は，2進数に基数変換すると「101」です。

2進数から10進数への基数変換

2進数から10進数への基数変換は，次の手順で求めます。

① 2進数の各桁に**2進数の重み**を掛けていく

2進数の重み（整数部）は小数点を基準に，指数が左へ0，1，2，…と大きくなっていきます。

…	2^7	2^6	2^5	2^4	2^3	2^2	2^1	2^0

. 小数点

② 最後に足す

例えば，2進数「101」を10進数に基数変換してみましょう。

$$\begin{array}{ccccc} 1 & & 0 & & 1 \\ \times & & \times & & \times \\ 2^2 & & 2^1 & & 2^0 \\ \hline 4 & + & 0 & + & 1 & = 5 \end{array}$$

① 2進数の各桁に2進数の重みを掛けていく

② 最後に足す

2進数「101」は，10進数に基数変換すると「5」です。

10進数から16進数への基数変換

10進数から16進数への基数変換は，次の手順で求めます。

①10進数の値を**16**で割って，商が0になるまでこれを繰り返す
②最後に余りを，計算とは逆順に（上位桁から）並べる

例えば，10進数の「47」を16進数に基数変換してみましょう。

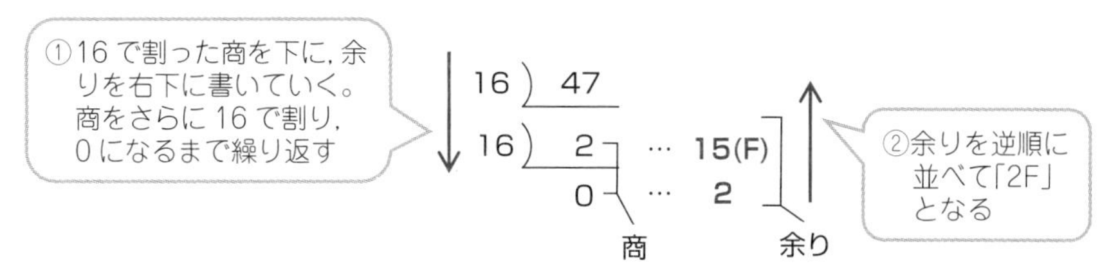

10進数の「47」は，16進数に基数変換すると「2F」です。ここで，「15」は16進数では「F」となるので注意しましょう。

16進数から10進数への基数変換

16進数から10進数への基数変換は，次の手順で求めます。

①16進数の各桁に**16進数の重み**を掛けていく

16進数の重み（整数部）は小数点を基準に，指数が左へ0，1，2，…と大きくなっていきます。

…	16^7	16^6	16^5	16^4	16^3	16^2	16^1	16^0

．小数点

②最後に足す

例えば，16進数「2F」を10進数に基数変換してみましょう。

2	F(15)
×	×
16^1	16^0

$32 + 15 = 47$

①16進数の各桁に16進数の重みを掛けていく
②最後に足す

16進数「2F」は，10進数に基数変換すると「47」です。

確認問題 1　▸平成29年度春期　問72　正解率▸高　計算

二つの2進数01011010と01101011を加算して得られる2進数はどれか。ここで，2進数は値が正の8ビットで表現するものとする。

ア　00110001　　イ　01111011
ウ　10000100　　エ　11000101

要点解説　2進数の加算は，10進数の加算と同様に筆算で計算できます。下位桁から繰り上がりに注意して計算しましょう。

```
  1 1 1 1   1  ← 繰り上がり
  0 1 0 1 1 0 1 0
 +0 1 1 0 1 0 1 1
 ----------------
  1 1 0 0 0 1 0 1
```

確認問題 2　▸平成24年度秋期　問79　正解率▸低　計算

16進数のA3は10進数で幾らか。

ア　103　　イ　153　　ウ　163　　エ　179

要点解説　16進数から10進数への基数変換は，16進数の各桁に16進数の重みを掛けて，最後に足します。

A (10)		3		
×		×		
16^1		16^0 ← $x^0=1$		
160	+	3	=	163

求めると，163です。

解答

問題1：エ　　問題2：ウ

第2章

ソフトウェア

〔テクノロジ系〕

2-01 ソフトウェア

時々出 | 必須 | 超重要

イメージでつかむ

電車の中では，スマートフォンを手にして，ゲームや音楽，漫画，映画などを楽しんでいる方をよく見かけます。

ソフトウェア

PCやスマートフォンなどのように物理的に触れられるものはハードウェア(Hardware)と呼ばれますが，これらに対して，次のようなソフトウェア(Software)があります。

アプリケーションソフトウェア

コンピュータを使って，何らかの作業をするときは，その用途に応じた**アプリケーションソフトウェア**を使用します。単に「アプリケーション」・「アプリ」とも呼ばれているものです。例えば，ワープロソフトや表計算ソフト，プレゼンテーションソフトなどのように仕事で使うもの，ゲームなどのように趣味で使用するものなど，様々な用途のアプリケーションが存在しています。

OS

OS(Operating System：**オペレーティングシステム**)は，**ハードウェアとアプリケーションの間で動作し，アプリケーションがハードウェアを効率的に利用できるように管理・制御するソフトウェア**です。PCなどでは「Windows」や「macOS」，「ChromeOS」，「Linux」，スマートフォンなどでは「Andoroid」や「iOS」と呼ばれているものです。

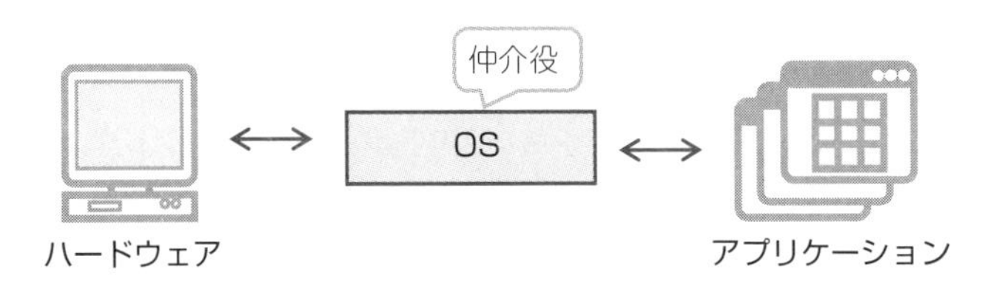

マルチタスク

マルチタスクは，**1台のコンピュータで，複数のアプリケーションを少しずつ互い違いに並行して実行することで，あたかも複数のアプリケーションが同時に実行しているように見せかけるOSの機能**です。この機能によって，例えば1台のPCで音楽を再生しながら，並行して文書を作成できます。ただし，同時に実行するアプリケーションが多くなれば全体が遅くなってきます。

攻略法 …… **これがマルチタスクのイメージだ！**

人は，テレビを見ながら勉強ができるように同時に複数のことができます。その反面，勉強があまりはかどらない。人もマルチタスクを採用しているかも？

知っ得情報 ≺ OSの機能 ≻

OSには他にも様々な機能があります。

* **スプーリング**は，主記憶と低速な入出力装置とのデータ転送を，補助記憶を介して行うことで，システム全体の処理能力を高める機能です。例えば，プリンタへ出力する際には，プリンタと比べて高速なHDDに全てのデータを一時的に書き込み，プリンタの処理速度に合わせて出力します。
* **仮想記憶方式**は，補助記憶の一部をあたかも主記憶のように使用する機能です。プログラムやデータは補助記憶に保存しておき，実行時に必要なもののみを主記憶に読み込むことで，見かけ上，主記憶の容量が増え，大きなプログラムも実行できます。

BIOS（バイオス）

BIOS（Basic Input Output System）は，**PCの基盤上**（マザーボードという）**のROMに搭載されているプログラム**です。PCの電源を投入した直後に起動し，CPUやメモリ，周辺装置などに異常がないかを確認し，初期設定を行います。その後は，OS，常駐のアプリケーション（ウイルス対策ソフトなど）の順に起動し，PCが利用できる状態になります。現在のPCではBIOSの後継としてセキュリティ機能などを強化したUEFI（Unified Extensible Firmware Interface）が広く使われています。

ミドルウェア

ミドルウェアは，**OSとアプリケーションの中間に位置するソフトウェア**です。中間の(Middle)とソフトウェア(Software)を合わせた造語です。OSの機能を利用し，様々な分野に共通する基本機能を提供します。データベース管理システム(6-01参照)は，ミドルウェアに分類されます。また，AndroidはLinuxベースに開発され，スマートフォンやタブレットに搭載されていますが，OSに加え，ミドルウェアも含めた基盤となっています。

オープンソースソフトウェア

オープンソースソフトウェア(**OSS**：Open Source Software)は，市販のソフトウェアと違い，**ソースコードが公開され，自由に利用や改変，再配布ができるソフトウェア**です。プログラム言語で書かれた，人が読めるテキスト形式(**ソースコード**という)で公開され，ソフトウェアの動作が理解できるので，改変してより良いソフトウェアに発展させていこうという考えが背景にあります。

ただし，次のことに注意する必要があります。

- 著作権は放棄されていないので，ライセンスに従って利用する
- 配布先や利用分野を制限してはいけない
- 再配布するときは，必ずしも無料にする必要はなく，有料にすることもできる

代表的なOSSに，次のようなものがあります。次の表の内容はほぼ毎回出題されるのでしっかり覚えて下さい。

用　途	OSSの例
OS	Android(アンドロイド)，Linux(リナックス)，FreeBSD(フリービーエスディー)
Webサーバ	Apache(アパッチ)
Webブラウザ	Firefox(ファイアフォックス)

用　途	OSSの例
データベース管理システム	MySQL(マイエスキューエル)，PostgreSQL(ポストグレスキューエル)
電子メール	Thunderbird(サンダーバード)
ファイル共有	Samba(サンバ)

"くれば"で覚える

OSS　とくれば　**ソースコードを公開。利用や改変，再配布が可能なソフトウェア**

もっと詳しく（コピーレフト）

OSSのライセンスにはいくつか種類があります。**コピーレフト**は，ソースコードを改変して再配布するときは，元のソフトウェアと同じ配布条件で再配布しなければいけないというライセンスで，**GPL**が代表例です。

確認問題 1 ▸令和6年度 問97 正解率▸中 頻出 基本

次のOS のうち，OSS（Open Source Software）として提供されるものだけを全て挙げたものはどれか。

a Android　b FreeBSD　c iOS　d Linux

ア a，b　イ a，b，d　ウ b，d　エ c，d

要点解説 aはGoogle社のモバイル端末用OS，bとdはサーバのUNIX系のOSでOSSです。cはApple社のモバイル端末用OSですがOSSではありません。
主なOSSの名前と用途はかなり出題頻度が高いので必ず覚えておきましょう。

確認問題 2 ▸令和5年度 問82 正解率▸中 基本

OSS（Open Source Software）に関する記述a～cのうち，適切なものだけを全て挙げたものはどれか。

a ソースコードに手を加えて再配布することができる。
b ソースコードの入手は無償だが，有償の保守サポートを受けなければならない。
c 著作権が放棄されており，無断で利用することができる。

ア a　イ a，c　ウ b　エ c

要点解説 OSSは，ソースコードを改良して再配布することができます。
b ソースコードの入手は無償ですが，有償の保守サポートはありません。ただし，有償サポートを提供するOSSの製品もあります。
c 著作権は放棄されていないので，ライセンスに従って利用する必要があります。

解答

問題1：イ　問題2：ア

2 02 ファイル管理

時々出　必須　超重要

イメージでつかむ

季節ごとに服を整理箱に入れておくと，次に着るときに出しやすいです。いかにして整理しておくかが重要です。
ファイルも種類ごとにまとめておくと整理しやすくなります。

ファイル管理

私たちが作成したファイルは，HDDなどの記憶装置に保存しますが，保存したファイルを管理するのもOSの機能です。

階層構造

HDDなどの記憶装置に保存したファイルは，**ディレクトリ**を用いて階層構造（木構造）で管理されています。ディレクトリには，別のディレクトリやファイルを格納でき，整理箱のようなイメージです。WindowsやMacBookなどのような，主にマウスで視覚的に操作するインタフェースでは，ディレクトリは**フォルダ**と呼ばれています。

階層構造のうち**最上位にあるディレクトリ**が**ルートディレクトリ**です。Root（ルート）は，「根」という意味です。

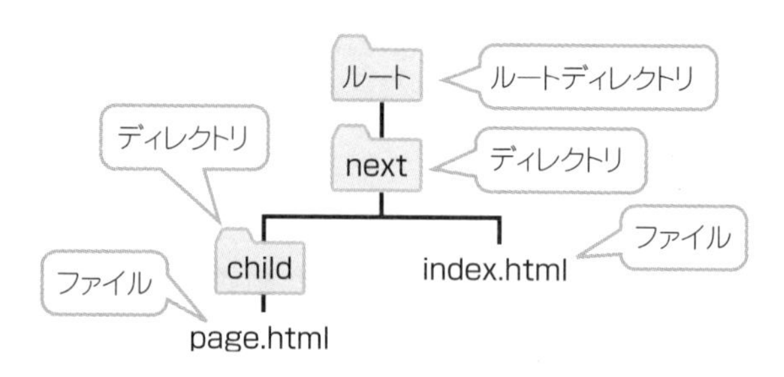

なお，階層が異なれば，同じ名前のディレクトリやファイルを作成できます。

攻略法 …… **これが階層構造のイメージだ！**

前頁の階層構造の図は，次のような意味です。

＊ルートディレクトリ［ルート］の中に，ディレクトリ［next］が格納されています。

＊ディレクトリ［next］の中に，ディレクトリ［child］とファイルindex.htmlが格納されています。

＊ディレクトリ［child］の中に，page.htmlが格納されています。

これは，次のようなイメージになります。

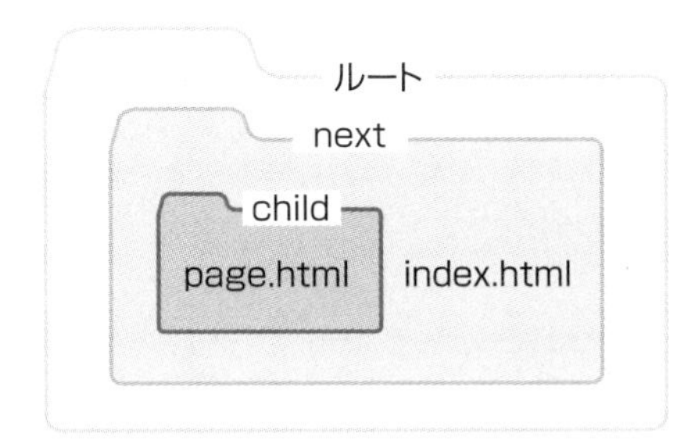

カレントディレクトリ

カレントディレクトリは，**現在，作業(操作)の対象となっているディレクトリ**です。Current(カレント)は，「現在の」という意味です。カレントディレクトリから見える範囲は，その直下のディレクトリとファイルだけです。例えば，カレントディレクトリがディレクトリ［next］のときは，見える範囲は直下のディレクトリ［child］とファイルindex.htmlです。［child］の中のpage.htmlは見えません。

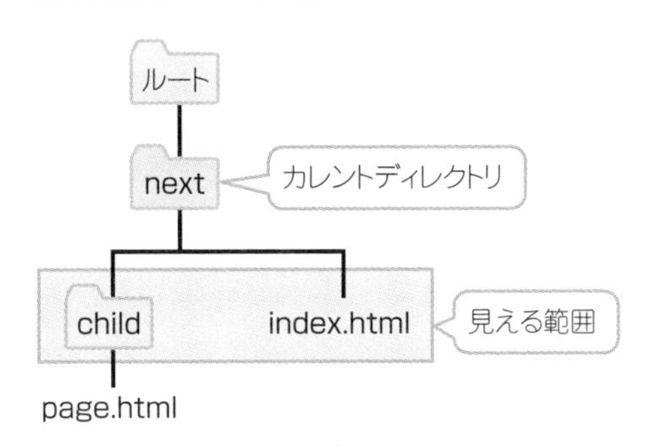

ファイルパス

ファイルパスは，**目的のファイルにたどり着くまでの経路**です。Path（パス）は，「道筋」という意味です。この経路の表現の仕方に，基点の違いから二つの指定方法があります。

絶対パス指定

絶対パス指定は，**ルートディレクトリを基点として，目的のファイルまでの経路を指定する方法**です。例えば，ルートディレクトリ ルート からファイルindex.htmlまでの経路，ルート → next → index.htmlを絶対パス指定で表現すると，次のようになります。

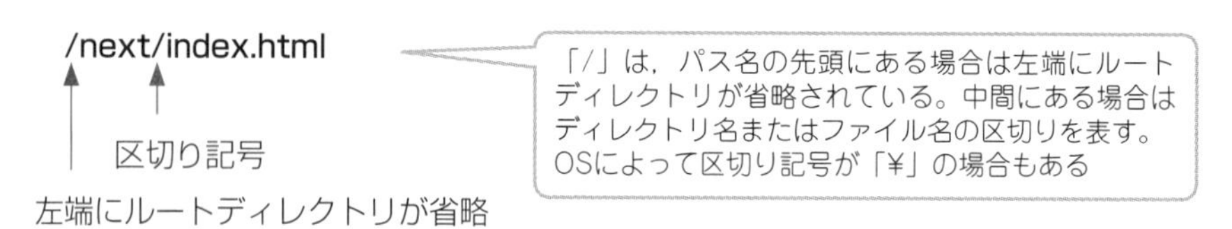

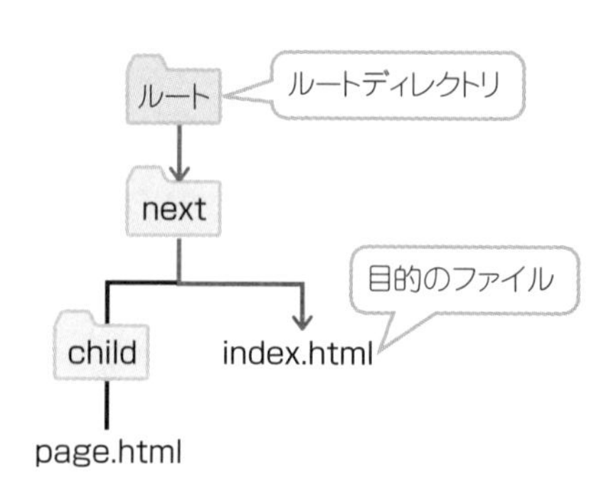

“くれば”で覚える

絶対パス指定　とくれば　**ルートディレクトリから目的のファイルまでの経路**

相対パス指定

相対パス指定は，**カレントディレクトリを基点として，目的のファイルまでの経路を指定する方法**です。例えば，カレントディレクトリが next のときは，ファイルindex.htmlは，見える範囲にあります。

ここで，カレントディレクトリは，「.」で表します。相対パス指定で表現すると，次のようになります。

./index.html

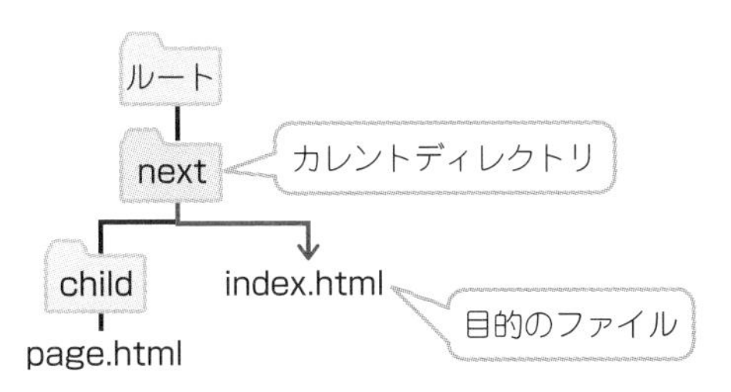

次に，カレントディレクトリが child のときは，ファイルindex.htmlは，見える範囲にありません。一つ上位のディレクトリに上がる必要があります。

一つ上位のディレクトリ → index.html

ここで，1階層上のディレクトリは，「..」で表します。相対パス指定で表現すると，次のようになります。

../index.html

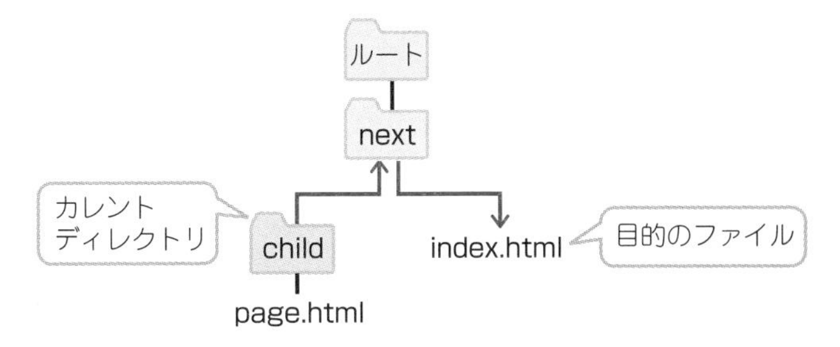

"くれば"で覚える

相対パス指定 とくれば
- **＊カレントディレクトリから目的のファイルまでの経路**
- **＊カレントディレクトリは「.」で表す**
- **＊1階層上のディレクトリは「..」で表す**

参考［ファイルって何？］

1-01で，コンピュータの中では，情報は全て「1001010…」のような2値で管理されていると説明しました。でも，このままでは人間にとってはとても扱いにくいので，意味のまとまりごとに区切ってファイルとして扱えるように，OSが仲立ちしてくれます。WindowsでもMacでも，iPhoneでもAndroidでも同様です。写真も動画も，アプリケーションソフトもファイルです。OSもファイルの集合体です。ファイルとして管理されているおかげで，情報をコピーしたり削除したりするのが簡単になりました。

確認問題 1　▸令和元年度秋期　問83　正解率▸中　基本

ファイルの階層構造に関する次の記述中のa，bに入れる字句の適切な組合せはどれか。

階層型ファイルシステムにおいて，最上位の階層のディレクトリを［ a ］ディレクトリという。ファイルの指定方法として，カレントディレクトリを基点として目的のファイルまでの全てのパスを記述する方法と，ルートディレクトリを基点として目的のファイルまでの全てのパスを記述する方法がある。ルートディレクトリを基点としたファイルの指定方法を［ b ］パス指定という。

	a	b
ア	カレント	絶対
イ	カレント	相対
ウ	ルート	絶対
エ	ルート	相対

要点解説　最上位のディレクトリはルートディレクトリです。絶対パスは，ルートディレクトリを基点として，目的のファイルまでの経路で示します。

確認問題 2　▸令和4年度　問90　正解率▸低　応用

ディレクトリ又はファイルがノードに対応する木構造で表現できるファイルシステムがある。ルートディレクトリを根として図のように表現したとき，中間ノードである節及び末端ノードである葉に対応するものの組合せとして，最も適切なものはどれか。ここで，空のディレクトリを許すものとする。

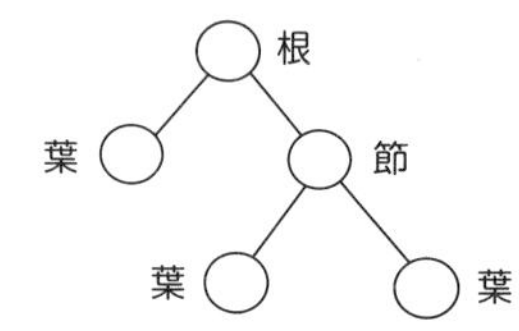

	節	葉
ア	ディレクトリ	ディレクトリ又はファイル
イ	ディレクトリ	ファイル
ウ	ファイル	ディレクトリ又はファイル
エ	ファイル	ディレクトリ

ノードとは，節点や要素という意味です(8-06参照)。この問題で「ディレクトリ又はファイルがノードに対応する」というのは，「根・節・葉をノードといい，ディレクトリ又はファイルを表す」ということです。
ファイルシステムのノード間には親子関係があります。節は「子のノード」をもっているのでディレクトリです。葉は「子のノード」をもたないのでファイル又は空のディレクトリです。

確認問題 3　▸平成28年度秋期　問75　正解率▸中　応用

図に示すような階層構造をもつファイルシステムにおいて，＊印のディレクトリ（カレントディレクトリ）から“.. ¥.. ¥DIRB ¥Fn.txt”で指定したときに参照されるファイルはどれか。ここで，図中の［　　］はディレクトリ名を表し，ファイルの指定方法は次のとおりである。

〔指定方法〕
(1) ファイルは“ディレクトリ名¥…¥ディレクトリ名¥ファイル名”のように，経路上のディレクトリを順に“ ¥”で区切って並べた後に“ ¥”とファイル名を指定する。
(2) カレントディレクトリは“.”で表す。
(3) 1階層上のディレクトリは“..”で表す。
(4) 始まりが“ ¥”のときは，左端のルートディレクトリが省略されているものとする。

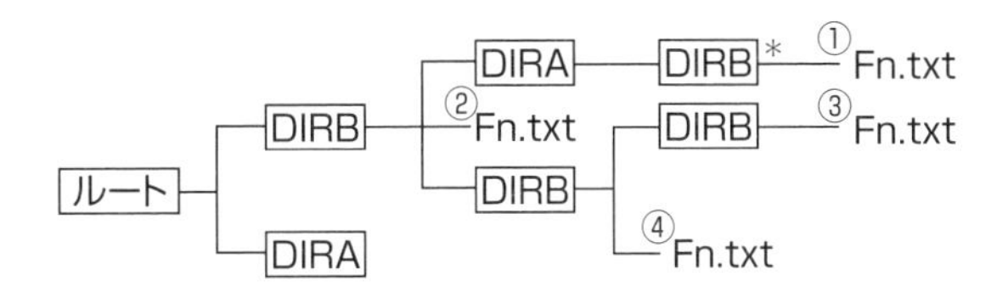

ア　①のFn.txt　　イ　②のFn.txt　　ウ　③のFn.txt　　エ　④のFn.txt

.. ¥.. ¥DIRB ¥Fn.txtとあるので，カレントディレクトリのDIRBから二つ上の階層にある（二つ左に移動した）DIRBの一つ下（一つ右）のDIRBの，直下（右）の④のFn.txtを参照します。

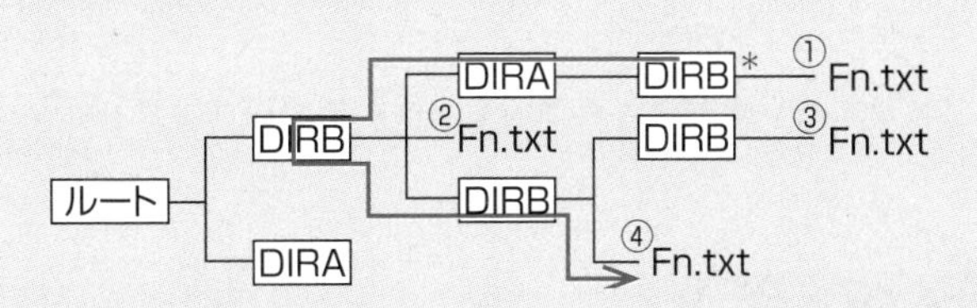

解答

問題1：ウ　　問題2：ア　　問題3：エ

2 03 ファイルのバックアップ

時々出　必須　超重要

イメージでつかむ

家や車のスペアーキーは，必ず作ります。どちらも万が一のための備えです。
PCを使う際も，万が一のときに備えておくことが必要です。

バックアップ

ファイルやデータベース（6-01参照）は，物理的障害やプログラムミス，人為的なミスなどで壊れることがあります。万が一の場合に備えて，**システムやデータの複製を別の記憶媒体に保存すること**を**バックアップ**といいます。

バックアップをする場合は，次のようなことを考慮する必要があります。

* 定期的にバックアップを行う
* バックアップの頻度や重要度を考慮して，自動化や世代管理（直前，その前，…）を検討する

バックアップ方法

バックアップ方法には，次のようなものがあります。

例えば，次のようにデータが追加されていくファイルのバックアップを考えてみましょう。

日曜日	月曜日	火曜日	水曜日
①②	①②③	①②③④	①②③④⑤

フルバックアップ

フルバックアップは，**全てのデータをバックアップする方法**です。

日曜日	月曜日	火曜日	水曜日
①②	①②③	①②③④	①②③④⑤
フルバックアップ	フルバックアップ	フルバックアップ	フルバックアップ

差分バックアップ

差分バックアップは，**フルバックアップ以降に変更されたデータをバックアップする方法**です。フルバックアップと差分バックアップを組み合わせて運用します。

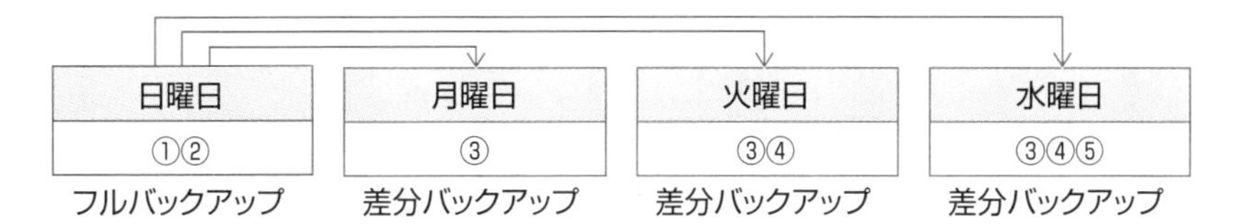

増分バックアップ

増分バックアップは，**フルバックアップまたは各増分バックアップ以降に変更されたデータをバックアップする方法**です。フルバックアップと増分バックアップを組み合わせて運用します。

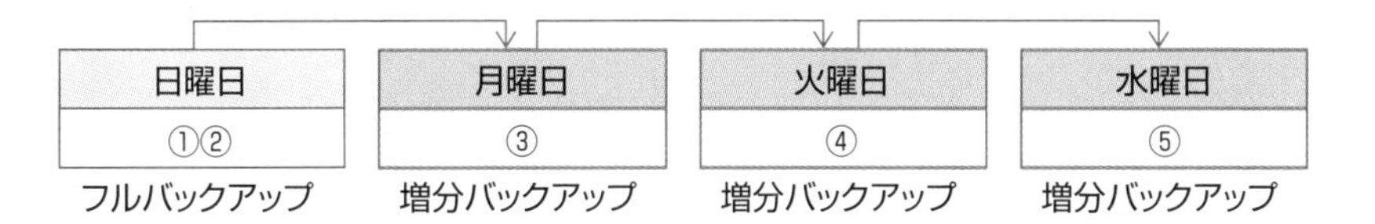

"くれば"で覚える

フルバックアップ　とくれば　**全てのデータをとる**

差分バックアップ　とくれば　**フルバックアップ以降の全てのデータをとる**

増分バックアップ　とくれば　**フルバックアップまたは増分バックアップ以降のデータをとる**

第2章 ソフトウェア

復元方法

障害発生時には，各バックアップファイルを使って，障害発生前の状態に復元します。

例えば，先ほどの例で木曜日のシステム起動時に障害が発生したので，水曜日にバックアップした時点まで復元させてみましょう。

フルバックアップ

フルバックアップは，**最新のフルバックアップを使用して復元する方法**です。したがって，「水曜日のフルバックアップ」を使って復元します。

水曜日
①②③④⑤

フルバックアップ

差分バックアップ

差分バックアップは，**フルバックアップと最新の差分バックアップを使用して復元する方法**です。したがって，「日曜日のフルバックアップ」と「水曜日の差分バックアップ」を使って復元します。

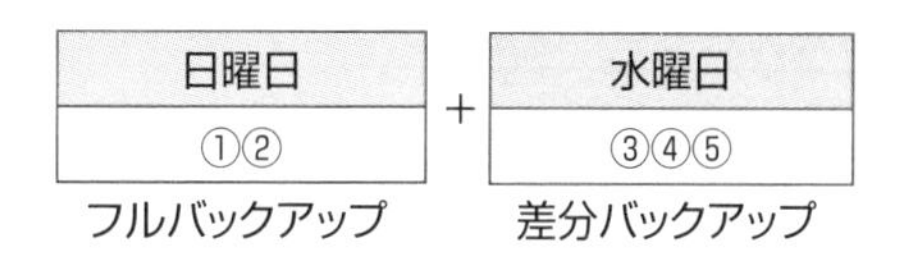

増分バックアップ

増分バックアップは，**フルバックアップと各増分バックアップを使用して復元する方法**です。したがって，「日曜日のフルバックアップ」と「月曜日の増分バックアップ」，「火曜日の増分バックアップ」，「水曜日の増分バックアップ」を使って復元します。

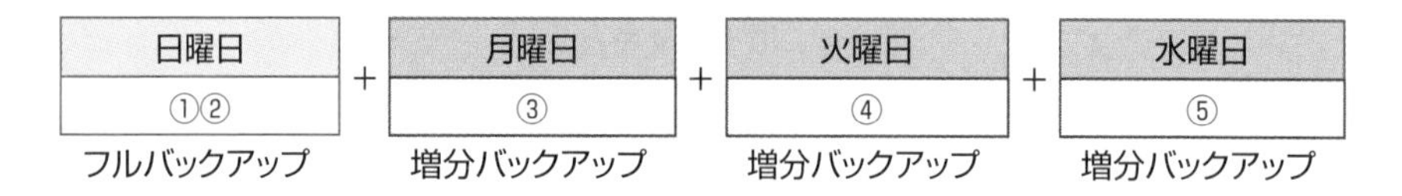

差分バックアップと増分バックアップは，フルバックアップのデータに変更データを反映させる必要があるので，復元時間が長くなります。ここで，バックアップ時間と復元時間の関係は，次のようになります。

	フルバックアップ	差分バックアップ	増分バックアップ
バックアップ時間	長い ←	→	短い
復元時間	短い ←	→	長い

なお，バックアップを確実にとる方法として，**3-2-1ルール**があります。「3つのデータを作成し，2種類の媒体に保存し，一つは離れた場所に置く」というものです。

確認問題 1

▸平成28年度春期　問92　正解率▸高　応用

毎週日曜日の業務終了後にフルバックアップファイルを取得し，月曜日～土曜日の業務終了後には増分バックアップファイルを取得しているシステムがある。水曜日の業務中に故障が発生したので，バックアップファイルを使って火曜日の業務終了時点の状態にデータを復元することにした。データ復元に必要なバックアップファイルを全て挙げたものはどれか。ここで，増分バックアップファイルとは，前回のバックアップファイル（フルバックアップファイル又は増分バックアップファイル）の取得以降に変更されたデータだけのバックアップファイルを意味する。

ア　日曜日のフルバックアップファイル，月曜日と火曜日の増分バックアップファイル
イ　日曜日のフルバックアップファイル，火曜日の増分バックアップファイル
ウ　月曜日と火曜日の増分バックアップファイル
エ　火曜日の増分バックアップファイル

増分バックアップでは，前回のバックアップ以降のファイルをバックアップするので，故障する前日の火曜日までのバックアップファイルを全て使うことになります。

日曜日のフルバックアップ	■	□	□
月曜日の増分バックアップ	■	■	□
火曜日の増分バックアップ	■	■	■

つまり，日曜日のフルバックアップファイルと月曜日・火曜日の増分バックアップファイルを使います。

解答

問題1：ア

2-04 表計算(相対参照と絶対参照)

時々出　**必須**　超重要

イメージでつかむ

コピー機で複写すると，コピー元の原稿とまったく同じものが複製されます。
表計算ソフトで計算式を複写すると，ソフトが気をきかせて計算式の調整をしてくれることがあります。

ワークシートとセル

表計算ソフトの**作業領域**を**ワークシート**といい，行と列の２次元の表から構成されています。この**行と列によって仕切られた各マス目**を**セル**といいます。

ワークシート上にはたくさんのセルが存在するので，**セル番地**（セルアドレス）と呼ばれる番地で管理し，列のアルファベットと行の数字を組み合わせて表します。例えば，列Aと行1の交差する位置にあるセル番地はセル「A1」で表します。また，複数のセルを範囲として指定することもできます。例えば，セルC7からセルD9までの矩形範囲をセル範囲「C7:D9」で表します。

	A	B	C	D	E
1	セル「A1」				セル範囲
2					「E1:E3」
3					
4	セル範囲	「A4:C4」			
5					
6					
7			セル範囲	「C7:D9」	
8					
9					

行　列　ワークシート

計算機能と再計算機能

仕事では，売上伝票のように横と縦の合計を集計する作業が多いです。表計算ソフトを利用すれば，このような作業も非常に楽になります。順を追って見てみましょう。

①表にあらかじめ計算式を入力しておきます。

	A	B	C	D
1		売上伝票		
2	品目	単価	数量	合計
3	鉛筆			B3*C3
4	消しゴム			B4*C4
5	ノート			B5*C5
6			合計金額	D3+D4+D5

②数値データを入力します。すると，瞬時に計算してくれます。

	A	B	C	D
1		売上伝票		
2	品目	単価	数量	合計
3	鉛筆	50	3	B3*C3
4	消しゴム	150	1	B4*C4
5	ノート	100	2	B5*C5
6			合計金額	D3+D4+D5

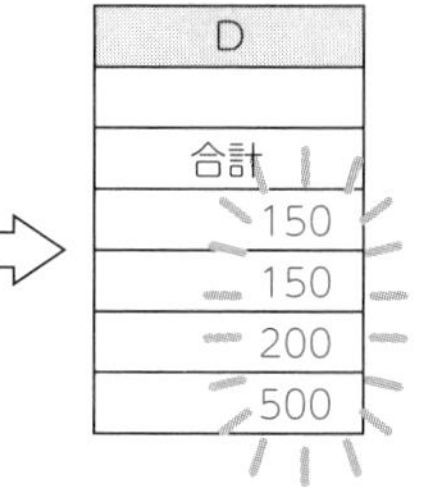

D
合計
150
150
200
500

ここで，計算式が入っているセルには二つの顔があります。計算式は裏の顔で，計算結果は表の顔です。例えば，D3番地のセルには計算式「B3 * C3」が入っていますが，実際に表示されるのは計算結果の「150」です。さらに，数値データを変更すると自動で再計算してくれます。この機能を**再計算機能**といいます。

算術演算子

計算式で使われる四則演算とは加減乗除算のことで，コンピュータの世界では乗算は「*」，除算は「/」で表します。さらに，べき乗は「＾」で表します。例えば，2＾3は「2の3乗」という意味です。

加算（＋）	＋
減算（－）	－
乗算（×）	*
除算（÷）	/
べき乗	＾

相対参照

表計算ソフトでは，あるセルの計算式を別のセルに複写して使うことができます。例えば，セルC1に計算式「A1」を入力し，複写元をセルC1，複写先をセル範囲C1～D2として複写してみましょう。まず，コピー機で複写するイメージで考えてみましょう。全て同じ計算式が複写されます。

	A	B	C	D
1			A1	A1
2			A1	A1

全て同じになる

しかし，表計算ソフトの複写は一味違います。表計算ソフトでは，**複写元を基準として，複写元からどの方向にどれだけ離れているのかで，計算式のセル番地が自動調節されます。** このような参照を**相対参照**といいます。

	A	B	C	D
1			A1	B1
2			A2	B2

自動調節される

では，どのように複写されたのか，複写先のセルを一つずつ確認してみましょう。

セルD1は，複写元（セルC1）から一つ右に離れています。列が一つ自動調整され，セルD1の計算式は「B1」となります。

	A	B	C	D
1			A1 →	B1
2			A2	B2

横方向に複写
列が一つ右へ

セルC2は，複写元（セルC1）から一つ下に離れています。行が一つ自動調整され，セルC2の計算式は「A2」となります。

	A	B	C	D
1			A1 ↓	B1
2			A2	B2

縦方向に複写
行が一つ下へ

セルD2は，複写元（セルC1）から一つ右，複写元から一つ下に離れています。列と行がそれぞれ 一つずつ自動調節され，セルD2の計算式は「B2」となります。

	A	B	C	D
1			A1 →	B1 ↓
2			A2	B2

両方向に複写
列が一つ右へ
行が一つ下へ

“くれば”で覚える

横方向に複写　とくれば　**列のみ自動調節される**（行は自動調節されない）
縦方向に複写　とくれば　**行のみ自動調節される**（列は自動調節されない）
両方向に複写　とくれば　**列と行が自動調節される**

絶対参照

計算式のセル番地は，複写すると自動調節されます。しかし，自動調節されると困るときもあります。そんなときは，列または行の前に「$」を付けると，**計算式のセル番地を複写しても自動調節はされず固定されます。**このような参照を**絶対参照**といいます。コピー機の複写のイメージです。

先ほどの例で，具体的に考えてみましょう。

列の前に「$」を付けて複写すると，列のみが固定されます。行は自動調節されます。

	A	B	C	D
1			$A1	$A1
2			$A2	$A2

列のみが固定される
行は自動調整される

行の前に「$」を付けて複写すると，行のみが固定されます。列は自動調節されます。

	A	B	C	D
1			A$1	B$1
2			A$1	B$1

行のみが固定される
列は自動調整される

列と行の両方の前に「$」を付けて複写すると，列と行の両方が固定されます。

	A	B	C	D
1			$A$1	$A$1
2			$A$1	$A$1

列と行の
両方が固定される

“くれば”で覚える

列の前に「$」　とくれば　**列が固定される**
行の前に「$」　とくれば　**行が固定される**
列と行の前に「$」　とくれば　**列と行の両方が固定される**

攻略法 …… **これが＄の付け方のイメージだ！**

計算式のセルアドレスのどこに＄を付けるかという問題がよく出題されます。複写の方向によって，「横方向に複写」，「縦方向に複写」，「両方向に複写」の3パターンがあります。このような問題を解くには，**まず＄を考えずにあるべき式を考え，比較して固定したい列または行の前に＄を付けます。**やり方は，あとの確認問題でみていきます。

●横方向に複写する場合

「複写元」と「複写元の右」のセルのあるべき式を考えます。

↓

比較して固定したい列の前に＄を付けます。

	A	B	C
1	複写元	右	
2			
3			

複写元が「A1」，
複写先が「B1～C1」
の場合

●縦方向に複写する場合

「複写元」と「複写元の下」のセルのあるべき式を考えます。

↓

比較して固定したい行の前に＄を付けます。

	A	B	C
1		複写元	
2		下	
3			

複写元が「B1」，
複写先が「B2～B3」
の場合

●両方向に複写する場合

「複写元」と「複写元の右」，「複写元の下」のセルのあるべき式を考えます。

↓

比較して固定したい列または行の前に＄を付けます。

	A	B	C
1	複写元	右	
2	下		
3			

複写元が「A1」，
複写先が「A1～C3」
の場合

知っ得情報 ＜ CSV ＞

CSV(Comma Separated Values)は，**データの各項目がコンマ(,)で区切られた形式**です。CSVのファイルは様々なアプリケーションで開けますが，表計算ソフトで開くと，コンマごとに列にデータがきれいに揃って表示されるのでよく用いられています。

アドバイス［試験本番での計算問題の解き方］

試験の本番では，PCの画面上に問題が表示されます。表計算の問題も同じです。つまり問題への書き込みはできず，配られる白紙の計算用紙に必要な箇所を書き写して解くことになります。本書の問題に挑戦するときは問題に書き込んでも構いませんが，本番ではそうなることを頭に入れておき，余裕があれば書き写し方式も試しておきましょう。

確認問題 1

平成30年度秋期　問80　　正解率 高　　計算

セルD2とE2に設定した2種類の税率で，商品Aと商品Bの税込み価格を計算する。

セルD4に入力する正しい計算式は$B4 ∗ (1.0 + D$2) であるが，誤って$B4 ∗ (1.0 + $D$2) と入力した。セルD4に入力した計算式を，セルD5，E4及びE5に複写したとき，セルE5に表示される数値はどれか。

	A	B	C	D	E
1				税率1	税率2
2			税率	0.05	0.1
3	商品名	税抜き価格		税込み価格1	税込み価格2
4	商品A	500			
5	商品B	600			

ア　525　　イ　550　　ウ　630　　エ　660

要点解説

誤って入力された式は$B4 ∗ (1.0 + $D$2) です。税率が絶対参照なので，税率1 (0.05) が常に適用されてしまいます。

$B4 ∗ (1.0 + $D$2) をE5に複写すると，$B4の列は固定，行は調整されるので，$B5 ∗ (1.0 + $D$2) という式になります。数値を入れると600 ∗ (1.0 + 0.05) で，630となります。

確認問題 2　▸平成29年度春期　問91　　正解率▸高　計算

表計算ソフトを用いて，天気に応じた売行きを予測する。表は，予測する日の天気（晴れ，曇り，雨）の確率，商品ごとの天気別の売上予測額を記入したワークシートである。セルE4に商品Aの当日の売上予測額を計算する式を入力し，それをセルE5～E6に複写して使う。このとき，セルE4に入力する適切な式はどれか。ここで，各商品の当日の売上予測額は，天気の確率と天気別の売上予測額の積を求めた後，合算した値とする。

	A	B	C	D	E
1	天気	晴れ	曇り	雨	
2	天気の確率	0.5	0.3	0.2	
3	商品名	晴れの日の売上予測額	曇りの日の売上予測額	雨の日の売上予測額	当日の売上予測額
4	商品A	300,000	100,000	80,000	
5	商品B	250,000	280,000	300,000	
6	商品C	100,000	250,000	350,000	

ア　B2＊B4＋C2＊C4＋D2＊D4
イ　B$2＊B4＋C$2＊C4＋D$2＊D4
ウ　$B2＊B$4＋$C2＊C$4＋$D2＊D$4
エ　$B$2＊$B$4＋$C$2＊$C$4＋$D$2＊$D$4

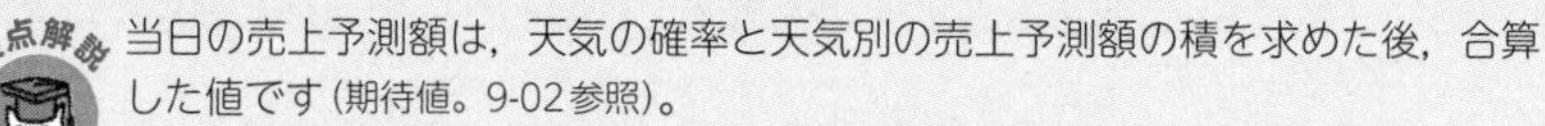

要点解説　当日の売上予測額は，天気の確率と天気別の売上予測額の積を求めた後，合算した値です（期待値。9-02参照）。
縦方向に複写するので，複写元とその下のセルのあるべき式を考えます。
E4のセル式（複写元）：B2＊B4＋C2＊C4＋D2＊D4
E5のセル式（その下）：B2＊B5＋C2＊C5＋D2＊D5
比較して，固定したい行に$を付けます。したがって，
B$2＊B4＋C$2＊C4＋D$2＊D4となります。

確認問題 3 ▸平成21年度春期 問87改 正解率▸低 計算

セルA1 ～ A10に表のような数値が入力されており，セルB1 ～ B10に計算式が入力されている。このときのセルB1 ～ B10の計算結果とセルC1 ～ C10の計算結果がそれぞれ同じ数値となるようにするために，最初にセルC10に計算式を入力し，次にセルC10をセルC1 ～ C9に複写したい。セルC10に入力する計算式として，正しいものはどれか。

	A	B	C
1	231	A1	
2	156	B1 + A2	
3	132	B2 + A3	
4	73	B3 + A4	
5	49	B4 + A5	
6	32	B5 + A6	
7	21	B6 + A7	
8	15	B7 + A8	
9	13	B8 + A9	
10	9	B9 + A10	

ア 合計(A$1:A10)
イ 合計(A$1:A$10) − 合計($A$1:A10)
ウ 合計(A$1:A$10) − 合計($A$10:A10)
エ 合計(A$1:A$10) − 合計($A$1:A10) + A10

「合計関数」については2-05参照。
B列の計算式を見ると，A1からその行までのA列の総和をそれぞれ求めています。
縦方向に複写するので，複写元と今回はその上のセルのあるべき式を考えます。
C10のセル式(複写元)：合計(A1:A10)
C9のセル式(その上)：合計(A1:A9)
比較して固定したい行に$を付けます。したがって，
合計(A$1:A10)となります。

解答

問題1：ウ　問題2：イ　問題3：ア

2 05 表計算（関数）

時々出　必須　超重要

イメージでつかむ

ジュースの自動販売機にお金を入れると，欲しいジュースが出てきます。

表計算ソフトの関数も，「入れると出てくる」ところは同じです。

関数

関数は，**ある目的の計算をするために，あらかじめ用意された数式**です。その数式に，計算に必要な値（引数）を入力すると，計算結果（戻り値）を自動的に算出し，返してくれます。これは，ジュースの自動販売機に，お金を入れると，ジュースが出てくるイメージです。自動販売機の構造を知らなくても，お金を入れれば，簡単にジュースを手にすることができます。

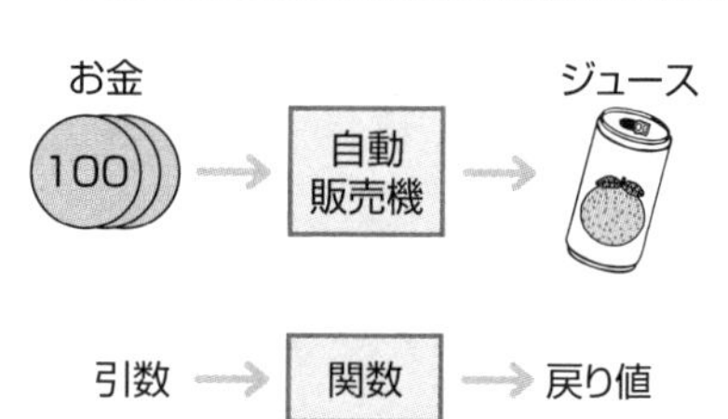

関数の表記

関数は，**関数名（引数）**という書式で記述します。以下の表で，3教科の合計と平均を求める式を見てみましょう。合計や平均の関数の引数は，セル範囲です。

	A	B	C	D	E	F
1		英語	数学	国語	合計	平均
2	山田	60	80	70	210	70

セルE2の計算式は，合計（B2:D2）です。

セルF2の計算式は，平均（B2:D2）です。

出題される関数

試験では，次の関数が出題されます。関数の意味については，CBT試験中にも［表計算仕様］ボタンを押すことで確認可能です。Excelの表記とは違いますが，使い方はほぼ同じです。

関数名と使用例	関数の意味	Excel
合計(A1:A5)	セルA1からセルA5までの範囲に含まれる数値の合計を返す	SUM
平均(A1:A5)	セルA1からセルA5までの範囲に含まれる数値の平均を返す	AVERAGE
最大(A1:A5)	セルA1からセルA5までの範囲に含まれる数値のうちの最大値を返す	MAX
最小(A1:A5)	セルA1からセルA5までの範囲に含まれる数値のうちの最小値を返す	MIN
個数(A1:A5)	セルA1からセルA5までの範囲に含まれるセルのうち，空白セルでないセルの個数を返す	COUNTA
条件付個数(A1:A5,>25)	セルA1からセルA5までの範囲に含まれるセルのうち，25より大きなセルの個数を返す	COUNTIF
整数部(A1)	セルA1の値(数値でなければならない)以下で最大の整数を返す。 例えば， 整数部(3.9)=3 整数部(−3.9)=−4 整数部(3.9)=3 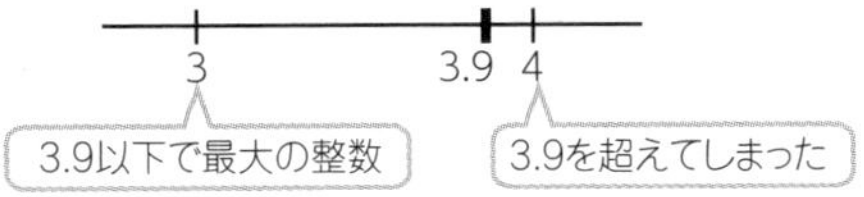 3　3.9　4 3.9以下で最大の整数　3.9を超えてしまった 整数部(−3.9)=−4 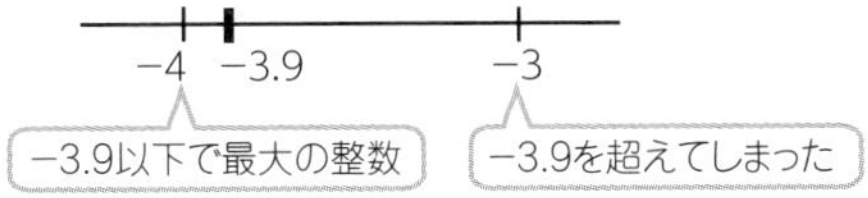 −4　−3.9　−3 −3.9以下で最大の整数　−3.9を超えてしまった	INT
剰余(A1,A2)	セルA1の値をセルA2の値で割ったときの剰余を返す。 剰余とは余りのこと	MOD
表引き(A3:H11,2,5)	セルA3からセルH11までの範囲の左上端(A3)のセルから行と列をそれぞれ1，2，…と数え，行方向に2，列方向に5移動したセルの値(E4)の値を返す	INDEX

知っ得情報 （垂直照合）

垂直照合は，別の表を参照して対応するデータの値を返す関数で，Excelでは VLOOKUP（ブイルックアップ）という名前です。例えば「商品表から商品番号を探して受注表に価格を自動入力」するようなときに使います。**垂直照合(式,セル範囲,列の位置,検索の指定)**という書式で記述しますが，最後の「検索の指定」引数では，検索値に一致するデータか(0)，値以下の最大値を検索するか(1)を指定できます(④)。

C3＝垂直照合(B3,$E$3:$G$5,3,0)
①B3　②$E$3:$G$5　③3　④0

	A	B	C	D	E	F	G
1	受注表				商品表		
2	受注日	商品番号	価格		商品番号	商品名	価格
3	5月8日	A002	980		A001	ねこ手帳	880
4	5月15日	[illegible]			A002	いぬ手帳	980
5	5月20日	A001			A003	うさ手帳	1000

①B3の値を
②$E$3:$G$5の範囲の左端列で探し
見つかったら③3列目の④「980」という値を返す

確認問題 1　▸令和2年度秋期　問71　正解率▸高　基本

表計算ソフトを用いて，ワークシートに示す各商品の月別売上額データを用いた計算を行う。セルE2に式"条件付個数(B2:D2,＞15000)"を入力した後，セルE3とE4に複写したとき，セルE4に表示される値はどれか。

	A	B	C	D	E
1	商品名	1月売上額	2月売上額	3月売上額	条件付個数
2	商品A	10,000	15,000	20,000	
3	商品B	5,000	10,000	5,000	
4	商品C	10,000	20,000	30,000	

ア　0　　イ　1　　ウ　2　　エ　3

要点解説

縦方向の複写なので，行番号が相対的に変更されます。
セルE4はセルE2（複写元）から「行が＋2」離れているので，
E4のセル式は，条件付個数(B4:D4,>15000)となります。
セルB4からD4のうち，15000より大きい値は二つです。
したがって，2です。

確認問題　2　▸令和元年度秋期　問76　　正解率 ▸ 中

ある商品の月別の販売数を基に売上に関する計算を行う。セルB1に商品の単価が，セルB3～B7に各月の商品の販売数が入力されている。セルC3に計算式"B$1＊合計（B$3:B3）／個数（B$3:B3）"を入力して，セルC4～C7に複写したとき，セルC5に表示される値は幾らか。

	A	B	C
1	単価	1,000	
2	月	販売数	計算結果
3	4月	10	
4	5月	8	
5	6月	0	
6	7月	4	
7	8月	5	

ア　6　　イ　6,000　　ウ　9,000　　エ　18,000

縦方向の複写なので，行番号が相対的に変更されます。ただし，$が付いている行は変更されないことに注意です。
セルC5はセルC3（複写元）から「行が＋2」離れているので，
C5のセル式:B$1＊合計（B$3:B5）／個数（B$3:B5）　…①
合計（B$3:B5）＝10＋8＋0＝18
個数（B$3:B5）＝3 ＜ 空白でないセルの個数
これらを①に代入すると，
1,000×18/3＝6,000となります。

解答

問題1：ウ　　問題2：イ

2-06 表計算（関数の応用）

時々出　必須　超重要

イメージでつかむ

あなたはどのタイプ？ YesかNoかであなたのタイプが判断できる占いがあります。

IF関数も，この占いに似ています。

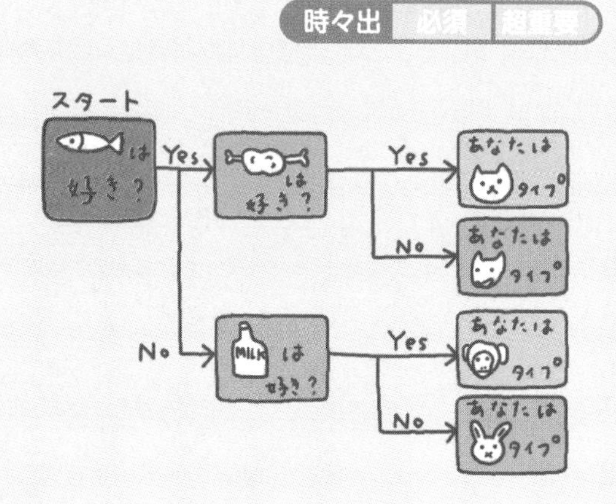

IF関数

IF関数は，**条件を満たしているかどうかによって，処理を分ける関数**です。次のような書式で記述します。

IF(論理式の条件,真の処理,偽の処理)

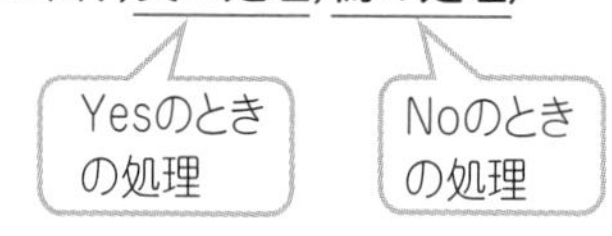

IF関数のイメージをつかむには，フローチャート（7-01参照）を使うとわかりやすくなります。通常は左のフローチャートを用いますが，ここでは，右のようにYesかNoかで道が分かれていく，独自の「占い式フローチャート」で説明します。

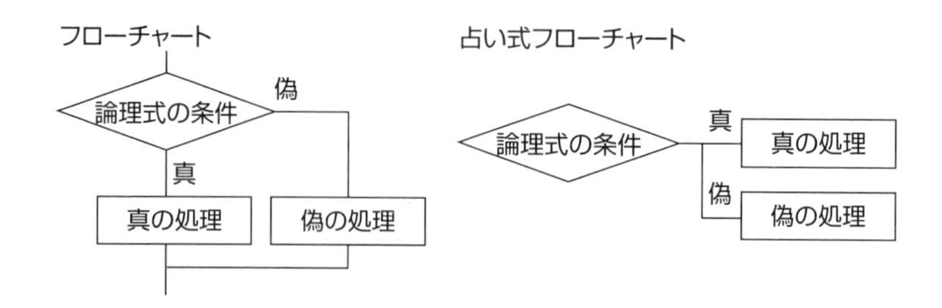

●例1　二つの場合分け

IF関数を用いて，「平均点が70点以上であれば'合格'，そうでなければ'不合格'となる」計算式を考えてみましょう。セルG2にはどのような計算式が入るでしょうか。

	A	B	C	D	E	F	G
1		英語	数学	国語	合計	平均	合否
2	山田	60	80	70	210	70	合格

「占い式フローチャート」は，次のようになります。

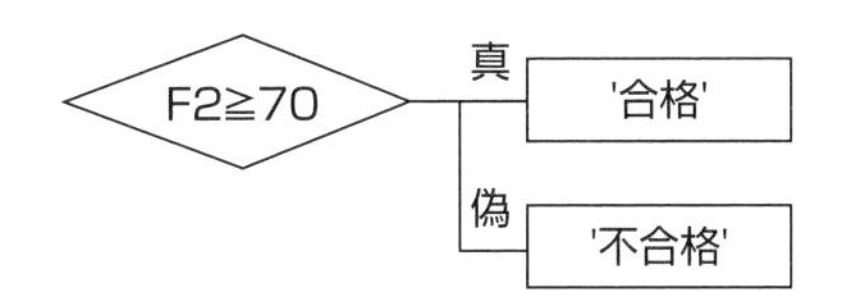

セルG2の計算式は，次のようになります。

IF(F2≧70, '合格', '不合格')
条件　真の処理　偽の処理

IF関数のネスト

IF関数の中にさらにIF関数を記述して，複雑な処理ができます。これをIF関数のネスト（入れ子）といいます。

●例2　三つの場合分け

IF関数を用いて，「平均点が80点以上であれば'○'，50点以上80点未満であれば'△'，50点未満であれば'×'となる」計算式を考えてみましょう。セルG2にはどのような計算式が入るでしょうか。

	A	B	C	D	E	F	G
1		英語	数学	国語	合計	平均	判定
2	山田	60	80	70	210	70	△

「占い式フローチャート」は，次のようになります。

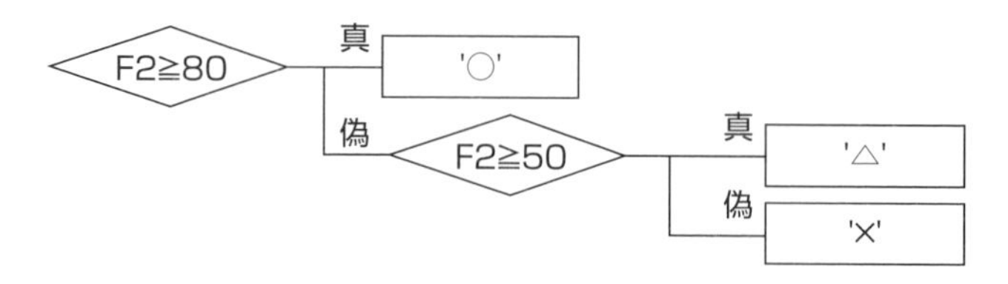

まず，「平均点が80点以上であれば'○'，そうでなければ偽の処理となる」計算式を考えます。

IF(F2≧80,　'○',　'偽の処理')
条件　真の処理　偽の処理

次に，「偽の処理」となっている部分を考えます。「平均点が50以上であれば'△'，そうでなければ'×'になる」計算式を考えます。

IF(F2≧50,　'△',　'×')
条件　真の処理　偽の処理

これら二つのIF関数を組み合わせると，次のような計算式になります。

IF (F2≧80，'○'，IF (F2≧50，'△'，'×'))

●例3　例2の別表現

例2と同じ結果を出すのに，別の計算式でも表現できます。

IF (F2≧50，IF (F2≧80，'○'，'△')，'×')

「占い式フローチャート」は，次のようになります。

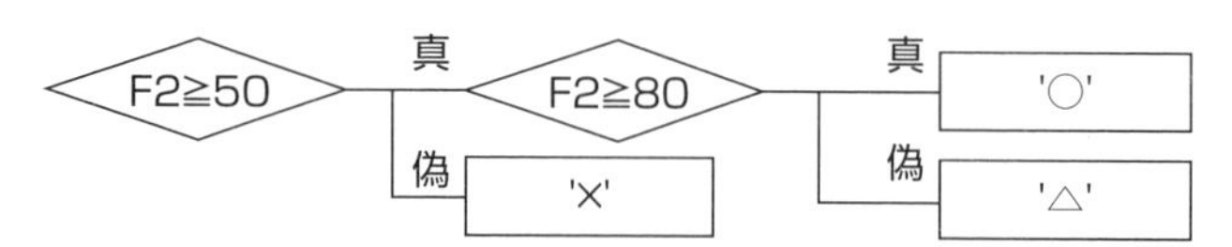

このように，IF関数をネストして使うときは，偽の処理がさらに分岐していく計算式と，真の処理がさらに分岐していく計算式の2通りを書くことができます。

IF関数　とくれば　**「条件・真の処理・偽の処理」の3点セット**

関数の応用

IF関数と論理積関数，論理和関数を組み合わせた問題も出題されています。

関数名	関数の意味
論理積(論理式1, 論理式2, …)	論理式1, 論理式2, …の値が全て真のとき, 真を返す。それ以外のとき偽を返す。引数として渡すことができる式の個数は, 1以上である
論理和(論理式1, 論理式2, …)	論理式1, 論理式2, …の値のうち, 少なくとも一つが真のとき, 真を返す。それ以外のとき偽を返す。引数として渡すことができる式の個数は, 1以上である

●例4　論理積関数との組合せ

例えば，「英語と数学の得点が，両方とも80点以上であれば'合格'，そうでなければ'不合格'となる」計算式を考えてみましょう。

	A	B	C	F
1		英語	数学	合否
2	山田	60	80	不合格

「両方とも(全て) 80点以上であれば'合格'」という条件なので，論理積関数を用います。

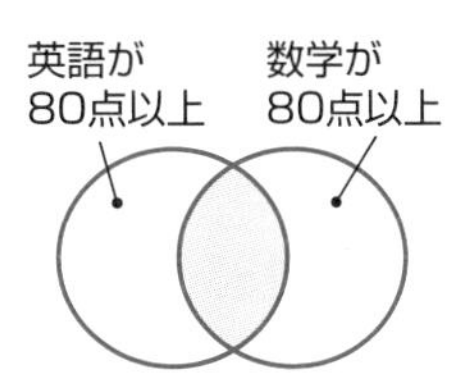

セルF2の計算式は，次のようになります。

IF (論理積 (B2 ≧ 80，C2 ≧ 80)，'合格'，'不合格')

●例5　論理和関数との組合せ

例えば，「英語と数学の得点のうち，どちらかが80点以上なら'合格'，そうでなければ'不合格'となる」計算式を考えてみましょう。

	A	B	C	F
1		英語	数学	合否
2	山田	60	80	合格

「少なくとも一つが80点以上なら'合格'」という条件なので，論理和関数を用います。当然，両方の得点が80点以上であった場合も'合格'です。

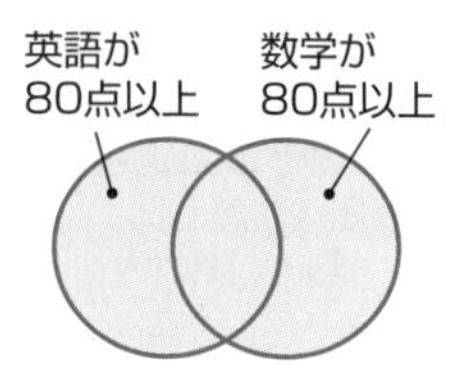

セルF2の計算式は，次のようになります。

IF (論理和 (B2≧80，C2≧80)，'合格'，'不合格')

知っ得情報 マクロ機能

表計算ソフトの機能の一つに**マクロ機能**があります。これは表計算ソフトの複数の操作を記録して，自動的に一連の操作を実行できる機能です。一連の定型的な操作の手間を省くことができますが，この機能を悪用した**マクロウイルス**(5-01参照)もあるので注意が必要です。

知っ得情報 ピボットテーブル

* **クロス集計**は，二つ以上の項目を組み合わせて(クロスして)集計することです。例えば，売上データから，商品ごと・商品区分ごと・年ごと・地域ごと・支社ごとなどの月別の集計を行うことです。
* **ピボットテーブル**は表計算ソフトの機能の一つで，クロス集計の項目を簡単に切り替えられるデータ分析ツールです。例えば一つの売上データから，「支社ごとの売れ筋商品」，「昨対比で売上が下がった地域」などを簡単に切り替えて表示できます。

確認問題 1

▸令和5年度 問75 正解率▸高 計算

表計算ソフトを用いて，二つの科目X，Yの点数を評価して合否を判定する。それぞれの点数はワークシートのセルA2，B2に入力する。合格判定条件(1)又は(2)に該当するときはセルC2に“合格”，それ以外のときは“不合格”を表示する。セルC2に入力する式はどれか。

〔合格判定条件〕
(1) 科目Xと科目Yの合計が120点以上である。
(2) 科目X又は科目Yのうち，少なくとも一つが100点である。

	A	B	C
1	科目X	科目Y	合否
2	50	80	合格

ア IF(論理積((A2＋B2)≧120，A2＝100，B2＝100)，'合格'，'不合格')
イ IF(論理積((A2＋B2)≧120，A2＝100，B2＝100)，'不合格'，'合格')
ウ IF(論理和((A2＋B2)≧120，A2＝100，B2＝100)，'合格'，'不合格')
エ IF(論理和((A2＋B2)≧120，A2＝100，B2＝100)，'不合格'，'合格')

合格判定条件(1)又は(2)に該当するとき，また合格判定条件(2)では2科目のうち少なくとも一つが100点であるとき，“合格”を表示することから，次の三つの論理式が少なくとも一つが真ならば“合格”を表示するので，論理和関数を使います。

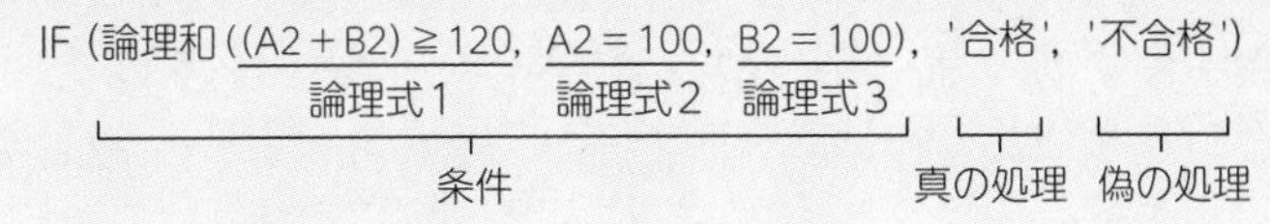

よって，ウが正解です。

解答

問題1：ウ

2 07 ユーザインタフェース

時々出　必須　超重要

イメージでつかむ

シャンプーボトルにはギザギザが付いていて，目を閉じていても区別できるので，目の不自由な人にも便利です。ユーザインタフェースにもそのような考え方があります。

ユーザインタフェース

利用者とコンピュータの接点を**ユーザインタフェース**（UI：User Interface）といいます。具体的には，コンピュータに対して，キーボードでコマンドを入力して操作する**CUI**（Character User Interface）や，画面に表示されたアイコンやボタンをクリックして視覚的に操作する**GUI**（Graphical User Interface）があり，現在はGUIが主流となっています。GUIでは，次のような部品を使って操作します。

名称	概要
ラジオボタン	複数の項目から一つを選択させる。関連する項目を常に表示し，一つ選択すると，それ以前に選んだ項目の選択は解除される
チェックボタン	各項目を選択させる（複数の選択も可能）。クリックするたびに，選択と非選択が切り替わる
スピンボタン	特定の連続する値を増減させる。ボタンをクリックするたびに値が増減する
プルダウンメニュー	上から垂れ下がるように表示されるメニュー。複数の項目から一つを選択
ポップアップメニュー	画面から浮き出るように表示されるメニュー。複数の項目から一つを選択

また，**NUI**（Natural User Interface）はタッチや音声，ジェスチャーなどの人の自然な行動を利用したインタフェースです。スマートフォンやタブレット，VRやAR（2-08参照）においても重要なインタフェースとなっています。

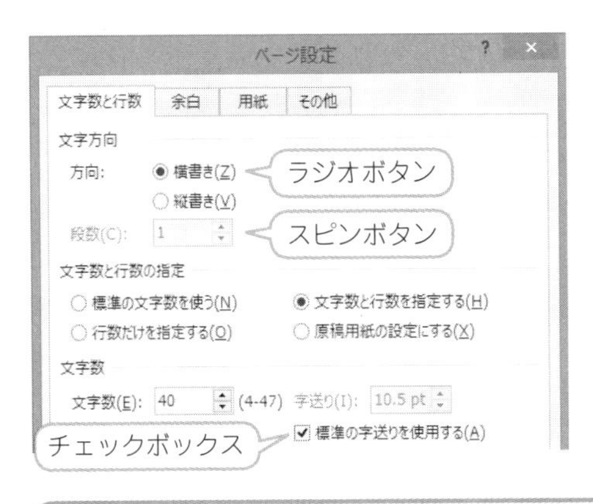

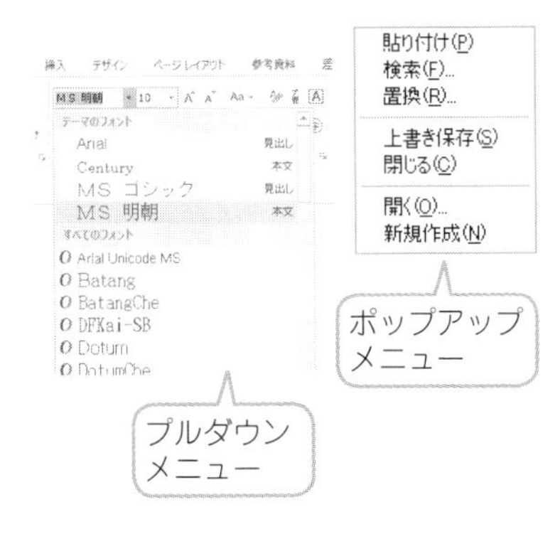

もっと詳しく（ユーザ体験）

最近はWebサービスの広がりとともに，使いやすさや機能性が要求されるUIにとどまらず，製品やサービスから得られる体験（感じ方）までを含んだ**UX**（User Experience）という考え方がでてきました。例えば，スマホで地図の拡大や縮小を2本の指で行う方法は直感的で，楽しく操作でき，また，操作が直感的にわかりやすいWebサイトでも，納期が半年後となると注文したくなくなります。

知っ得情報（作業効率向上のための機能）

アプリケーションには，ユーザの入力や作業の効率を上げるために，以下の機能が有効になっているものがあります。

* **キーボードショートカットキー**は，通常は画面上のメニューからマウスなどで選択して操作する機能を，特定のキーを押すだけで操作できるようにした機能です。例えば，Ctrl キーと S キーを同時に押すと，上書き保存ができます。
* **オートコンプリート**は，入力中の文字から過去の入力履歴を参照して，候補となる文字列の一覧を表示する機能です。文字入力の手間を軽減でき，スマートフォンでの文字入力などにも採用されています。

アフォーダンス・シグニファイア

初めての場所のドアを開けるときは，ドアを「押す」，「引く」，「スライドさせる」などを考えますが，「取っ手の形」や「貼られたラベル」などから判断して行動に移します。このときの「押す」，「引く」，「スライドさせる」などのような，**人がある物に対して与える行動の可能性**を**アフォーダンス**といい，「取っ手の形」や「貼られたラベル」などのような，**人の特定の行動を誘発させる手掛かりとなるデザイン**を**シグニファイア**といいます。また，Webページ上の文字で，青色で示されて下線が付いている個所があったらリンクで他のページにいける，とわかるのもシグニファイアの例です。

ユニバーサルデザイン

ユニバーサルデザインは，**国籍や年齢，性別，身体的条件などにかかわらず，誰もが利用しやすいように配慮された設計**です。「万人向けの設計」という意味です。これには，次の概念が含まれています。

アクセシビリティ

アクセシビリティは，**利用者の誰もがサービスを支障なく操作または利用できるかの度合い**のことです。これは，「使えない状態」から「使える状態」にする，利用のしやすさ（アクセスのしやすさ）に重点を置いた概念です。

ユーザビリティ

ユーザビリティは，**利用者がどれだけストレスを感じずに，目標とする要求が達成できるかの度合い**のことです。これは，「使える状態」から「使いやすい状態」にする，使いやすさに重点を置いた概念です。

知っ得情報（ピクトグラム）

ユニバーサルデザインの観点では，国籍や文化を問わず理解できる，シンプルな絵のアイコンである**ピクトグラム**も活用できます。

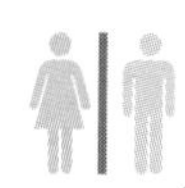

情報デザイン

インフォグラフィックスは，**グラフやイラスト，地図，チャートなどを使って関連する情報を一つの図にまとめたもの**です。文章だけで説明するよりも，より直感的に伝えることができます。情報（Information）と図（Graphics）を合わせた造語です。例えば，全国地図と天気マークを組み合わせて各地の天気を表現した天気予報図や，駅構内にある電車の路線図などがこれに当たります。

情報デザインの原則

PowerPointなどのスライド作成ソフトなどを用いて発表する機会が増えています。情報をわかりやすく伝えるためには，漫然と列挙するのではなく，情報を構成する要素同士の関係に基づいてデザインする必要があります。そのために用いられるのが**近接，整列，反復，対比の原則**です。

原則	内容
近接	関連するものは近づけて配置する
整列	要素を揃えて配置する
反復	形式を繰り返す
対比	重要性に応じてメリハリをつける

確認問題 1

▸令和6年度 問68　　正解率▸低　　基本

情報デザインで用いられる概念であり，部屋のドアノブの形で開閉の仕方を示唆するというような，人間の適切な行動を誘発する知覚可能な手掛かりのことを何と呼ぶか。

ア　NUI (Natural User Interface)
イ　ウィザード
ウ　シグニファイア
エ　マルチタッチ

シグニファイアは，人の特定の行動を誘発させる手掛かりとなるデザインです。NUIはタッチや音声，ジェスチャーなどの人の自然な行動を利用したインタフェース，ウィザードは特定の操作を段階的に案内してくれるインタフェース，マルチタッチは複数の指で画面をタッチする操作です。

確認問題 2

▸令和4年度 問33　　正解率▸高

IT機器やソフトウェア，情報などについて，利用者の身体の特性や能力の違いなどにかかわらず，様々な人が同様に操作，入手，利用できる状態又は度合いを表す用語として，最も適切なものはどれか。

ア　アクセシビリティ
イ　スケーラビリティ
ウ　ダイバーシティ
エ　トレーサビリティ

アクセシビリティは，利用のしやすさを表す用語です。スケーラビリティは拡張性，ダイバシティは多様性，トレーサビリティは追跡可能性を表す用語です。

解答

問題1：ウ　　問題2：ア

2 08 マルチメディア

時々出　必須　超重要

イメージでつかむ

日常は様々な格好をしている学生も，就職活動ではスーツを着て行くなど，その場面に合ったものを選んでいます。データのファイル形式も様々ありますが，用途に合わせて選びましょう。

マルチメディア

マルチメディアは，**文字や画像，動画，音声などの様々な種類の情報をデジタル化し，組み合わせて扱うこと**です。「複数のメディア（情報媒体）を扱う」という意味です。マルチメディアデータをデジタル化するとデータ量が大きくなるので，小さくする必要があります。データ量を小さくすることを**圧縮**といい，逆に元に復元することを**伸張**（**解凍**）といいます。

圧縮の方式は，次の二つに分類できます。

1. **可逆圧縮方式**は，**圧縮したデータを完全に復元できる方式**です。
2. **非可逆圧縮方式**は，**圧縮したデータを完全には復元できない方式**です。

非可逆圧縮方式では，たとえ完全に復元できなくても，利用者にとって許容できる程度や違いがわからない程度であれば使えます。一般的には非可逆圧縮方式の方が圧縮率は高くなります。

マルチメディアのファイル形式には，次のようなものがあります。

	種類（拡張子）	特徴
画像	BMP（ビットマップ）(.bmp)	壁紙などで使われる。24ビットフルカラー（約1,677万色）対応。Windows標準。非圧縮
	GIF（ジフ）(.gif)	イラストやアイコンなどで使われる。最大256色まで。可逆圧縮
	JPEG（ジェーペグ）(.jpg)	写真やWeb用の画像などで使われる。24ビットフルカラー対応。国際標準規格。非可逆圧縮
	PNG（ピング）(.png)	Web用の画像などで使われる。24ビットフルカラー対応。可逆圧縮
動画	MPEG（エムペグ）(.mpg)	国際標準規格。非可逆圧縮。MPEG-1はVideo CD，MPEG-2はDVD-Videoやデジタル放送などで使われる
	(.mp4)	MPEG-4はインターネット配信や携帯電話などで使われる
音声	MP3（エムピースリー）(.mp3)	音楽配信やポータブルプレーヤなどで使われる。国際標準規格。非可逆圧縮

参考［拡張子］

この表に出てくる拡張子とは，ファイル名の後に付き，ファイルがどんな種類なのかを表す文字列のことをいいます。試験で拡張子そのものについては出題されたことはないですが，PCを使うならば知っておきたい知識です。

知っ得情報（ストリーミング）

動画や音声データは容量がとても大きく，ダウンロードするのに時間がかかります。**ストリーミング**は，データをダウンロードしながら同時に再生できる技術です。これにより，動画や音声をリアルタイムに配信できます。

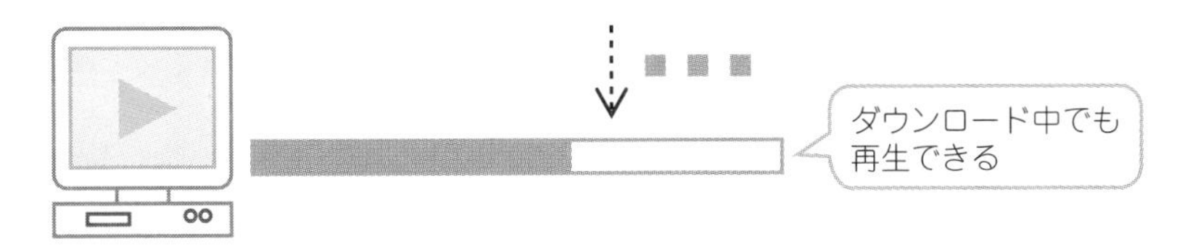

知っ得情報（いろいろなアーカイブ）

アーカイブは，複数のファイルをまとめて一つのファイルにすることです。もともとは「整理して保管する」という意味ですが，「インターネット上のデータの保管場所，または保管場所に保管すること」という文脈で使われることもあります。さらには「データを消去せずに非公開にする」という意味も派生しました。

音のデジタル化

音は連続した空気の振動で伝わる現象で，次のような波形で表されるアナログ情報です。このアナログ情報をデジタル化するには，次の三つの手順で行います。

1. **標本化**… アナログの波形を一定時間間隔で区切り，標本（サンプル）を取り出します。**サンプリング**とも呼ばれます。
2. **量子化**… 標本化で取り出した標本を，決められた範囲の中で，最も近い値を割り当てます。
3. **符号化**… 量子化で割り当てた値を，2進数で表します。

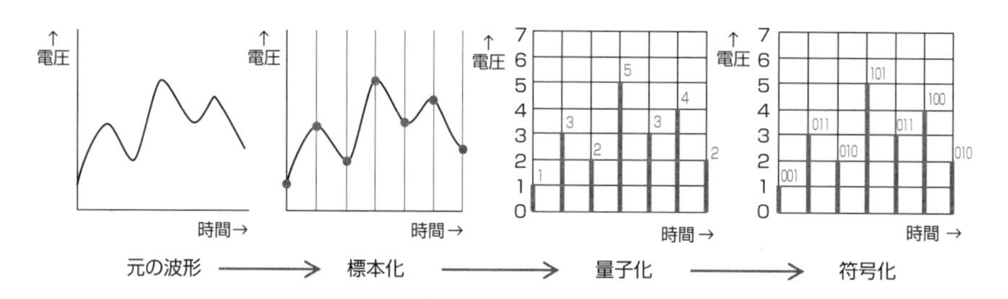

マルチメディアの応用

マルチメディアの技術を応用したものに，次のようなものがあります。

CG（Computer Graphics）	**コンピュータグラフィックス**。コンピュータを使って作成した画像，または作成する技術
VR（Virtual Reality：仮想現実）	**バーチャルリアリティ**。専用のゴーグルなどを装着しCGを映し出すことで，人工的に作られた仮想空間で，現実のような体験ができる技術
AR（Augmented Reality：拡張現実）	現実世界の映像に，CGなどのコンピュータで作成した情報を重ねて映し出す技術。例えば，現実の世界にモンスターがいるかのようにCGを合成したポケモンGOがある
メタバース	仮想空間で，アバター（自分を表現するキャラクタ）を通して人々が交流や活動ができる技術
プロジェクションマッピング	プロジェクタを用いて，建物や模型などの立体物に，CGなどを投影することで，様々な視覚効果を出す技術

知っ得情報 グラフィックスデータ

画像を扱うグラフィックスデータは，次の二つに分類できます。

1. 主に線画を扱う**ベクタグラフィクス**は，線をどう引くか，どう塗りつぶすかなどの情報を保存するので，拡大しても図形の輪郭にギザギザ（ジャギーという）が生じません。現在主流の文字フォントであるアウトラインフォントも，ベクタグラフィックスです。
2. 主に写真を扱う**ラスタグラフィクス**は，ピクセルと呼ばれる点の集まりとして扱うので，色の種類や明るさがピクセルごとに調節できます。しかし，拡大すると輪郭にジャギーが生じます。BMPやGIF，JPEG，PNGなどはラスタグラフィクスです。

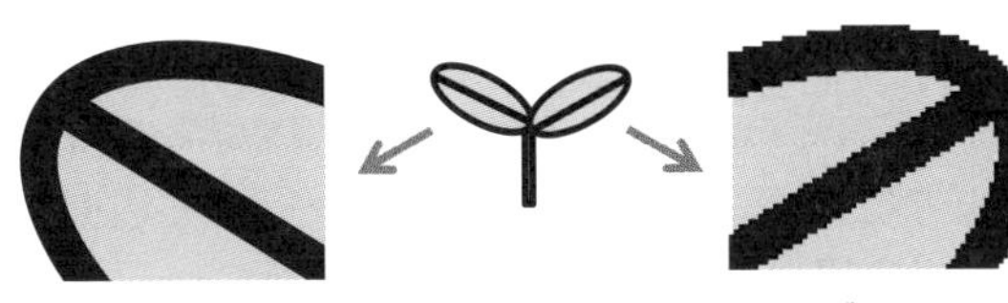

ベクタグラフィクス　　ラスタグラフィクス

確認問題 1 ▸平成27年度春期　問76　正解率▸高　応用

ストリーミングを利用した動画配信の特徴に関する記述のうち，適切なものはどれか。

ア　サーバに配信データをあらかじめ保持していることが必須であり，イベントやスポーツなどを撮影しながらその映像を配信することはできない。
イ　受信データの部分的な欠落による画質の悪化を完全に排除することが可能である。
ウ　動画再生の開始に準備時間を必要としないので，瞬時に動画の視聴を開始できる。
エ　動画のデータが全てダウンロードされるのを待たず，一部を読み込んだ段階で再生が始まる。

YouTubeなどもストリーミングを利用しています。動画データをダウンロードしながら再生することが可能です。また，撮影しながら配信するライブ中継も可能です。

確認問題 2

▸令和6年度　問25　　正解率 ▸ 中　　基本

史跡などにスマートフォンを向けると，昔あった建物の画像や説明情報を現実の風景と重ねるように表示して，観光案内をできるようにした。ここで活用した仕組みを表す用語として，最も適切なものはどれか。

ア　AR　　イ　GUI　　ウ　VR　　エ　メタバース

AR（拡張現実）はコンピュータで作成した情報と現実の映像を合成して映し出す技術です。GUIは視覚的にコンピュータを操作するインタフェース，VR（仮想現実）は人工的に作られた仮想空間，メタバースは仮想空間の世界でアバターを通して交流や活動が行える技術です。

確認問題 3

▸令和2年度秋期　問83　　正解率 ▸ 高　　基本

建物や物体などの立体物に，コンピュータグラフィックスを用いた映像などを投影し，様々な視覚効果を出す技術を何と呼ぶか。

ア　デジタルサイネージ　　イ　バーチャルリアリティ
ウ　プロジェクションマッピング　　エ　ポリゴン

プロジェクションマッピングは，プロジェクタを用いて，建物や模型などの立体物に，CGなどを投影することで，様々な視覚効果を出す技術です。
デジタルサイネージは電子看板，バーチャルリアリティは仮想現実，ポリゴンは立体の形状を表現するときに使用する基本的な要素のことで，三角形や四角形などが用いられます。

解答

問題1：エ　　問題2：ア　　問題3：ウ

第3章

システム構成
〔テクノロジ系〕

3 01 コンピュータの形態

時々出 必須 超重要

イメージでつかむ

仕事にも，一人で黙々とするものと，皆で分担しながらやるものがあります。コンピュータの世界でも同じです。

処理形態

人が仕事をするときには，一人で完成させるものと，複数人で分担して完成させるものがあります。コンピュータも同じで，1台のコンピュータに集中して処理をさせるものと，複数のコンピュータで分担して処理をさせるものがあります。

集中処理

集中処理は，**1台の大型コンピュータに複数の端末**（PCなど，データを入力したり出力したりする装置）**を接続し，その大型コンピュータで集中して処理させる形態**です。大型コンピュータは，ホストコンピュータとも呼ばれ，企業などの基幹業務などに利用されていましたが，コンピュータの小型化，低価格化，高性能化が進み，分散処理（後述）が主流になっています。

知っ得情報（スーパーコンピュータ）

気象変化の予測や遺伝子解析，ウイルスの飛沫シミュレーションなどの処理は，大量の計算を高速に処理することが求められます。これらを担う超高性能なコンピュータを**スーパーコンピュータ**といい，日本では富岳が有名です。

分散処理

分散処理は，**複数のコンピュータをネットワークに接続し，処理を分担させる形態**です。代表的な分散処理に，クライアントサーバがあります。

クライアントサーバシステム

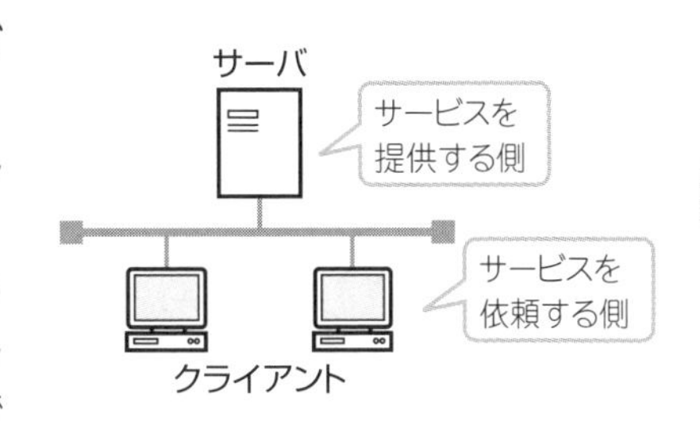

クライアントサーバシステムは，**サービス（目的の処理）を依頼するクライアントと，サービスを提供するサーバとに役割分担した形態**です。

例えば，利用者がWebページを閲覧するときに，商品Aのページを見たいと依頼します。この利用者のPCがクライアントです。この依頼に対して処理し，商品Aのページを送付するのがサーバです。この形態は，クライアントとサーバが分担して，目的の処理を実行します。

“くれば”で覚える

クライアント　とくれば　**サービスを依頼するコンピュータ**
サーバ　とくれば　**サービスを提供するコンピュータ**

主なサーバ

Webサーバ（WWWサーバ）	Webページを提供するサーバ
メールサーバ	電子メールの送受信を提供するサーバ
データベースサーバ	データベース（6-01参照）を一元管理し，クライアントからの問合せに対する応答を提供するサーバ
ファイルサーバ	ファイルを共有する機能を提供するサーバ
プリントサーバ	プリンタを共有する機能を提供するサーバ

知っ得情報（ブレードサーバ）

映画に出てくるサーバルームやデータセンターでは，大きな部屋の中に無数の棚があり，ランプが明滅しています。棚（ラック）に設置してあるのがブレードサーバと呼ばれるものです。**ブレードサーバ**は，CPUやメモリ，HDDなどを搭載したボード型のコンピュータを，専用の筐体（きょうたい）のスロットに複数差し込んで使用するサーバです。ブレードは，「刃」という意味です。電源装置や外部インタフェースなどをブレードサーバ間で共有し，省スペース化を実現しています。

シンクライアントシステム

シンクライアントシステムは，**クライアントPCの機能を最小限にした形態**です。Thin（シン）は，「薄い」という意味です。先ほどのクライアントサーバシステムのクライアントPCには，通常はOSやアプリケーションがインストールされ，台数が増えるほどクライアントPCの運用や管理が複雑になってきます。一方，シンクライアントシステムのクライアントPCには機能を極力もたせず，OSやアプリケーションをサーバで一元管理することでクライアントPCの運用や管理が楽になります。さらに，データもサーバに保存することでクライアントPCにデータが残らないので，情報漏えい対策にも繋がるメリットがあります。

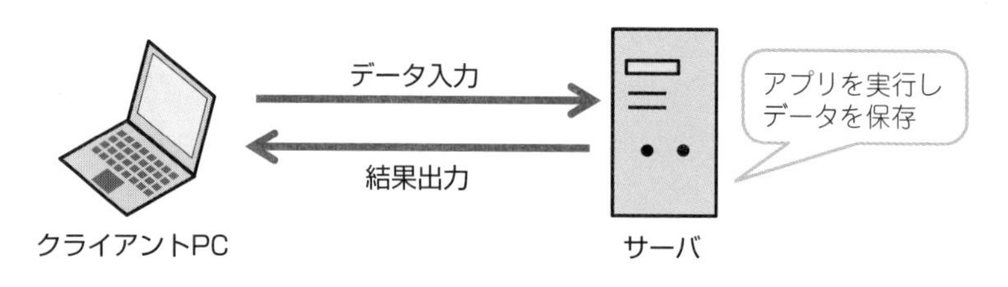

もっと詳しく（VDI）

VDI（Virtual Desktop Infrastructure：仮想デスクトップ基盤）は，シンクライアントシステムを実装させる仕組みの一つで，クライアントPCにOSやアプリケーションをインストールせずサーバ上にクライアントPCのデスクトップ環境を集約して，クライアントPCからリモートで操作する方式です。クライアントPCにはサーバ上で実行されているデスクトップ環境の画面だけが転送（画面転送という）されてきます。

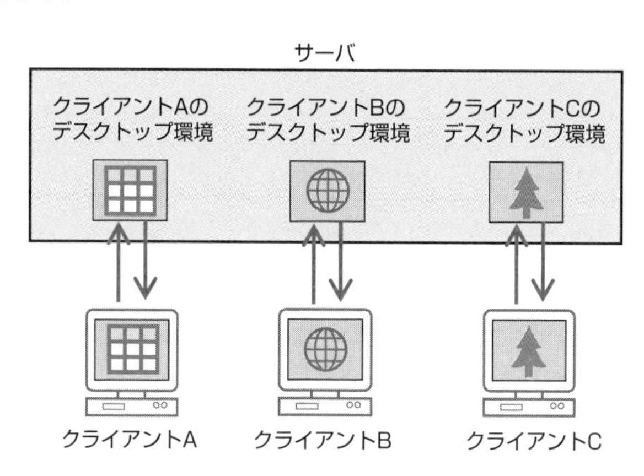

NAS

NAS (Network Attached Storage) は，**ネットワーク接続型のファイルサーバ専用機**です。LAN (4-01参照) に接続された複数のPCからファイルを共有できます。

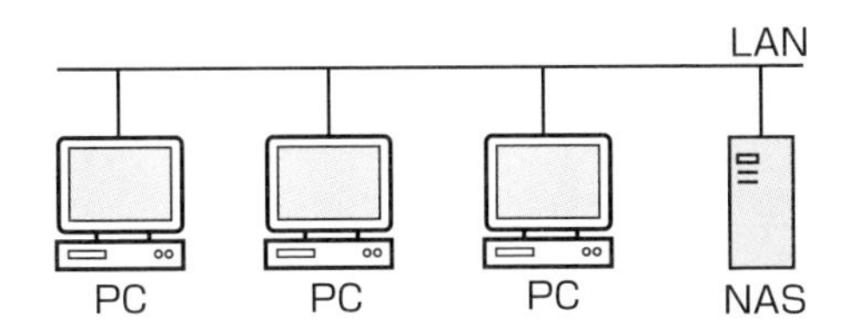

知っ得情報 （コンピュータの接続形態）

クライアントサーバ以外にも，次のような形態があります。

* **ピアツーピア**は，ネットワークに接続されているコンピュータ同士が，それぞれのデータなどをお互いに対等な関係で利用する形態です。
* **スタンドアローン**は，コンピュータをネットワークに接続せず，単独で利用する形態です。

利用形態

人が仕事するときには，仕事をある一定量まとめて行う場合と，依頼があれば直ちに行う場合があります。コンピュータも同じです。

バッチ処理は，データを一定期間，一定量をまとめてから処理する形態です。「一括処理」という意味です。例えば，給与計算は1か月まとめて，マークシート答案の採点は全員分をまとめてから処理します。

リアルタイム処理は，処理の依頼があると，即時に処理する形態です。「即時処理」という意味です。例えば，ホテルの予約システムや銀行のATMなどは，直ちに処理され結果が返ってきます。

“くれば”で覚える

バッチ処理 とくれば **一括処理**
リアルタイム処理 とくれば **即時処理**

知っ得情報 〈対話型処理〉

対話型処理は，利用者が，ディスプレイ上に表示されたアイコンを選択するなど，コンピュータと情報のやり取りを行い，人間の判断を加えながら処理する形態です。

確認問題 1　▸平成25年度秋期　問59　正解率▸中　頻出　基本

LANに直接接続して，複数のPCから共有できるファイルサーバ専用機を何というか。

ア　CSV　　イ　NAS　　ウ　RAID　　エ　RSS

要点解説

ア　CSVは，表計算ソフトやデータベースソフトでデータ交換に使用されるテキストデータです（2-04参照）。

ウ　RAIDは，ハードディスクを複数使用し，信頼性や速度の向上をはかる技術です（1-03参照）。

エ　RSSは，Webサイトの要約の記述形式です（7-03参照）。

確認問題 2　▸令和3年度　問57　正解率▸中　基本

CPU，主記憶，HDDなどのコンピュータを構成する要素を1枚の基板上に実装し，複数枚の基板をラック内部に搭載するなどの形態がある，省スペース化を実現しているサーバを何と呼ぶか。

ア　DNSサーバ　　イ　FTPサーバ
ウ　Webサーバ　　エ　ブレードサーバ

要点解説

ブレードサーバは，CPUやメモリ，HDDなどを搭載したボード型のコンピュータを，専用の筐体のスロットに複数差し込んで使用するサーバです。

ア　DNSサーバは，IPアドレスとドメイン名を対応付けるサーバです（4-04参照）。

イ　FTPサーバは，ファイル転送を提供するサーバです（4-03参照）。

ウ　Webサーバは，Webページを提供するサーバです。

確認問題 3

▸平成30年度秋期 問94　正解率 ▸ 中　基本

バッチ処理の説明として，適切なものはどれか。

ア　一定期間又は一定量のデータを集め，一括して処理する方式
イ　データの処理要求があれば即座に処理を実行して，制限時間内に処理結果を返す方式
ウ　複数のコンピュータやプロセッサに処理を分散して，実行時間を短縮する方式
エ　利用者からの処理要求に応じて，あたかも対話をするように，コンピュータが処理を実行して作業を進める処理方式

要点解説

バッチ処理は，給与計算などのように，一定の期間を区切ってデータを集め，一度にまとめて処理する方式です。
イ　リアルタイム処理
ウ　分散処理
エ　対話型処理

確認問題 4

▸令和2年度秋期 問63　正解率 ▸ 高　応用

記述a～dのうち，クライアントサーバシステムの応答時間を短縮するための施策として，適切なものだけを全て挙げたものはどれか。

a　クライアントとサーバ間の回線を高速化し，データの送受信時間を短くする。
b　クライアントの台数を増やして，クライアントの利用待ち時間を短くする。
c　クライアントの入力画面で，利用者がデータを入力する時間を短くする。
d　サーバを高性能化して，サーバの処理時間を短くする。

ア　a，b，c　　イ　a，d　　ウ　b，c　　エ　c，d

要点解説

応答時間は，コンピュータに処理を依頼してから結果が返ってくるまでの時間で，レスポンスタイムともいいます。
回線を高速化したり（a），サーバの性能を上げること（d）で，応答時間を短縮できます。
b　台数を増やすと，サーバの負荷が増えるので，応答時間が遅くなります。
c　応答時間は，サーバへ処理を依頼してからの時間です。データの入力時間は含みません。

解答

問題1：イ　　問題2：エ　　問題3：ア　　問題4：イ

3-02 システム構成

時々出　必須　超重要

イメージでつかむ

オフィスや家庭に1台はある電気ポット。ポットの中の水の温度によって，沸騰するまでの時間が違います。
コンピュータにもそれに似た構成があります。

二組のシステム

一組のシステムは経済的ですが，障害が発生するとシステムが停止してしまうことも考えられます。そこで，コストは増えますが，二組のシステムを用意して可用性（必要なときに使用できること）と信頼性（意図したとおりの結果が得られること）を高める方法があります。システムの重要度と目的に合ったシステム構成を選択する必要があります。

デュプレックスシステム

デュプレックスシステムは，**通常業務で使用している本番系（主系）と，その本番系の故障に備える待機系（従系）の二組のシステムで構成される方式**です。

"くれば"で覚える

デュプレックスシステム　とくれば　**二組のシステムで，一方が待機する**

デュプレックスシステムは，待機系の状態の違いでコールドスタンバイとホットスタンバイに分類できます。コールドスタンバイは，待機系を本番系へ切り替えるのに時間を要しますが，ホットスタンバイは，待機系を本番系へ直ちに切り替えることができます。

コールドスタンバイ	待機系を準備しておき，障害発生時に待機系を立ち上げて，本番系へ切り替える方式
ホットスタンバイ	待機系をいつでも稼働できる状態で待機させておき，障害発生時に直ちに本番系へ切り替える方式

デュアルシステム

デュアルシステムは，**二組のシステムで構成され，常に同じ処理を行わせて結果を相互に照合することで，高い信頼性を得ることができる方式**です。どちらかのシステムに障害が発生したときは，切り離して処理を続行させます。

“くれば”で覚える

デュアルシステム　とくれば　**二組のシステムで，同じ処理をして照合する**

サーバの仮想化

サーバの仮想化は，**1台の物理サーバ上で，あたかも複数のサーバが稼働しているかのように見せかける技術**です。サーバを仮想化することで，コスト削減や省スペース化が図れ，柔軟にサーバの性能を上げられるメリットがあります。サーバの性能向上策として，CPUやメモリなどサーバ内部の部品を高性能なものに交換したり拡張したりする**スケールアップ**や，サーバの台数を増やす**スケールアウト**があります。

また，仮想サーバで稼働しているOSやアプリケーションを停止することなく，他の物理サーバへ移し替える技術が**ライブマイグレーション**です。仮想サーバを停止させずに移行ができるので，サーバの移行業務に伴う停止時間を短縮できます。

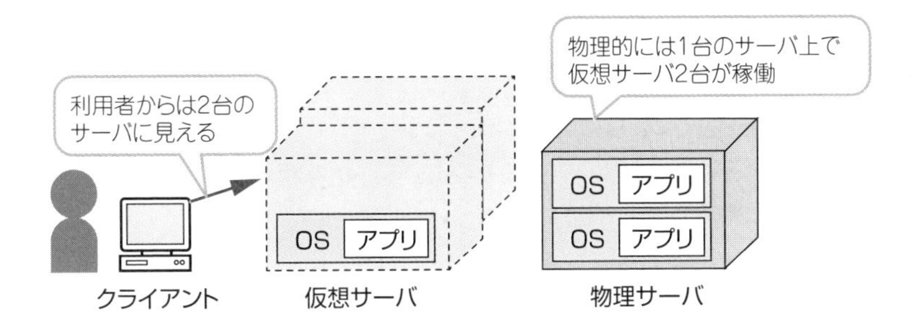

もっと詳しく 仮想化の形態

仮想サーバに，それぞれ独立したOSとアプリケーションを稼働させることができ，その構成の仕方で次のような形態があります。

ホスト型	ホストOS上で仮想化ソフトウェアを稼働させ，その上で複数のゲストOSを動かす。仮想化環境を構築しやすい
ハイパバイザ型	ホストOSが不要でハイパバイザという仮想化ソフトウェアを稼働させ，その上で複数のゲストOSを動かす。クラウドサービス（3-06参照）で採用されており，自由度は高いが別のマシンに移行しにくい
コンテナ型	ホストOS上にコンテナエンジンという管理ソフトウェアを稼働させ，その上でコンテナと呼ばれる実行環境を動かす。OSは共通のため自由度は低いが別のマシンに移行しやすい

アプリ	アプリ	アプリ	アプリ
ゲストOS		ゲストOS	
仮想化ソフトウェア			
ホストOS			
物理サーバ			

ホスト型

アプリ	アプリ	アプリ	アプリ
ゲストOS		ゲストOS	
ハイパバイザ			
物理サーバ			

ハイパバイザ型

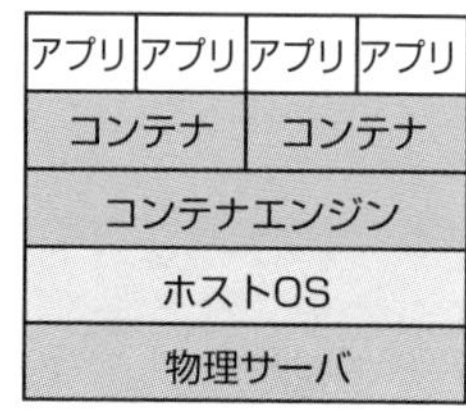

コンテナ型

クラスタリング

クラスタリングは，**複数のサーバを連携させて，全体として一つのサーバであるかのように動作させる技術**です。Cluster（クラスタ）は，「ぶどうの房」という意味で，サーバ一つひとつがぶどうの房のようにぶら下がっているイメージです。Webサービスなどにおいては，複数台のサーバを連携することで，1台のサーバに障害が発生しても他のサーバで処理を続けたり，複数のサーバに負荷を分散させたりできます。

グリッドコンピューティング

グリッドコンピューティングは，**インターネット上に存在する多数のコンピュータを連携し，仮想的に1台の巨大で高性能なコンピュータを作る技術**です。処理能力に余裕のある多数の異なるコンピュータを連携して並列に処理させることで，スーパーコンピュータ並みのシステムを作り出そうとするイメージです。

バックアップサイト

システムが稼働不能になったときのバックアップ体制も考えておく必要があります。災害などを考慮して，稼働しているシステムとは別の場所に通信回線などを備えたバックアップ用のサイトを設置することがあります。これには，障害発生時から復旧までの時間が短い順に，ホットサイト，ウォームサイト，コールドサイトがあります。これはポットのお湯を沸騰させるのに要する時間と同じようなイメージです。

ホットサイト	待機系サイトとして稼働させ，ネットワークを介して常にソフトウェアやデータを更新。障害発生時には，直ちに業務を再開する
ウォームサイト	予備のサイトにハードウェアを用意して，定期的にソフトウェアやバックアップデータなどを搬入して保管。障害発生時には，これら保管物を活用してシステムを復元し業務を再開する
コールドサイト	あらかじめ予備のサイトのみを確保。障害発生時には，必要なハードウェアやソフトウェア，バックアップデータなどを搬入して，システムを復元し業務を再開する

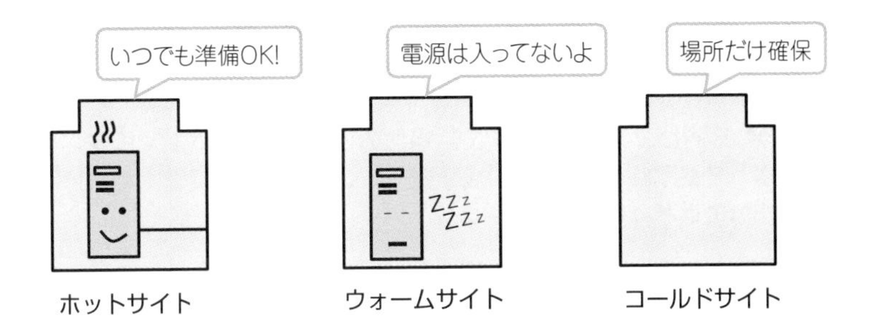

知っ得情報 非常時の業務継続

BCP（Business Continuity Plan：事業継続計画）は，災害やシステム障害などの予期せぬ事態が発生したとしても，重要な業務が継続できるように事前に策定される行動計画のことです。災害を想定したBCPを策定する場合に行う**ビジネスインパクト分析**では，業務が停止したときの影響などを分析し，許容される最大停止時間などを決定します。

BCPは一過性で終わるのではなく，PDCAサイクルで継続的に維持・向上を図ります。この活動が**BCM**（Business Continuity Management：事業継続管理）です。

なお，PDCA（Plan-Do-Check-Act：計画-実行-評価-改善）は継続的に改善を続ける方法です（10-08参照）。試験では超頻出の用語で，本書を読み進めていくとあちこちで出てきます。

確認問題 1 ▸令和3年度　問82　正解率▸中　基本

ネットワークに接続した複数のコンピュータで並列処理を行うことによって，仮想的に高い処理能力をもつコンピュータとして利用する方式はどれか。

ア　ウェアラブルコンピューティング　イ　グリッドコンピューティング
ウ　モバイルコンピューティング　エ　ユビキタスコンピューティング

要点解説

ネットワーク経由で複数のコンピュータを連携させ，仮想的に1台の高性能なコンピュータを作る技術は，グリッドコンピューティングです。

ア　ウェアラブルコンピューティングは，コンピュータを身に付けられる形にすることです。

ウ　モバイルコンピューティングは，コンピュータを持ち運べるようにすることです。

エ　ユビキタスコンピューティングは，あらゆる場所でコンピュータが利用できるようにすることです。

確認問題 2 ▸令和4年度　問99　正解率▸中　応用

1台の物理的なコンピュータ上で，複数の仮想サーバを同時に動作させることによって得られる効果に関する記述a～cのうち，適切なものだけを全て挙げたものはどれか。

a　仮想サーバ上で，それぞれ異なるバージョンのOSを動作させることができ，物理的なコンピュータのリソースを有効活用できる。

b　仮想サーバの数だけ，物理的なコンピュータを増やしたときと同じ処理能力を得られる。

c　物理的なコンピュータがもつHDDの容量と同じ容量のデータを，全ての仮想サーバで同時に記録できる。

ア　a　イ　a，c　ウ　b　エ　c

要点解説

a　仮想サーバ上で，それぞれ異なるバージョンのOSを動作でき，物理サーバのCPUやメモリ，HDDなどを有効に活用できます。

b　1台の物理サーバのCPUやメモリ，HDDなどを複数の仮想サーバで分け合うので，処理が遅くなる場合があります。

c　1台の物理サーバのHDDを複数の仮想サーバで分け合います。

確認問題 3

▸令和3年度 問52　正解率▸中　応用

自社の情報システムに関して，BCP（事業継続計画）に基づいて，マネジメントの視点から行う活動a～dのうち，適切なものだけを全て挙げたものはどれか。

a　重要データのバックアップを定期的に取得する。
b　非常時用の発電機と燃料を確保する。
c　複数の通信網を確保する。
d　復旧手順の訓練を実施する。

ア　a，b，c　　イ　a，b，c，d　　ウ　a，d　　エ　b，c，d

要点解説　天災などで会社が被害にあったとしても，事業を継続するための計画がBCPです。万が一のときの備えというイメージで，準備や訓練，通信網の確保など，ここに挙げてある活動は，全て該当します。

確認問題 4

▸令和2年度秋期 問61　正解率▸中　基本

サーバの性能向上策に関する次の記述中のa，bに入れる字句の適切な組合せはどれか。

あるシステムで，処理件数の増加に伴い，サーバの処理時間の増大が問題となっている。サーバの処理性能の向上策として，サーバの台数を増やして並行処理させて対応することを［　a　］という。サーバ自体を高性能のものに交換したり，CPUや主記憶などをより性能の良いものに替えたりなどして対応することを［　b　］という。

	a	b
ア	スケールアウト	スケールアップ
イ	スケールアップ	スケールアウト
ウ	スケールアップ	ダウンサイジング
エ	ダウンサイジング	スケールアップ

要点解説　サーバの台数を増やすのがスケールアウト，サーバの性能自体を上げるのがスケールアップです。

解答

問題1：イ　問題2：ア　問題3：イ　問題4：ア

第3章 システム構成

3-03 システムの信頼性

時々出　必須　**超重要**

イメージでつかむ

理科の豆電球の実験を思い出してみましょう。2個の豆電球をつなぐときは，直列と並列の2種類のつなぎ方がありました。

コンピュータシステムでも，装置を接続して使うときは，直列と並列の2種類のつなぎ方があります。

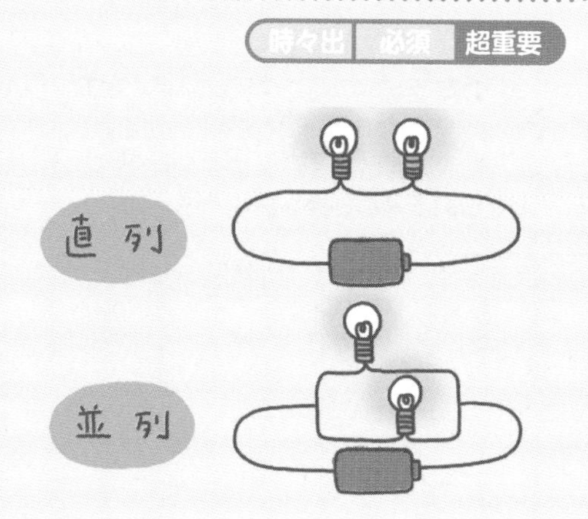

システムの信頼性

物が壊れたときは，修理して使い続けます。システムも同じです。

システムの信頼性を評価する指標として，次のようなものがあります。例えば，図のように稼働と修理を繰り返すコンピュータシステムを考えてみましょう。

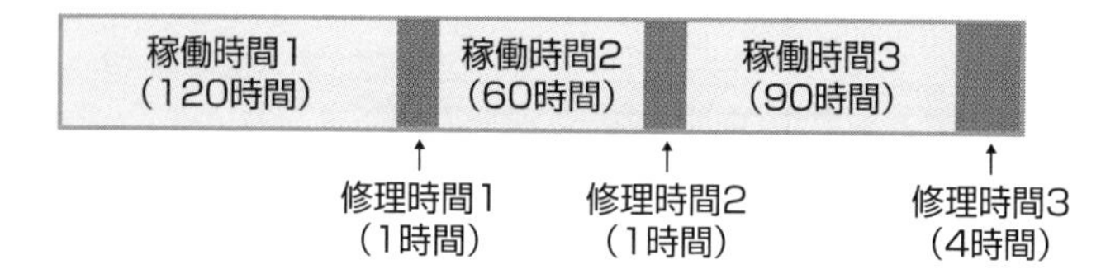

平均故障間隔

平均故障間隔（**MTBF**：Mean Time Between Failures）は，故障と故障のあいだ，つまり，**システムが正常に稼働している時間の平均時間**です。故障している時間ではないので注意が必要です。例では，（稼働時間1＋稼働時間2＋稼働時間3）÷3＝90時間です。平均故障間隔が長いほど，システムの信頼性が高いと評価します。

平均修復時間

平均修復時間（**MTTR**：Mean Time To Repair）は，**システムが故障して修理している時間の平均時間**です。例では，（修理時間1＋修理時間2＋修理時間3）÷3＝2時間です。平均修復時間が短いほど，システムの保守性（修理のし易さ）が高いと評価します。

稼働率

稼働率は，**システムが正常に稼働している割合**です。稼働率が高いほど，システムの可用性（必要なときに使用できること）が高いと評価します。稼働率は，次の式で求まります。

$$稼働率 = \frac{平均故障間隔}{平均故障間隔+平均修復時間} = \frac{MTBF}{MTBF+MTTR}$$

“くれば”で覚える

稼働率　とくれば　**MTBF ÷（MTBF＋MTTR）**

直列システムと並列システムの稼働率

複数の装置で構成されているシステムの稼働率について考えてみましょう。これには，直列システムと並列システムがあります。

直列システムの稼働率

二つの装置Ａと装置Ｂが直列で接続されているとします。

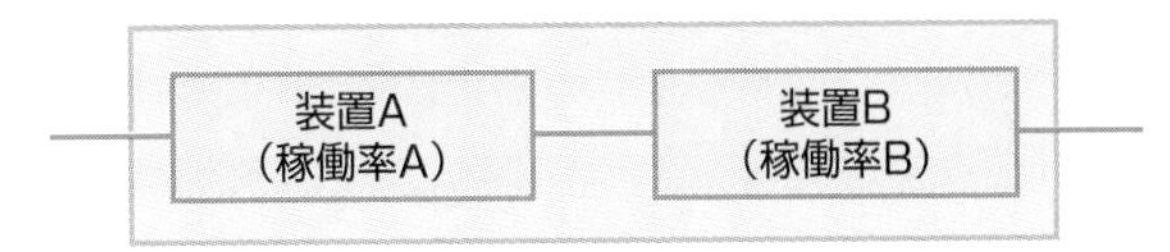

直列システムでは，一方の装置が稼働しなくなると，他方のシステムも稼働しなくなる特徴があります。これは，理科の実験で，直列で接続された二つの豆電球において，一方の豆電球が消えると，他方の豆電球も消えるイメージです。

つまり，システム全体が稼働するのは，両方の装置が稼働しているときだけです。

装置A	装置B	システム全体
○	○	○
○	×	×
×	○	×
×	×	×

直列システムの稼働率は，稼働率Ａ×稼働率Ｂで求まります。

“くれば”で覚える

直列システムの稼働率　とくれば　**稼働率Ａ×稼働率Ｂ**

並列システムの稼働率

二つの装置Ａと装置Ｂが並列で接続されているとします。

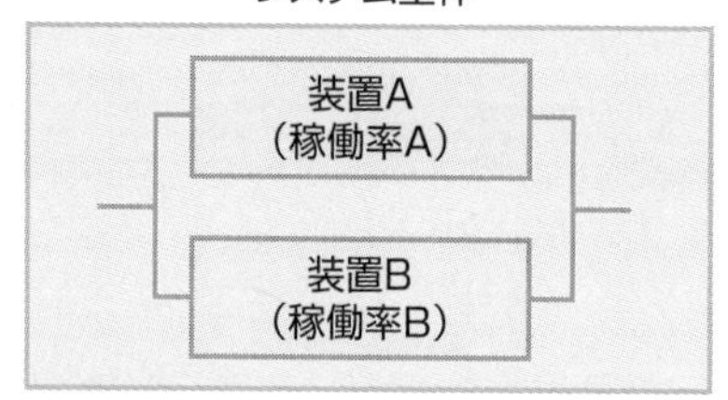

並列システムでは，一方の装置が稼働しなくなっても，他方の装置は稼働し続ける特徴があります。これは，理科の実験で，並列で接続された二つの豆電球において，一方の豆電球が消えても，他方の豆電球は光り続けるイメージです。

つまり，システム全体が稼働するのは，少なくとも一方の装置が稼働しているとき（両方の装置が稼働しているときも含む）です。

装置A	装置B	システム全体
○	○	○
○	×	○
×	○	○
×	×	×

これを言い換えれば，装置が両方とも稼働していないとき以外は，システム全体が稼働している状態であるといえます。

並列システムの稼働率は，1－(1－稼働率Ａ)×(1－稼働率Ｂ) で求まります。

“くれば”で覚える

並列システムの稼働率　とくれば　**1－(1－稼働率Ａ)×(1－稼働率Ｂ)**

攻略法 …… **これが並列の稼働率の計算式のイメージだ！**

公式として丸暗記する必要はなく，理屈がわかれば計算式を導き出せます。

並列システムの稼働率＝1－(1－稼働率A)×(1－稼働率B)

①(1－稼働率A)　②(1－稼働率B)　③(1－稼働率A)×(1－稼働率B)　④1－(1－稼働率A)×(1－稼働率B)

①装置Aの故障率
②装置Bの故障率
③装置Aと装置Bが両方とも故障している確率
④装置Aと装置Bが両方とも故障している以外の確率
　(少なくとも一方の装置が稼働している確率)

アドバイス［稼働率の計算］

稼働率の問題は，計算問題として出題されます。問題にはいろいろなバリエーションがありますが，基本的な考え方をマスターしておけば，変化球の問題が出題されても対応できます。最近の問題は以前に比べて簡単になっています。確認問題を見て問題のレベルをつかんで下さい。

一時期出題が減りましたが，最近また増えています。

バスタブ曲線

各装置の故障率と時間の関係をグラフにすると，一般的に図のような曲線を描きます。その形から，**バスタブ曲線**と呼ばれています。

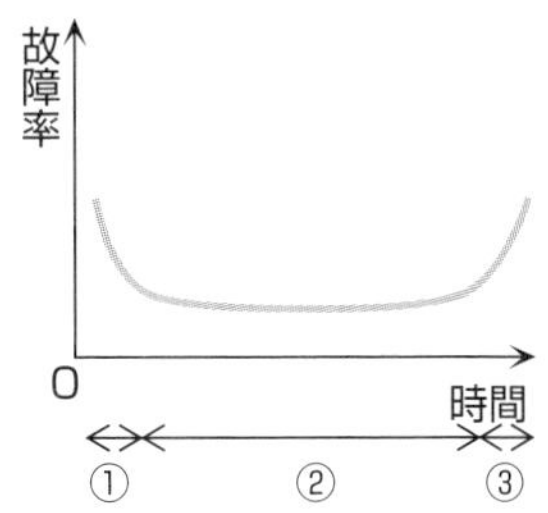

①初期故障期間

初期導入時には設計や製造時に潜む誤り（バグという）などにより故障率が高くなります。

②偶発故障期間

初期故障のバグを修正し，故障率がほぼ一定し安定してきます。

③摩耗故障期間

時間が経つにつれて，摩耗などにより故障率が高くなります。

もっと詳しく（予防保守）

予防保守は，定期的にシステムをメンテナンスし，故障の前兆をとらえて部品を交換することです。故障前に部品を交換することで，稼働時間が延び，システムの信頼性が高まります。

確認問題 1 ▸平成28年度春期 問60 正解率▸高 応用

同じ装置が複数接続されているシステム構成a～cについて，稼働率が高い順に並べたものはどれか。ここで，─□─は装置を表し，並列に接続されている場合はいずれか一つの装置が動作していればよく，直列に接続されている場合は全ての装置が動作していなければならない。

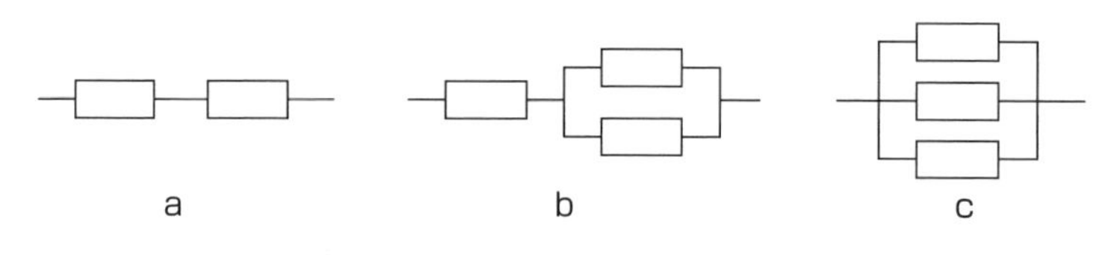

ア a，b，c　　イ b，a，c　　ウ c，a，b　　エ c，b，a

要点解説

本問では稼働率が全て同じで，単純な接続方法になっています。並列に接続されている部分が多いほど，稼働率が高くなるので，c，b，aの順になると予想できます。

実際に数字を入れて計算してみます。例えば，稼働率が0.9とすると

aの稼働率は$0.9 \times 0.9 = 0.81$

bの稼働率は$0.9 \times (1 - (1 - 0.9)(1 - 0.9)) = 0.9 \times (1 - 0.01) = 0.891$

cの稼働率は$1 - (1 - 0.9)(1 - 0.9)(1 - 0.9) = 1 - 0.001 = 0.999$

確認問題 2 ▸平成30年度春期 問80 正解率▸高

稼働率0.9の装置を2台直列に接続したシステムに，同じ装置をもう1台追加して3台直列のシステムにしたとき，システム全体の稼働率は2台直列のときを基準にすると，どのようになるか。

ア 10%上がる。　　イ 変わらない。

ウ 10%下がる。　　エ 30%下がる。

要点解説

稼動率0.9の装置を2台直列にすると，稼働率は$0.9 \times 0.9 = 0.81$

そこにさらにもう1台，稼動率0.9の装置を追加して，3台直列にすると，稼働率は$0.81 \times 0.9 = 0.729$

これらの差を求めると，$0.81 - 0.729 = 0.081$となります。

0.081は，0.81の0.1倍，つまり10%となります。

2台の場合の稼働率に比べ，3台の場合の稼働率は，10%下がっています。

確認問題 3

▸令和6年度 問67　　正解率 ▸ **中**

図に示す2台のWebサーバと1台のデータベースサーバから成るWebシステムがある。Webサーバの稼働率はともに0.8とし，データベースサーバの稼働率は0.9とすると，このシステムの小数第3位を四捨五入した稼働率は幾らか。ここで，2台のWebサーバのうち少なくとも1台が稼働していて，かつ，データベースサーバが稼働していれば，システムとしては稼働しているとみなす。また，それぞれのサーバはランダムに故障が起こるものとする。

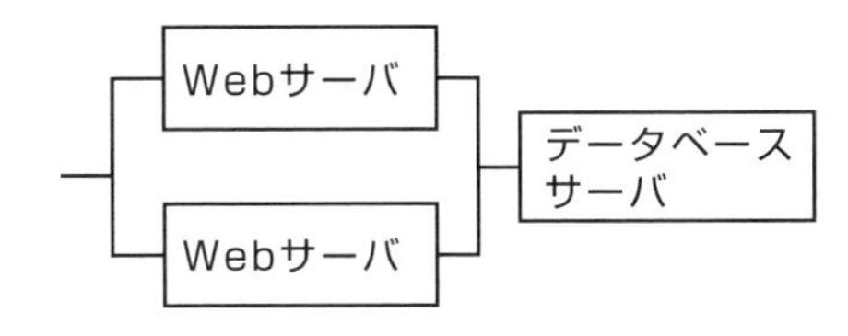

ア　0.04　　イ　0.58　　ウ　0.86　　エ　0.96

Webサーバ同士が並列なので，1－(1－0.8)×(1－0.8)＝0.96
それらとデータベースサーバが直列なので，0.96×0.9≒0.86

確認問題 4

▸平成28年度秋期 問47　　正解率 ▸ **中**　　応用

サービス提供者が行う活動のうち，稼働率の向上に有効なものはどれか。

ア　応答時間の計測
イ　障害発生の監視
ウ　組織で使用しているサーバ構成の管理
エ　プログラムの修正履歴の記録

要点解説

稼働率は，MTBF÷(MTBF＋MTTR)で求まります。
障害発生を監視することで，障害時には迅速に対応することが可能となります。これにより，MTTR(平均修理時間)が短くなるので稼働率の向上につながります。

解答

問題1：エ　　問題2：ウ　　問題3：ウ　　問題4：イ

3 04 システムの評価

時々出　必須　超重要

イメージでつかむ

踏切の遮断機は，通電していないと重みで自然に閉まるように設計されています。万一停電しても閉まったままになり，事故を避けられます。
システムも同じような考え方で設計することがあります。

システムの信頼性設計

システムの信頼性における設計の考え方に，次のようなものがあります。

フォールトアボイダンス（故障回避技術）	構成部品の信頼性を高めて，故障が起きる確率を下げる技術。故障を回避するという考え方
フォールトトレランス（耐故障技術）	システムを構成する重要部品を多重化するなど，あらかじめ故障を想定。故障しても耐えてシステムを動かし続けるという考え方

さらに，フォールトトレランスには，次のような考え方があります。

フェールセーフ

フェールセーフは，**システムが故障したときは，安全性を最優先とする設計**のことです。Safe（セーフ）は，「安全」という意味です。例えば，作業範囲への人の立ち入りを検知するセンサの故障が疑われるときは，ロボットアームを強制的に停止させます。

フェールソフト

フェールソフトは，**システムが故障したときは，機能を低下させても継続を最優先とする設計**のことです。Soft（ソフト）は，ソフトウェアのソフトではなく「穏やかな」という意味です。例えば，専用回線に障害が発生したときは，すぐに公衆回線に切り替え，システムの処理能力が低下しても処理を続行させます。

フールプルーフ

フールプルーフは，**不特定多数の人が操作しても，システムの誤動作が起こりにくいようにする設計**のことです。Fool（フール）な（何も知らない）人でも失敗しないという意味です。例えば，数字の入力領域に数字以外のものが入力されたときは，システムから警告メッセージを出力して正しい値を再入力させます。

攻略法 …… **これが身近なところにある信頼性設計のイメージだ！**

＊信号機は，故障を感知すると交差点の全ての信号機が赤になります（フェールセーフ）。
＊公衆電話は，停電時でも硬貨なら通話できます（フェールソフト）。
＊電子レンジは，扉が開いた状態では動作しません（フールプルーフ）。

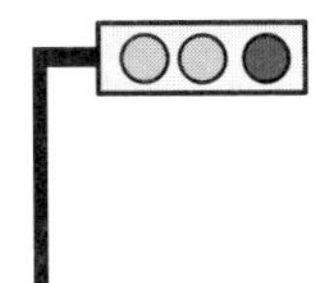

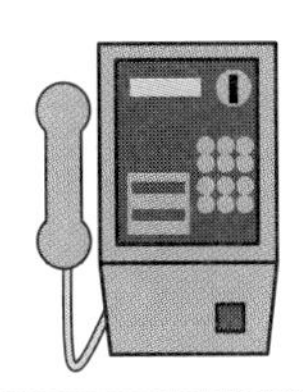

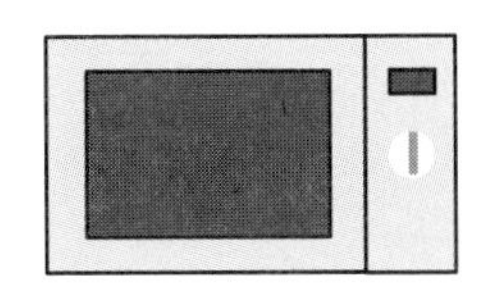

"くれば"で覚える

フェールセーフ　とくれば　**安全第一**
フェールソフト　とくれば　**継続第一**

システムの経済性

システムの経費は，システム導入時に発生する初期費である**イニシャルコスト**と，導入後に発生する運用費・維持費である**ランニングコスト**とに大別でき，これらの**システムを所有するのに必要な総コスト**が**TCO**（Total Cost of Ownership）です。情報システムを導入する際は，初期費用だけでなく運用費・維持費まで考えることが重要です。これを車で例えると，車の購入費がイニシャルコストで，購入時以降にかかる，車検代などの維持費やガソリン代などがランニングコストのイメージです。

＊イニシャルコストの例
　ハードウェア・ソフトウェアの購入費，機器の設置・設定費，システム開発費など
＊ランニングコストの例
　システム運用・保守費，消耗品費など

攻略法 …… **これがTCOのイメージだ！**

車を所有するには，車本体だけでなく，維持費がかかる。

車両本体　ガソリン　車検　保険　駐車場

ベンチマークテスト

ベンチマークテストは，**コンピュータ間で，ハードウェアやソフトウェアなどの性能を比較するテスト**です。性能測定用の標準的なプログラムやデータを用いて動作させ，処理に要した時間を相対比較します。Benchmarkは，「水準点」という意味です。

確認問題　1　令和3年度　問100　正解率 中　応用

システムの経済性の評価において，TCOの概念が重要視されるようになった理由として，最も適切なものはどれか。

ア　システムの総コストにおいて，運用費に比べて初期費用の割合が増大した。

イ　システムの総コストにおいて，初期費用に比べて運用費の割合が増大した。

ウ　システムの総コストにおいて，初期費用に占めるソフトウェア費用の割合が増大した。

エ　システムの総コストにおいて，初期費用に占めるハードウェア費用の割合が増大した。

TCOは，初期コストだけではなく運用費も含めた総コストをいいます。システムは作りっぱなしではなく，開発後の運用や保守が欠かせません。また，他社のソフトやハードを借りるクラウドコンピューティング(3-06参照)化の流れも，運用費の増大の原因の一つです。

確認問題 2 ▸令和5年度 問93 正解率▸高 基本

フールプルーフの考え方を適用した例として，適切なものはどれか。

ア　HDDをRAIDで構成する。
イ　システムに障害が発生しても，最低限の機能を維持して処理を継続する。
ウ　システムを二重化して障害に備える。
エ　利用者がファイルの削除操作をしたときに，"削除してよいか"の確認メッセージを表示する。

要点解説　フールプルーフは，不特定多数の人が操作しても，システムの誤動作が起こりにくいようにする設計です。

ア　フォールトトレランス　　イ　フェールソフト
ウ　フォールトトレランス　　エ　フールプルーフ

確認問題 3 ▸平成29年度春期 問77 正解率▸中 基本

ベンチマークテストに関する記述として，適切なものはどれか。

ア　システム内部の処理構造とは無関係に，入力と出力だけに着目して，様々な入力条件に対して仕様どおりの出力結果が得られるかどうかを試験する。
イ　システム内部の処理構造に着目して，分岐条件や反復条件などを網羅したテストケースを設定して，処理が意図したとおりに動作するかどうかを試験する。
ウ　システムを設計する前に，作成するシステムの動作を数学的なモデルにし，擬似プログラムを用いて動作を模擬することで性能を予測する。
エ　標準的な処理を設定して実際にコンピュータ上で動作させて，処理に掛かった時間などの情報を取得して性能を評価する。

要点解説　ベンチマークテストは，標準的なプログラムを動作させ，その処理時間を比較して性能を評価するテストです。

ア　入力と出力だけに着目するのは，ブラックボックステストです(8-03参照)。
イ　システム内部の処理構造に着目するのは，ホワイトボックステストです(8-03参照)。
ウ　疑似プログラムを用いるのは，シミュレーションです。

解答

問題1：イ　　問題2：エ　　問題3：エ

3-05 IoTシステムと組込みシステム

イメージでつかむ

身近なところにIoT機器はどんどん増えています。家庭の電力量を示すメーターにもIoT機器が導入され，検針員さんが家に見に来なくても遠隔で確認できるようになっています。

IoT

IoT（Internet of Things）は，情報端末だけでなく，産業機器や家電製品などの**様々なモノをインターネットに接続し，データを収集することで，自動制御などを実現する仕組み**です。「モノのインターネット」という意味です。IoT機器は，センサや通信機能をもちインターネットに接続するので，**コネクテッドデバイス**と呼ばれることもあります。ただし，IoT機器が必ずしも直接インターネットに接続する必要はなく，無線LANのアクセスポイント（4-02参照）のような役割を果たす，**IoTゲートウェイ**という機器を経由することもあります。

また，インターネット経由でモノを遠隔制御するだけではなく，IoT機器で得られたデータをインターネット経由で集めてビッグデータ化（10-01参照）し，解析して自動制御を実現するには，末端のIoT機器に加え，ネットワークやデータベース，データを処理するアプリケーションやAIの要素が不可欠です。

センサとアクチュエータ

センサを使って，測定対象の定量的な情報を取得する技術を**センシング**といいます。IoT機器で使うセンサには，温湿度センサや赤外線センサ，加速度センサなどのほかに，物体の変形を検出する**ひずみゲージ**，物体の回転の速度や傾きを検出する**ジャイロセンサ**があります。さらに，シリンダやモータなど，**コンピュータが出力した電気信号を回転運動や直線運動などの力学的な運動に変えるもの**を**アクチュエータ**といいます。

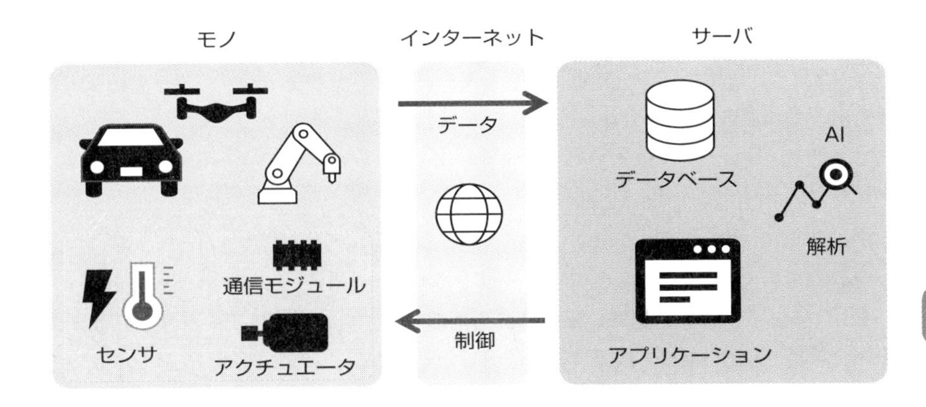

"くれば"で覚える

IoT　とくれば　**全てのモノがインターネットにつながること**

知っ得情報（エッジコンピューティング）

IoTでは，IoT端末がデータの収集を担当し，サーバが集めたデータを処理します。例えば，工場の工作機械などの場合は，サーバがインターネットの彼方にあると，データの送受信に時間がかかってしまい，誤動作したりする恐れがあります。そこで，サーバを遠距離に集約するのではなく，IoT端末から近い場所（工場内など）にもある程度の処理ができるサーバをおき，タイムラグを少なくしようという考え方を**エッジコンピューティング**といいます。

M to M

M to M（Machine to Machine）は，**機械同士がネットワークを介して通信すること**です。例えば，センサからの信号を集結してビル全体の空調の制御を自動的に行うなど，機械をネットワーク化することで人が介在せずに高度な処理を実現できます。

ドローン

ドローンは，**無線で操縦する無人飛行機**です。代表的なIoT機器の一つです。四つのプロペラの自動制御によって安定飛行できるタイプが主流となっていて，GPSやコンパスなどを搭載し，目視で操縦するほかに，あらかじめ設定したルート通りに障害物を避けながら自律飛行することもできます。AIと連携した応用例も多く，例えば，田畑の形を覚え，稲の生育状況を画像判断しながら，適切な量の農薬や肥料を散布する農業用ドローンなども開発されています。

アクティビティトラッカ

アクティビティトラッカは，**体に装着してセンサにより歩数や移動距離，心拍数などを計測できる装置やシステム**です。ネットサービスと自動連係し，Webサイトやスマートフォンなどで活動量をグラフにして確認できます。Apple Watch（アップル ウォッチ）はアクティビティトラッカの機能を備えています。

テレマティクス

テレマティクスは，**自動車の車載機に通信機能をもたせ，GPSデータや走行状況のデータなどを送信したり，渋滞情報を取得したりすること**です。また，インターネットにつながる車を**コネクテッドカー**といいます。センサによって得られたデータから整備の提案や予約をしたり，お勧めの観光地などを提案して自動でナビ設定したり，業務用の車であれば運転日報を自動作成したりするなど，様々な応用が実現しつつあります。やがては，ドライバーは目的地を指示するだけで，全ての運転動作を自律的に行う**自動運転**も身近なものになるかもしれません。

エネルギーハーベスティング

エネルギーハーベスティングは，**太陽光や機械の発する振動，熱などのエネルギーを採取して電力を得る技術**です。「エネルギーを収穫する」という意味です。IoT機器は，電池程度の低消費電力で動作可能な場合が多く，電池の交換に手間がかかるような場所に設置されることが多いので，この技術が利用されています。

HEMS（ヘムス）

HEMS（Home Energy Management System）は，**家庭内の太陽光発電装置や家電などをネットワーク化して，エネルギーの可視化と電力消費の最適制御を行うシステム**です。また，**スマートメータ**は双方向通信機能を備えた電力量計で，遠隔地からの検針や開閉が可能なほか，電力消費量を可視化できます。

知っ得情報 (PoC)

PoC (Proof of Concept：概念実証) は，新しい概念や理論，アイディアなどが実現可能かを実証することです。最近はAIやIoT開発に欠かせない手法として注目されています。製品やサービスの制作が実現可能かどうかを開発の前に試作品を使って実証することで，開発を確実に進めることができ，無駄なコストの削減などにもつながります。

また，**PoV** (Proof of Value：価値実証) は，新技術の導入で期待通りの価値が得られるかどうかを実証することをいいます。

IoTネットワーク

IoT機器の普及により，インターネットに接続する機器が飛躍的に増加すると予想されています。IoTでは，高速な通信が不要な場合があります。例えば，広域に配置されたセンサの値を定期的に送信するような場合は，速度は比較的低速でも問題はなく，遠距離通信が可能で，低電力で長期間運用可能であることが求められます。そこで，高速な4G・5Gなどのネットワークに加えて，**省電力で広範囲の無線通信が可能な** **LPWA** (Low Power Wide Area) というネットワークの整備が進められています。

"くれば"で覚える

LPWA　とくれば　**低速・広域・省電力のネットワーク**

IoTとセキュリティ

家庭に設置したWebカメラがクラッキングされ勝手に操作されたとか，ルータが不正アクセスされてパスワードを盗まれたなど，IoTに関する事故が増加しています。

IoT機器のCPUは能力が低く，セキュリティ対策ソフトをインストールするほどの余裕はありません。また，大量のIoT機器が広域に分散して長期間にわたり設置されるので，管理に手間がかかります。さらに，様々な機器やシステムが接続されるため，万が一攻撃を受けた場合の影響が多大になる恐れがあります。個人情報に関わるデータを送受信することもあるので，IoT機器への不正侵入の対策として，初期パスワードのまま使用しないなど，適切なセキュリティ対策が必須です。IoTシステムやIoT機器のセキュリティについては，以下のようなガイドラインがあります。

IoTセキュリティガイドライン	IoT機器やシステム，サービスの提供にあたってのライフサイクル（方針・分析・設計・構築・運用・保守）における指針を定めるとともに，一般利用者のためのルールを定めたもの

組込みシステム

組込みシステム（エンベデッドシステム）は，**ある特定の機能を実現するために専用化されたハードウェアとそれを制御するソフトウェアから構成されるシステム**です。IoT機器には組込みシステムが組み込まれており，一般の家庭で日常使用されている冷蔵庫や洗濯機，エアコン，携帯電話などの民生機器や，産業用途で使用されている自動販売機やエレベータ，信号機，銀行のATMなどの産業機器にも組み込まれています。自動車のエンジンに供給する燃料の量を制御するシステムのように，高いリアルタイム性や安全性，信頼性が求められる特徴があります。

また，組込みシステムには，**マイクロコンピュータ**と呼ばれるごく小さなコンピュータが使われています。マイクロコンピュータは，CPUやメモリ，入出力回路などを全て一つのICチップ内に収めたコンピュータで，**ファームウェア**（後述）は内部のフラッシュメモリに記録されています。

なお，組込みシステムでは，OSとしてLinuxがよく使われており，**組込みLinux**と呼ばれています。公開されたソースを利用できるので，開発期間を短縮できるメリットがあります。スマートフォンのOSであるAndroidも，Linuxがベースとなっています。

もっと詳しく（ファームウェア）

スマートフォンやIoT機器，産業機器，家電製品などの装置に組み込まれ，ハードウェアの基本的な制御を行うソフトウェアを**ファームウェア**といいます。ファームウェアを更新することで，機能を追加したり，不具合を修正したりできます。PCのBIOS（2-01参照）もファームウェアの一種です。

確認問題 1　▸令和4年度　問3　正解率▸高　基本

ゲーム機，家電製品などに搭載されている，ハードウェアの基本的な制御を行うためのソフトウェアはどれか。

ア　グループウェア　　イ　シェアウェア
ウ　ファームウェア　　エ　ミドルウェア

要点解説 ファームウェアは，ハードウェアの基本的な制御を行うソフトウェアです。グループウェアは共同作業を支援するソフトウェア（10-05参照），シェアウェアは定められた無料試用期間の後に継続して利用する場合は，所定の金額を開発者に支払うソフトウェア，ミドルウェアはOSとアプリの中間に位置するソフトウェア（2-01参照）です。

確認問題 2

▸令和4年度　問35　　正解率▸中　**基本**

あるコールセンターでは，AIを活用した業務改革の検討を進めて，導入するシステムを絞り込んだ。しかし，想定している効果が得られるかなど不明点が多いので，試行して実現性の検証を行うことにした。このような検証を何というか。

ア　IoT　　イ　PoC　　ウ　SoE　　エ　SoR

要点解説　PoCは，開発の前段階で最小限のコアとなる部分だけを試作して，アイディアが本当に実現できるのかを実証します。特にAIやIoTの応用についてはこれまでに前例がないものが多く，PoCが重要になります。SoEとSoRは10-05参照。

確認問題 3

▸令和3年度　問86　　正解率▸低　**頻出**　**応用**

店内に設置した多数のネットワークカメラから得たデータを，インターネットを介してIoTサーバに送信し，顧客の行動を分析するシステムを構築する。このとき，IoTゲートウェイを店舗内に配置し，映像解析処理を実行して映像から人物の座標データだけを抽出することによって，データ量を減らしてから送信するシステム形態をとった。このようなシステム形態を何と呼ぶか。

ア　MDM　　イ　SDN
ウ　エッジコンピューティング　　エ　デュプレックスシステム

要点解説　処理の遅延をなくし，サーバの負荷も低減する目的で，演算処理のためのサーバをIoT端末の近くに置くことをエッジコンピューティングといいます。エッジは先端とか末端の意味で，ネットワークの末端近くにも処理能力の高いものを置くというイメージです。

確認問題 4

▸令和3年度　問92　　正解率▸高　**頻出**　**基本**

IoT機器からのデータ収集などを行う際の通信に用いられる，数十kmまでの範囲で無線通信が可能な広域性と省電力性を備えるものはどれか。

ア　BLE　　イ　LPWA　　ウ　MDM　　エ　MVNO

要点解説　IoT機器の通信・広域性・省電力とくれば，LPWAです。BLEと迷うかもしれませんが，BLEはBluetoothの省電力版で，同じ室内や空間内の機器同士の通信に使い，数十kmの通信はできません。

解答

問題1：ウ　　問題2：イ　　問題3：ウ　　問題4：イ

3 06 ソリューションビジネスとシステム活用促進

時々出　必須　超重要

イメージでつかむ

クラウドという言葉をよく聞くようになりました。Gmailもクラウドコンピューティングの一つで，スマホでもPCでもメールを送受信できます。

ソリューションビジネス

ソリューションビジネスは，顧客が抱えている問題や課題の解決を目的とした，サービス提供事業者のサービスや商品のことです。

従来は，**自社の施設内に，自らが所有する情報システムを設置して運用する**オンプレミスと呼ばれる形態をとっていましたが，最近は，自社が情報システムを所有せず，サービス提供事業者のサービスを利用することが多くなってきています。これは，家で料理をするのではなく，外食ですますようなイメージです。

ハウジングサービスとホスティングサービス

サービス提供事業者が所有する施設（スペース）やサーバなどを貸し出すサービスがあります。その施設には高速回線や地震対策，セキュリティ対策などが施（ほどこ）されており，利用者にとっては，運用の手間とコストを削減できるメリットがあります。

ハウジングサービス

ハウジングサービスは，**サービス提供事業者がサーバなどを設置する施設（スペース）を貸し出すサービス**です。その施設に，自社が所有するサーバを預けます。自社からネットワーク経由で預けた自社のサーバなどを利用できます。

ホスティングサービス

ホスティングサービスは，**サービス提供事業者がサーバを貸し出すサービス**です。自社は，サービス提供事業者が所有するサーバを借ります。レンタルサーバのことです。

違いをまとめると，次のようになります。

	サーバなどの機器の所有	機器を設置する施設の所有	システムの所有
ハウジングサービス	利用者	サービス提供事業者	利用者
ホスティングサービス	サービス提供事業者	サービス提供事業者	利用者

ハウジングサービス

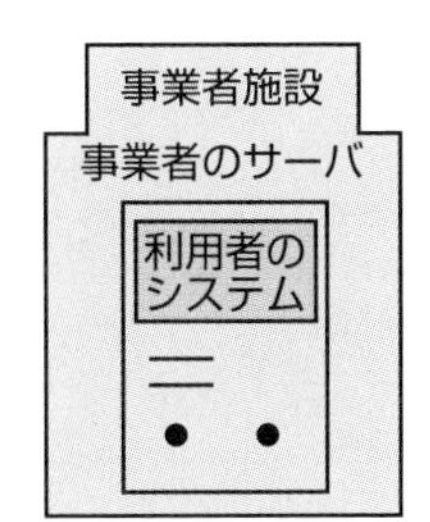

ホスティングサービス

知っ得情報 （オンラインストレージ）

オンラインストレージは，サービス提供事業者が保有するディスク領域をデータ保管用に貸し出すサービスです。ネットワーク経由で，データの受け渡しやファイルの共有，バックアップなどに利用できます。身近な例では，「Dropbox」や「OneDrive」，「Googleドライブ」，「iCloud」などがあります。

クラウドコンピューティング

クラウドコンピューティングは，**クラウド事業者がインターネット上に整備したサーバやOS，ソフトウェアなどを，クラウドサービスとして提供し，利用者がそのサービスを利用する形態**です。利用者は，ネットワーク経由でサービスを利用できます。現在は「所有から利用へ」，つまり，利用者はハードウェアやソフトウェアなどを所有せず，クラウド事業者が提供するサービスを利用する時代になってきています。

クラウドコンピューティングは，仮想化技術の利用により，導入コストが小さく，CPUパワーやメモリ，ディスク容量の増減の自由度が高くなっており，メンテナンスもクラウド事業者が実施します。多くは月額や年額の料金体系となっていて，利用者はサービスの使用に対して使用料を支払うだけです。
ただし，いったんクラウドサービスに移行してしまうと別のクラウド事業者への移設が困難になったり，情報セキュリティや障害管理が自社の管理外となったりするデメリットもあります。
クラウドサービスには，大きく分けて次のようなものがあります。

IaaS（イアース/アイアース）

IaaS (Infrastructure as a Service) は，**クラウド事業者が，サーバやネットワークなどのインフラ（基盤）をネットワーク経由で提供するサービス**です。「サービスとしてのインフラ」という意味です。サーバは，仮想サーバで提供される場合が多く，サーバの数やCPUパワー，メモリやディスク容量などを簡単に増減できます。

PaaS（パース）

PaaS (Platform as a Service) は，**クラウド事業者が，OSやミドルウェアなどのプラットホームをネットワーク経由で提供するサービス**です。「サービスとしてのプラットフォーム」という意味です。アプリケーションは自らが用意します。

SaaS（サース）

SaaS (Software as a Service) は，**クラウド事業者が，アプリケーションをネットワーク経由で提供するサービス**です。「サービスとしてのソフトウェア」という意味です。ソフトウェアの導入や更新，保守にかかる手間や費用を低減できます。身近な例では，「Microsoft 365」や「Gmail」・「Yahoo! メール」のWebメールなどがあります。

"くれば"で覚える

IaaS　とくれば　**クラウド事業者がインフラを提供する**
PaaS　とくれば　**クラウド事業者がOSやミドルウェアを提供する**
SaaS　とくれば　**クラウド事業者がアプリケーションを提供する**

まとめると，以下のようになります。

	オンプレミス	ハウジングサービス	ホスティングサービス	IaaS	PaaS	SaaS
アプリケーション	自社・利用者が用意	自社・利用者が用意	自社・利用者が用意	自社・利用者が用意	自社・利用者が用意	サービス提供事業者・クラウド事業者が用意
ミドルウェア	自社・利用者が用意	自社・利用者が用意	自社・利用者が用意	自社・利用者が用意	サービス提供事業者・クラウド事業者が用意	サービス提供事業者・クラウド事業者が用意
OS	自社・利用者が用意	自社・利用者が用意	自社・利用者が用意	自社・利用者が用意	サービス提供事業者・クラウド事業者が用意	サービス提供事業者・クラウド事業者が用意
仮想サーバ	自社・利用者が用意	自社・利用者が用意	自社・利用者が用意／サービス提供事業者・クラウド事業者が用意	サービス提供事業者・クラウド事業者が用意	サービス提供事業者・クラウド事業者が用意	サービス提供事業者・クラウド事業者が用意
物理サーバ	自社・利用者が用意	自社・利用者が用意	サービス提供事業者・クラウド事業者が用意	サービス提供事業者・クラウド事業者が用意	サービス提供事業者・クラウド事業者が用意	サービス提供事業者・クラウド事業者が用意
設置場所・ネットワーク	自社・利用者が用意	サービス提供事業者・クラウド事業者が用意	サービス提供事業者・クラウド事業者が用意	サービス提供事業者・クラウド事業者が用意	サービス提供事業者・クラウド事業者が用意	サービス提供事業者・クラウド事業者が用意

← 構築時の機器や環境の自由度大　　構築後の容量や性能の自由度大 →

SOA（ソア）

SOA（Service Oriented Architecture：サービス指向アーキテクチャ）は，**異なる機能を備えたサービスを部品化して用意し，それらを組み合わせることで情報システムを構築していく考え方**です。情報システムをネットワーク経由で外部のサービスを新たに組み入れたり，不要なサービスを外したり容易かつ柔軟に行うことができます。クラウドコンピューティングを実現するためのベースとなる概念となっています。

クラウドサービス利用時の注意点

クラウドサービスは堅牢（けんろう）なデータセンタに構築されていますが，万が一を考え，以下のような対策をとっておくことが重要です。

障害によるデータ喪失	定期的にバックアップをとっておく
データの漏えい	クラウド事業者のセキュリティ対策レベルを確認しておく
第三者による悪用	パスワードを使いまわさない

もっと詳しく（ISMSクラウドセキュリティ認証）

ISMSクラウドセキュリティ認証は，クラウド事業者が情報セキュリティの管理体制を適切に整備し，運用していることを第三者が認証する制度です。第三者のお墨付きがあれば，自社や利用者は安心して利用できます。ISMS（Information Security Management System）は情報セキュリティマネジメントシステムの略です（5-03参照）。

知っ得情報 （情報システムの請負）

SI（System Integration）（**システムインテグレーション**）は，情報システムの企画から開発・運用・保守までの業務を請け負うサービスです。また，請け負うサービス事業者はシステムインテグレータと呼ばれています。

システム活用促進

情報リテラシーは，**情報機器やインターネットなどを利用して情報を収集し，適切に情報を評価して活用・発信できる能力**です。企業では社員に対して，オフィスツールやデータ分析ツールといったツールの使用方法やそれらの業務への活用方法などに関する研修を実施することで，情報リテラシーの向上を図っています。

デジタルディバイド

デジタルディバイドは，**情報機器やインターネットなどを利用できる能力や機会の違いによって生じる経済的・社会的な格差**です。「情報格差」という意味です。

ゲーミフィケーション

ゲーミフィケーションは，点数やレベルアップ，称号集めなど，**ゲームで用いられている要素や仕組みを情報システムやサービスに応用して取り入れること**です。目標と目標クリア時の報酬などを可視化して達成感を高め，自発的な行動を促（うなが）します。

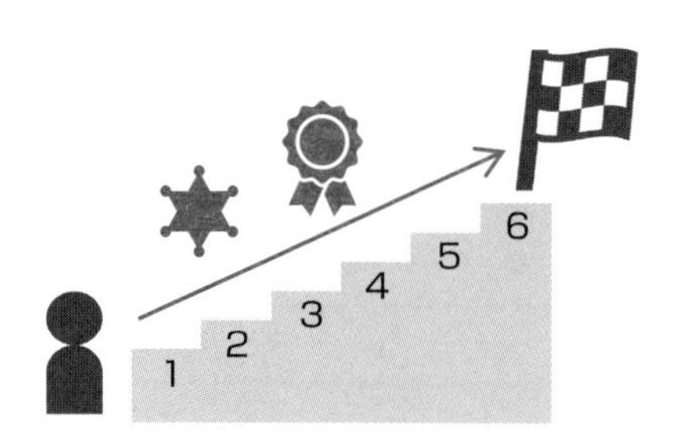

知っ得情報 レガシーシステムの廃棄・刷新

レガシーシステムは，時代遅れの旧来の技術基盤により構築されている情報システムです。Legacy（レガシー）は，「時代遅れのもの」という意味です。以前から企業の基幹システムとして利用されている，ホストコンピュータを指す場合が多いです。レガシーシステムは，老朽化・複雑化・ブラックボックス化していることが多く，デジタルトランスフォーメーション（10-04参照）を推進する上でも，大きな障害となっています。

また，レガシーシステムを知る人材の退職などによりシステムを保守していくことが困難になり，業務を継続していくことが難しくなってきているので，早期のシステムの刷新が求められています。

確認問題 1 ▸令和3年度 問5 正解率▸中

クラウドコンピューティングの説明として，最も適切なものはどれか。

ア システム全体を管理する大型汎用機などのコンピュータに，データを一極集中させて処理すること
イ 情報システム部門以外の人が自らコンピュータを操作し，自分や自部門の業務に役立てること
ウ ソフトウェアやハードウェアなどの各種リソースを，インターネットなどのネットワークを経由して，オンデマンドでスケーラブルに利用すること
エ ネットワークを介して，複数台のコンピュータに処理を分散させ，処理結果を共有すること

サービス事業者が提供するハードウェアやソフトウェアをインターネット経由で利用する形態をクラウドコンピューティングといい，ウが該当します。ウの選択肢の「リソース」とは資源のことで，「オンデマンドでスケーラブルに」というのは，「必要時にすぐに，拡張可能な形で」という意味です。

確認問題 2

▸令和5年度 問17　正解率▸中　基本

ITの進展や関連するサービスの拡大によって，様々なデータやツールを自社のビジネスや日常の業務に利用することが可能となっている。このようなデータやツールを課題解決などのために適切に活用できる能力を示す用語として，最も適切なものはどれか。

ア　アクセシビリティ　　イ　コアコンピタンス
ウ　情報リテラシー　　エ　デジタルディバイド

情報リテラシーは，情報を適切に収集や評価，発信ができる能力のことです。アクセシビリティは利用のしやすさの度合いのこと（2-07参照），コアコンピタンスは自社独自の技術やノウハウ（10-04参照），デジタルディバイドはITを利用する能力や機会の違いで生じる経済的・社会的な格差のことです。

確認問題 3

▸平成31年度春期 問33　正解率▸高　基本

ポイント，バッジといったゲームの要素を駆使するゲーミフィケーションを導入する目的として，最も適切なものはどれか。

ア　ゲーム内で相手の戦略に応じて自分の戦略を決定する。
イ　顧客や従業員の目標を達成できるように動機付ける。
ウ　新作ネットワークゲームに関する利用者の評価情報を収集する。
エ　大量データを分析して有用な事実や関係性を発見する。

ゲーミフィケーションは，ゲームの要素を応用して，自発的な行動や目標達成を促す仕組みであり，イが該当します。

解答

問題1：ウ　　問題2：ウ　　問題3：イ

第4章

ネットワーク

〔テクノロジ系〕

4 01 ネットワークの構成

時々出　必須　超重要

イメージでつかむ

車で目的地まで行く場合，カーナビや道路標識を見ながら行きます。
ネットワークの世界でも，データを目的地までナビゲートしてくれる装置があります。

ネットワークの構成

現在は職場だけでなく，生活のいたるところにネットワークが組み込まれ，私たちはそれを利用しています。

オフィス内や家庭内などの**狭い範囲のネットワーク**を**LAN**（ラン）(Local Area Network)といい，通信事業者の回線を利用して，**物理的に離れたLAN同士を結ぶネットワーク**を**WAN**（ワン）(Wide Area Network)といいます。インターネットは，世界規模のWANといえます。

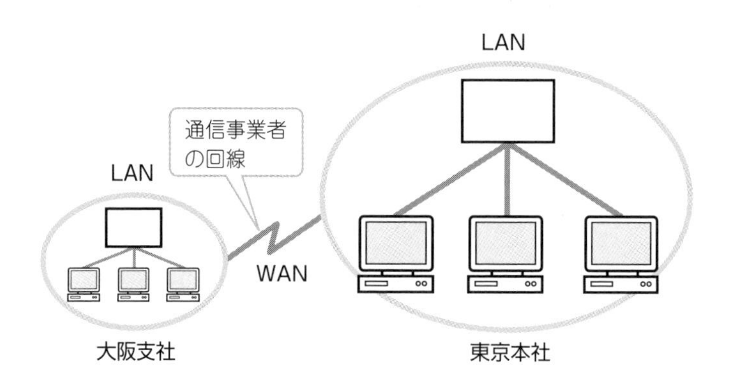

"くれば"で覚える

LAN　とくれば　**狭い範囲のネットワーク**
WAN　とくれば　**物理的に離れたLAN同士を結ぶネットワーク**

知っ得情報（パケットって何？）

パケットは，大きなデータを小さく分割したもので，ネットワーク上で別々に送信されます。スマートフォンの利用料でも使われている言葉です。Packet（パケット）は，「小包」という意味で，例えば，荷物配送時に大きな荷物を小包に分け，小包ごとに送付状を付けて宛先まで郵送されるように，パケットにもヘッダと呼ばれる宛先情報を付加して宛先まで送信されます。パケット単位で別々に送信すれば通信回線を占有することがなく，途中で送信エラーが発生したときは，エラーのパケットだけを再送信します。このように，通信回線を共有して効率良く通信を行う方式を**パケット交換方式**といいます。

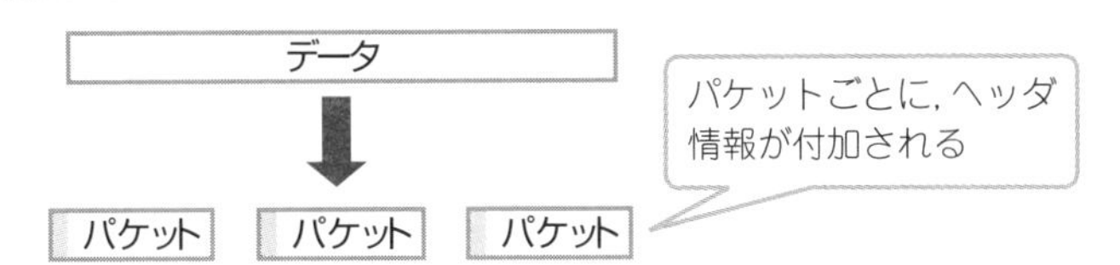

また，音声をパケットに圧縮変換し，ネットワーク上でリアルタイムに伝送する技術が**VoIP**（Voice over IP）です。050で始まるIP電話や，スマートフォンなどで相互に同じアプリケーションを用いて音声通話を行うときなどに利用されています。Line電話が身近な例です。

ネットワークの構成要素

一般的には，ネットワークは次のような装置で構成されます。

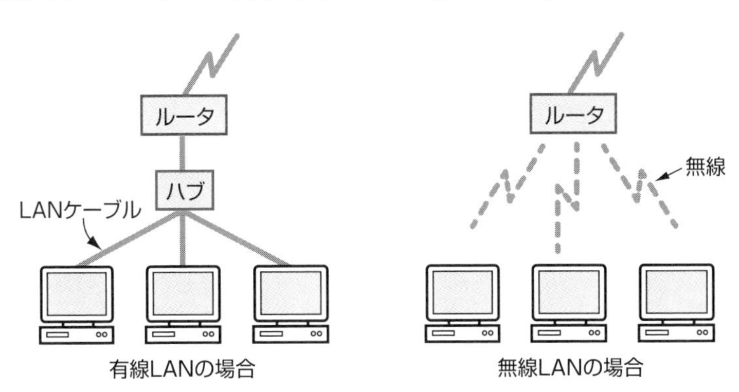

ハブ・L2スイッチ

ハブは，**PCに接続されているLANケーブル**（後述）**を束ねる集線装置**で，LANポート（ポート）と呼ばれる，LANケーブルを接続する複数の接続口があります。

現在の主流である**スイッチングハブ**は，**同一のネットワーク内でデータを転送する装置**です。ただし，ネットワーク内のすべてのPCにデータ転送するのではなく，データのMACアドレス（後述）を解析して特定のPCだけに転送します。

同じような働きをする装置に**L2スイッチ**があります。なかには，**VLAN**（ブイラン）（Virtual Local Area Network）と呼ばれる，物理的に一つのLANを仮想的に複数のLANに分割するなどの機能を装備したものもあります。

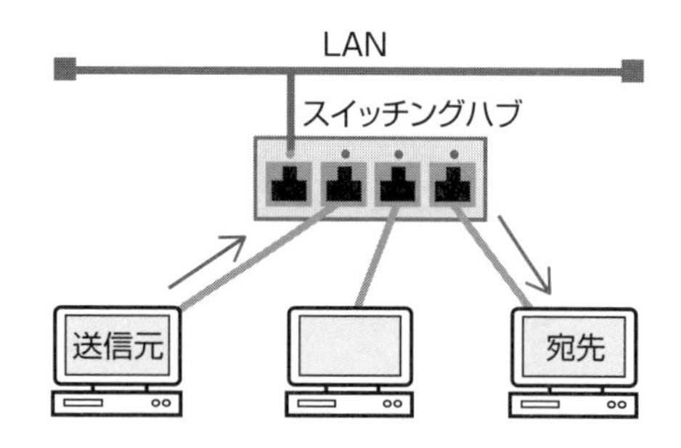

もっと詳しく（ネットワーク上の装置を識別する番号）

MACアドレス（マック）（Media Access Control Address）は，ネットワーク装置に割り振られた固有のアドレスです。IEEE（米国電気電子技術者協会）が製造メーカ番号を管理し，製造メーカは一意となる製品番号を製造時に割り振っているので，世界で一意の番号となっています。MACアドレスはネットワーク装置にあらかじめ割り当てられており，原則，利用者は変更できません。

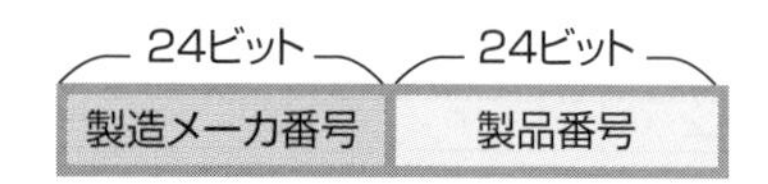

ルータ・L3スイッチ

ルータや**L3スイッチ**は，**異なるネットワークにデータを中継する装置**です。データのIPアドレス（4-04参照）を解析して異なるネットワークへ中継します。また，最適な経路（ルート）を選択して中継する**ルーティング**機能を装備しています。主に，ルータはLANとWANの境界に設置し，L3スイッチはLAN内に設置して異なるネットワーク同士をつなぐ用途で使われています。

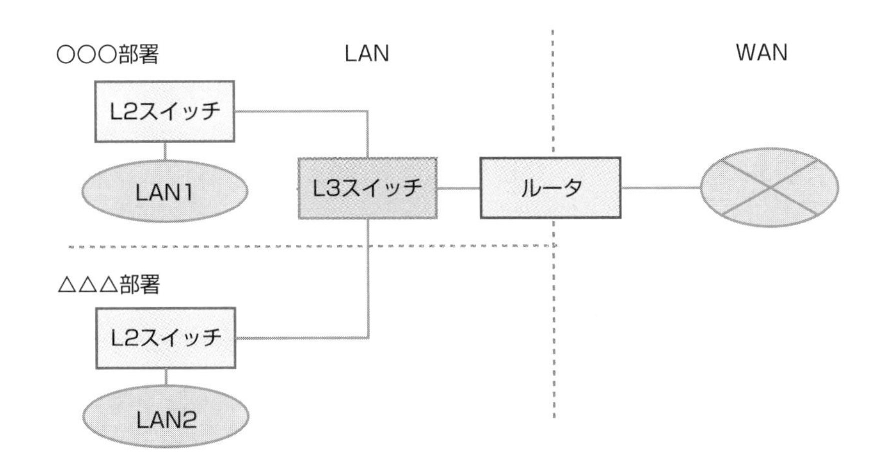

“くれば”で覚える

ルータ・L3スイッチ　とくれば　**最適な経路を選択して中継する装置**

デフォルトゲートウェイ

PCがデータを宛先まで届けるには経路情報が必要ですが，PCが宛先の経路情報をもたないときに，データの宛先として指定するのが**デフォルトゲートウェイ**となるルータです。デフォルトゲートウェイは，他のネットワークに関する経路情報を保持していて，とりあえずそこに送れば，データを最終の宛先まで届くように中継してくれます。そのためにはPCには，デフォルトゲートウェイとなる，ルータのIPアドレスの情報などを設定しておきます。

LANケーブル

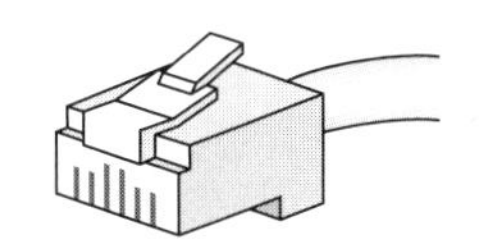

ルータとハブ，ハブとPCなどを接続するケーブルもLANの構成要素です。**PoE** (Power over Ethernet) に対応したネットワーク装置は，LANケーブルを介して給電できます。

PLC

PLC (Power Line Communications) は，**家庭内などに引かれている電気配線をデータの送受信に利用する技術**です。コンセントからつながる電気配線を伝送路として利用することで，新たにLANケーブルを引く必要がなくなります。

知っ得情報（遠隔でスイッチオン）

WoL (Wake on LAN) は，遠隔地にあるPCなどの電源をネットワーク経由で起動させる機能です。対応しているネットワーク機器のみこの機能を使えます。起動させるには，マジックパケットと呼ばれるデータを送信します。

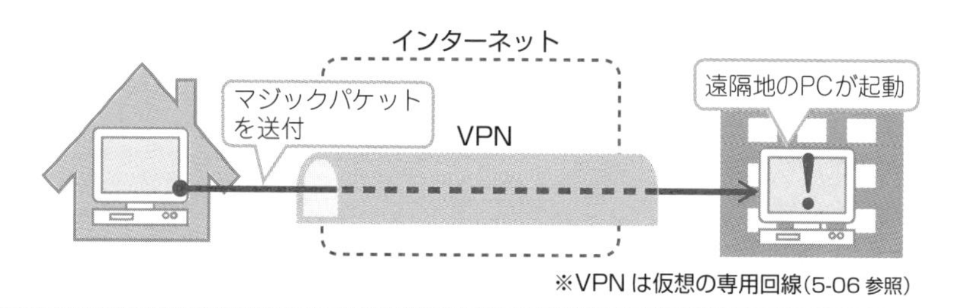

確認問題 1 ▸平成29年度春期　問84　　正解率▸高　

ネットワークの構成のうち，WANに該当するものはどれか。

ア　自社が管理する通信回線を使用して，同一敷地内の建物間を結ぶネットワーク
イ　自社ビル内のフロア間を結ぶネットワーク
ウ　通信事業者の通信回線を使用して，本社と他県の支社を結ぶネットワーク
エ　フロア内の各PCを結ぶネットワーク

WANは，大阪と東京など，離れた拠点の間で通信する用途で使われます。同一敷地内や，同一ビル内，同一のフロア内を結ぶネットワークは，LANです。

確認問題 2 ▸平成28年度春期 問68 正解率▸高 基本

MACアドレスに関する記述のうち，適切なものはどれか。

ア 同じアドレスをもつ機器は世界中で一つしか存在しないように割り当てられる。
イ 国別情報が含まれており，同じアドレスをもつ機器は各国に一つしか存在しないように割り当てられる。
ウ ネットワーク管理者によって割り当てられる。
エ プロバイダ（ISP）によって割り当てられる。

要点解説 MACアドレスは，ネットワーク機器に割り当てられる番号で，番号が重複することはありません。IEEEが管理する製造メーカ番号と，各メーカが割り振る製品番号からなります。

確認問題 3 ▸令和5年度 問83 正解率▸高 基本

スマートフォンなどで，相互に同じアプリケーションを用いて，インターネットを介した音声通話を行うときに利用される技術はどれか。

ア MVNO　　イ NFC　　ウ NTP　　エ VoIP

要点解説 VoIPは，音声データをパケット化して，インターネットを介した音声通話ができる技術です。MVNOは他の移動体通信事業者から回線網を借りてサービスを提供する事業者（4-05参照），NFCはモバイル決済などで利用されている近距離で無線通信を行う技術（1-06参照），NTPはネットワーク上のコンピュータ間で時刻情報を同期させるプロトコル（4-03参照）です。

解答

問題1：ウ　　問題2：ア　　問題3：エ

4-02 無線LAN

時々出　必須　**超重要**

イメージでつかむ

オフィスでも家庭でも無線LANはよく使われています。でも，近くにいる人にも電波が届いてしまうので，対策する必要があります。

LANの規格

LANの国際標準規格は，IEEE（アイトリプルイー）（米国電気電子技術者協会）が決めており，**有線LAN**は**IEEE802.3**（イーサネットともいう），**無線LAN**は**IEEE802.11**として規格化されています。

無線LAN

無線LANは電波を利用しているので，有線LANのようにLANケーブルを引く必要がなく，電波が届く範囲であれば自由な位置に端末を配置できます。

無線LANの通信規格

無線LANの通信規格には通信速度や周波数の違いにより，802.11aや802.11n（Wi-Fi 4），802.11ac（Wi-Fi 5），802.11ax（Wi-Fi 6）などがあります。利用する周波数は2.4GHz帯と5 GHz帯があります。5GHz帯は2.4GHz帯と比べると，データ転送が速いものの床や壁などの障害物に弱い特徴があります。最近は6 GHz帯も利用されるようになっています。

Wi-Fi（ワイファイ）

Wi-Fi（Wireless Fidelity）は，IEEE802.11に準拠した**無線LAN装置が相互に接続できることを示すブランド名**です。Wi-Fiの認証試験に合格した無線LAN装置は，「お互い無線でつながるよ」という証（あかし）になります。

アクセスポイント

無線LANでは，アクセスポイント（中継局）となる無線LANルータと端末との間で通信します。いわゆるモバイルルータもアクセスポイントになります。一方，アクセスポイントを経由せず，端末同士が直接通信する**アドホックモード**があり，Wi-Fi規格では，Wi-Fi Directと呼ばれています。

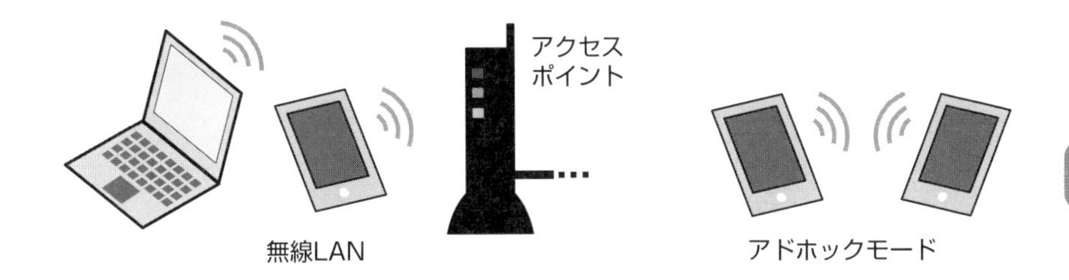

知っ得情報（メッシュ Wi-Fi）

無線LANルータ１台では電波の届く範囲に限りがあります。電波の届く範囲を拡張するために，サテライトルータを追加して，複数の無線LANルータで一つの無線ネットワークを形成する形態が**メッシュ Wi-Fi**です。

WPS

WPS（Wi-Fi Protected Setup）は，**Wi-Fi接続の設定を簡単に行うための規格**です。親機と子機で専用のボタンを押す形式のものや，親機でPINコードを生成して子機に入力する形式のものがあります。

無線LANアクセスポイントのセキュリティ対策

無線LANは電波を利用しているので，通信途中で通信内容が傍受（ぼうじゅ）され情報漏えいしてしまうなどの危険性があります。無線LANのアクセスポイントにおけるセキュリティ対策として，次のようなものがあります。

通信の暗号化

アクセスポイントと端末間の通信を暗号化することで，通信途中での傍受を防げます。**無線LANの暗号化規格**には**WEP**や**WPA2**などがありますが，WEPは暗号の解読が比較的容易なので使用は避けたほうがよいと報告されています。現在の無線LANでは，WPA2や，WPA2をより強固にした**WPA3**が使われています。

ESSIDのステルス化

ESSIDは，**無線のネットワークを識別する文字列**です。例えば，スマートフォンから無線LANに接続する際に，接続可能なアクセスポイントの一覧が表示されますが，この文字列がESSIDです。アクセスポイント側のESSIDと端末側のESSIDとが一致して，暗号化キー(パスワード)で認証できれば通信できるようになっています。

また，第三者が利用しにくくするために，アクセスポイントの**ステルス**機能を用いてESSIDの発信を停止してアクセスポイントの一覧に表示されないようにすることもできます。ただし，隠しているだけなので，ESSIDを知っていれば正規の利用者以外でも利用できてしまうので注意が必要です。

MACアドレスフィルタリング

アクセスポイントには，**ルータに登録されたMACアドレスを持つ端末からの通信だけを許可する**MACアドレスフィルタリング機能があります。

ANY接続拒否

アクセスポイントには，ESSIDがわからない場合でも，接続可能なアクセスポイント中から最も電波状態がよく，かつ認証が必要ないアクセスポイントに，端末が自動で接続できるANY接続機能があります。公衆の場所に設置されているアクセスポイントでこの機能を有効にしている場合がありますが，正規の利用者以外でも接続できるなどのセキュリティ上の問題があるので，通常はアクセスポイント(無線LANルータ)の設定で**ANY接続拒否**にして運用します。

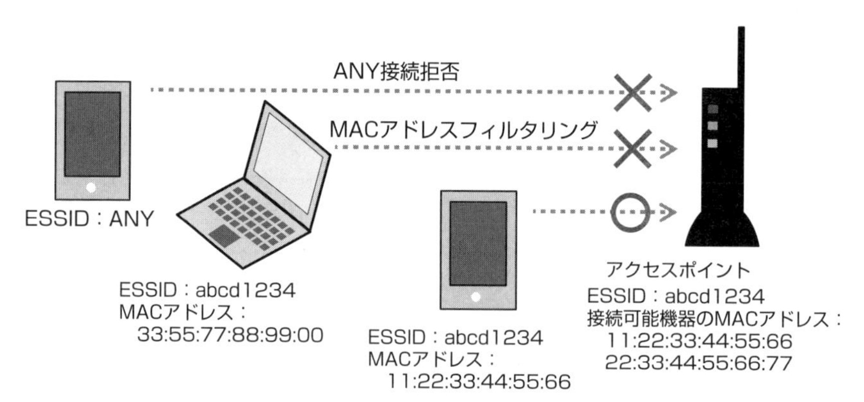

確認問題　1

▸令和4年度　問62　　正解率▸中　　基本

アドホックネットワークの説明として，適切なものはどれか。

ア　アクセスポイントを経由せず，端末同士が相互に通信を行う無線ネットワーク
イ　インターネット上に，セキュリティが保たれたプライベートな環境を実現するネットワーク
ウ　サーバと，そのサーバを利用する複数台のPCをつなぐ有線ネットワーク
エ　本店と支店など，遠く離れた拠点間を結ぶ広域ネットワーク

ア　アドホックネットワーク　　イ　VPN（5-06参照）
ウ　有線LAN（4-01参照）　　エ　WAN（4-01参照）

確認問題　2

▸令和3年度　問85　　正解率▸中

無線LANのセキュリティにおいて，アクセスポイントがPCなどの端末からの接続要求を受け取ったときに，接続を要求してきた端末固有の情報を基に接続制限を行う仕組みはどれか。

ア　ESSID　　イ　MACアドレスフィルタリング
ウ　VPN　　エ　WPA2

要点解説　MACアドレスフィルタリングは，接続を要求してきた端末固有の情報（MACアドレス）を基に接続制限を行う仕組みです。

解答

問題1：ア　　問題2：イ

第4章　ネットワーク

4 03 通信プロトコル

時々出　必須　超重要

イメージでつかむ

人間同士の会話が成立するには，いろんな前提が必要です。
コンピュータの接続にも，あらかじめ前提条件を整えておく必要があります。

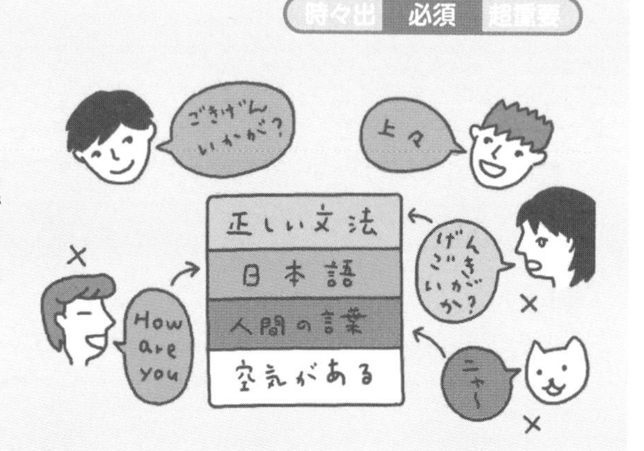

通信プロトコル

コンピュータの送信側と受信側でデータを正確に伝えるには，共通する規約（約束事）に基づいてやり取りする必要があります。**コンピュータ同士がネットワークを通して通信するときに使う規約（約束事）**が**通信プロトコル**です。単に，プロトコルとも呼ばれています。これを人に例えると，日本語を話す人とフランス語を話す人とでは会話ができないので，お互いに共通の言葉として英語を通して会話することで，誰とでも意思の疎通（そつう）が図れます。ネットワークの世界でも同じで，共通のプロトコルを使えば，メーカやOSなどが異なっても，互いに通信できるということです。

“くれば”で覚える

通信プロトコル　とくれば　**通信上の約束事**

知っ得情報（プロトコルの語源）

プロトコルには，もともとは，「外交儀礼」という意味があります。他の国との円滑な交流やトラブル防止のための約束事，すなわち，プロトコルが，通信用語としては他の層（後述）との円滑なデータのやり取りのための約束事という意味として使われます。

TCP/IP

インターネットで利用されているプロトコルは，**TCP/IP**（Transmission Control Protocol/Internet Protocol）です。TCPとIPという二つのプロトコルを中心に構成されています。インターネットの前身といわれるARPANET（アーパネット）で採用され，インターネットの普及に伴って世界的に普及しました。現在はインターネットのみならずネットワークの世界で，TCP/IPはデファクトスタンダード（事実上の標準）となっています。インターネットを使うときは，私たちは意識しないうちにTCP/IPのプロトコルを使って通信しています。

TCP/IPは，次のような体系で複数のプロトコルから構成されていますが，試験ではアプリケーション層のプロトコルが出題されます。

アプリケーション層	HTTP，SMTP，POP，IMAP，NTP，FTPなど
トランスポート層	TCP，UDP
インターネット層	IP
ネットワークインタフェース層	イーサネットなど

アプリケーション層のプロトコル

アプリケーション層の代表的なプロトコルには，次のようなものがあります。

HTTP

HTTP（Hyper Text Transfer Protocol）は，**WebサーバとWebブラウザ間**（4-06参照）**でデータを送受信するときに使われるプロトコル**です。インターネットでWebページを閲覧するときに使われています。

SMTP

SMTP（Simple Mail Transfer Protocol）は，**電子メールを送信・配送するときに使われるプロトコル**です。

POP（ポップ）

POP（Post Office Protocol）は，**電子メールを受信するときに使われるプロトコル**です。試験では，POP3（POP version 3）の用語でも出題されます。メールサーバ上に用意された利用者ごとの**メールボックス**（メールの保存領域）から，メールソフトを使って，電子メールをダウンロードして受け取るときに使われています。

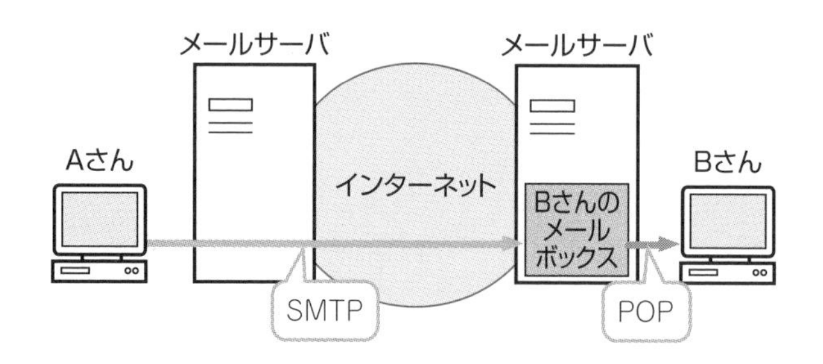

攻略法 …… **これが電子メールを送受信するときのイメージだ！**

手紙やはがきを送ったことはありますか？手紙やはがきを郵便ポストに投函すると，その後はいくつもの郵便局の集配局をわたり，最終的に相手先の家の郵便ポストまで配送されます（SMTP）。相手は，家の郵便ポストから手紙やはがきを取り出します（POP）。

IMAP（アイマップ）

電子メールを受信するプロトコルには，POPのほかに **IMAP**（Internet Message Access Protocol）があります。試験では，IMAP4（IMAP version 4）の用語でも出題されます。POPはサーバ上にある電子メールを，PCなどの端末にダウンロードして管理するのに対して，IMAPはサーバ上で電子メールを管理するので，異なる端末からアクセスでき，未読や既読などの情報が共通な状態で保たれます。

知っ得情報（MIME（マイム））

もともと半角英数字しか扱えなかった電子メールの規格を拡張して，日本語や音声，画像などのマルチメディア情報も取り扱えるようにした電子メールの規格が，**MIME**（Multipurpose Internet Mail Extension）です。

NTP

NTP（Network Time Protocol）は，ネットワークに接続されている装置間で時刻情報を同期させるプロトコルです。PCやサーバなどの時刻合わせのときに使われています。

FTP

FTP（File Transfer Protocol）は，ファイルを転送するときに使われるプロトコルです。ファイルをアップロードするときやダウンロードするときに使われています。

“くれば”で覚える

HTTP とくれば **Webページの送受信プロトコル**
SMTP とくれば **電子メールの送信・配送プロトコル**
POP とくれば **電子メールの受信プロトコル（端末で管理）**
IMAP とくれば **電子メールの受信プロトコル（サーバで管理）**
NTP とくれば **PCなどの時刻合わせプロトコル**
FTP とくれば **ファイル転送のプロトコル**

OSI基本参照モデル

OSI基本参照モデル（Open Systems Interconnection）は，国際標準化機構（ISO）が作成した，異機種間でデータ通信ができるように必要な機能を7階層にわけ標準化したモデルです。TCP/IPの各層は，OSI参照モデルの各層に次の表のように対応しています。

OSI基本参照モデル	機能	TCP/IP
アプリケーション層	アプリケーション固有の機能を提供	アプリケーション層
プレゼンテーション層	データの表現形式を統一	
セション層	通信の開始から終了までを提供	
トランスポート層	エンドシステム間の通信の信頼性を確保	トランスポート層
ネットワーク層	エンドシステム間の通信を提供	インターネット層
データリンク層	隣接したコンピュータ間の通信を提供	ネットワークインタフェース層
物理層	ネットワークの物理的な機能を提供	

※エンドシステム間：複数のネットワークにまたがるコンピュータ間

アドバイス［ネットワーク］

ネットワークのジャンルは，インターネットやWi-Fiなどの身近なトピックも多く，比較的ハードルが低いジャンルと言えます。ただし，ごくまれに重箱の隅をつつくような問題が出題されることもあります。そのような問題は他の人も答えられないので，気にする必要はありません。本書に掲載されているのは出題頻度が高いものなので，しっかりおさえておきましょう。

確認問題 1　▸平成28年度秋期　問65　正解率▸高　基本

通信プロトコルの説明として，最も適切なものはどれか。

ア　PCやプリンタなどの機器をLANへ接続するために使われるケーブルの集線装置
イ　Webブラウザで指定する情報の場所とその取得方法に関する記述
ウ　インターネット通信でコンピュータを識別するために使用される番号
エ　ネットワークを介して通信するために定められた約束事の集合

要点解説
ア　ハブ（4-01参照）　イ　URL（4-06参照）
ウ　IPアドレス（4-04参照）　エ　通信プロトコル

確認問題 2　▸令和5年度　問68　正解率▸中　基本

インターネット上のコンピュータでは，Webや電子メールなど様々なアプリケーションプログラムが動作し，それぞれに対応したアプリケーション層の通信プロトコルが使われている。これらの通信プロトコルの下位にあり，基本的な通信機能を実現するものとして共通に使われる通信プロトコルはどれか。

ア　FTP　イ　POP　ウ　SMTP　エ　TCP/IP

要点解説
インターネットで使われているTCP/IPは，アプリケーション層の下位に位置するTCPとIPが中心となるプロトコルです。アプリケーション層に位置する，FTPはファイル転送，POPはメールの受信，SMTPはメールの送信・配送のプロトコルです。

確認問題 3　▸令和3年度　問84　正解率▸中　応用

PCにメールソフトを新規にインストールした。その際に設定が必要となるプロトコルに該当するものはどれか。

ア　DNS　イ　FTP　ウ　MIME　エ　POP3

要点解説
POP3は，電子メールを受信するときに使われるプロトコルです。使用するための設定が必要です。
ア　DNSは，IPアドレスとドメイン名を対応付けるシステムです（4-04参照）。
イ　FTPは，ファイルを転送するときに使われるプロトコルです。
ウ　MIMEは，電子メールで音声や画像などの形式も扱えるようにした拡張規格です。使用するための設定は必要ありません。

確認問題 4

▸令和元年度秋期 問94　正解率▸高　基本

NTPの利用によって実現できることとして，適切なものはどれか。

ア　OSの自動バージョンアップ
イ　PCのBIOSの設定
ウ　PCやサーバなどの時刻合わせ
エ　ネットワークに接続されたPCの遠隔起動

要点解説 NTPは，ネットワークに接続されている装置間で時刻情報を同期させるプロトコルです。なお，ネットワークに接続されたPCを遠隔起動させるのはWoLです(4-01参照)。

確認問題 5

▸令和4年度 問87　正解率▸中　

メールサーバから電子メールを受信するためのプロトコルの一つであり，次の特徴をもつものはどれか。

① メール情報をPC内のメールボックスに取り込んで管理する必要がなく，メールサーバ上に複数のフォルダで構成されたメールボックスを作成してメール情報を管理できる。
② PCやスマートフォンなど使用する端末が違っても，同一のメールボックスのメール情報を参照，管理できる。

ア　IMAP　　イ　NTP　　ウ　SMTP　　エ　WPA

要点解説 IMAPはメールの受信プロトコルで，PC内にメールを取り込まずにサーバ上で管理します。NTPはネットワーク上のコンピュータの時刻合わせ，SMTPはメールの送信・配送のプロトコルで，WPAは無線LANの暗号化の規格(4-02参照)です。

解答

問題1：エ	問題2：エ	問題3：エ	問題4：ウ	問題5：ア

4 04 インターネットの仕組み

時々出　必須　超重要

イメージでつかむ

固定電話や携帯電話には，世界で一つしかない電話番号や携帯番号が割り振られています。

IPアドレスにも，世界に一つしかない番号があります。

IPアドレス

IPアドレスは，**ネットワークに接続されたコンピュータやネットワーク機器の1台1台に割り当てられた識別番号**です。これは，世界で一つしかない固定電話番号や携帯番号が割り当てられているようなイメージで，IPアドレスが重複しないからこそ，コンピュータやネットワーク機器を一つに特定できるということです。

IPアドレスは，2進数32ビットで表されますが，人が扱うときは読みやすいように8ビットごとに10進数で表されます。

例えば，次のような感じです。いかにも機械的です。

2進数	11000000101010000000000100000011

これを，8ビットごとに区切り，それぞれ10進数に変換します (1-09参照)。

2進数	11000000	10101000	00000001	00000011
	↓	↓	↓	↓
10進数	**192**	**168**	**1**	**3**

最後は，「.」(ドット) で区切ります。IPアドレスは，「192.168.1.3」となります。

"くれば"で覚える

IPアドレス　とくれば　**ネットワークに接続されたコンピュータやネットワーク機器を識別する番号**

IPアドレスの構成

ネットワークに接続されているコンピュータやネットワーク機器は，「どのネットワークの」，「どのホスト(機器)か」で管理しています。これを人の世界で例えると，生徒を「3年1組」の「出席番号1番」などで管理しているようなイメージです。このように管理するためには，IPアドレスの32ビットを，ネットワークを識別する「ネットワークアドレス部」と，コンピュータやネットワーク機器を識別する「ホストアドレス部」とに区切る必要があります。

IPアドレスのほかに，**IPアドレスをネットワークアドレス部とホストアドレス部に区切るためのビット列**が**サブネットマスク**です。ネットワークアドレス部には「1」を，ホストアドレス部には「0」を指定します。固定電話で例えると，どこまでが市外局番なのかの区切りがわかるようなイメージです。

例えば，32ビットのうち，24ビットでネットワークアドレス部を，8ビットでホストアドレス部を表すときのサブネットマスクは，次のようになります。

	ネットワークアドレス部			ホストアドレス部
2進数	11111111	11111111	11111111	00000000
↓	↓	↓	↓	↓
10進数	255	255	255	0

区切り

IPアドレスを語るときは，サブネットマスクはペアとなる存在です。

IPアドレス	192.168.1.3
サブネットマスク	255.255.255.0

"くれば"で覚える

サブネットマスク　とくれば　**ネットワークアドレス部とホストアドレス部を区切るビット列**

攻略法 …… **これがIPアドレスとMACアドレスの違いだ！**

荷物を送る場合を考えてみましょう。送付状に「ご依頼主」と「送り先」の情報を記載するだけで荷物が送り先に届けられます。その間にいくつもの集配センターを経由していきますが，依頼主は集配センターの情報を知らなくても荷物が届けられます。次に送るべき集配センターの情報は配送業者がもっています。

ネットワークの世界も同じです。IPアドレスは「最終的な通信相手」である一方で，MACアドレスは「次の通信相手」を特定するための情報です。次に送るべき通信相手の情報はルータなどのネットワーク機器がもっています。

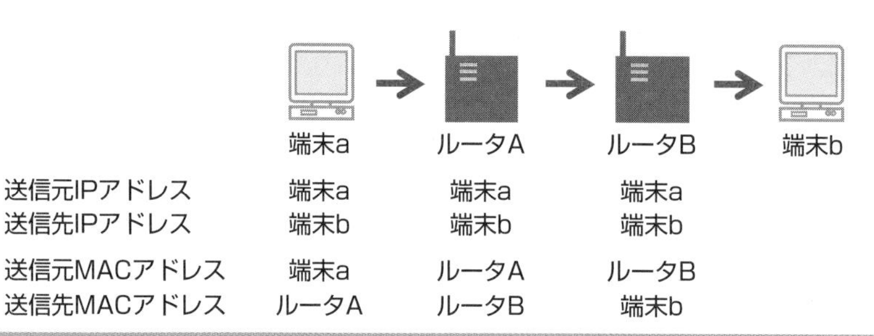

グローバルIPアドレスとプライベートIPアドレス

IPアドレスは，**インターネットで利用できるグローバルIPアドレス**と，**LANなどの組織内の閉じられた中で利用できるプライベートIPアドレス**に分類できます。

グローバルIPアドレスは世界で一意になるようにICANN（アイキャン）(The Internet Corporation for Assigned Names and Numbers) と呼ばれる団体が管理しており，プライベートIPアドレスは，組織内で一意になるように組織のネットワーク管理者などが管理しています。

"くれば"で覚える

グローバルIPアドレス	とくれば	**世界で一意のアドレス**
プライベートIPアドレス	とくれば	**組織内で一意のアドレス**

攻略法 …… **これがグローバルとプライベートの違いだ！**

電話の外線番号がグローバルIPアドレス，内線番号がプライベートIPアドレスのようなイメージです。内線番号は組織内で一意であればよく，組織が異なっていれば同じ内線番号を使っても問題ありません。

NAT（ナット）

プライベートIPアドレスのままではインターネットを利用できないので，グローバルIPアドレスに変換する必要があり，また，その逆も同じです。

プライベートIPアドレスとグローバルIPアドレスを相互に変換する機能がNAT (Network Address Translation) です。LAN（内部ネットワーク）とインターネットとの境界に設置するルータなどが，NAT機能を装備しています。

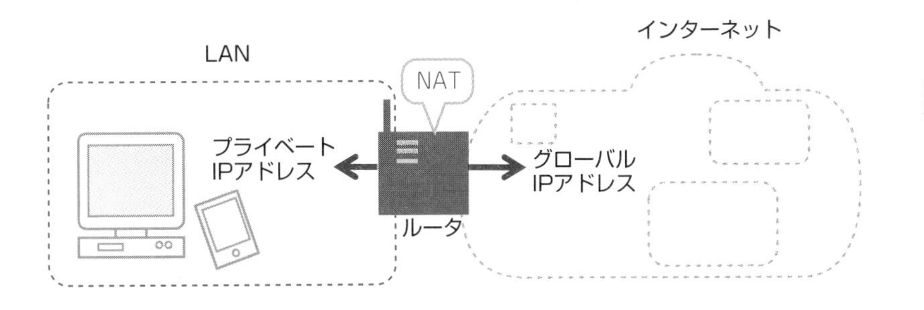

ドメイン名

ネットワーク上のコンピュータを識別するIPアドレスは2進数32ビットで表現されていますが，**IPアドレスを人が理解しやすいように置き換えた文字列**を**ドメイン名**といいます。例えば，IPA（独立行政法人 情報処理推進機構）のIPアドレスは「192.218.88.180」，ドメイン名（FQDN）は「www.ipa.go.jp」です。文字列にすることで，「日本（jp）」の「政府関係（独立行政法人）（go）」の「組織（ipa）」の「コンピュータ（www）」と，人が理解しやすくなります。

なお，Webサイトのドメイン名には漢字や平仮名も使え，通信時には英数文字列に変換されていますが，メールアドレスのドメイン名には漢字や平仮名は使えません。

https://192.218.88.180	**IPアドレス**	192.218.88.180		
https://www.ipa.go.jp	**ホスト名** **（コンピュータ名）**	www		
	ドメイン名	ipa.go.jp	組織名	ipa
			組織の種類	go：政府関係 co：企業 ac：教育関係 など
			国名	jp：日本
	FQDN **（完全修飾ドメイン名）**	www.ipa.go.jp		

DNS

先ほど見たように，ネットワーク上のコンピュータを識別するIPアドレスに対して，人にとって理解しやすいドメイン名を割り当てています。

IPアドレスとドメイン名(FQDN)を対応付ける仕組みが**DNS**(Domain Name System)で，その変換処理を行うのはDNSサーバです。例えば，DNSサーバに対して，「www.ipa.go.jpのIPアドレスは？」と尋ねると，DNSサーバは「192.218.88.180」と答えてくれます。このようにして，DNSサーバへ問い合わせ，ドメイン名からIPアドレスを取得することで，データのやり取りができ，また，その逆も可能となります。これを**名前解決**といいます。

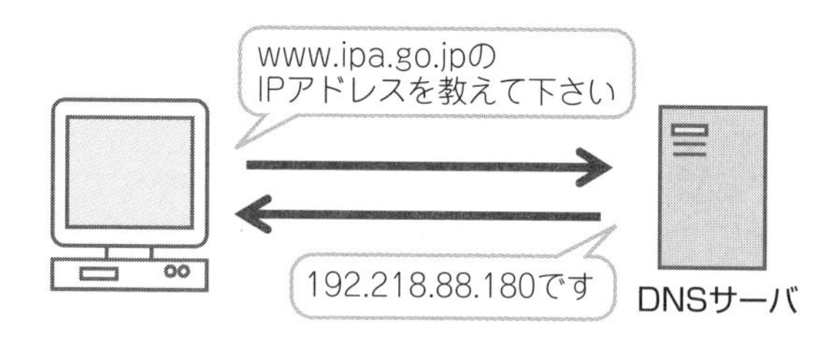

DHCP

LAN内のPCやネットワーク機器などにIPアドレスを設定するには，手動で設定する方法と自動的に設定する方法があります。

ネットワークに接続されたPCやネットワーク機器などにIPアドレスを自動的に割り当てるプロトコルが**DHCP**(Dynamic Host Configuration Protocol)です。PCやネットワーク機器などの「IPアドレスを貸してほしい」という要求に対して，DHCPサーバやルータは，貸し出し用に用意している複数のIPアドレスの中から，現在貸し出していないIPアドレスを自動的に貸し出します。DHCPを利用するには，PCやネットワーク機器側で「IPアドレスを自動的に取得する」と設定しておく必要があります。

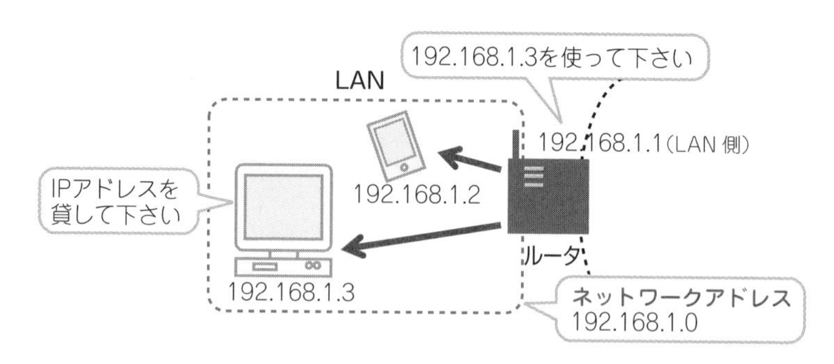

【ルータの設定例】

* ルータのIPアドレス　192.168.1.1 (LAN側)
* サブネットマスク　255.255.255.0
* 貸し出すIPアドレス
  192.168.1.2 ～ 192.168.1.254
  ※この範囲でIPアドレスをホストに貸し出す

IPアドレスの枯渇問題

現在広く利用されている，**IPアドレスを32ビットで表現する** **IPv4** (Internet Protocol version 4)では，表現可能なアドレス数は約43億(＝2^{32})です。インターネットが始まった頃はこれで十分に足りると考えられていたのですが，インターネットの急速な普及により，とうとう新規に割り当てることができるIPv4のIPアドレスはなくなってしまいました。IPアドレスも限りある資源ということです。

IPv6

IPアドレスの枯渇問題を根本から解決するのが，**IPアドレスを128ビットまで拡張する** **IPv6** (Internet Protocol version 6)です。IPv6では，表現可能なアドレス数は2^{128}個(＝約340澗(かん)＝340兆×1兆×1兆)で，事実上無限です。

IPv6は，アドレスの16進表記を4文字ずつ「:」で区切ったフィールドで表現します。全て0のフィールドの連続は「::」で表すなど，長いアドレスを省略できます(::での省略は1か所のみ可能です)。

(例) 2001:db8::abcd:ef12

0だけのフィールドを省略　4文字ずつ区切る

IPv4とIPv6の機器はそのままでは通信できないので，通信の仲立ちをする機器などを使って，相互に通信でき共存が可能となっています。また，IPv6にはパケットを暗号化する**IPsec**(アイピーセック) (Security Architecture for Internet Protocol)プロトコルが標準で組み込まれています。

ポート番号

ポート番号は，**通信サービス(アプリケーション)を識別するための番号**です。サーバ上には複数のアプリケーションが起動しており，そのうちのどのアプリケーションと通信するのかはポート番号で判断しています。0から65,535までのポート番号が使われ，中でもよく使われるHTTP(80番)，SMTP(25番)，POP3(110番)のサービスなどは，あらかじめ番号が決められています(**ウェルノウンポート**という)。

これを人の世界で例えると，小包(パケット)を郵送するときに，住所(IPアドレス)で宛先の家まで届きますが，その家には家族が複数人いて，家族のうちの誰宛なのかは宛名(ポート番号)で判断するようなイメージです。

実際には，通信相手とはIPアドレスだけでなくポート番号も使ってデータのやり取りをしています。普段は陰に隠れた存在ですが，ポート番号も重要な番号です。

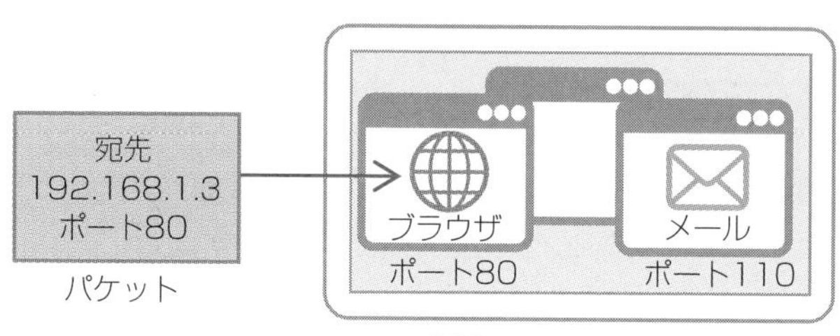

知っ得情報 ARP

ARP(アープ) (Address Resolution Protocol) は，IPアドレスに対応するMACアドレスを取得するときに使われるプロトコルです。同一のネットワークではMACアドレスを使ってデータのやり取りを行います。そのため，ARPを使って，通信相手のIPアドレスに対応するMACアドレスを取得しています。

確認問題 1 ▸令和5年度 問97　正解率▸低　基本

サブネットマスクの役割として，適切なものはどれか。

ア　IPアドレスから，利用しているLAN上のMACアドレスを導き出す。
イ　IPアドレスの先頭から何ビットをネットワークアドレスに使用するかを定義する。
ウ　コンピュータをLANに接続するだけで，TCP/IPの設定情報を自動的に取得する。
エ　通信相手のドメイン名とIPアドレスを対応付ける。

要点解説 サブネットマスクは，IPアドレスをネットワークアドレス部とホストアドレス部に区切るためのビット列です。
ア　ARP　イ　サブネットマスク　ウ　DHCP　エ　DNS

確認問題 2

▸令和6年度　問71　　正解率▸中 

インターネットで使用されているドメイン名の説明として，適切なものはどれか。

ア　Web閲覧や電子メールを送受信するアプリケーションが使用する通信規約の名前
イ　コンピュータやネットワークなどを識別するための名前
ウ　通信を行うアプリケーションを識別するための名前
エ　電子メールの宛先として指定する相手の名前

ア　プロトコル（4-03参照）　　イ　ドメイン名
ウ　ポート番号　　エ　メールアドレス（4-07参照）

確認問題 3

▸平成31年度春期　問57　　正解率▸高  

DNSの機能に関する記述のうち，適切なものはどれか。

ア　IPアドレスとMACアドレスを対応付ける。
イ　IPアドレスとドメイン名を対応付ける。
ウ　IPアドレスを利用してパケット転送の経路を選択する。
エ　アナログ信号とデジタル信号を相互に変換する。

ア　ARP（Address Resolution Protocol）
イ　DNS（Domain Name System）
ウ　ルータ
エ　A/Dコンバータ

確認問題 4　▸平成26年度秋期　問52　正解率▸高　応用

IPv4をIPv6に置き換える効果として，適切なものはどれか。

ア　インターネットから直接アクセス可能なIPアドレスが他と重複しても，問題が生じなくなる。
イ　インターネットから直接アクセス可能なIPアドレスの不足が，解消される。
ウ　インターネットへの接続に光ファイバが利用できるようになる。
エ　インターネットを利用するときの通信速度が速くなる。

要点解説　IPv6では128ビットでIPアドレスを表現するため，32ビットで表現するIPv4より多くのIPアドレスを割り当てることができます。

確認問題 5　▸平成29年度秋期　問84　正解率▸中　応用

インターネットにサーバを接続するときに設定するIPアドレスに関する記述のうち，適切なものはどれか。ここで，設定するIPアドレスはグローバルIPアドレスである。

ア　IPアドレスは一度設定すると変更することができない。
イ　IPアドレスは他で使用されていなければ，許可を得ることなく自由に設定し，使用することができる。
ウ　現在使用しているサーバと同じIPアドレスを他のサーバにも設定して，2台同時に使用することができる。
エ　サーバが故障して使用できなくなった場合，そのサーバで使用していたIPアドレスを，新しく購入したサーバに設定して利用することができる。

要点解説
ア　保有しているIPアドレスを返還し，再度割り振りを受けることで変更できます。
イ　グローバルIPアドレスは，許可を得る必要があります。
ウ　2台同時に使用する場合は，複数のサーバに同じアドレスを割り振ることはできません。

確認問題 6

▸令和6年度 問92　正解率▸中　基本

インターネットに接続されているサーバが，1台でメール送受信機能とWebアクセス機能の両方を提供しているとき，端末のアプリケーションプログラムがそのどちらの機能を利用するかをサーバに指定するために用いるものはどれか。

ア IPアドレス　イ ドメイン　ウ ポート番号　エ ホスト名

要点解説 ポート番号は，どの通信サービス（アプリケーション）と通信するのかという情報です。IPアドレスはネットワーク上のコンピュータを識別する情報，ドメイン名はネットワークを識別する名前，ホスト名はネットワーク上のサーバやPCを識別する名前です。

確認問題 7

▸平成29年度秋期 問63　正解率▸中　基本

NATの説明として，適切なものはどれか。

ア IPアドレスとMACアドレスを対応付ける。
イ ネットワークへ接続するコンピュータにIPアドレスを自動的に割り当てる。
ウ プライベートIPアドレスとグローバルIPアドレスを相互変換する。
エ ホスト名からIPアドレスを得る。

要点解説 NATは，プライベートIPアドレスとグローバルIPアドレスを相互変換します。
ア ARP　イ DHCP　エ DNS

解答

問題1：イ	問題2：イ	問題3：イ	問題4：イ	問題5：エ
問題6：ウ	問題7：ウ			

4 05 通信サービス

時々出 必須 超重要

イメージでつかむ

高速道路では，車がスイスイと走行できます。通信回線にも高速道路のように高速に行えるものがあります。

ブロードバンド

ブロードバンドは，広帯域で高速・大容量が特徴の回線やサービスです。これを道路で例えると，車線が多く幅の広い高速道路を，たくさんの車がスイスイと走行できるようなイメージです。

ブロードバンドには，光ファイバの回線を利用する**FTTH** (Fiber To The Home) や，ケーブルテレビの回線を利用する**CATV**などがあります。

知っ得情報（ネットの混雑）

輻輳(ふくそう)は，通信が急増することによって，ネットワークの許容量を超えて，つながりにくくなることです。例えば，災害発生時には，多くの方が連絡を取り合うので，このような現象が起こる場合があります。これは，高速道路がゴールデンウィークなどに大混雑するようなイメージです。

もっと詳しく（データの伝送速度）

データの伝送速度を表す単位に，**bps** (bit per second) があります。1秒間に伝送できるビット数（ビット／秒）で表します。試験では，「通信速度」や「転送速度」の用語でも出題されます。bpsは伝送時間を求める計算問題（後述）で使う単位なので，覚えておきましょう。

モバイル通信

スマートフォンなどでモバイル通信するときは，**4G/LTE**（第4世代移動通信システム）や，より高速な**5G**（第5世代移動通信システム）（10-01参照）などの移動体通信事業者の基地局から発せられる電波を利用します。スマートフォンには，利用する移動体通信事業者と契約した，携帯番号や契約者IDなどが記録された**SIM（シム）カード**を挿入します。機種によっては，物理的なカードの交換なしで遠隔で契約情報を書き換えられる**eSIM（イーシム）**（Embedded SIM）に対応しているものもあります。

また，スマートフォンなどをアクセスポイント（中継局）のように用いて，PCやゲーム機などからインターネットを利用する**テザリング機能**が使えるものもあります。

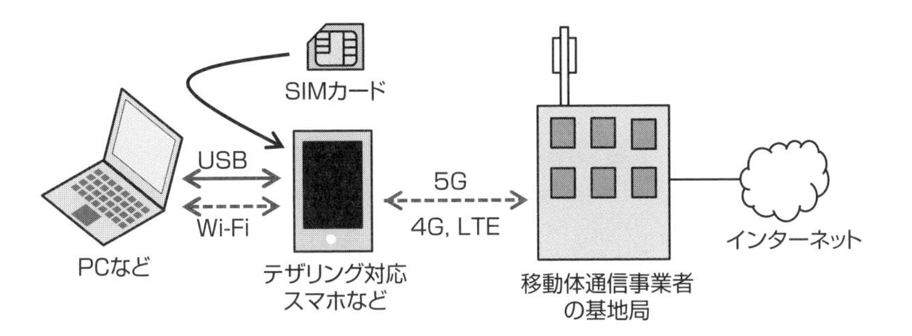

MVNO

MVNO（Mobile Virtual Network Operator：仮想移動体通信事業者）は，格安SIMの事業者です。NTT docomoなどの**移動体通信事業者から回線網を借りて，サービスを提供する事業者**で，自社の回線を持たず，店舗数を最小限にしてネット中心に営業することで，料金を安く抑えられるメリットがあります。

キャリアアグリゲーション

キャリアアグリゲーションは，**複数の異なる周波数帯を束ねて，同時に使用することで無線通信の高速化や安定化を図る手法**です。LTEを発展させたLTE-Advanced規格では標準となっていて，5Gでも提供する事業者があります。

知っ得情報 ＜Qi（チー）＞

Qiは，スマートフォンやワイヤレスイヤホンなどを，ケーブルなしにワイヤレスに充電できる規格です。チーは，見えない力を表す「気」という意味です。WPC(Wireless Power Consortium)が策定した国際標準規格で，スマートフォンなどを置くだけでワイヤレス充電ができる反面，消費電力の効率が悪いので充電に時間がかかります。

伝送時間の計算

ネットワークの分野では，伝送時間を求める計算問題がよく出題されます。次の公式が便利です。

伝送時間＝データ量÷伝送速度

例えば，20Mバイトのデータを伝送速度80Mbpsの回線で伝送する時間を求めてみましょう。

20Mバイトをビットに換算すると，20M×8＝160Mビットです。

ここで，80Mbps（1秒で80Mビット伝送）の回線で，160Mビットのデータを伝送するので，データ量÷伝送速度，つまり160Mビット÷80Mbps＝2秒が答えとなります。

アドバイス［伝送時間の問題を解くコツ］

計算問題ということで苦手意識をもちやすいところですが，単位を合わせてデータ量を伝送速度で割れば求まります。

ポイントは，速度はビット単位，データ量はバイト単位ということです。1バイト＝8ビットなので，どちらかに単位を合わせる必要があります。

確認問題 1 ▸平成30年度秋期 問83　正解率▸高　基本

SIMカードの説明として，適切なものはどれか。

ア　インターネットバンキングなどのセキュリティ確保の目的で使用する，一度しか使えないパスワードを必要なときに生成するカード型装置

イ　携帯電話機などに差し込んで使用する，電話番号や契約者IDなどが記録されたICカード

ウ　デジタル音楽プレーヤ，デジタルカメラなどで使用される，コンテンツ保存用の大容量のメモリカード

エ　デジタル放送受信機に同梱（こん）されていて，デジタル放送のスクランブルを解除するために使用されるカード

要点解説　SIMカードは，携帯電話やスマートフォンなどに差し込んで使用する，契約情報を記録したICカードです。

ア　トークン　　ウ　SDカード　　エ　B-CASカード

確認問題 2

▸令和3年度 問71　　正解率▸高　　基本

移動体通信サービスのインフラを他社から借りて，自社ブランドのスマートフォンやSIMカードによる移動体通信サービスを提供する事業者を何と呼ぶか。

ア　ISP　　イ　MNP　　ウ　MVNO　　エ　OSS

要点解説

MVNOは他の移動体通信事業者から回線を借りて，サービスを提供する事業者です。ISPはインターネットへの接続サービスを提供する事業者（4-06参照），MNP（Mobile Number Portability）は電話番号を変更せずに他の通信事業者へ乗り換えられる制度，OSSはソースコードを公開しているソフトウェア（2-01参照）です。

確認問題 3

▸令和2年度秋期 問95　　正解率▸中　　計算

伝送速度が20Mbps（ビット/秒），伝送効率が80%である通信回線において，1Gバイトのデータを伝送するのに掛かる時間は何秒か。ここで，1Gバイト＝10^3Mバイトとする。

ア　0.625　　イ　50　　ウ　62.5　　エ　500

要点解説

ビットとバイトの違いに注意（1-01参照）。1バイト＝8ビットなので，ファイルの大きさは1Gバイト×8＝8Gビットです。

さらに，1G=10^3Mなので，8Gビット＝8000Mビットです。

伝送速度が20Mbps（ビット／秒）で，伝送効率が80%なので，実効伝送速度は20×0.8＝16Mbpsです。つまり，1秒間に16Mビットのファイルをダウンロードできます。

この回線で8000Mビットのファイルをダウンロードするときの時間を求めます。

8000Mビット÷16Mビット＝500

500秒かかります。

解答

問題1：イ　　問題2：ウ　　問題3：エ

4 06 Webページ

時々出 必須 超重要

イメージでつかむ

くもの巣は，きれいな網目状の形をしています。
インターネットの世界でも，コンピュータが網目状につながっています。
英語のnetworkは，net＋workで網状の製作物が語源です。

インターネットサービスプロバイダ

インターネットサービスプロバイダ(Internet Services Provider)は，**インターネットへの接続サービスを提供する事業者**です。**プロバイダ**や**ISP**とも呼ばれます。家に回線を引いてインターネット接続を始めるときは，最初にプロバイダと契約します。

WWW

私たちはインターネットを通して，世界中の情報を収集したり，自らの情報を発信したりできます。インターネット上の文字や画像，動画，音声などの様々な情報を「いつでも」,「どこでも」,「誰でも」扱えるように構築されたシステムが**WWW**(World Wide Web)です。このWWWのサービスを利用すると，インターネットに公開されているWebサイトを閲覧できます。閲覧するには**Webブラウザ**(**ブラウザ**)と呼ばれるソフトウェアが必要です。WebブラウザにはMicrosoft Edge(エッジ)やGoogle Chrome(クローム), Apple Safari(サファリ), Mozilla Firefox(ファイアーフォックス)などがあります。

世界中に散在するWebサイトが相互に接続され，格納されたWebページのお互いに結び付いている状態(**ハイパーリンク**という)が，あたかも「くもの巣」が張り巡らされている状態のように見えます。

URL

おもしろいWebページを見つけたら友達に知らせたくなります。そんなときに使うのが**URL**(Uniform Resource Locator)で，以下のような**Webページなどの位置情報や，プロトコルなどを指定**します。プロトコルは，httpにセキュリティ機能を追加したhttps(5-08参照)が推奨されています。

(例) ITパスポート試験の過去問題サイト(IPA)

https://www3.jitec.ipa.go.jp/JitesCbt/html/openinfo/questions.html

https://	www3.	jitec.ipa.go.jp	/JitesCbt/html/openinfo/	questions.html
プロトコル	ホスト名	ドメイン名	パス名(ディレクトリ名)	ファイル名

知っ得情報 パンくずリスト

Webサイト内で迷子にならないように，各Webページにはトップページからそのページへの経路情報である**パンくずリスト**が表示されています。利用者は，これをクリックすることで過去のページに戻れます。童話『ヘンゼルとグレーテル』で，森の中で迷わないようにパンくずをまいたという話が名の由来です。

書籍案内>>書籍ジャンル>>資格試験(IT)>>ITパスポート

Cookie(クッキー)

Cookieは，**Webサーバにアクセスした利用者のWebブラウザに，Webサーバからの情報を一時的に保存する仕組み**です。利用者情報や訪問日時，訪問回数などを保存できます。利用者がWebサイトを再訪問したときに，その利用者に合わせた設定で表示するなどの利便性があります。一方，保存された情報をスパイウェア(5-01参照)やクロスサイトスクリプティング(5-02参照)などによって盗まれる恐れがあるので注意が必要です。

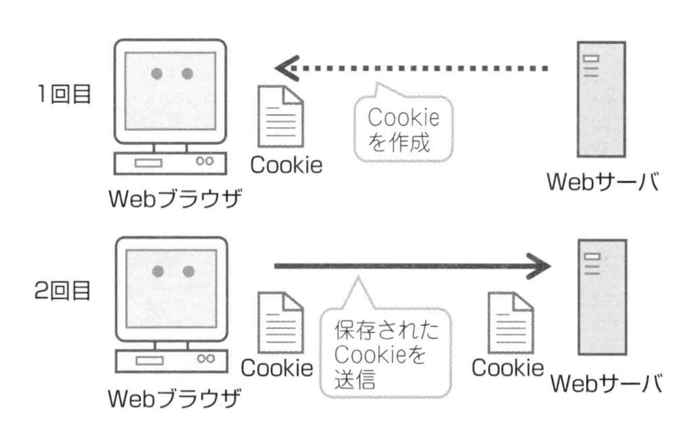

検索エンジン

インターネット上には，膨大(ぼうだい)な情報が氾濫(はんらん)しています。その中から必要な情報を得るには，**検索エンジン**（サーチエンジン）を利用します。検索エンジンではGoogleやYahooなどが有名で，**クローラ**と呼ばれるソフトウェアを使ってWebページを巡回して情報を集め，データベース化しています。

また，**検索の際に上位に表示されるように，検索エンジンに高い評価を受けるWebサイトを作る工夫や技術**を**SEO**（Search Engine Optimization：検索エンジン最適化）といいます。

> **知っ得情報 共起キーワード**
>
> **共起キーワード**は，あるキーワードと同時に使用されることが多いキーワードです。Google検索の窓に何か入力すると，続けて関連キーワードが表示されますが，これも共起キーワードです。

CDN

動画配信のような大容量のコンテンツを配信するWebサイトなどでは，アクセスが集中するとレスポンスが極端に遅くなります。これを解消するために，**コピー（キャッシュ）したデータを各地のWebサーバに分散配置する仕組み**が，**CDN**（Contents Delivery Network：コンテンツ配信ネットワーク）です。分散配置して利用者に一番近いサーバから配信することで，サービスの向上と負荷分散を図っています。最近は，災害発生時に地方自治体のWebサイトにアクセスが集中して閲覧できなくなるので，CDNを導入しているところもあります。

リダイレクト

リダイレクトとは，Webサイトのリニューアルで URL を変更したような場合に，利用者を別のURLに自動転送することです。

確認問題 1 ▸平成29年度春期　問11　　正解率▸高　**基本**

検索エンジンの検索結果が上位に表示されるよう，Webページ内に適切なキーワードを盛り込んだり，HTMLやリンクの内容を工夫したりする手法はどれか。

ア　BPO　　イ　LPO　　ウ　MBO　　エ　SEO

要点解説 検索エンジンで上位に表示されるようにする工夫は，SEO（Search Engine Optimization）です。

ア　BPO：Business Process Outsourcing（10-05参照）

イ　LPO：Landing Page Optimization
検索した利用者が最初にたどりつくWebページ（ランディングページ）を最適化することです。

ウ　MBO：Management Buyout（経営陣買収）（10-04参照）

確認問題　2

▸平成30年度春期　問64　　正解率▸中　　応用

インターネットでURLが“http://srv01.ipa.go.jp/abc.html”のWebページにアクセスするとき，このURL中の“srv01”は何を表しているか。

ア　“ipa.go.jp”がWebサービスであること
イ　アクセスを要求するWebページのファイル名
ウ　通信プロトコルとしてHTTP又はHTTPSを指定できること
エ　ドメイン名“ipa.go.jp”に属するコンピュータなどのホスト名

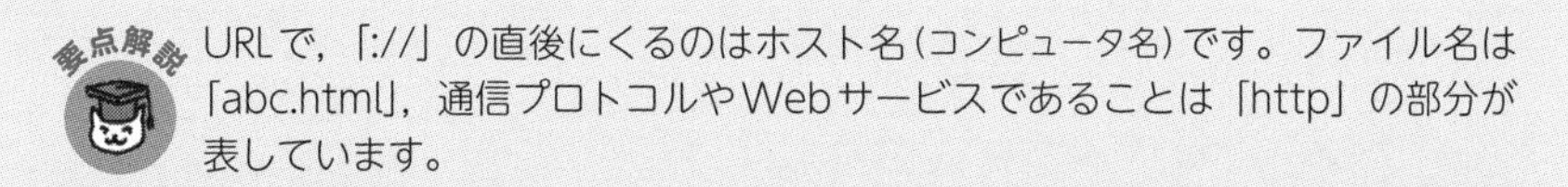

要点解説 URLで，「://」の直後にくるのはホスト名（コンピュータ名）です。ファイル名は「abc.html」，通信プロトコルやWebサービスであることは「http」の部分が表しています。

確認問題　3

▸平成28年度春期　問79　　正解率▸高　　基本

Webサイトによっては，ブラウザで閲覧したときの情報を，ブラウザを介して閲覧者のPCに保存することがある。以後このWebサイトにアクセスした際は保存された情報を使い，閲覧の利便性を高めることができる。このような目的で利用される仕組みはどれか。

ア　Cookie　　イ　SQL　　ウ　URL　　エ　XML

要点解説 ブラウザで閲覧したときの利用者情報や訪問日時，訪問回数などを保存するのは，Cookieです。

解答

問題1：エ　　問題2：エ　　問題3：ア

4 07 電子メール

時々出　必須　超重要

イメージでつかむ

はがきに宛先の住所と氏名を書くと，相手まで配送されます。
電子メールのアドレスにも，住所や名前に当たるものがあります。

電子メール(E-mail)のアドレスの構造

メールアドレスは，例えば，xyz@abc.co.jpのように，@をはさんで二つの部分に分かれます。@の左側が**ユーザ名**(**ユーザID**)で，右側が**ドメイン名**です。メールアドレスは，ドメインの中で一意になるようにユーザ名を付ける必要があります。これを，はがきで例えると，ドメイン名が「宛先の住所」，ユーザ名が「宛先の氏名」のようなイメージです。

xyz　@　abc.co.jp
ユーザ名　ドメイン名

同報メール

同報メールは，複数の宛先に一度にメールを送信することです。「一斉送信」とも呼ばれています。メールソフトを使ってメールを送信するときは，送信したい相手のメールアドレスを宛先(TO)に設定しますが，さらに参考の意味合いで複数の人に同じメールを送信したいときには，同じメールを送信したい相手のメールアドレスを**CC**(Carbon Copy)または**BCC**(Blind Carbon Copy)に設定します。

この違いは，宛先(TO)またはCC欄に入力されたメールアドレスは受信者全員に通知されるのに対して，BCC欄に入力されたメールアドレスは通知されません。

例えば，取引先へのメールの内容を上司にも見てもらいたいとき，上司のメールアドレスをCCで送信すれば，取引先は上司も同じ電子メールを読んでいることがわかりますが，BCCで送信すればわかりません。また，新製品情報を複数の取引先に一度に知らせたいときは，BCCを使えば取引先はお互いのメールアドレスを知ることはありません。

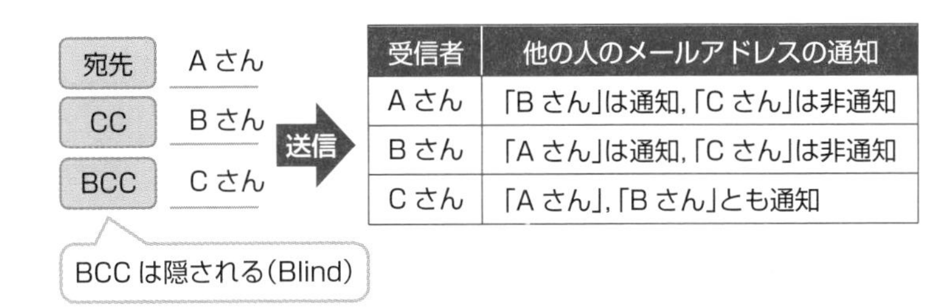

"くれば"で覚える

BCC欄に入力したメールアドレス とくれば **受信者全員に通知されない**

メーリングリスト

メーリングリストは，あらかじめ登録されているメンバに同報メールを送信できるサービスです。メールを特定のアドレスに送信すると，登録されたメンバ全員のメールアドレスに転送される仕組みになっており，メンバで何度もメールをやり取りする場合に使われています。メーリングリストに参加している他の人のアドレスは，他の受信者には通知されません。

Webメール

電子メールの送受信の方法は，専用のメールソフトを使う方法とWebブラウザを使う方法（**Webメール**という）の二つに分類できます。

専用のメールソフトを使う場合は，あらかじめメールソフトのインストールや，「SMTPと＆POP」，または「SMTP＆IMAP」などの設定が必要です。一方，Webメールを使う場合は，メールソフトのインストールや詳細な設定が不要で，メールはサーバ上で管理されるので，端末にWebブラウザがあればメールの送受信ができます。

	POP	IMAP	Webメール
メールサーバ		メール	メール
	↓受信	↑閲覧	↑閲覧
端末(PC など)	メール メールソフト	メールソフト	Webブラウザ
複数端末での既読一元管理	不可	可	可

HTML形式の電子メール

電子メールの形式は，テキスト形式とHTML形式（7-03参照）の二つに分類できます。

テキスト形式は，メール本文は文字だけで，画像ファイルなどは添付ファイルとして添付します。一方，HTML形式は，Webページのように本文中の文字の色などを変えたり，本文中に画像などを組み込んだりできるなど多彩な表現ができます。ただし，HTML形式は，電子メールのサイズが大きくなったり，受信者の環境により見え方が変わったりすることがあります。また，巧妙にウイルスを仕掛けられたり，偽サイトへのリンクが含まれたりするなどの危険性があり，仕事ではテキスト形式を使用することが推奨されています。

	テキスト形式	HTML形式
本文中の書式の設定（色など）	不可	可
本文とは別にファイルの添付	可	可
本文中に画像などの挿入	不可	可

テキスト形式

HTML形式

確認問題 1

▸平成26年度春期 問77　正解率▸高　基本

メーリングリストの説明として，適切なものはどれか。

ア 広告や勧誘などの営利目的で，受信側の承諾を得ないで無差別に大量に送信される迷惑メール
イ 受信した電子メールを個別のフォルダに振り分けて管理するために利用するアドレスのリスト
ウ 送信先のメールサーバ名とIPアドレスとの対応が記述されているシステムファイル
エ 電子メールを特定のアドレスに送信すると，登録されたメンバ全員のメールアドレスに転送される仕組み

要点解説

ア スパムメールといいます(9-04参照)。
イ 特に決まった名前はありませんが，振り分けリストと呼ばれることもあります。
ウ hostsファイル。OS内にあり，サーバ名とIPアドレスの対応付けを行いますが，現在では，hostsファイルを参照するよりも，DNSを使うことが多くなっています。

確認問題 2

▸令和3年度 問59　正解率▸中　頻出　応用

Aさんが，Pさん，Qさん及びRさんの3人に電子メールを送信した。Toの欄にはPさんのメールアドレスを，Ccの欄にはQさんのメールアドレスを，Bccの欄にはRさんのメールアドレスをそれぞれ指定した。電子メールを受け取った3人に関する記述として，適切なものはどれか。

ア Pさんと Qさんは，同じ内容のメールがRさんにも送信されていることを知ることができる。
イ Pさんは，同じ内容のメールがQさんに送信されていることを知ることはできない。
ウ Qさんは，同じ内容のメールがPさんにも送信されていることを知ることができる。
エ Rさんは，同じ内容のメールがPさんとQさんに送信されていることを知ることはできない。

要点解説

メールのTo，Cc，Bccは大変よく出題される問題です。
「To：Pさん」「Cc：Qさん」「Bcc：Rさん」です。
ア RさんはBccなので，Rさんに送られたことを他の人は認識できません。
イ QさんはCcなので，Qさんに送られたことは他の人も認識できます。
ウ PさんはToなので，他の人全員が，Pさんに送られたことを認識できます。
エ PさんはTo，QさんはCcなので，他の人全員が，二人に送られていることを認識できます。

確認問題 3　▸平成30年度秋期　問57　正解率▸中　応用

Webメールに関する記述①～③のうち，適切なものだけを全て挙げたものはどれか。

① Webメールを利用して送られた電子メールは，Webブラウザでしか閲覧できない。
② 電子メールをPCにダウンロードして保存することなく閲覧できる。
③ メールソフトの代わりに，Webブラウザだけあれば電子メールの送受信ができる。

ア　①，②　　イ　①，②，③　　ウ　①，③　　エ　②，③

要点解説
①メールが作成された方法は，メールを受信する方法とは関係ありません。Webメールを使って送信されたメールは，受信者の環境がメールソフトでも閲覧できます。
②Webメールでは，閲覧時にメールをダウンロードして保存する必要はありません。
③Webブラウザだけで電子メールの送受信をするのがWebメールです。
よって，②，③が適切です。

確認問題 4　▸令和4年度　問89　正解率▸中　頻出　応用

電子メールを作成するときに指定する送信メッセージに用いられるテキスト形式とHTML形式に関する記述のうち，適切なものはどれか。

ア　受信した電子メールを開いたときに，本文に記述されたスクリプトが実行される可能性があるのは，HTML形式ではなく，テキスト形式である。
イ　電子メールにファイルを添付できるのは，テキスト形式ではなく，HTML形式である。
ウ　電子メールの本文の任意の文字列にハイパーリンクを設定できるのは，テキスト形式ではなく，HTML形式である。
エ　電子メールの本文の文字に色や大きさなどの書式を設定できるのは，HTML形式ではなく，テキスト形式である。

要点解説
ア　スクリプトが実行される可能性があるのは，HTML形式です。
イ　電子メールにファイルを添付できるのは，テキスト形式とHTML形式の両方です。
ウ　電子メールの本文の任意の文字列にハイパーリンクを設定できるのは，HTML形式です。
エ　電子メールの本文の文字に色や大きさなどの書式を設定できるのは，HTML形式です。

解答

問題1：エ　　問題2：ウ　　問題3：エ　　問題4：ウ

第5章

セキュリティ

〔テクノロジ系〕

5 01 情報資産と脅威

時々出　必須　超重要

イメージでつかむ

　インフルエンザにかかると，学校を休まなくてはなりません。他の人に感染してしまう恐れがあるからです。
　コンピュータウイルスに感染したときも，ネットワークから切り離し，他のコンピュータに感染しないようにします。

情報資産

　私たちはインターネット上にあるサービスを利用するにあたり，住所，氏名，生年月日，性別，さらにはクレジットカードの情報などを登録しています。企業は，顧客情報のほかにも，営業情報，知的財産関連情報，人事情報など，守らなくてはならない情報を保持しています。このような**組織が保持している全ての情報**を**情報資産**といいます。情報資産には，情報漏えいや改ざん，紛失などの**損失を与える原因**となる**脅威**が存在し，脅威は**情報資産に内在している弱点**である**脆弱性**（ぜいじゃくせい）を突いてくるので，情報セキュリティ対策がますます重要となっています。

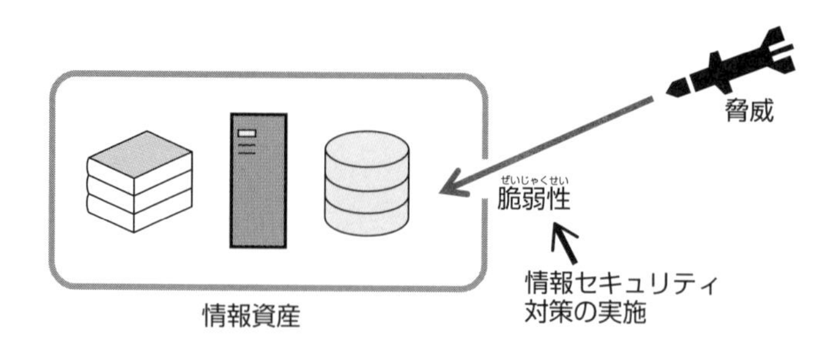

脅威の種類

脅威は，次のように，物理的・人的・技術的に大別されます。

物理的脅威	地震，洪水，火災，落雷（停電）などの天災，機器の故障，不正侵入など
人的脅威	誤操作，持ち出し，紛失，盗難，盗み見，不正利用など
技術的脅威	不正アクセス，盗聴，なりすまし，改ざん，クラッキングなど

物理的対策

人が不正にエリアに侵入するのを防ぐことは，物理的対策のうちの一つです。まずは，扱う情報資産の重要性に応じてオフィスを，オープンエリア・受け渡しエリア・セキュリティエリアなどに分け（**ゾーニング**という），セキュリティエリアへの入退室管理や，監視カメラなどによる監視を行います。

また，正規の認証（5-05参照）を受けた人がセキュリティエリアに入室する際に，別の人が認証を受けずに共に入室する（**共連れ**という）のを防ぐために，入室の記録がない人を退室させないようにする**アンチパスバック**や，一人ずつしか通れない**セキュリティゲート**を設置することもあります。

ソーシャルエンジニアリング

人的脅威のうち，**ソーシャルエンジニアリング**は，**コンピュータを使わずに人の心理や行動の隙を突いて機密情報を入手する行為**です。例えば，緊急事態を装って外部から電話をして社内の機密情報を聞き出す，画面を肩越しからのぞき見する（**ショルダーハッキング**という），ゴミ箱に捨てられた紙から機密情報を入手する（**トラッシング**という）などです。

対策として，スクリーンにのぞき見防止フィルムを貼ったり，離席時に画面をロックする**クリアスクリーン**や，書類などが盗まれてもすぐわかるように机を整頓しておく**クリアデスク**，重要な書類はシュレッダーにかけるなどを心掛けたりすることも大切です。

知っ得情報 〈不正行為が起こる条件〉

不正行為は，機会・動機・正当化の三つの条件が揃ったときに行われるという，**不正のトライアングル理論**が知られています。例えば，顧客情報にアクセスする権限があり（機会），多額の借金を抱えており（動機），過重な労働を強いられている（正当化）の条件が揃うといった場合です。この対策としては，実施者と承認者を別の人にしたり（**職務分掌**（しょくむぶんしょう）という），セキュリティ教育を行ったりして，この条件が揃わないようにすることが重要です。

技術的脅威

技術的脅威の代表が，**コンピュータウイルス**（**ウイルス**）です。コンピュータウイルスは，もともとはコンピュータに侵入して何らかの被害を及ぼすように作られたプログラムで，感染・潜伏・発病の機能を持つものとされていましたが，今や攻撃の手口は，この範囲を超え多様化・巧妙化しています。主な感染源は，Webページの閲覧や電子メールですが，USBメモリなどの記憶媒体を介して感染することもあります。

マルウェア

マルウェアは，従来のコンピュータウイルスを含め，**悪意をもって作成されたソフトウェア**です。Malicious（マリシャス）（悪意のある）とSoftware（ソフトウェア）を合わせた造語です。PCだけでなく，スマートフォン，IoT機器（3-05参照）など，様々な機器に感染する危険性があります。次のマルウェアが試験でよく出題されます。

コンピュータウイルス	感染・潜伏・発病の機能を持つ
ワーム	自己増殖しながら，ネットワークを介して拡散する
マクロウイルス	表計算ソフトなどの定型作業の自動化を図るマクロ機能を悪用する
トロイの木馬	利用者に有用なソフトウェアとみせかけてインストールさせ，裏では不正な処理を行う
スパイウェア	利用者に気づかれないように，個人情報やアクセス履歴などを収集する。Spy（スパイ）とSoftware（ソフトウェア）を合わせた造語
キーロガー	キーボード操作の内容を不正に収集する
ボット	感染した端末を外部からの指令で操り，特定サイトへのDos（ドス）攻撃/DDos（ディードス）攻撃（後述）などを行う。Robot（ロボット）の略
ランサムウェア	端末内のファイルを暗号化し，戻すためのパスワードと引き換えに金銭を要求する。Ransom（ランサム）（身代金）とSoftware（ソフトウェア）を合わせた造語

知っ得情報（ランサムウェア対策）

ランサムウェアなど，データを勝手に暗号化して使えなくする攻撃で困るのは，重要なデータがそこにしかない場合です。対策として，PCから取り外し可能な別の媒体にバックアップを取っておけば，データを元に戻すことができます。

ただし，最近は，ランサムウェアをさらに悪質にした**二重脅迫**という手口も増えています。機密情報を窃取したあとでデータを暗号化し，システムを使えなくすると同時に，機密情報を公開するなどと言って二重に脅迫し，金銭を要求するものです。年々巧妙になる手口には，総合的な対策が必要になります。

ウイルス対策ソフト

ウイルス対策ソフトは，**コンピュータウイルスの検知・駆除・隔離などができるソフトウェア**です。ウイルスの検知には，既知のウイルスの特徴を識別できるシグネチャコードを記録した**ウイルス定義ファイル**（**パターンファイル**ともいう）を使用します。新種のウイルスが出現するたびに，ウイルス対策ソフトの事業者からは，新種のウイルスに対応したウイルス定義ファイルが提供されるので，更新して常に最新の状態にします。最近はゼロデイ攻撃（後述）のような未知のウイルスに対応するため，ウイルスの挙動を監視し，不審な動きを検知する**振る舞い検知機能**を備えたものもあります。

知っ得情報 ファイルレスマルウェア

ファイルレスマルウェアは，ファイルを生成しないタイプのマルウェアです。遠隔操作でスクリプト（簡易的なプログラム）を実行したり，OSに標準で用意されている管理ツールを悪用して攻撃してきます。補助記憶装置にファイルが残らないので，ウイルス対策ソフトだけでは防御しにくい特徴があり，通信の解析やログ分析などにより検知します。

ゼロデイ攻撃

ゼロデイ攻撃は，**脆弱性が存在するソフトウェアのセキュリティパッチ**（後述）**が事業者から提供される前に，その脆弱性を悪用した攻撃**です。

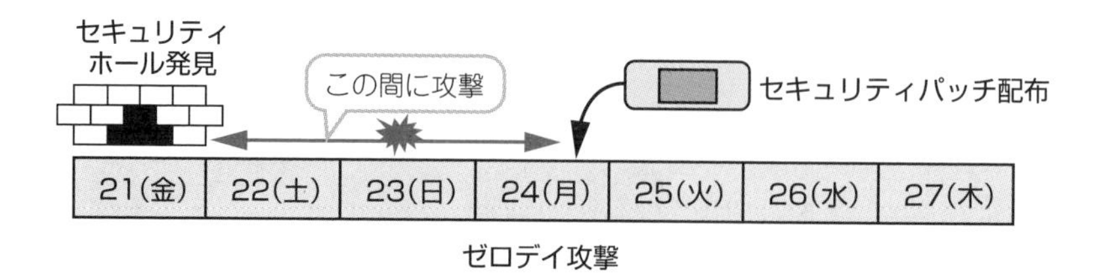

ゼロデイ攻撃

もっと詳しく（セキュリティ上の欠陥）

OSやソフトウェアの設計ミスなどで生じた，セキュリティ上の欠陥が，**セキュリティホール**です。「セキュリティ上の穴」という意味です。攻撃者は，セキュリティホールを突いて攻撃してきます。例えば，プログラムが用意している入力用のデータ領域を超えるサイズのデータを送りつけ，想定外の動作をさせる**バッファオーバーフロー攻撃**などの手段があります。

セキュリティホールをふさぐ対策として，OSやソフトウェアの**セキュリティパッチ**（**パッチ**）と呼ばれる修正プログラムが提供されたら，速やかに適用することが重要です。セキュリティパッチは穴をふさぐ布のようなイメージです。

ウイルス感染の予防と対処法

PCのセキュリティ対策

PCの使用時には，次のようなことに気を付ける必要があります。

* ウイルス対策ソフトを導入し，常時稼働して定期的にウイルスチェックをする
* ウイルス定義ファイルを常に最新にする
* OSやソフトウェアのセキュリティパッチを速やかに適用する
* マクロが自動で有効になるような設定は行わない
* 安全性が確認できないマクロは，有効にしない
* 外部から持ち込んだUSBメモリなどは，ウイルスチェックしてから使用する
* ウイルスの感染が疑われる場合は，ネットワークからPCを切り離し，システム管理者に連絡して対応する

スマートフォンのセキュリティ対策

スマートフォンの使用時も注意が必要です。ウイルス対策ソフトの使用やOSやアプリは常に最新の状態にするなど，PCと同様に考えましょう。そのほか次のようなことに気を付ける必要があります。

* アプリをダウンロードするときは，信用のおけるサイトからダウンロードする
* アプリをインストールするときは，不自然なアクセス許可の要求がないか確認する
* セキュリティ上の特権を得る権限昇格（ルート化）は行わない
* フリーWi-Fiの使用時には，個人情報やクレジットカード番号などは入力しない
* 盗難・紛失対策として，パスワードロックや生体認証（5-05参照）を利用する

知っ得情報（ダークウェブ）

Web検索で表示され，誰でもアクセスできるWebサイトはパブリックウェブ，パスワードなどでアクセス制限のかかったWebサイトはディープウェブと呼ばれます。一方，通常のWeb検索では表示されず，またアクセスのために専用ソフトが必要なWebサイトは**ダークウェブ**と呼ばれます。専用ソフトによりIPアドレスを秘匿して匿名での通信を可能にするので，言論の自由のない国などで利用されることもありますが，違法な情報などがやり取りされることもあります。

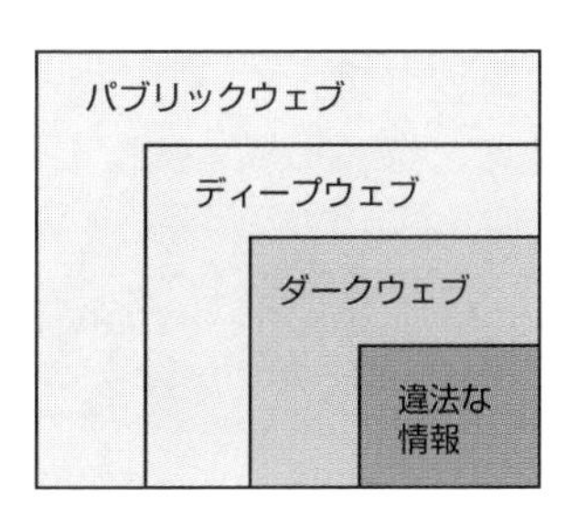

確認問題 1

▸令和5年度　問89　　正解率 ▸ 中　　基本

企業の従業員になりすましてIDやパスワードを聞き出したり，くずかごから機密情報を入手したりするなど，技術的手法を用いない攻撃はどれか。

ア　ゼロデイ攻撃　　イ　ソーシャルエンジニアリング
ウ　ソーシャルメディア　　エ　トロイの木馬

ソーシャルエンジニアリングは，コンピュータを使わずに人の心理や行動の隙を突いて機密情報を入手する行為です。

確認問題 2　▸令和6年度　問98　正解率▸高　頻出　基本

ランサムウェアに関する記述として，最も適切なものはどれか。

ア　PCに外部から不正にログインするための侵入路をひそかに設置する。
イ　PCのファイルを勝手に暗号化し，復号のためのキーを提供することなどを条件に金銭を要求する。
ウ　Webブラウザを乗っ取り，オンラインバンキングなどの通信に割り込んで不正送金などを行う。
エ　自らネットワークを経由して感染を広げる機能をもち，まん延していく。

ア　ルートキット（5-02参照）　イ　ランサムウェア
ウ　MITB（5-02参照）　エ　ワーム

確認問題 3　▸平成30年度秋期　問70　正解率▸高　頻出　基本

情報資産に対するリスクは，脅威と脆弱性を基に評価する。脅威に該当するものはどれか。

ア　暗号化しない通信　イ　機密文書の取扱方法の不統一
ウ　施錠できないドア　エ　落雷などによる予期しない停電

脅威は，情報資産に損失を与える原因となるもので，人的脅威・物理的脅威・技術的脅威に分類できます。脆弱性は，情報資産に内在している弱点です。ア・イ・ウは脆弱性です。エが脅威に該当します。

確認問題 4　▸令和3年度　問58　正解率▸低　応用

サーバルームへの共連れによる不正入室を防ぐ物理的セキュリティ対策の例として，適切なものはどれか。

ア　サークル型のセキュリティゲートを設置する。
イ　サーバの入ったラックを施錠する。
ウ　サーバルーム内にいる間は入室証を着用するルールとする。
エ　サーバルームの入り口に入退室管理簿を置いて記録させる。

要点解説

許可された人がサーバルームに入室するためドアが開いた隙に，許可されていない人が続けて入室してしまうことを共連れといいます。サークル型のセキュリティゲートは，サーバルームと外部の間にサークル（円形）の小部屋を設け，前方と後方の二か所にドアがあるタイプのものです。小部屋には一人ずつしか入れず，外部からのドアが閉まってからでないと，サーバルームへのドアが開かないため，共連れが防げます。

確認問題 5 ▸令和5年度 問90 正解率▸高

情報セキュリティにおける物理的及び環境的セキュリティ管理策であるクリアデスクを職場で実施する例として，適切なものはどれか。

ア 従業員に固定された机がなく，空いている机で業務を行う。
イ 情報を記録した書類などを机の上に放置したまま離席しない。
ウ 机の上のLANケーブルを撤去して，暗号化された無線LANを使用する。
エ 離席時は，PCをパスワードロックする。

ア フリーアドレス（8-07参照） イ クリアデスク
ウ 無線LAN エ クリアスクリーン

確認問題 6 ▸令和6年度 問87 正解率▸高

通常の検索エンジンでは検索されず匿名性が高いので，サイバー攻撃や違法商品の取引などにも利用されることがあり，アクセスするには特殊なソフトウェアが必要になることもあるインターネット上のコンテンツの総称を何と呼ぶか。

ア RSS イ SEO
ウ クロスサイトスクリプティング エ ダークウェブ

ダークウェブは，通常のWeb検索では表示されず，専用のソフトが必要なWebサイトです。RSSはWebサイトの更新情報の要約や見出しを簡単に配信できる形式（7-03参照），SEOはWeb検索で上位に表示されるようにWebサイトを構築する技術（4-06参照），クロスサイトスクリプティングは攻撃者が仕掛けた罠を利用者のWebブラウザ上で実行させる攻撃（5-02参照）です。

解答

問題1：イ 問題2：イ 問題3：エ 問題4：ア 問題5：イ
問題6：エ

5-02 サイバー攻撃

時々出　必須　**超重要**

イメージでつかむ

サイバーの世界は，常に「いたちごっこ」の関係です。新たな攻撃手法を検知すると，それを防御するセキュリティ技術が生まれます。さらに，攻撃者はそれを回避する新たな手口を考えます。終わりなき戦いです。

サイバー攻撃の手口

サイバー攻撃（クラッキング）は，**悪意をもってコンピュータに不正侵入し，情報の盗聴や窃取，データの改ざんや破壊などを行う行為**です。最近は攻撃手法が多岐にわたり，ウイルス対策ソフトだけでは防ぐことが難しくなっています。

サイバー攻撃も技術的脅威であり，次のような様々な攻撃手法があります。

標的型攻撃

標的型攻撃は，**官公庁や企業などの特定の組織を標的に，電子メールにウイルスを仕込む攻撃**です。文面が巧妙で，件名を受信者の業務に関連するようなものにしたり，差出人を受信者の取引先や知人のように偽装して，ウイルスが仕込まれた添付ファイルを開封させたり，偽のWebサイトに誘導したりします。特定の組織を標的とするので，前例が少なく，ウイルス対策ソフトでは検知が難しくなっています。この対策として，社員などに情報セキュリティ研修や訓練を実施して，安易に添付ファイルを開封したり，本文中のリンク先をクリックしたりしないよう啓発することも重要です。

水飲み場攻撃

水飲み場攻撃は，標的型攻撃の一種で，対象の組織内の人がよく訪れるWebサイトにウイルスを仕込む攻撃です。これは，肉食動物が水飲み場に潜み，訪れる草食動物を襲う様子に由来しています。

ビジネスメール詐欺

標的型攻撃は，通常は機密情報などの窃取が目的ですが，中には金銭の窃取を目的とするものもあり，**ビジネスメール詐欺**（BEC：Business Email Compromise）と呼ばれています。取引先を装い振込先の変更のメールを送ったり，上層部を装い極秘の企業買収などと偽ったりして金銭を振り込ませようとします。

フィッシング詐欺

フィッシング詐欺は，**電子メールを発信して受信者を誘導し，実在する会社などを装った偽のWebサイトにアクセスさせ，個人情報をだまし取る攻撃**です。

例えば，金融機関などからの電子メールを装い，偽サイトに誘導して暗証番号やクレジットカード番号などの個人情報を不正に取得します。

差出人：ABC銀行
緊急メンテナンスを行います。
ID/パスワードを以下のサイトで
大至急入力してください。
https://ABC-ginnkou

偽のサイト

フィッシング詐欺

もっと詳しく サイバーキルチェーン

サイバーキルチェーンは，標的型攻撃を7段階にモデル化したものです。攻撃を受けた場合，どの段階にあるかを見極めて対策をうっていくことが重要です。

不正侵入

パスワードを割り出して不正侵入する手法には，次のようなものがあります。

辞書攻撃	ユーザIDを一つに定め，よく知られている初期パスワードや，パスワードで利用されそうな単語を網羅した辞書データを用いて，ログインを試行する
総当たり攻撃 **（ブルートフォース攻撃）**	ユーザIDを一つに定め，アルファベット（大文字と小文字）と数字，記号を組み合わせたパスワードを総当たりにして，ログインを試行する。Brute Forceは，「力ずくの」という意味
パスワードリスト攻撃 **（クレデンシャルスタッフィング）**	何らかの手法で入手したユーザIDとパスワードを別のサービスに用いて，ログインを試行する。利用者がユーザIDとパスワードを複数のサービスで使い回しがちなことを悪用したもの

もっと詳しく（パスワードの解析に対する対策）

辞書攻撃や総当たり攻撃に対する対策として，パスワードの入力試行回数の制限を設け，その回数を超えたときはロックをかけるなどが有効です。

DoS（ドス）攻撃／DDoS（ディードス）攻撃

DoS攻撃（Denial of Service attack）は，**特定のサーバなどに大量のパケットを送りつけ想定以上の負荷を与えることで，処理不能の状態に陥らせる攻撃**です。「サービスを妨害する」という意味です。DoS攻撃は1台のコンピュータからの攻撃ですが，**DDoS攻撃**（Distributed Denial of Service attack）は複数台のコンピュータからの攻撃です。

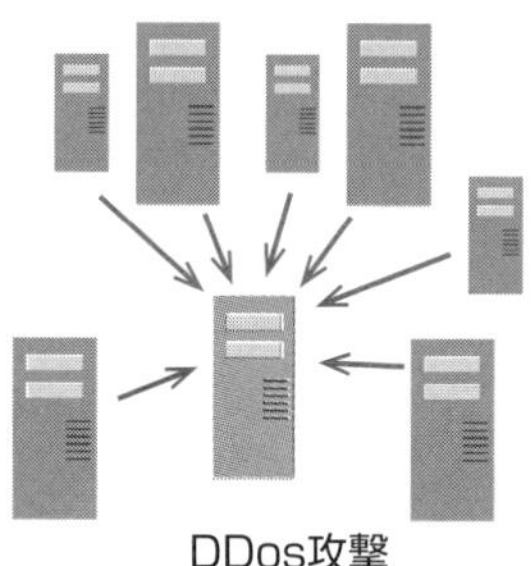
DDos攻撃

DoS攻撃/DDoS攻撃　とくれば　**想定以上の負荷を与え，サービスを妨害すること**

もっと詳しく（不正侵入検知・防止）

内部ネットワークへの不正アクセスを常に監視する仕組みがあります。

* **IDS**（Intrusion Detection System：不正侵入検知システム）は，不正を検知すれば管理者に通報するシステムです。一方，**IPS**（Intrusion Prevention System：不正侵入防止システム）は，遮断まで行うシステムです。これらは，DoS攻撃/DDoS攻撃の対策の一つです。
* **SIEM**（シーム）（Security Information and Event Management）は，ファイアウォール（5-06参照）やIDS／IPSなどの複数のセキュリティ機器から情報を1か所に集約し，総合的に分析する仕組みです。サイバー攻撃を早期発見できるよう支援します。
* **SOC**（ソック）（Security Operation Center）は，24時間体制で企業のネットワークやデバイスを外部から監視して，サイバー攻撃の検出や分析，対応策を提案する事業者の専門組織です。

Webサイトに対する攻撃手法

Webサイトをターゲットにした攻撃には，次のようなものがあります。

SQLインジェクション

SQLインジェクションは，**データベースと連携している，脆弱(ぜいじゃく)なWebサイトの入力欄に，攻撃者が悪意のあるSQLの命令を入力することで，データベースを不正に操作する攻撃**です。Injection(インジェクション)は，「注入」という意味です。なお，SQLは，データベースのデータを操作する言語のことです(6-01参照)。

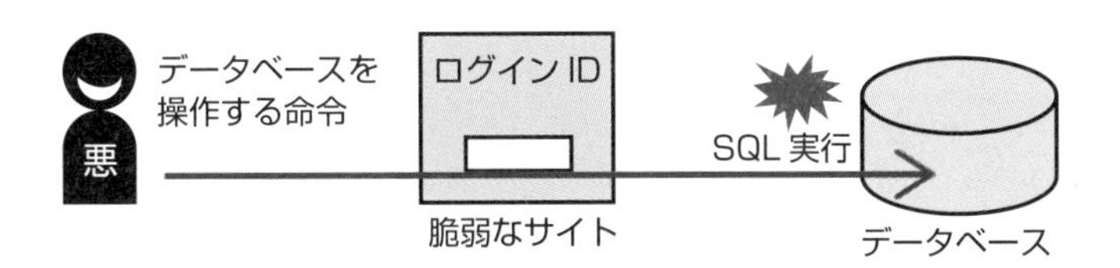

クロスサイトスクリプティング

クロスサイトスクリプティングは，**攻撃者が仕掛けた悪意のあるスクリプトを，利用者のWebブラウザ上で実行させる攻撃**です。例えば，攻撃者が罠(わな)(悪意のあるスクリプト)を仕掛けたWebサイトを利用者が閲覧し，そのページ内のリンクをクリックすると，悪意のあるスクリプトが脆弱な別のWebサイトに送り込まれ，利用者のWebブラウザ上で実行されます。これは，二つのサイトが絡む攻撃なので「クロスサイト」と呼ばれています。なお，スクリプトは簡易なプログラムのことで，Webブラウザ上で実行されるJavaScript(ジャバスクリプト)(7-03参照)などがあります。

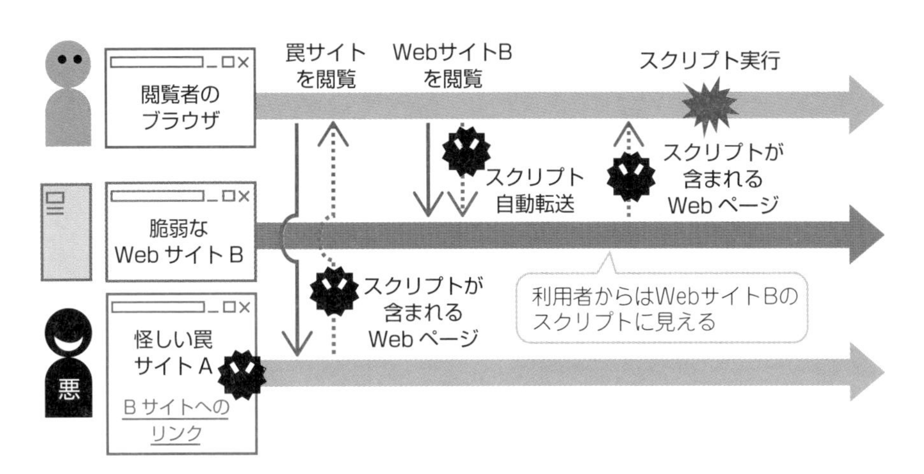

第5章 セキュリティ

もっと詳しく（無害化処理）

SQLインジェクションやクロスサイトスクリプティングの対策の一つとして，Webサイトの入力欄に入力された文字列に，命令やスクリプトとして特別な意味をもつ文字が含まれているときは，悪意が働かないように別の文字に置き換える処理（**サニタイジング**という）を，Webアプリケーションに組み込みます。Sanitizing（サニタイジング）は，「消毒して無害化する」という意味です。

クロスサイトリクエストフォージェリ

クロスサイトリクエストフォージェリは，**悪意のあるスクリプトを仕掛けたWebサイトを利用者に閲覧させ，利用者の認証情報を悪用して意図しない操作を行わせる攻撃**です。例えば，利用者が脆弱なSNSにログインした状態で，別のWebサイトを閲覧し，罠（悪意のスクリプト）が仕掛けられているリンクをクリックすると，そのリンク中の有害な要求（リクエスト）が，あたかも利用者の要求であるかのように偽って，ログイン中のSNSに送信され，利用者が意図しない投稿がされてしまいます。Forgery（フォージェリ）は，「偽造」という意味です。クロスサイトスクリプティングと名前が似ていますが，実行される場所や発生する被害が異なります。どちらも，利用者の対策としては，正体不明のURLをクリックしないことが重要です。

クリックジャッキング

クリックジャッキングは，Webサイトのコンテンツ上に透明化した標的サイトのコンテンツを配置し，利用者を視覚的に騙（だま）してクリックさせる攻撃です。利用者が意図しない振込処理や退会処理などが行われてしまいます。Jaking（ジャッキング）は，「不正操作」という意味です。

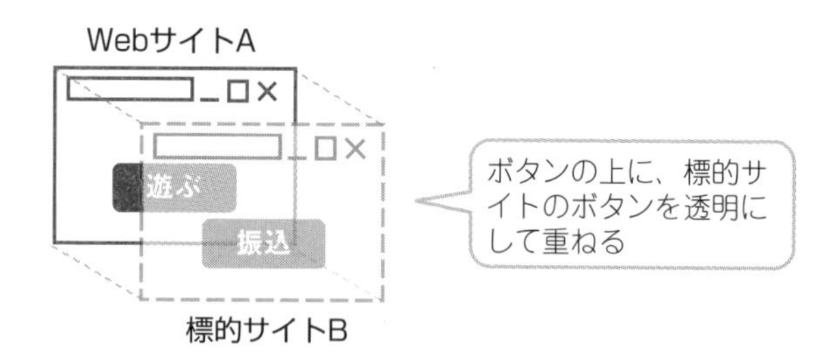

ドライブバイダウンロード

ドライブバイダウンロードは，Webサイトを閲覧しただけで，利用者が気づかない間にWebブラウザなどの脆弱性を突いて，マルウェアをダウンロードさせて感染させる攻撃です。

その他の攻撃

その他にも，次のような攻撃があります。

セッションハイジャック	Webサイトと利用者間の一連の通信（セッションという）を乗っ取り，利用者になりすます。Session（セッション）：「会話」
MITB（Man-In-The-Browser）	Webブラウザを乗っ取り，Webサーバ間の通信の盗聴や改ざんなどを行う。Man-In-The-Browser：「Webブラウザの中の人」
DNSキャッシュポイズニング	DNSサーバの管理情報を書き換え，偽のWebサイトに誘導する。Poisoning（ポイズニング）：「毒を盛る」
IPスプーフィング	送信元IPアドレスを詐称（さしょう）して，標的のネットワーク上のPCになりすまして接続する。Spoofing（スプーフィング）：「なりすまし」
クリプトジャッキング	他人のPCを不正に利用して，暗号資産（10-10参照）を入手する。Crypto（クリプト）：「暗号」

知っ得情報 APT（Advanced Persistent Threat）攻撃

APT攻撃は，従来の一過性の攻撃とは違い，特定の組織や企業に対して，長期に渡り継続的に行うサイバー攻撃です。国家秘密の窃取，産業スパイなどの目的で行われることもあります。

サイバー攻撃の準備

攻撃者は，いきなり攻撃するのではなく，念入りに下調べして，準備してきます。

ポートスキャン

ポートスキャンは，**サーバに対して開いているポート（接続できる通信サービス）を調べる行為**です。これ自体は攻撃ではありませんが，サイバー攻撃の予兆としてとらえ，不要なポートは閉じるなどの対策をとることが重要です。

ルートキット

ルートキットは，サーバへの不正侵入が成功した後に，侵入の痕跡を隠蔽（いんぺい）したり，継続的に遠隔地から再侵入できる裏口（**バックドア**という）を設置したりするための攻撃ツールです。

知っ得情報 サイバー攻撃の証拠

デジタルフォレンジクスは，コンピュータ犯罪の証拠となる電子データを集め，解析することです。コンピュータの記録媒体に保存されているデータを収集・分析します。Forensicsは，「鑑識」という意味です。

確認問題 1　▸令和5年度　問67　正解率▸低　基本

ネットワーク環境で利用されるIDSの役割として，適切なものはどれか。

ア　IPアドレスとドメイン名を相互に変換する。
イ　ネットワーク上の複数のコンピュータの時刻を同期させる。
ウ　ネットワークなどに対する不正アクセスやその予兆を検知し，管理者に通知する。
エ　メールサーバに届いた電子メールを，メールクライアントに送る。

要点解説　IDS (Intrusion Detection System) は，内部ネットワークへの不正アクセスを検知すると，管理者に通報するシステムです。
ア　DNS　　イ　NTP　　ウ　IDS　　エ　POP3

確認問題 2　▸令和元年度秋期　問100　正解率▸高　応用

脆弱性のあるIoT機器が幾つかの企業に多数設置されていた。その機器の1台にマルウェアが感染し，他の多数のIoT機器にマルウェア感染が拡大した。ある日のある時刻に，マルウェアに感染した多数のIoT機器が特定のWebサイトへ一斉に大量のアクセスを行い，Webサイトのサービスを停止に追い込んだ。

このWebサイトが受けた攻撃はどれか。

ア　DDoS攻撃　　イ　クロスサイトスクリプティング
ウ　辞書攻撃　　エ　ソーシャルエンジニアリング

要点解説　IoTについては3-05参照。マルウェアに感染した多数の機器から，特定のサイトに一斉に多数のアクセスをすることでサービス停止に追い込む攻撃は，DDoS攻撃です。

確認問題 3 ▸令和4年度 問95 正解率▸中 基本

攻撃対象とは別のWebサイトから盗み出すなどによって，不正に取得した大量の認証情報を流用し，標的とするWebサイトに不正に侵入を試みるものはどれか。

ア DoS攻撃　イ SQLインジェクション
ウ パスワードリスト攻撃　エ フィッシング

複数のWebサービスで，同じIDやパスワードを使い回しがちなことを利用した攻撃がパスワードリスト攻撃です。別のWebサイトから盗み出したIDやパスワードを標的サイトの認証に使い，他人になりすまして不正に決済したり，情報を窃取したりするものです。

確認問題 4 ▸令和6年度 問100 正解率▸中 応用

正しいURLを指定してインターネット上のWebサイトへアクセスしようとした利用者が，偽装されたWebサイトに接続されてしまうようになった。原因を調べたところ，ドメイン名とIPアドレスの対応付けを管理するサーバに脆弱性があり，攻撃者によって，ドメイン名とIPアドレスを対応付ける情報が書き換えられていた。このサーバが受けた攻撃はどれか。

ア DDoS攻撃　イ DNSキャッシュポイズニング
ウ ソーシャルエンジニアリング　エ ドライブバイダウンロード

DNSキャッシュポイズニングは，DNSサーバの管理情報を書き換え，偽のWebサイトに誘導する攻撃です。DDoS攻撃は大量のデータを送り付けサービスを妨害する攻撃，ソーシャルエンジニアリングはコンピュータを使わずに人の心理や行動の隙を突く攻撃(5-01参照)，ドライブバイダウンロードはWebサイトを閲覧しただけで知らないうちにマルウェアに感染させる攻撃です。

解答

問題1：ウ　問題2：ア　問題3：ウ　問題4：イ

5-03 情報セキュリティマネジメント

時々出　必須　超重要

イメージでつかむ

みんなが使っているメッセンジャアプリ。やり取りが人に漏れない，やり取りが欠けたりしない，使いたいときに使える，というのが原則です。
情報セキュリティの原則もこれと同じです。

情報セキュリティ

今やメッセンジャアプリを使っている人もたくさんいます。「グループ以外の人は閲覧できない」，「情報を勝手に書き換えられない」，「いつでも情報発信できる」などは当たり前のようですが，情報セキュリティではとても重要です。

組織における情報資産のセキュリティを適切に管理していく仕組みを**情報セキュリティマネジメントシステム**（**ISMS**：Information Security Management System）といいます。国際規格の**ISO/IEC 27000**シリーズや国内規格の**JIS Q 27000**シリーズでは，次の情報セキュリティの三要素をバランスよく管理することが求められています。

機密性

機密性は，**許可された者だけが情報を使用できること**です。機密性を高める技術として，アクセス権管理（後述），認証技術（5-05参照），暗号化技術（5-07参照）などがあります。

完全性

完全性は，**情報が正確であり完全であること**です。完全性を高める技術として，誤りチェックやバックアップ，デジタル署名（5-08参照）などがあります。

可用性

可用性は，**必要なときに情報を使用できること**です。可用性を高める技術として，RAID（1-03参照）や予備電源，システムの二重化（3-02参照）などがあります。

"くれば"で覚える

機密性 とくれば **許可された者だけが情報を使用できること**
完全性 とくれば **情報が正確であり完全であること**
可用性 とくれば **必要なときに情報を使用できること**

三要素のほかにも，次の要素も加えることもあります。

真正性	偽造やなりすましでなく，主張するとおりの本物であるという特性
信頼性	意図したとおりの結果が得られるという特性
責任追跡性	だれが関与したかを追跡できるという特性
否認防止	「私じゃない」と後で否定されないようにする特性

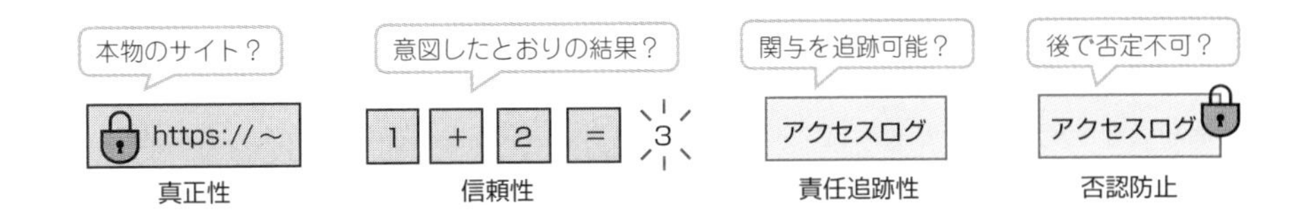

知っ得情報 アクセス権管理

アクセス権は，利用者がディレクトリやファイルなどを利用できる権限のことです。管理者は，ディレクトリやファイルなどに対して，参照・更新・削除・実行などの権限を個人やグループに設定します。必要最小限の権限を与えることで，不正利用を防げます。

ISMS適合評価制度

ISMS適合評価制度は，**ISMSに対する取り組みを第三者機関が評価・認定する制度**です。この制度の認定を受けた組織は，一過性の活動ではなく，改善と活動を継続するPDCAサイクル（Plan-Do-Check-Act）を実施します。

これは，組織の長が，「情報資産を適切に管理しています！」と宣言し，さらに第三者機関がその取り組みに対して認定すれば，利用者は安心して個人情報などを提供できるということです。

もっと詳しく《ISMSのPDCAサイクル》

ISMSは，定期的に改善を繰り返しながら，見直します。

P（Plan：計画）………ISMSの確立
D（Do：実施）…………ISMSの導入・運用
C（Check：評価）……ISMSの監視・評価
A（Act：改善）………ISMSの維持・改善

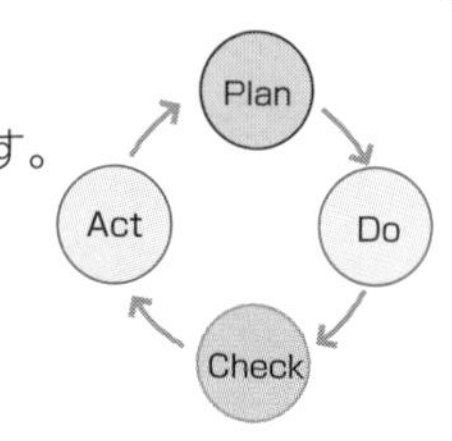

知っ得情報《SMART》

PDCAサイクルを回す上で，Plan（計画）の段階では具体的な目標を設定することが重要です。計画時に使われる目標設定手法の一つに**SMART**があり，具体的（Specific）で，測定可能（Measurable），達成可能（Achievable）であり，関連性がある（Relevant），期限付き（Time-bound）の目標を設定すれば，その後のDo（実施）・Check（評価），Act（改善）において進捗管理がしやすくなります。

情報セキュリティポリシー

情報セキュリティポリシーは，**組織の情報資産を適切に保護するための方針や行動指針をまとめたもの**です。Why…なぜ対策するのか？（**基本方針**），What…何を対策するのか？（**対策基準**），How…どのような対策をするのか？（**実施手順**）の三階層から構成されます。

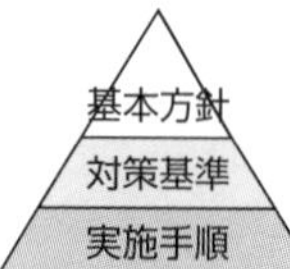

…情報セキュリティに関する基本的な方針を定めたもの
…項目ごとに遵守すべき行為や判断を記述したもの
…具体的にどのような手順で実施していくのかを示したもの

情報セキュリティ基本方針

情報セキュリティ基本方針（情報セキュリティ方針）は，**組織の長が，情報セキュリティに対する考え方や取り組む姿勢を組織内外に宣言する文書**です。これを作成するにあたり参考となるものに，経済産業省が策定した**情報セキュリティ管理基準**があり，情報セキュリティマネジメントの基本的な枠組みと具体的な管理項目が規定されています。情報セキュリティ基本方針は，一般的にWebページなどに掲載して外部に公開します。

さらには，情報セキュリティ基本方針のほかに，**プライバシーポリシー**（個人情報保護方針）を定め，組織で扱う個人情報の扱い方について規定を設けることもあります。

SECURITY ACTION（セキュリティアクション）

SECURITY ACTIONは，中小企業の情報セキュリティ対策を促進するために，IPAが創設した制度です。中小企業自らが，情報セキュリティ対策に取り組むことを宣言する制度で，IPAのガイドラインである「情報セキュリティ５か条」に取り組んだり，情報セキュリティ基本方針を定めたりした上で，申請すればロゴマークをWebサイトなどに表示できます。

情報セキュリティの組織・機関

不正アクセスによる被害受付の対応や再発防止の低減，セキュリティの啓発活動などを行うために，様々な組織があります。

CSIRT（シーサート）	Computer Security Incident Response Team。組織内に設置し，情報セキュリティインシデントが発生した場合は，被害の拡大を防止する活動を行う組織。報告を受け取り，調査して対応活動を行う。他組織のCSIRTとも情報を共有し連携することもある
情報セキュリティ委員会	組織内に常設される，CIO（Chief Information Officer：最高情報責任者）（10-05参照）やCISO（Chief Information Security Officer：最高情報セキュリティ責任者）を中心とした組織横断型の委員会。組織内の情報セキュリティ研修や内部監査の実施，インシデントに対する最終的な対応策などが決定される
JPCERT/CC（ジェーピーサートシーシー）	Japan Computer Emergency Response Team Coordination Center。政府機関や企業から独立した組織。国内のセキュリティインシデントに関する報告の受付，対応の支援，発生状況の把握，手口の分析，再発防止策の検討や助言を行う
J-CRAT（ジェイ・クラート）	Cyber Rescue and Advice Team against targeted attack of Japan。サイバーレスキュー隊。標的型サイバー攻撃の被害の低減と，攻撃の連鎖の遮断を目的とし，被害にあった組織を支援するIPAの取組み
J-CSIP（ジェイ・シップ）	Initiative for Cyber Security Information sharing Partnership of Japan。サイバー情報共有イニシアティブ。重工，重電など，重要インフラで利用される機器の製造業者を中心に，経済産業省の協力のもとIPAが情報ハブ（集約点）となり，サイバー攻撃に関する情報共有と早期対応の場を提供する
NOTICE（ノーティス）	National Operation Towards IoT Clean Environment。脆弱なパスワードでサイバー攻撃に悪用される恐れがあったり，マルウェアに感染したりしているIoT機器を特定し，プロバイダ経由で利用者に注意喚起を行う，総務省とNICT（情報通信研究機構）の取組み

確認問題 1 ▸令和5年度 問94　正解率▸中　基本

ISMSにおける情報セキュリティ方針に関する記述として，適切なものはどれか。

ア　企業が導入するセキュリティ製品を対象として作成され，セキュリティの設定値を定めたもの
イ　個人情報を取り扱う部門を対象として，個人情報取扱い手順を規定したもの
ウ　自社と取引先企業との間で授受する情報資産の範囲と具体的な保護方法について，両社間で合意したもの
エ　情報セキュリティに対する組織の意図を示し，方向付けしたもの

要点解説

情報セキュリティ方針は，情報セキュリティに関する基本的な方針を定めたものです。
ア　セキュリティ製品を対象として作成されたものではありません。
イ　個人情報取扱手順を規定したものではありません。
ウ　NDA（秘密保持契約）（8-01参照）の説明です。

確認問題 2 ▸令和6年度 問86　正解率▸高　頻出　基本

PDCAモデルに基づいてISMSを運用している組織において，C（Check）で実施することの例として，適切なものはどれか。

ア　業務内容の監査結果に基づいた是正処置として，サーバの監視方法を変更する。
イ　具体的な対策と目標を決めるために，サーバ室内の情報資産を洗い出す。
ウ　サーバ管理者の業務内容を第三者が客観的に評価する。
エ　定められた運用手順に従ってサーバの動作を監視する。

要点解説

ア　A（ACT）　イ　P（Plan）　ウ　C（Check）　エ　D（Do）

確認問題 3 ▸令和3年度 問96 正解率▸中 応用

情報セキュリティ方針に関する記述として，適切なものはどれか。

ア 一度定めた内容は，運用が定着するまで変更してはいけない。
イ 企業が目指す情報セキュリティの理想像を記載し，その理想像に近づくための活動を促す。
ウ 企業の情報資産を保護するための重要な事項を記載しているので，社外に非公開として厳重に管理する。
エ 自社の事業内容，組織の特性及び所有する情報資産の特徴を考慮して策定する。

要点解説
ア 必要に応じて変更します。
イ セキュリティを確保するのは理想ではなく当然のことです。
ウ 社外に公開し，取組みを広く示します。
エ 自社の特性を考慮した上で策定します。

確認問題 4 ▸令和6年度 問75 正解率▸中 頻出 応用

情報セキュリティの3要素である機密性，完全性及び可用性と，それらを確保するための対策の例a～cの適切な組合せはどれか。

a：アクセス制御　b：デジタル署名　c：ディスクの二重化

	a	b	c
ア	可用性	完全性	機密性
イ	可用性	機密性	完全性
ウ	完全性	機密性	可用性
エ	機密性	完全性	可用性

要点解説
デジタル署名は5-08参照。
a 機密性（許可された者が情報を使用できること）
b 完全性（情報が正確であり完全であること）
c 可用性（必要なときに情報を使用できること）

解答

問題1：エ　問題2：ウ　問題3：エ　問題4：エ

5-04 リスクマネジメント

時々出　必須　超重要

イメージでつかむ

私たちもいつか大きな怪我をしたり，病気にかかったりするかもしれません。その時の備えとして，年齢等を考慮しながら保険に入ることがあります。

リスクマネジメント

リスクは，組織が損失を被る可能性のことです。**想定されるリスクを組織的に管理しながら，その損失を最小限に抑えるための経営管理手法**を**リスクマネジメント**といいます。リスクマネジメントでは，「組織活動における全てのリスク」が対象ですが，試験では，「情報セキュリティにおけるリスク」や「プロジェクトにおけるリスク」として出題されます。

リスクマネジメントは，次のリスクアセスメントとリスク対応に分類されます。

リスクアセスメント

リスクアセスメントは，**リスクを分析・評価して，あらかじめ設定しておいたリスク受容基準に照らしてリスク対応が必要かどうかを判断していくこと**です。全てのリスクに対処するには，金銭的にも時間的にも難しいので，リスクが発生する確率や発生したときの影響度などを勘案しながら優先度をつけ，適切に対処していく必要があります。

これは，事故が起きてもかすり傷で発生確率も低いなら優先度は低く，事故が起きると致命傷になり発生確率も高いなら大至急対応が必要，というようなイメージです。

リスクアセスメントでは，次の三つのプロセスを順番に実施します。

リスク特定	組織に存在するリスクを洗い出す
⬇	
リスク分析	リスクの発生確率と影響度から，リスクの大きさ（レベル）を算定する。リスクの大きさは，資産価値×脅威×脆弱性で求める
⬇	
リスク評価	リスクの大きさとリスク受容基準を比較して，リスク対応が必要かを判断する。リスクの大きさに従って優先順位をつける

リスク対応（リスク対策）

リスク対応は，**リスクを分析・評価した結果，対策が必要と判断されたリスクに対して対策を講じること**です。試験でもよく事例で出題されますが，漢字を見れば解けます。

リスク共有	リスクを第三者へ移す。リスク移転，転嫁とも呼ばれる （対応例）問題が発生したときの損害に備え，保険に加入する
リスク回避	リスクの原因を除去する （対応例）リスクの大きいサービスから撤退する
リスク保有	影響度が小さいので，許容範囲として受け入れる。リスク受容とも呼ばれる （対応例）リスクが小さいので，問題が発生したときは損害を負担する
リスク低減	リスクの損失額や発生確率を受容できる範囲まで減らす。リスク軽減とも呼ばれる （対応例）セキュリティ対策を実施し，リスクの発生確率を抑える

まとめると，次のようなプロセスになります。

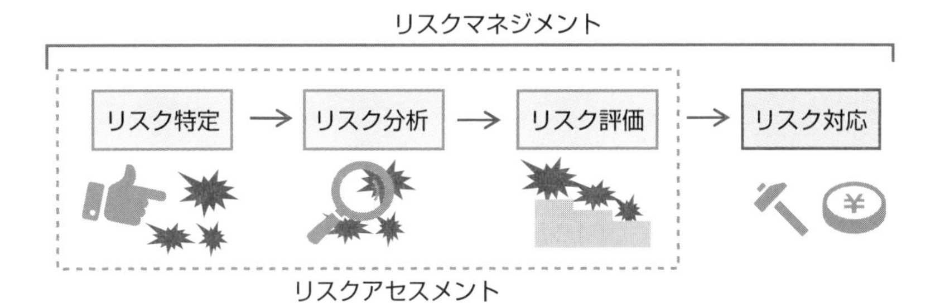

知っ得情報 プラスのリスク

リスクというと，マイナスのイメージがありますが，プロジェクトマネジメント（8-05参照）の世界では，リスク＝「不確実性」のような意味で使われているので，プラスのリスクもあります。例えば，スケジュールの前倒しでコストが下がるなら，並行作業で期間を短縮するなど，プラスのリスク，つまりチャンスを逃さないようにすることも重要です。

確認問題 1 ▸令和5年度 問72 正解率▸中 頻出 基本

情報セキュリティのリスクマネジメントにおけるリスク対応を，リスク回避，リスク共有，リスク低減及びリスク保有の四つに分類したとき，リスク共有の説明として，適切なものはどれか。

ア 個人情報を取り扱わないなど，リスクを伴う活動自体を停止したり，リスク要因を根本的に排除したりすること
イ 災害に備えてデータセンターを地理的に離れた複数の場所に分散するなど，リスクの発生確率や損害を減らす対策を講じること
ウ 保険への加入など，リスクを一定の合意の下に別の組織へ移転又は分散することによって，リスクが顕在化したときの損害を低減すること
エ リスクの発生確率やリスクが発生したときの損害が小さいと考えられる場合に，リスクを認識した上で特に対策を講じず，そのリスクを受け入れること

要点解説

リスク共有は，リスクを第三者へ移すことです。
ア リスク回避　イ リスク低減　ウ リスク共有　エ リスク保有

確認問題 2 ▸令和元年度秋期 問56 正解率▸中 頻出 基本

次の作業a～dのうち，リスクマネジメントにおける，リスクアセスメントに含まれるものだけを全て挙げたものはどれか。

a リスク特定　b リスク分析　c リスク評価　d リスク対応

ア a，b　イ a，b，c　ウ b，c，d　エ c，d

要点解説

リスクアセスメントとは，リスクを特定し，その影響の大きさを分析し，与えられた基準と比較して評価するまでの一連のプロセスをいいます。リスクアセスメントに何が含まれるのか，また，どういう順番で行われるのかがよく出題されるので，しっかり覚えておきましょう。

確認問題 3　▸令和3年度 問91　正解率▸中　基本

次の作業a～dのうち，リスクマネジメントにおける，リスクアセスメントに含まれるものだけを全て挙げたものはどれか。

a　脅威や脆弱性などを使ってリスクレベルを決定する。
b　リスクとなる要因を特定する。
c　リスクに対してどのように対応するかを決定する。
d　リスクについて対応する優先順位を決定する。

ア　a，b　　イ　a，b，d　　ウ　a，c，d　　エ　c，d

a　リスクアセスメントのリスク分析　b　リスクアセスメントのリスク特定
c　リスク対応　d　リスクアセスメントのリスク評価

確認問題 4　▸令和4年度 問86　正解率▸中　基本

情報セキュリティにおけるリスクアセスメントを，リスク特定，リスク分析，リスク評価の三つのプロセスに分けたとき，リスク分析に関する記述として，最も適切なものはどれか。

ア　受容基準と比較できるように，各リスクのレベルを決定する必要がある。
イ　全ての情報資産を分析の対象にする必要がある。
ウ　特定した全てのリスクについて，同じ分析技法を用いる必要がある。
エ　リスクが受容可能かどうかを決定する必要がある。

要点解説

ア　リスクのレベルを決定するのは，リスク分析のプロセスです。
イ　リスク分析の対象は，リスク特定のプロセスで洗い出された情報資産です。
ウ　情報資産の重要度などを考慮して複数の分析技法を用います。
エ　リスクが受容可能かどうかを決定するのは，リスク対応のプロセスです。

解答

問題1：ウ　問題2：イ　問題3：イ　問題4：ア

5 05 利用者認証

時々出 必須 **超重要**

イメージでつかむ

銀行のATMで現金をおろすとき，キャッシュカードをもっているだけでなく，暗証番号が合致することで本人確認をします。
コンピュータを使うときも，パスワードなどで本人確認する場合があります。

利用者認証

コンピュータシステムを使用するときは，まず利用者が許可されている正規の利用者であるかを確認する必要があります。これを**利用者認証**(ユーザ認証)といいます。利用者認証をすることで，不正アクセスを防ぎ，正規の利用者のみがコンピュータシステムに接続できます。コンピュータシステムに接続することを**ログイン**，逆に切断することを**ログアウト**といいます。

利用者認証には，次のように様々な方法があります。

ユーザIDとパスワード

ユーザIDとパスワードの組合せで利用者認証を行います。**ユーザID**は**利用者を識別するためのもの**で，**パスワード**は**正規の利用者であることを確認するためのもの**です。入力されたパスワードは，暗号化された状態でネットワーク上を流れ，サーバ側に保存しているパスワードと照合されますが，最近は他の認証方法と組み合わせることでセキュリティを強化しています。

なお，システム管理者から仮パスワードが配布されますが，利用者が最初にログインするときに変更する必要があります。

パスワードの取扱いには，次のような注意が必要です。

* 個人用パスワードは管理者にも教えない
* 紙などに書いて，人目につくような場所に貼っておかない
* 誕生日，電話番号などのような安易なパスワードを付けない
* 可能であれば，英数字，記号が混在したパスワードを使用する
* 複数の利用者間やシステム間で同じパスワードを使い回さない
* 業務システムのパスワードを，私的なインターネットサービスには使用しない

ICカードとPIN

最近は社員証などを兼ねたICカードとPIN(ピン)の組合せで利用者認証を行うことが多くなっています。**PIN**（Personal Identification Number）は，「個人を識別する暗証番号」という意味です。入力されたPINはパスワードと違い，ネットワーク上には流れず，ICカードに保存されているものと照合されます。

なお，システム管理者から仮PINが配布されますが，利用者が最初にログインするときに変更する必要があります。

バイオメトリクス認証

バイオメトリクス認証（生体認証）は，**身体的特徴や行動的特徴を利用して認証を行うこと**です。身体的特徴には，指紋認証や顔認証，声紋認証，静脈パターンを利用した掌(てのひら)認証，瞳の虹彩(こうさい)認証などがあり，行動的認証には，筆跡やキーストロークなどがあります。最近は，スマートフォンでも指紋認証や顔認証が利用できます。

バイオメトリクス認証は，元はアナログの情報なので，グレーゾーンが発生します。本人なのに度々拒否されると不便ですし，他人なのに受け入れてしまうと危険です。バランスがとれるように，うまく調整することが重要です。

なおバイオメトリクス認証は毎回出題される超頻出用語なので，必ず覚えましょう。

指紋

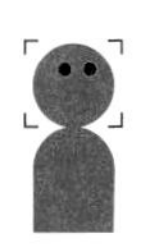
顔

声紋

掌

虹彩　筆跡

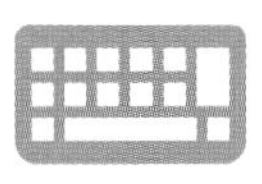
キーストローク

“くれば”で覚える

バイオメトリクス認証　とくれば　**身体的特徴・行動的特徴を利用した認証**

その他の認証方法

ワンタイムパスワード

ワンタイムパスワードは，**一度きりの使い捨てパスワードによる認証**です。利用者が小型の**トークン**（パスワード生成機）やアプリなどを使って，パスワードを生成します。

身近な例では，オンラインバンキングなどでよく使われ，漏えいしたパスワードによる不正アクセスを防ぐことができます。

“くれば”で覚える

ワンタイムパスワード　とくれば　**一度きりの使い捨てパスワード**

マトリクス認証

マトリクス認証は，**位置と順序についてのイメージによる認証**です。これは，ワンタイムパスワードの一種です。認証時には画面に表示された表で，自分が覚えている位置と順序で並んでいる数字や文字をパスワードとします。表中の数字や文字は認証ごとにランダムに変更されます。

パスイメージ

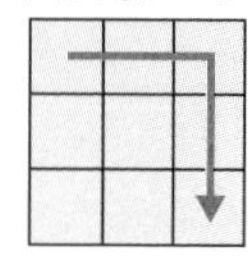

初回認証時

1	2	3
4	5	6
A	B	C

次回の認証時

2	B	5
1	3	A
C	6	4

初回の認証時は「1236C」，
次回の認証時には「2B5A4」が
パスワードになる

画像認証

電子掲示板やブログに投稿するときに，**画像認証**をよく見かけます。図のような**ゆがんだ文字の画像が表示され，それを読み取って入力することによる認証**です。これは，プログラムによる自動投稿を防止するためで，このような仕組みを CAPTCHA（キャプチャ）認証といいます。

シングルサインオン

シングルサインオン（SSO：Single Sign On）は，**あるサービスにログインが成功した認証情報を，事前に許可しておいたサービスに引き継ぐ認証**です。

身近な例では，FacebookやGmailなどのアカウントとパスワードで，他のサービスにログインできるようになっています。パスワード管理の負担が軽くなるメリットがありますが，パスワードが漏れてしまうと他のサービスにも第三者にログインされる恐れがあります。ログインできる端末を自分のスマートフォンだけに限定するなど，他の認証と組み合わせる多要素認証が有効です。

多要素認証

認証方法は，①記憶による認証，②所有物による認証，③生体情報による認証の三要素に分類できます。**多要素認証**は，**二つ以上の異なる要素での認証を組み合わせることで，セキュリティを強化する方法**です。

例えば，先ほどの社員証（所有物）とPIN（記憶）も多要素認証です。また，オンラインバンキングでは，ログイン時にパスワード（記憶）を入力し，振込時にさらにトークン（所有物）を使ったワンタイムパスワードが必要になります。これも多要素認証です。

SMS認証

SMS認証は，**スマートフォンなどのSMS（ショートメッセージサービス）を利用した認証**です。IDとパスワードを使った認証に，SMSでのワンタイムパスワード認証を加えた多要素認証を行うことでセキュリティを強化できます。

なお，SMSは，携帯電話番号宛に短いテキストメッセージを送受信できる通信サービスです。スマートフォンなどの購入時に，運転免許証やマイナンバーカード，パスポート等を提示して本人証明が完了しているので，携帯電話番号が個人を特定できる要素になっていることを利用しています。

知っ得情報 二要素認証と二段階認証

多要素認証の三要素のうち，異なる二要素を使用して認証するのが**二要素認証**です。一方，先ほどのIDとパスワードで認証（一段階）し，さらにスマートフォンに認証コードが届きSMS認証（二段階）で完了する**二段階認証**があります。複数の段階で認証することで，認証を破られる確率が乗算的に低くなることを利用しています。二要素認証は異なる二要素を用いますが，二段階認証は各段階の要素が同じでも異なっていても構いません。

リスクベース認証

リスクベース認証は，**怪しいログインと思われる場合に追加の認証が課される仕組み**です。例えば，利用者が普段利用するデバイスや，利用者のIPアドレスなどの環境を分析し，普段とは異なるデバイスやネットワークからのアクセスに対して，追加の認証を課すことで不正アクセスを防ぎます。

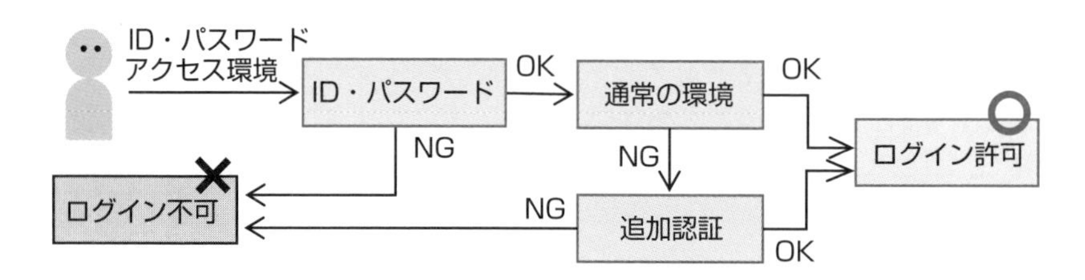

確認問題 1 ▸令和4年度 問75 正解率▸高 頻出 基本

バイオメトリクス認証に関する記述として，適切なものはどれか。

ア　指紋や静脈を使用した認証は，ショルダーハックなどののぞき見行為によって容易に認証情報が漏えいする。
イ　装置が大型なので，携帯電話やスマートフォンには搭載できない。
ウ　筆跡やキーストロークなどの本人の行動的特徴を利用したものも含まれる。
エ　他人を本人と誤って認証してしまうリスクがない。

要点解説
ア　指紋や静脈は本人の身体的特徴での認証なので，のぞき見行為では漏えいしません。
イ　装置が小型になっているので，携帯電話やスマートフォンにも搭載されています。
ウ　バイオメトリクス認証は，身体的特徴のほかに行動的特徴も含みます。
エ　他人を本人と誤って認証してしまうリスクがあるので，装置の調整が必要です。

確認問題 2 ▸令和5年度 問62 正解率▸低 基本

情報セキュリティにおける認証要素は3種類に分類できる。認証要素の3種類として，適切なものはどれか。

ア　個人情報，所持情報，生体情報　　イ　個人情報，所持情報，知識情報
ウ　個人情報，生体情報，知識情報　　エ　所持情報，生体情報，知識情報

認証の要素は，所持情報，生体情報，知識情報の３要素です。

確認問題 3

令和２年度秋期 問86　正解率 高

二要素認証の説明として，最も適切なものはどれか。

ア　所有物，記憶及び生体情報の３種類のうちの２種類を使用して認証する方式

イ　人間の生体器官や筆跡などを使った認証で，認証情報の２か所以上の特徴点を使用して認証する方式

ウ　文字，数字及び記号のうち２種類以上を組み合わせたパスワードを用いて利用者を認証する方式

エ　利用者を一度認証することで二つ以上のシステムやサービスなどを利用できるようにする方式

要点解説　所有物，記憶及び生体情報の３要素を複数組み合わせることを多要素認証といいます。二要素認証は，そのうち二つを組み合わせることです。
イ・ウは不適切です。エはシングルサインオンです。

確認問題 4

令和６年度 問89　正解率 高

システムの利用者認証に関する記述のうち，適切なものはどれか。

ア　１回の認証で，複数のサーバやアプリケーションなどへのログインを実現する仕組みを，チャレンジレスポンス認証という。

イ　指紋や声紋など，身体的な特徴を利用して本人認証を行う仕組みを，シングルサインオンという。

ウ　情報システムが利用者の本人確認のために用いる，数字列から成る暗証番号のことを，PINという。

エ　特定の数字や文字の並びではなく，位置についての情報を覚えておき，認証時には画面に表示された表の中で，自分が覚えている位置に並んでいる数字や文字をパスワードとして入力する方式を，多要素認証という。

要点解説　PIN（ピン）は，個人を識別する数字列から成る暗証番号です。
ア　シングルサインオン　イ　バイオメトリクス認証　エ　マトリクス認証

解答

問題１：ウ　　問題２：エ　　問題３：ア　　問題４：ウ

5-06 ネットワークセキュリティ

時々出　必須　超重要

イメージでつかむ

海外旅行では，行き先の国の入国審査を受けます。パスポートを提示し，許可がでなければ入国できません。
情報セキュリティにも，このような考え方があります。

ファイアウォール

ファイアウォールは，**インターネットとLANの境界に配置し，外部からの不正アクセスを遮断する仕組み**です。また，逆に外部に向けての許可されていない通信も遮断できます。Firewallは，もともと外からの火事の延焼を防ぐ「防火壁」という意味です。

さらに，ファイアウォール機能に加え，ウイルス対策や侵入検知などを連携させ，複数のセキュリティ機能を1台の筐体に統合した装置に**UTM**（Unified Threat Management）があります。

"くれば"で覚える

ファイアウォール　とくれば　**外部からの不正なアクセスを遮断する仕組み**

パケットフィルタリング

ファイアウォールの機能の一つに**パケットフィルタリング機能**があります。これは，**ファイアウォールを通過するパケットのヘッダ情報（送信元のIPアドレスやポート番号，送信先IPアドレスやポート番号など）を解析し，事前に決めたルールに基づき，通過を許可または拒否する機能**です。Packet Filteringは，「パケットをふるいにかける」という意味です。これは，空港での入国審査や出国審査において，パスポートの情報から判断しているイメージです。

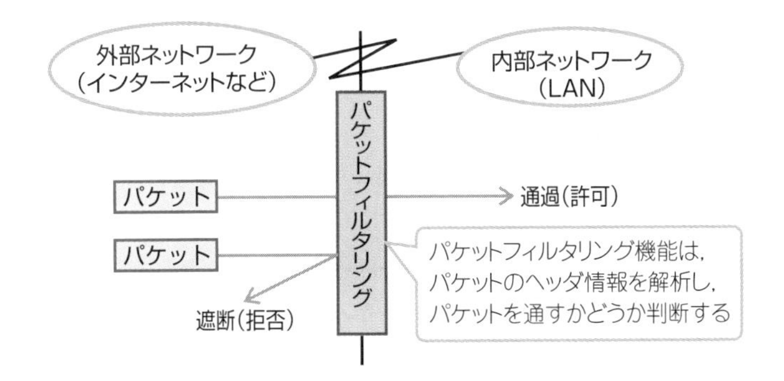

知っ得情報 (コンテンツフィルタリング)

コンテンツフィルタリングは，Webページの内容(**コンテンツ**)で判断し，有害サイトや子供にとって不適切なサイトなどをブロックする機能です。Webフィルタリングとも呼ばれています。

WAF

WAF (Web Application Firewall) は，**Webアプリケーションに起因する脆弱性への攻撃を遮断するファイアウォール**です。ファイアウォールやIPSなどが遮断できない，Webサイトに対するSQLインジェクションやクロスサイトスクリプティングなどを遮断できます。

VPN

VPN (Virtual Private Network) は，**インターネットなどの公衆回線をあたかも専用回線のように利用する技術**です。公衆回線では盗聴や改ざんの危険がある一方，専用回線は安全ですが高価です。VPNはこれらの問題を解決し，拠点間を専用線のように接続したり，外出先や自宅から職場のネットワークに安全に接続したりできます。

VPNには，インターネットを使用する**インターネットVPN**と，通信事業者と契約した者だけが使える閉域網を使用する**IP-VPN**と**広域イーサネット**があります。広域イーサネットは，地理的に離れたLAN同士をあたかも一つの大きなLANのように構築できます。

“くれば”で覚える

VPN　とくれば　**公衆回線などを専用回線のように利用する技術**

DMZ

DMZ（DeMilitarized Zone）は，**インターネットと内部ネットワークの両方から隔離されたネットワーク領域**です。「非武装地帯」という意味です。DMZには，外部に公開するサーバ（Webサーバやメールサーバなど）を配置し，ファイアウォールの機能によって，外部から内部ネットワークへの不正アクセスを遮断します。たとえ公開したサーバに不正なアクセスがあったとしても，内部ネットワークまで被害を及ばないようにするという仕組みです。

“くれば”で覚える

DMZ　とくれば　**インターネットと内部ネットワークから隔離された領域**

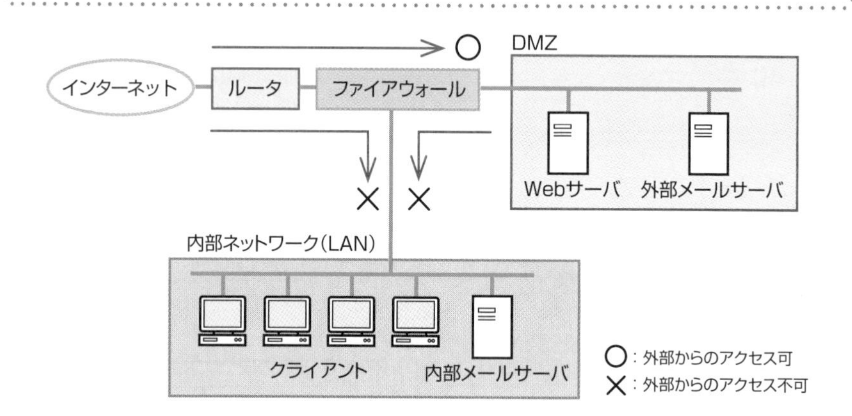

もっと詳しく（侵入テスト）

ペネトレーションテストは，システムを実際に攻撃して，セキュリティの弱点を発見するためのテストです。ファイアウォールや公開サーバに対するセキュリティホールや設定ミスの有無などを確認します。ただし，許可なくやると，不正アクセス禁止法（9-04参照）に触れるので注意が必要です。

プロキシサーバ

プロキシサーバは，**内部ネットワークからインターネットへのアクセスを代理で中継するサーバ**です。「代理サーバ」という意味です。インターネット側からはLAN側の端末の存在は見えず，さらにLAN側から端末が一度アクセスしたWebコンテンツを，プロキシサーバにキャッシュすることで，ネットワークの負荷を軽減でき，高速にアクセスできる役割もあります。

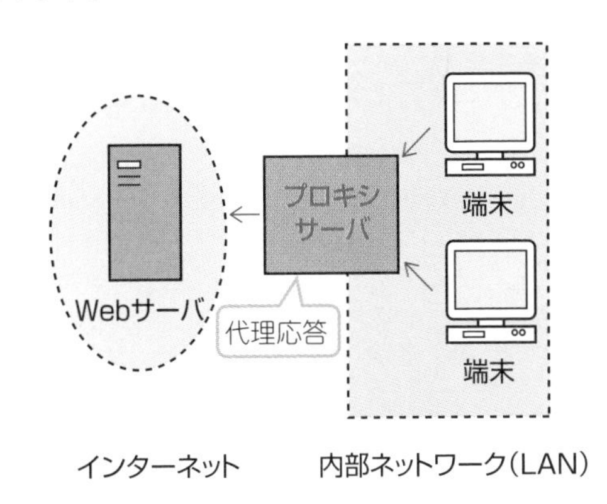

確認問題 1 ▸令和4年度　問64　　正解率▸中　　応用

a～dのうち，ファイアウォールの設置によって実現できる事項として，適切なものだけを全て挙げたものはどれか。

a　外部に公開するWebサーバやメールサーバを設置するためのDMZの構築
b　外部のネットワークから組織内部のネットワークへの不正アクセスの防止
c　サーバルームの入り口に設置することによるアクセスを承認された人だけの入室
d　不特定多数のクライアントからの大量の要求を複数のサーバに動的に振り分けることによるサーバ負荷の分散

ア　a，b　　イ　a，b，d　　ウ　b，c　　エ　c，d

ファイアウォールは，パケットフィルタリング機能を用いて，不正アクセスを防いだり，インターネットとLANの両方から隔離されたDMZが構築できます。cはアンチパスバックやセキュリティゲート（5-01参照）など，dはロードバランサ（負荷分散装置）で実現できます。

確認問題 2

▸平成31年度春期 問79　　正解率▸中　　**応用**

次の記述a～cのうち，VPNの特徴として，適切なものだけを全て挙げたものはどれか。

a　アクセスポイントを経由しないで，端末同士が相互に無線通信を行うことができる。
b　公衆ネットワークなどを利用するが，あたかも自社専用ネットワークのように使うことができる。
c　ネットワークに接続することによって，PCのセキュリティ状態を検査することができる。

ア　a　　イ　a，c　　ウ　b　　エ　c

a　Wi-Fiのアドホックモード（4-02参照）
b　VPN
c　検疫ネットワーク

確認問題 3

▸令和6年度 問90　　正解率▸低　　**基本**

セキュリティ対策として使用されるWAFの説明として適切なものはどれか。

ア　ECなどのWebサイトにおいて，Webアプリケーションソフトウェアの脆弱性を突いた攻撃からの防御や，不審なアクセスのパターンを検知する仕組み
イ　インターネットなどの公共のネットワークを用いて，専用線のようなセキュアな通信環境を実現する仕組み
ウ　情報システムにおいて，機密データを特定して監視することによって，機密データの紛失や外部への漏えいを防止する仕組み
エ　ファイアウォールを用いて，インターネットと企業の内部ネットワークとの間に緩衝領域を作る仕組み

要点解説

ア　WAF（Web Application Firewall）
イ　VPN（Virtual Private Network）
ウ　DLP（Data Loss Prevention）。データの監視や制御，ポリシーの適用などの手段を通じて，機密データの紛失や漏えいが発生する前に予防しておくことです。
エ　DMZ（DeMilitarized Zone）

確認問題 4　▸令和元年度秋期　問92　正解率▸中　応用

外部と通信するメールサーバをDMZに設置する理由として，適切なものはどれか。

ア　機密ファイルが添付された電子メールが，外部に送信されるのを防ぐため
イ　社員が外部の取引先へ送信する際に電子メールの暗号化を行うため
ウ　メーリングリストのメンバのメールアドレスが外部に漏れないようにするため
エ　メールサーバを踏み台にして，外部から社内ネットワークに侵入させないため

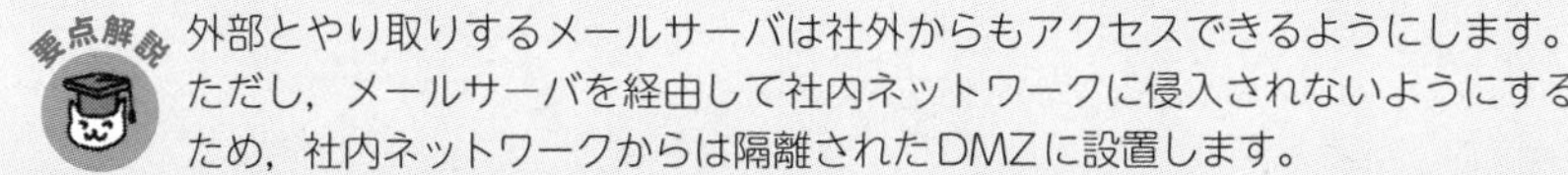

要点解説　外部とやり取りするメールサーバは社外からもアクセスできるようにします。ただし，メールサーバを経由して社内ネットワークに侵入されないようにするため，社内ネットワークからは隔離されたDMZに設置します。

確認問題 5　▸平成28年度秋期　問73　正解率▸中　応用

インターネット経由で行うペネトレーションテストで見つけられる脆弱性の例として，適切なものはどれか。

ア　外部ネットワークから公開サーバへの不正侵入口
イ　記録媒体による機密情報の持出し
ウ　社内のネットワークに接続しようとするPCのウイルス感染
エ　セキュリティで保護された部屋への不正な入室経路

要点解説　ペネトレーションテストは侵入テストのことです。システムを実際に攻撃して，システムに内在する脆弱性を発見することを目的に実施します。

解答

問題1：ア　問題2：ウ　問題3：ア　問題4：エ　問題5：ア

5-07 暗号化技術

頻々出 必須 超重要

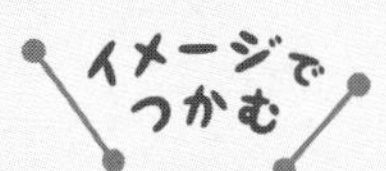

鍵には，「閉める鍵と開ける鍵が同じ鍵」と「閉める鍵と開ける鍵が異なる鍵」の2種類があります。

インターネットの世界で使われる鍵も，2種類あります。

暗号化技術

インターネットでは，不特定多数のサーバを経由してデータを送受信しています。その通信経路の途中で，悪意のある第三者にその内容を盗聴される危険性を含んでいます。そこで，通信内容を第三者に知られないようにするための技術として，暗号化技術があります。

暗号化は，**データを一定の規則に従って第三者に容易に解読できないようにすること**で，逆に**復号**は**暗号化されたデータを元に戻すこと**です。暗号化と復号には手順（アルゴリズム）とパスワード（鍵）を使います。

また，暗号化されていないデータを平文（ひらぶん），暗号化されたデータを暗号文といいます。送信側で暗号化して，暗号文の状態で通信経路上を流れ，受信側で復号することになります。データを暗号化することで，通信経路上でのデータの盗聴を防ぐことができます。

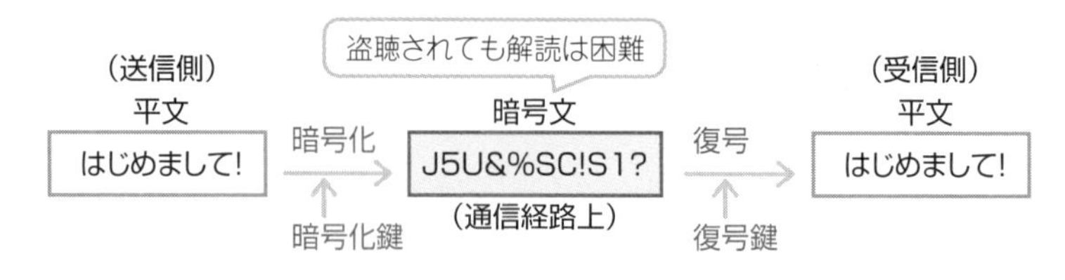

共通鍵暗号方式

共通鍵暗号方式（**秘密鍵暗号方式**）は，**暗号化鍵と復号鍵が共通の秘密鍵を使う暗号方式**です。

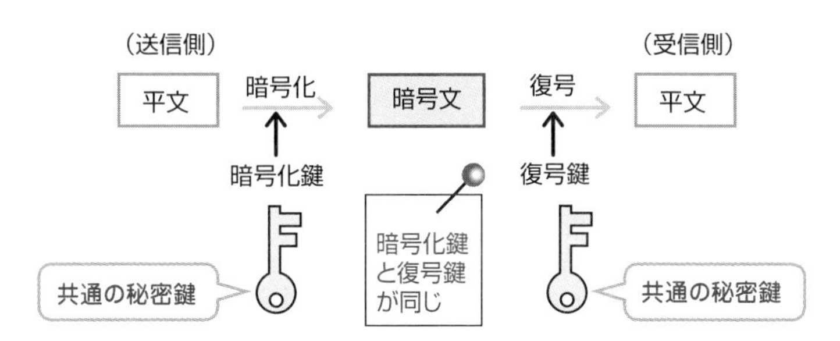

この方式は共通の同じ鍵を利用しています。暗号化鍵を盗まれてしまうと，その鍵で復号ができてしまうので，大切に管理しておく必要があります。そのため，鍵をどのように安全に配布するか工夫が必要で，不特定多数の相手とデータのやり取りをするには不向きです。一方，公開鍵暗号方式（後述）に比べて，暗号化や復号を高速にできます。無線LANの暗号化規格であるWPA2では，共通鍵暗号アルゴリズムの一つであるAESが使われています。

"くれば"で覚える

共通鍵暗号方式　とくれば
* **暗号化鍵と復号鍵は同一の鍵**
* **共通鍵で暗号化して，同じ共通鍵で復号**
* **鍵の管理と配布が煩雑**
* **暗号化や復号は高速**

攻略法 …… **これが共通鍵暗号方式のイメージだ！**

家の鍵は，閉める鍵（暗号化鍵）と開ける鍵（復号鍵）が同一です。鍵を落とさないよう秘密にする必要があり，家族の人数分の鍵を作って配布します。

もっと詳しく（共通鍵暗号方式の鍵の管理）

共通鍵暗号方式を使って，10人が相互に暗号化通信を行うには，計45種類の鍵が必要です。これは，自分を除く9人が通信相手，10人が相互に通信を行うので，鍵は9×10＝90個です。ただし，共通鍵暗号方式は，両者間で共通の鍵をもつので，90÷2＝45種類です。

公開鍵暗号方式

公開鍵暗号方式は，**一方の鍵を公開する暗号方式**です。**暗号化鍵は受信者の公開鍵で，復号鍵は受信者しか持っていない秘密鍵**です。公開鍵で暗号化した暗号文は，対の秘密鍵でしか復号できません（公開鍵では復号できません）。

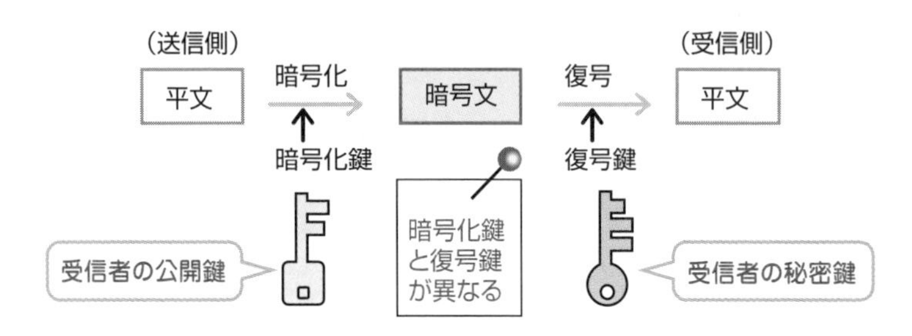

一方の鍵を公開することで，鍵をより安全に配布することができ，不特定多数の相手とデータのやり取りをするには向いています。一方，共通鍵暗号方式に比べて，暗号化や復号には時間がかかります。代表的な公開鍵暗号アルゴリズムとして，RSAや**楕円曲線暗号**（だえん）などがあります。

"くれば"で覚える

公開鍵暗号方式　とくれば
- **暗号化鍵と復号鍵は対の鍵**
- **受信者の公開鍵で暗号化して，受信者の秘密鍵で復号**
- **鍵の管理と配布が容易**
- **暗号化や復号には時間がかかる**

攻略法 …… **これが公開鍵暗号方式のイメージだ！**

南京錠は，閉める鍵（暗号化鍵）と開ける鍵（復号鍵）が異なります。誰でも鍵を閉めることができ（公開鍵），鍵を開けることができるのは鍵を持っている本人だけです（秘密鍵）。

もっと詳しく（公開鍵暗号方式の鍵の管理）

公開鍵暗号方式を使って，10人が相互に暗号化通信を行うには，計20種類の鍵が必要です。これは，公開鍵暗号方式は，相手と通信するためには公開鍵と対の秘密鍵の2種類が必要です。10人が相互に通信を行うので，2×10＝20種類です。

ハイブリッド暗号方式

ハイブリッド暗号方式は，**「共通鍵暗号方式」と「公開鍵暗号方式」を組み合わせた方式**です。「共通鍵暗号方式は，暗号化/復号する処理が高速」，「公開鍵暗号方式は，鍵の管理や配布が容易」というお互いの長所を活かした暗号方式です。以下の手順で行われます。

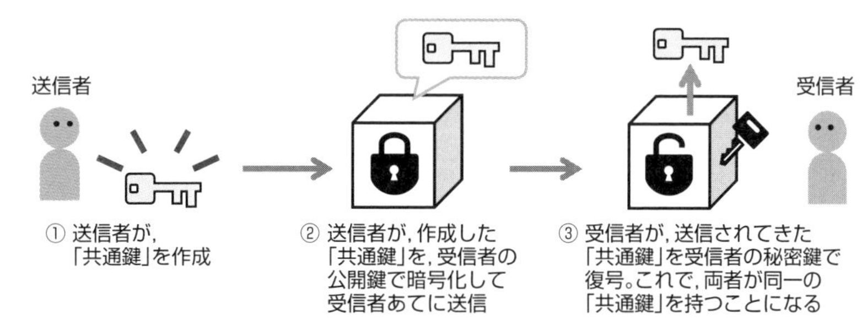

④ 以降，データを「共通鍵」で暗号化 / 復号しながら，やりとりを開始

確認問題 1 ▸令和5年度 問86 正解率▸**低** **応用**

ハイブリッド暗号方式を用いてメッセージを送信したい。メッセージと復号用の鍵の暗号化手順を表した図において，メッセージの暗号化に使用する鍵を(1)とし，(1)の暗号化に使用する鍵を(2)としたとき，図のa，bに入れる字句の適切な組合せはどれか。

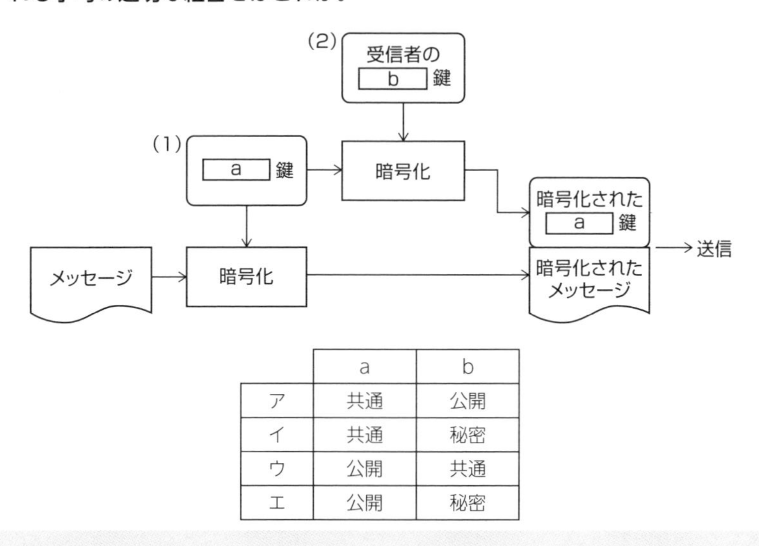

	a	b
ア	共通	公開
イ	共通	秘密
ウ	公開	共通
エ	公開	秘密

要点解説 ハイブリッド暗号方式は，メッセージの暗号化には共通鍵を，その共通鍵の暗号化には受信者の公開鍵を用います。

確認問題 2

▸ 令和6年度　問57　正解率 ▸ 中　基本

暗号化方式の特徴について記した表において，表中のa～dに入れる字句の適切な組合せはどれか。

暗号方式	鍵の特徴	鍵の安全な配布	暗号化／復号の相対的な処理速度
a	暗号化鍵と復号鍵が異なる	容易	c
b	暗号化鍵と復号鍵が同一	難しい	d

	a	b	c	d
ア	共通鍵暗号方式	公開鍵暗号方式	遅い	速い
イ	共通鍵暗号方式	公開鍵暗号方式	速い	遅い
ウ	公開鍵暗号方式	共通鍵暗号方式	遅い	速い
エ	公開鍵暗号方式	共通鍵暗号方式	速い	遅い

公開鍵暗号方式は，鍵が異なり一方を公開するので鍵を安全に配布できますが，暗号化／復号の処理速度は相対的に遅いです。共通鍵暗号方式は鍵が同一なので盗まれないように鍵を安全に配布することが難しいですが，暗号化／復号の処理速度は相対的に速いです。

確認問題 3

▸ 平成31年度春期　問75　正解率 ▸ 中　応用

Aさんは Bさんだけに伝えたい内容を書いた電子メールを，公開鍵暗号方式を用いてBさんの鍵で暗号化してBさんに送った。この電子メールを復号するために必要な鍵はどれか。

ア　Aさんの公開鍵　　イ　Aさんの秘密鍵
ウ　Bさんの公開鍵　　エ　Bさんの秘密鍵

要点解説 Bさんの公開鍵で暗号化したメールは，Bさんの秘密鍵で復号します。Bさんの秘密鍵はBさんしか持っていないので，Bさん以外の人は読めません。

確認問題 4

▸令和3年度 問76　　正解率▸中　　応用

IoTデバイス群とそれを管理するIoTサーバで構成されるIoTシステムがある。全てのIoTデバイスは同一の鍵を用いて通信の暗号化を行い，IoTサーバではIoTデバイスがもつ鍵とは異なる鍵で通信の復号を行うとき，この暗号技術はどれか。

ア　共通鍵暗号方式　　イ　公開鍵暗号方式
ウ　ハッシュ関数　　エ　ブロックチェーン

要点解説　IoTデバイスは同じ鍵で暗号化し，IoTサーバでは異なる鍵で復号するのであれば，暗号化鍵を公開し，復号鍵は秘密にする公開鍵暗号方式が該当します。

確認問題 5

▸令和2年度秋期 問97　　正解率▸高

公開鍵暗号方式では，暗号化のための鍵と復号のための鍵が必要となる。4人が相互に通信内容を暗号化して送りたい場合は，全部で8個の鍵が必要である。このうち，非公開にする鍵は何個か。

ア　1　　イ　2　　ウ　4　　エ　6

要点解説　公開鍵暗号方式では，各人は「公開鍵」と「秘密鍵」の2個の鍵を使います。そのうち非公開にする鍵は「秘密鍵」であり，4人が相互に暗号化して送信する場合は，4個が必要となります。

解答

問題1：ア　問題2：ウ　問題3：エ　問題4：イ　問題5：ウ

5-08 デジタル署名と認証局

時々出　必須　**超重要**

イメージでつかむ

役所に自分だけの印鑑を登録しています。印鑑証明は，その登録された印鑑が本物ですよという証明です。
インターネットの世界でも同じ仕組みがあります。

デジタル署名

なりすまし

なりすましは，他人のふりをして，あたかもその人のように活動を行うことです。これを防ぐために，紙文書の世界では，「作成者は確かに私です」という意味で，氏名の横に印鑑を押すことがありますが，電子文書の世界でも同じような仕組みがあります。

デジタル署名（電子署名）

デジタル署名（**電子署名**）は，**公開鍵暗号方式を使って電子文書の正当性を保証する仕組み**です。これは，印鑑の印影のようなイメージです。デジタル署名では，次の二つのことが検知できます。

1. **電子文書を作成したのは本人であること**（なりすまし対策）
2. **電子文書の改ざんがされていないこと**（真正性の確認）

公開鍵暗号方式は公開鍵で暗号化して，対の秘密鍵で復号するのに対し，デジタル署名は秘密鍵（**署名鍵**ともいう）で署名を生成して，対の公開鍵（**検証鍵**ともいう）で署名を検証します。これが，本人確認の証明となります。なぜなら，署名に使う秘密鍵は本人しか持っておらず，本人以外にそのような署名を作成できません。また，対の公開鍵で検証できるからです。なお，デジタル署名では改ざんの有無はわかりますが，改ざんを防止したり改ざんされている箇所を特定することはできません。

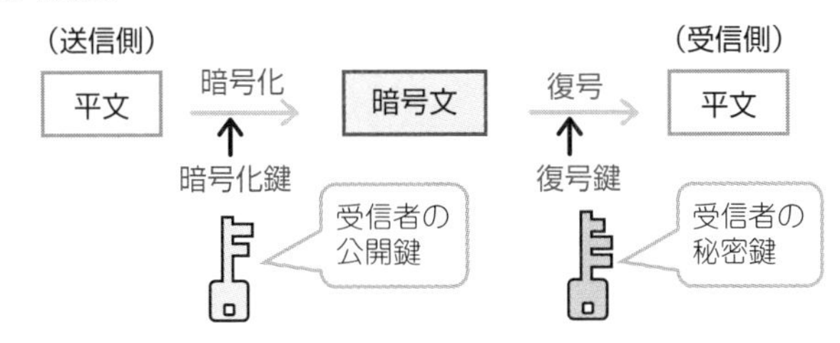

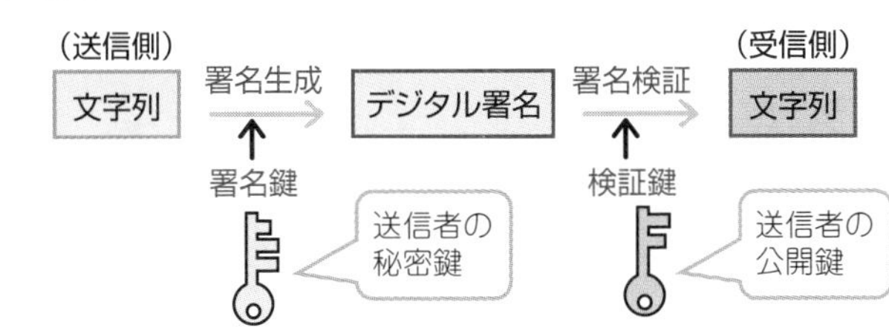

“くれば”で覚える

公開鍵暗号方式	とくれば	**受信者の公開鍵で暗号化，受信者の秘密鍵で復号**
デジタル署名	とくれば	**送信者の秘密鍵で署名生成，送信者の公開鍵で署名検証**

参考［デジタル署名の仕組み］

試験では，ここまで詳しく出題されませんが，デジタル署名は，次のような仕組みになっています。

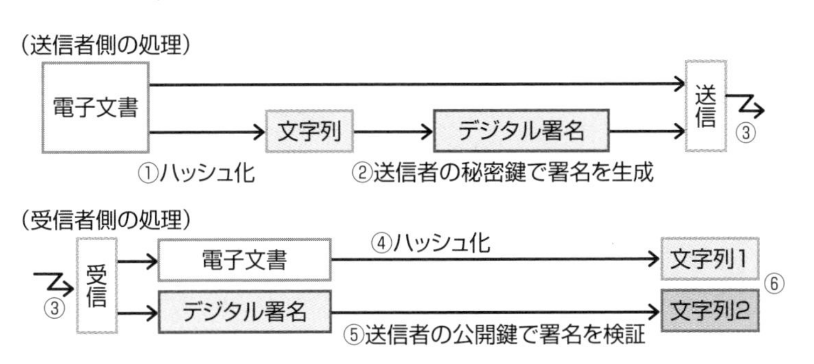

＊送信者側の処理
①電子文書からハッシュ関数（後述）を使用して文字列を作成する（ハッシュ化という）
②作成した文字列を送信者の秘密鍵で署名を生成する（デジタル署名）
③電子文書に暗号化したデジタル署名を付加して送信する

＊受信者側の処理
④電子文書から送信者と同じハッシュ関数で文字列を作成する（ハッシュ化）
⑤デジタル署名を送信者の公開鍵で署名を検証する
　⇒　本人であることが確認できた
⑥④と⑤で得られた文字列を比較して，同じなら電子文書の真正性が証明される
　⇒　改ざんされていないことが確認できた

“くれば”で覚える

デジタル署名　とくれば　**「本人であること」，「改ざんされていないこと」がわかる**

攻略法 …… **これが鍵の組み合わせだ！**

公開鍵暗号方式でもデジタル署名でも，同じ人の秘密鍵と公開鍵をセットで使います。つまり，AさんとBさんの鍵をセットにすることはありません。また，公開鍵どうし，秘密鍵どうしをセットにすることもありません。ちなみに，共通鍵暗号方式は，名のとおり同じ鍵です。

ハッシュ関数

ハッシュ関数は，**改ざんの検知に使われる関数**です。この関数を使って，元の電子文書から短い文字列（**ハッシュ値**または**メッセージダイジェスト**という）を作成することを**ハッシュ化**といいます。同じ電子文書をハッシュ化すると，常に同じ文字列が作成され，逆に一文字でも改ざんされていると同じ文字列は作成されません。また，ハッシュ関数は一方向関数なので，作成された文字列から元の電子文書を復元できないという特徴があります。これを利用して，デジタル署名では改ざんを検知しています。

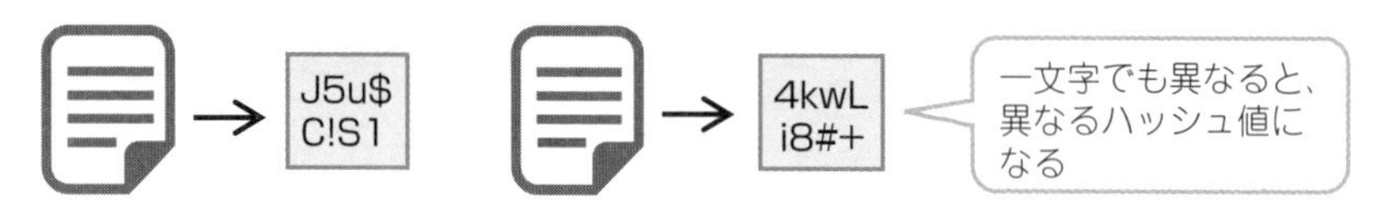

認証局

公開鍵暗号方式では公開鍵が使われますが，この公開鍵の所有者の正当性（公開鍵の正当性）が保証されている必要があります。そこで，**申請に基づいて公開鍵と所有者の正当性を保証して，デジタル証明書（電子証明書）を発行する第三者機関**が，**認証局**（CA：Certification Authority）です。

デジタル証明書には，所有者の情報，申請者の公開鍵，証明書の有効期間，認証局名などが含まれています。もし有効期限内であっても申請者の秘密鍵が流失するなどして，その証明書が信用できなくなったときは，認証局が証明書失効リスト（**CRL**：Certificate Revocation List）を公開して証明書を失効させます。

“くれば”で覚える

認証局 とくれば **公開鍵と所有者の正当性を保証して，デジタル証明書を発行**

参考 ［デジタル証明書の仕組み］

試験では，ここまで詳しく出題されませんが，デジタル証明書は，次のような仕組みになっています。

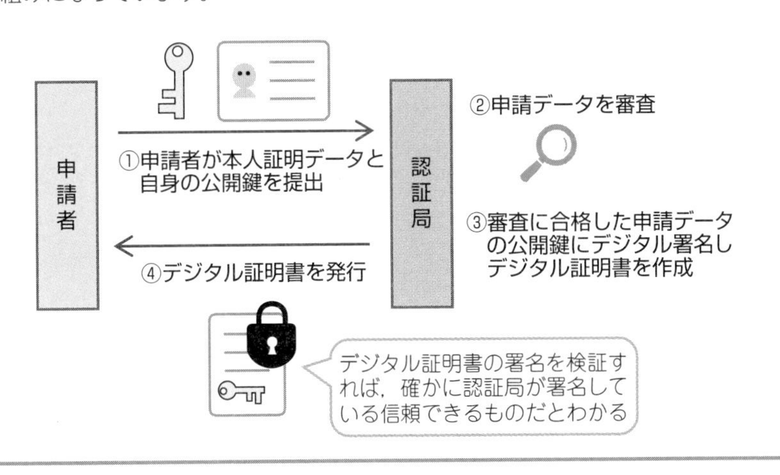

PKI

PKI (Public Key Infrastructure：公開鍵暗号基盤) は，**公開鍵暗号方式を利用して，インターネット上で安全な情報のやり取りができるインフラ (基盤)** です。これまでを実社会と比較してまとめると，次のようなイメージになります。

	PKI	実社会
媒体	電子文書	紙文書
第三者機関	認証局	役所
正当性を証明する対象	公開鍵	印鑑
発行する証明書	デジタル証明書	印鑑証明書
本人確認に使うもの	デジタル署名	印影

SSL

SSL (Secure Socket Layer) は，**Webサーバと Webブラウザ (利用者) 間の通信を暗号化する仕組み**です。Webブラウザは，Webサーバのデジタル証明書を確認することで，インターネット上で個人情報や決済情報などの機密性の高い情報も安全にやり取りできます。これに先立ち，Webサイトの所有者は，公開鍵を認証局に提出して，デジタル証明書の発行を受けておきます。

最近はWebブラウザが，SSLに対応していないWebページに対して，「保護されていない通信」などの警告を表示するので，全てのWebページをSSL化する**常時SSL化**が推奨されています。SSLに対応しているWebページにアクセスすると，URLのプロトコル部分が「http」から「https」に変わります。Webブラウザによっては，鍵マークが表示されるものがあり，やり取りする情報が暗号化されているかを確認できます。

SSLでは以下のようなデジタル証明書を用います。

ルート証明書	デジタル証明書を発行する認証局の正当性の証明
サーバ証明書	Webサーバの所有者の実在証明，通信の暗号化
クライアント証明書	Webサーバに接続する権限があるクライアントの証明

“くれば”で覚える

SSL　とくれば　**Webサーバと Webブラウザ間の通信を暗号化**

もっと詳しく (TLS)

TLS (Transport Layer Security) は，SSLをベースに標準化したものです。一般的にSSLと呼ばれているものも，実質TLSを指していることも多いので，まとめて**SSL/TLS**と表記されることもあります。

S/MIME(エスマイム)

S/MIME (Secure/MIME) は，**電子メールを暗号化する仕組み**です。MIME (4-03参照) にセキュリティ機能を追加したもので，公開鍵を使った電子メールの「暗号化」と，デジタル署名を使った「送信者が本人であること」と「電子メールの内容が改ざんされていないこと」が確認できます。S/MIMEを使うためには，送信者は公開鍵を認証局に提出して，デジタル証明書の発行を受けておきます。

タイムスタンプ

タイムスタンプは，電子文書が「その日時に存在していたこと」と「その日時以降に改ざんされていないこと」を証明する仕組みです。ハッシュ値を比較して，改ざんを検知しています。

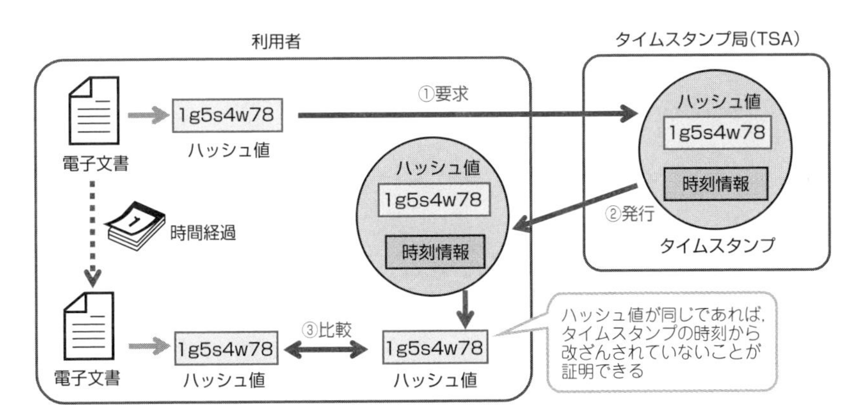

知っ得情報（ハードウェアと連携）

* **セキュアブート**は，PCの起動時（ブート時）にOSやデバイスドライバのデジタル署名を検証し，信頼のおけるソフトウェアだけを動作させる技術で，OS起動前のマルウェアの実行を防ぎます。
* **TPM**（Trusted Platform Module）は，PCのセキュリティを強化するためにマザーボードに組み込まれたセキュリティチップです。暗号化鍵やデジタル署名などを安全に管理します。
* 外部からの不正アクセスや改ざんなどに対して強いことを表す性質を**耐タンパ性**といいます。TPMは耐タンパ性を高める役割を果たします。

確認問題 1 ▶平成28年度秋期 問55 正解率▶中 応用

PKIにおいて，デジタル署名をした電子メールに関する記述として，適切なものだけを全て挙げたものはどれか。

a 送信者が本人であるかを受信者が確認できる。
b 電子メールが途中で盗み見られることを防止できる。
c 電子メールの内容が改ざんされていないことを受信者が確認できる。

ア a，b　イ a，c　ウ b，c　エ a，b，c

デジタル署名を利用する主な目的は二つあります。一つは，メッセージの発信者を受信者が確認することで，もう一つは，署名が行われた後でメッセージに変更が加えられていないかどうかを受信者が確認することです。

確認問題 2 ▶令和5年度 問85 正解率▶高 基本

IoT機器におけるソフトウェアの改ざん対策にも用いられ，OSやファームウェアなどの起動時に，それらのデジタル署名を検証し，正当であるとみなされた場合にだけそのソフトウェアを実行する技術はどれか。

ア GPU　イ RAID　ウ セキュアブート　エ リブート

セキュアブートは，PCの起動時にソフトウェアのデジタル署名を検証し，信頼のおけるソフトウェアだけを動作させる技術です。GPUはグラフィック処理を専門に行うプロセッサ（1-02参照），RAIDは複数のHDDを組み合わせて処理速度や可用性を向上させる技術（1-03参照），リブートは再起動のことです。

確認問題 3 ▸令和6年度 問66 正解率▸高 基本

PKIにおけるCA (Certificate Authority) の役割に関する記述として，適切なものはどれか。

ア インターネットと内部ネットワークの間にあって，内部ネットワーク上のコンピュータに代わってインターネットにアクセスする。
イ インターネットと内部ネットワークの間にあって，パケットフィルタリング機能などを用いてインターネットから内部ネットワークへの不正アクセスを防ぐ。
ウ 利用者に指定されたドメイン名を基にIPアドレスとドメイン名の対応付けを行い，利用者を目的のサーバにアクセスさせる。
エ 利用者の公開鍵に対する公開鍵証明書の発行や失効を行い，鍵の正当性を保証する。

ア プロキシサーバ(5-06参照)
イ MACアドレスフィルタリング(4-02参照)
ウ DNS (4-04参照)
エ CA

確認問題 4 ▸令和元年度秋期 問93 正解率▸低 基本

デジタル署名やブロックチェーンなどで利用されているハッシュ関数の特徴に関する，次の記述中のa，bに入れる字句の適切な組合せはどれか。

ハッシュ関数によって，同じデータは，[a]ハッシュ値に変換され，変換後のハッシュ値から元のデータを復元することが[b]。

	a	b
ア	都度異なる	できない
イ	都度異なる	できる
ウ	常に同じ	できない
エ	常に同じ	できる

ハッシュ関数は，同一性を確認するためのものです。同一のファイルからは同一のハッシュ値が得られますが，1か所でも変更されているとまったく異なるハッシュ値が生成されます。また，ハッシュ値から元のデータは復元できません。

第5章 セキュリティ

確認問題 5

▸平成30年度春期　問57　正解率▸低　応用

SSL/TLSによる通信内容の暗号化を実現させるために用いるものはどれか。

ア　ESSID　　イ　WPA2
ウ　サーバ証明書　　エ　ファイアウォール

【ヒント】httpにSSL/TLSを応用したのがhttpsということを思い出しましょう。httpsを利用するWebサイトにアクセスすると，ブラウザによって鍵マークが表示され，このWebサーバとのやりとりが暗号化されることを示します。

SSLで暗号通信を実現させるために用いるものは，サーバ証明書です。ESSIDは無線LANのアクセスポイント名(4-02参照)。WPA2は無線LANの暗号方式です(4-02参照)。ファイアウォールは外部からの不正アクセスを防ぐ仕組みです(5-06参照)。

確認問題 6

▸令和3年度　問73　正解率▸低　応用

IoTデバイスに関わるリスク対策のうち，IoTデバイスが盗まれた場合の耐タンパ性を高めることができるものはどれか。

ア　IoTデバイスとIoTサーバ間の通信を暗号化する。
イ　IoTデバイス内のデータを，暗号鍵を内蔵するセキュリティチップを使って暗号化する。
ウ　IoTデバイスに最新のセキュリティパッチを速やかに適用する。
エ　IoTデバイスへのログインパスワードを初期値から変更する。

要点解説

耐タンパ性とは，外部からの不正な干渉に対して耐える性質をいいます。本問の場合，IoTデバイスが盗まれたとしても，内部データの改ざんや解読がされにくくなるものはどれかということです。
通信経路の暗号化や，セキュリティパッチの適用，ログインパスワードの変更をしておいたとしても，悪意をもつ人の手にデバイスが渡ってしまったなら無意味です。内部データを暗号化しておけば，解読されにくくなります。

解答

問題1：イ　問題2：ウ　問題3：エ　問題4：ウ　問題5：ウ
問題6：イ

第6章

データベース

〔テクノロジ系〕

6-01 データベースとデータ操作

時々出　必須　超重要

イメージでつかむ

スマートフォンの電話帳には，家族や友人のデータが登録されています。登録しておけば，必要なデータをすぐ取り出せます。これも，データベースの一種です。

データベース

データベース（DB：Data Base）は，**一定の規則に従い，関連性のあるデータを蓄積したもの**です。Data Base（データ ベース）は，「データの基地」という意味です。身近な例では，スマートフォンの電話帳もデータベースの一つで，必要な電話番号やメールアドレスの検索や登録，変更，削除などができます。スマートフォンの電話帳は個人の利用に限られますが，企業などで使うデータベースは，複数の利用者が利用することを目的に，蓄積されたデータを一元的に管理しています。

データベース管理システム

データベース管理システム（**DBMS**：Data Base Management System）は，**複数の利用者で大量のデータを共同利用できるように管理するソフトウェア**です。アプリケーションからの要求を受けて，データベース内のデータの検索や挿入，更新，削除などを行ったり，データに対するアクセス権管理や排他制御（6-06参照），障害回復（6-06参照）などを行ったりする機能を備えています。

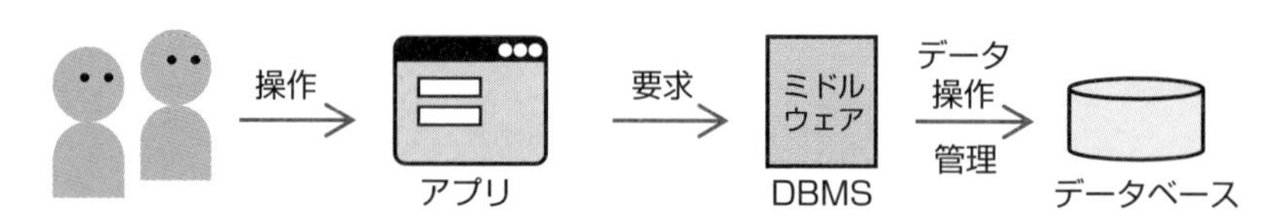

関係データベース

データベースにはいくつか種類がありますが，現在最も使われているものが，データを**行**と**列**による**二次元の表形式で管理する関係データベース**（RDB：Relational Data Base：リレーショナルデータベース）です。関係データベースは表（テーブル）の集まり，表は行（レコード）の集まり，行は列（フィールド）の集まりから構成されています。表計算ソフトで扱っている表と見た目は同じですが，違いは表同士が表中の列の値で関連付けられているところにあります。

また，関係データベースのDBMSは**RDBMS**（Relational Data Base Management System）と呼ばれ，データの検索や挿入，更新，削除などのデータ操作には**SQL**と呼ばれる言語を使います。

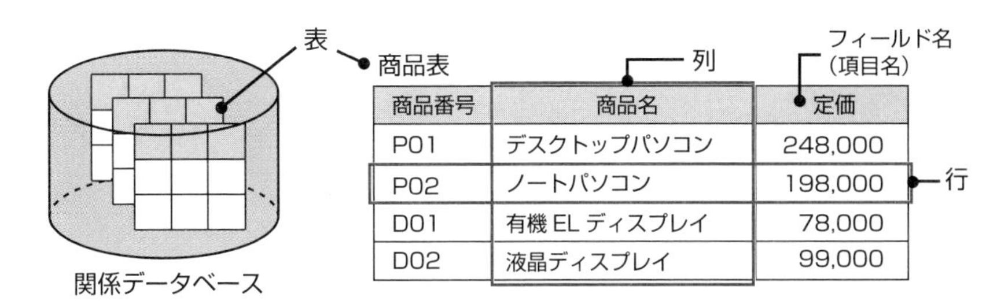

商品番号	商品名	定価
P01	デスクトップパソコン	248,000
P02	ノートパソコン	198,000
D01	有機 EL ディスプレイ	78,000
D02	液晶ディスプレイ	99,000

まとめると，次のようになります。

表	テーブル	データ全体
行	レコード	一件のデータ
列	フィールド	データを構成する各項目

攻略法 …… **行と列**

行と列，どっちがどっち？と迷ったときは漢字を書くとすぐにわかります。

行 列

NoSQL（ノーエスキューエル）

NoSQL（Not only SQL）は，**関係データベースとは異なる方法で，データを保存し処理するデータベース全般**を指します。「SQLだけではない」という意味です。関係データベースは事前に二次元の表であるデータ構造をしっかり決めておく必要がありますが，NoSQLには「データベースの構造が柔軟に変更できる」，「データの増加に対応しやすい」などの長所があり，ビッグデータ（10-01参照）に向いているといわれています。ただし，データの正規化(6-03参照)や表の結合はできず，集計などは不得意なので，目的に応じて使い分けます。

NoSQLのデータベース

NoSQLのデータベースには，次のようなものがあります。

分類	特徴	データのイメージ
キーバリューストア型	保存したいデータと，そのデータを一意に識別できるキーを組みとして管理する	10010,伊藤, 10020,鈴木,
カラム指向型	キーに対するカラム(項目)を自由に追加できる	10010,伊藤,営業, 10020,鈴木,総務,読書,
ドキュメント指向型	ドキュメント1件が一つのデータとなる。データ構造は自由。XML(7-03参照)などでデータを記述する	10010,伊藤,営業, 10020,鈴木,総務,[読書,ドライブ,映画鑑賞]
グラフ指向型	グラフ理論(8-06参照)に基づき，ノード間を方向性のあるリレーションでつないで構造化する	10010,伊藤, 10020,鈴木, 10010,Follow→, 10020

キー

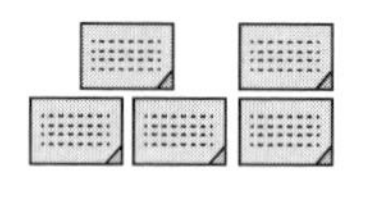

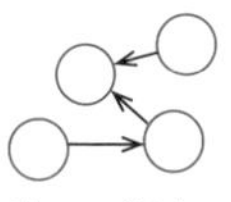

キーバリューストア型　カラム指向型　ドキュメント指向型　グラフ指向型

もっと詳しく（データベースの応用）

* **データウェアハウス**は，多種多様なデータを，時系列に整理・統合して蓄積したデータベースです。「データの倉庫」という意味です。これを用いて企業の意思決定を支援する**BIツール**(Business Intelligence)があり，専門知識がなくても容易に操作ができ，データを分析できます。
* **データレイク**は，多種多様なデータを，発生したままの形式で蓄積した保管場所です。「データの湖」という意味で，多くの水が支流から集まって巨大湖に貯められていくようなイメージです。データウェアハウスのデータとは違い，データレイクのデータは生のデータのまま保存され，利用者が必要に応じて加工します。
* **エンタープライズサーチ**は，企業内に保存されている様々な情報から，必要な情報を検索，抽出できるシステムです。「企業内検索」という意味です。企業内のWebサイトやファイルサーバにある資料，グループウェア(10-05参照)内の情報など，様々な場所から目的の情報を探し出せます。

関係演算

関係演算は，関係データベースで行う演算の一つで，次のような演算があります。

選択	指定した行を抽出する
射影	指定した列を抽出する
結合	複数の表を一つの表にする

番号	品名
010	パソコン本体
011	ディスプレイ
020	プリンタ
025	キーボード

番号	発注先
010	A社
011	B社
020	C社
025	D社

選択

番号	品名
010	パソコン本体
020	プリンタ

射影

品名
パソコン本体
ディスプレイ
プリンタ
キーボード

結合

同じ番号同士を結合する

番号	品名	発注先
010	パソコン本体	A社
011	ディスプレイ	B社
020	プリンタ	C社
025	キーボード	D社

“くれば”で覚える

選択　とくれば　**指定した行を抽出する**
射影　とくれば　**指定した列を抽出する**
結合　とくれば　**複数の表を一つの表にする**

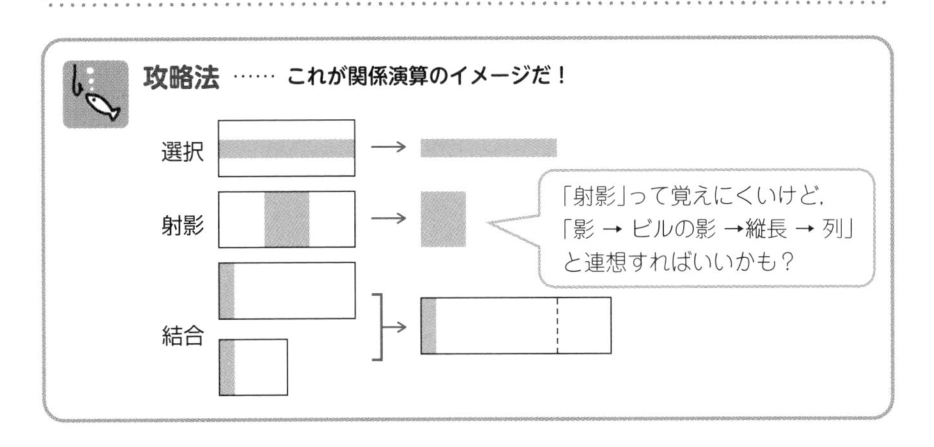

集合演算

集合演算は，同じ列で構成される二つの表から新しい表を取り出す演算です。

和演算	二つの表にある全ての行を取り出す。同じ行は一つにまとめる
積演算	二つの表に共通している行を取り出す
差演算	一方の表から他方の表の行を取り除く

A

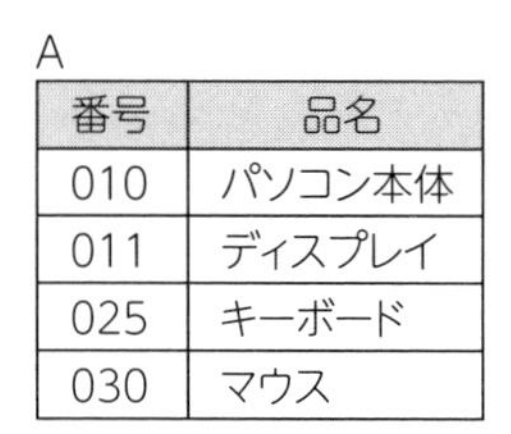

番号	品名
010	パソコン本体
011	ディスプレイ
025	キーボード
030	マウス

B

番号	品名
010	パソコン本体
020	プリンタ
030	マウス

和演算　積演算　差演算

A+B

番号	品名
010	パソコン本体
011	ディスプレイ
020	プリンタ
025	キーボード
030	マウス

同じ番号は一つにまとめる

A・B

番号	品名
010	パソコン本体
030	マウス

A−B

番号	品名
011	ディスプレイ
025	キーボード

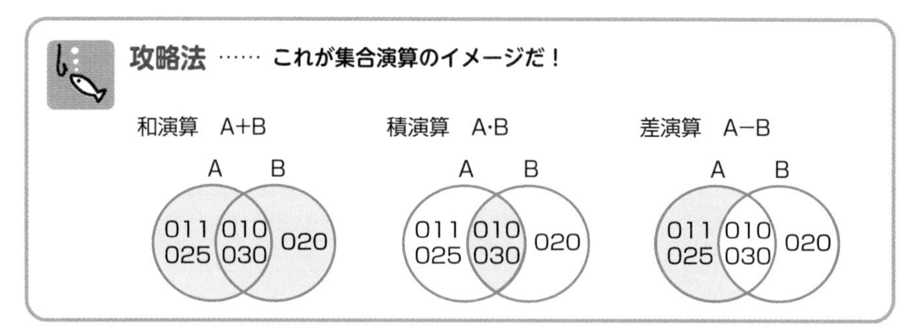

名寄せ

名寄せは，**同じ人物や物と思われる複数のデータを一つにまとめる作業**です。通常，データクレンジング（後述）とは違い，名前や住所，生年月日，性別，電話番号などを手掛かりに集約することで，同一性を判断します。例えば，預金者が同じ銀行で複数の口座を持っている場合，名寄せして全口座の合計金額を算出することがあります。

知っ得情報（データクレンジング）

データベース化のためにデータを集めても，誤りや欠損があったり，重複してしまっていたり，表記が統一されず半角や全角が混在していたりすると使いづらくなります。これを修正し，分析しやすい状態にすることを**データクレンジング**といいます。「データをきれいにする」という意味です。

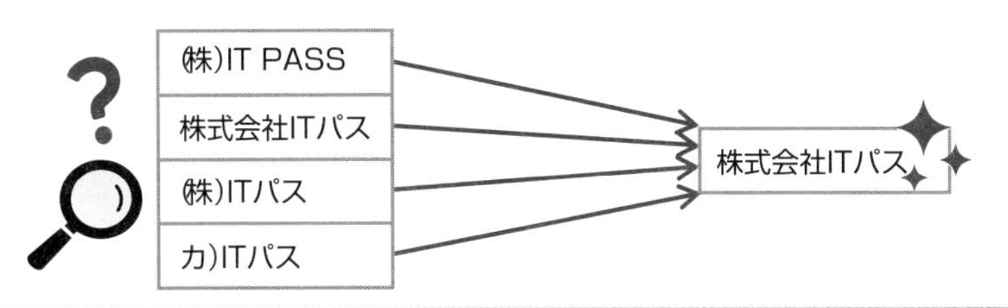

確認問題 1　▸令和2年度秋期　問7　正解率▸高　基本

蓄積されている会計，販売，購買，顧客などのさまざまなデータを，迅速かつ効果的に検索，分析する機能をもち，経営者などの意思決定を支援することを目的としたものはどれか。

ア　BIツール　　イ　POSシステム
ウ　電子ファイリングシステム　　エ　ワークフローシステム

要点解説

ビジネスに関する様々なデータを検索・分析でき，経営者などの意思決定に利用できるようにしたものはBIツールです。

イ　POSは販売時点管理のことです（10-09参照）。
ウ　電子ファイリングシステムは，電子化された様々な資料や書類，データなどを一元管理するものです。
エ　ワークフローシステムは，書類の決裁を支援するものです（10-09参照）。

確認問題 2　▸令和5年度　問100　正解率▸中　頻出　基本

関係データベースにおける結合操作はどれか。

ア　表から，特定の条件を満たすレコードを抜き出した表を作る。
イ　表から，特定のフィールドを抜き出した表を作る。
ウ　二つの表から，同じ値をもつレコードを抜き出した表を作る。
エ　二つの表から，フィールドの値によって関連付けした表を作る。

要点解説

ア　選択　　イ　射影　　ウ　積　　エ　結合

確認問題 3

▶令和3年度　問75　　正解率▶中　　基本

情報システムに関する機能a～dのうち，DBMSに備わるものを全て挙げたものはどれか。

a　アクセス権管理
b　障害回復
c　同時実行制御
d　ファイアウォール

ア　a，b，c　　イ　a，d　　ウ　b，c　　エ　c，d

要点解説 DBMSはデータベース管理システムです。データの検索や更新などのほか，アクセス権管理，障害回復，排他制御（同時実行制御）の機能があります。ただし，ファイアウォールの機能はDBMSには含まれていません。

確認問題 4

▶令和4年度　問83　　正解率▶中　　基本

データを行と列から成る表形式で表すデータベースのモデルはどれか。

ア　オブジェクトモデル　　イ　階層モデル
ウ　関係モデル　　エ　ネットワークモデル

要点解説 データを行と列からなる表形式で表すのは，関係モデルです。

ア　オブジェクトモデルは，データと手続きを一体化して定義したものです（7-03参照）。

イ　階層モデルは，データを木構造の形式で表します。データ間に親子関係があり，親と子のデータは1対多で関係付けられています。

エ　ネットワークモデルは，データを網の目の形式で表します。各データは多対多で関係付けられています。

確認問題 5

▸令和2年度秋期　問73　　正解率▸中　　基本

関係データベースにおいて，表Aと表Bの積集合演算を実行した結果はどれか。

表A

品名	価格
ガム	100
せんべい	250
チョコレート	150

表B

品名	価格
せんべい	250
チョコレート	150
どら焼き	100

ア

品名	価格
ガム	100
せんべい	250
チョコレート	150
どら焼き	100

イ

品名	価格
ガム	100
せんべい	500
チョコレート	300
どら焼き	100

ウ

品名	価格
せんべい	500
チョコレート	300

エ

品名	価格
せんべい	250
チョコレート	150

要点解説

積集合は，表Aと表Bの両方に共通している行を取り出します。共通している行は，「せんべい」と「チョコレート」の行です。

解答

問題1：ア　　問題2：エ　　問題3：ア　　問題4：ウ　　問題5：エ

第6章 データベース

6-02 データベース設計

時々出　必須　超重要

イメージでつかむ

サッカー選手の背番号を見れば，お気に入りの選手を探し出すことができます。背番号が，選手を探す際の手がかり（キー）となっているわけです。

主キー

主キーは，**表中の行を一意に識別するための列**のことです。一意とは「同一のものがない」，「重複しない」という意味です。例えば，サッカー選手の背番号はチーム内には同一の番号はありません。チーム内で，背番号1番を付けた選手は一人に特定できます。この場合は，背番号がチーム内の主キーになっているようなイメージです。

主キーの列にするには，次の二つを満たす必要があります。

1. **同一の値は存在しないこと**（**一意性制約**という）
2. **値が空（から）（NULL（ヌル））でないこと**

次の例では，表Aの主キーが「社員コード」で，同じ社員コードは存在せず，空もありません。ちなみに，名前は同姓同名も考えられるので主キーにはできません。表Bの主キーは「部署コード」です。

表A（主キー：社員コード，外部キー：部署コード → 表Bの部署コードを参照）

社員コード	名前	部署コード	給料
10010	伊藤幸子	101	200,000
10020	斉藤栄一	201	300,000
10030	鈴木裕一	101	200,000

表B（主キー：部署コード）

部署コード	部署名
101	第一営業
102	第二営業
201	総務

“くれば”で覚える

主キー とくれば **行を一意に識別するための列**

複合主キー

一つの列で行を一意に特定できないときは，複数の列を組み合わせて主キーとします。これを**複合主キー**といいます。例えば，サッカーには複数のチームがあり，背番号1番を付けた選手も複数人います。この場合は，チーム名と背番号の二つを組み合わせれば，選手を一人に特定できるようなイメージです。

“くれば”で覚える

複合主キー とくれば **複数の列を組み合わせて主キーとすること**

外部キー

先ほどの例の表Aと表Bの二つの表は，「部署コード」で表同士が関係付けられ，表Aの「部署コード」は，表Bの「部署コード」を参照しています。このように，**他の表の主キーを参照している列**を**外部キー**といいます。

ここで，参照される表の値を，先に入力しておく必要があります。表Aの値は表Bを参照しながら入力します。このときに，表Aと表Bの間で矛盾が生じないようにするために，表Aに入力できる値は，表Bに存在する値だけに制約します（**参照制約**という）。例えば，表Aの「部署コード」に「401」と入力したら，表Bには「401」が存在しないので，エラーになります。

このように，関係データベースでは，各表を主キーと外部キーで関係付けています。**表同士の関係付け**を**リレーション**（Relation）といいます。

“くれば”で覚える

外部キー とくれば **他の表の主キーを参照する列**

インデックス

インデックスは，**検索を高速に行う目的で，必要に応じて設定して利用する索引**です。インデックスを作成することにより，検索時間は短く，比較的一定した時間に収まるという特徴があります。これは，用語集で調べたい用語を１ページずつ検索するのではなく，索引から対象ページを絞り込み，検索するようなイメージです。

E-R図

関係データベースを設計するときは，どのような世界のどのようなデータを対象とするのかを考え，そのデータ同士の関連を明らかにする必要があります。ここで，対象となる世界を構成する人や物，場所，事象などを実体といいます。例えば人事の世界なら，社員や部署，役職，事業所，取得資格などが実体になります。

次の E-R図 (Entity-Relationship Diagram) は，**対象世界を構成する実体と実体間の関連を視覚的に表した図**です。実体を長方形の箱で，各実体間の関連を矢印で表します。

また，**実体**を**エンティティ**，**実体間の関連**を**リレーションシップ**といい，実体間の関連の種類には，次の４種類があります。

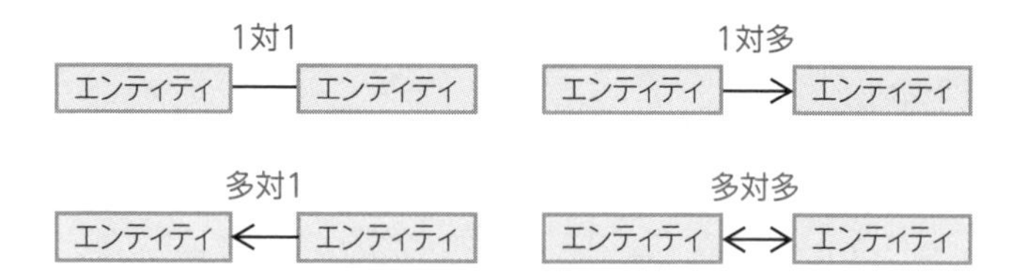

例えば，社員が100人で，５部署ある会社でのE-R図を考えてみましょう。ここで，１人の社員が複数の部署に所属することはないものとします。このときの実体は，「社員」と「部署」です。

まず，１人の社員から見れば，所属している部署は一つです。

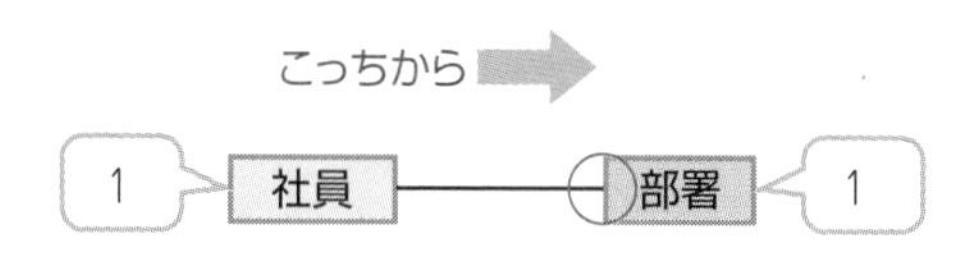

次に，一つの部署から見れば，所属している社員は複数人です。

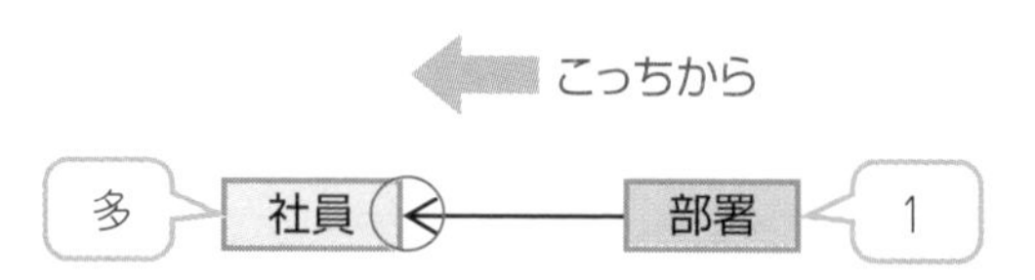

合わせると，「社員」と「部署」の関連は，「多対1」のE-R図として表すことができます。

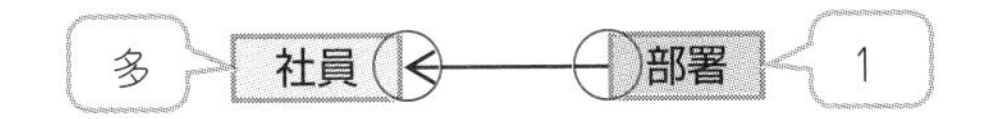

“くれば”で覚える

E-R図 とくれば **実体と実体間の関連を表した図**

このように，E-R図を用いて分析した後は，データベースとしての管理に必要なデータ項目を洗い出し，各表を設計していきます。

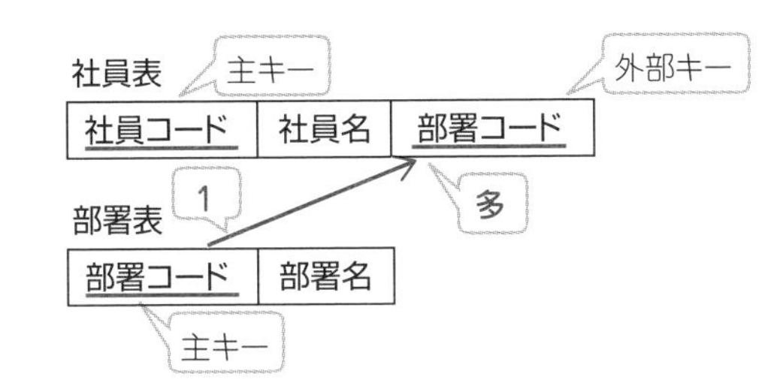

確認問題 1 ▸平成30年度秋期 問73　正解率▸中　応用

データベースにおける外部キーに関する記述のうち，適切なものはどれか。

ア　外部キーがもつ特性を，一意性制約という。
イ　外部キーを設定したフィールドには，重複する値を設定することはできない。
ウ　一つの表に複数の外部キーを設定することはできない。
エ　複数のフィールドを，まとめて一つの外部キーとして設定することができる。

ア　一意性制約は，主キーがもつ特性です。
イ　外部キーは重複する値を設定できます。
ウ　複数の外部キーを設定できます。
エ　複数のフィールドを組み合わせて外部キーに設定できます。

確認問題 2　▸令和5年度　問78　正解率 ▸ 中　応用

関係データベースの主キーの設定に関する記述として，適切なものだけを全て挙げたものはどれか。

a　値が他のレコードと重複するものは主キーとして使用できない。
b　インデックスとの重複設定はできない。
c　主キーの値は数値でなければならない。
d　複数のフィールドを使って主キーを構成できる。

ア　a，c　　イ　a，d　　ウ　b，c　　エ　b，d

要点解説

a　値が他のレコードと重複するものは主キーとして使用できない(一意性制約)。
b　インデックスとの重複設定はできます。
c　主キーの値は文字列を含むこともできます。
d　複数のフィールドを使って主キーを構成できます(複合主キー)。

確認問題 3　▸令和3年度　問1　正解率 ▸ 中　基本

E-R図を使用してデータモデリングを行う理由として，適切なものはどれか。

ア　業務上でのデータのやり取りを把握し，ワークフローを明らかにする。
イ　現行業務でのデータの流れを把握し，業務遂行上の問題点を明らかにする。
ウ　顧客や製品といった業務の管理対象間の関係を図示し，その業務上の意味を明らかにする。
エ　データ項目を詳細に検討し，データベースの実装方法を明らかにする。

要点解説

E-R図は，管理対象(実体)間の関連を視覚的に図示して，意味を明らかにします。ただし，実装方法を検討するためのものではありません。アはワークフロー図，イはDFD(10-05参照)です。

確認問題 4

▸令和3年度 問70　　正解率▸中　　応用

条件①～④を全て満たすとき，出版社と著者と本の関係を示すE-R図はどれか。ここで，E-R図の表記法は次のとおりとする。

〔表記法〕 a → b 　aとbが，1対多の関係であることを表す。

〔条件〕 ① 出版社は，複数の著者と契約している。
② 著者は，一つの出版社とだけ契約している。
③ 著者は，複数の本を書いている。
④ 1冊の本は，1人の著者が書いている。

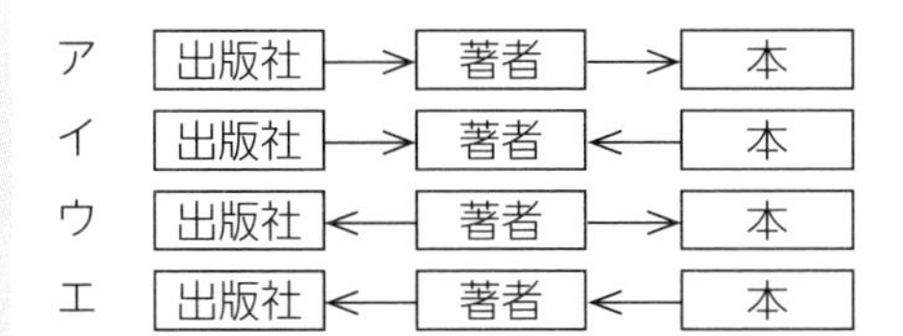

① 出版社は，複数の著者と契約している。

出版社 → 著者

② 著者は，一つの出版社とだけ契約している。

出版社 ― 著者

③ 著者は，複数の本を書いている。

著者 → 本

④ 1冊の本は，1人の著者が書いている。

著者 ― 本

これらを合わせると，アのようになります。

解答

問題1：エ　　問題2：イ　　問題3：ウ　　問題4：ア

6 03 データの正規化

時々出　必須　超重要

イメージでつかむ

受注伝票は受注した顧客ごとに作成され，受注した商品分だけ明細が印字されます。
受注伝票を関係データベース的に分析すると，複数の表に分けることができます。

データの正規化

関係データベースは，2次元の表で構成されています。2次元の表を作るときに，必要な項目を整理して複数の表に分離します。**正規化**は，表を構成する項目の関連性を分析し，**データの重複や不整合が発生しないように，複数の表に分離する作業**です。これにより，データの維持管理が容易になります。

“くれば”で覚える

正規化の目的　とくれば　**データの重複や不整合を排除するため**

正規化は，次の第1正規形から第3正規形の過程で表を分割していきます。

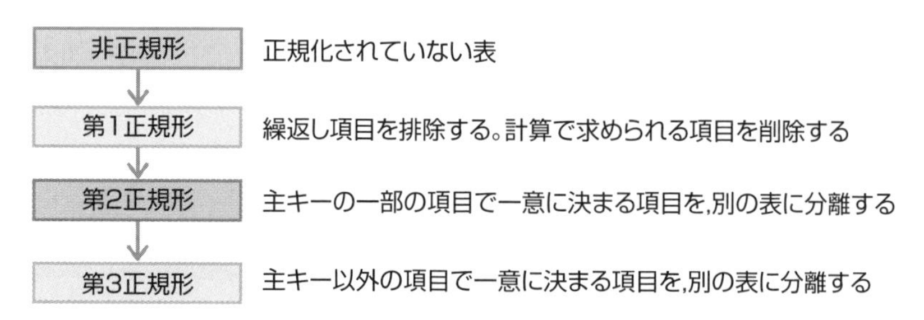

なお，試験では正規化の詳細な内容は出題されませんが，表を分離する問題が出題されており，このような考え方が必要になります。

例えば，受注伝票のデータを正規化してみましょう。受注伝票は，受注した顧客ごとに作成され，受注した商品の分だけ明細行があります。

受注伝票

受注No. 10183　受注日 2022/10/01

顧客CD G003

顧客名 ○△商店　合計金額 2,740

商品CD	商品名	単価	数量	金額
C001	ねこ手帳	980	1	980
D001	いぬ手帳	880	2	1,760

非正規形

上記の受注伝票を表で表すと，次のようになります。明細行分，同じ項目が繰り返されます。

受注No	受注日	顧客CD	顧客名	合計金額
10183	2022/10/01	G003	○△商店	2,740

続く

商品CD	商品名	単価	数量	金額	商品CD	商品名	単価	数量	金額
C001	ねこ手帳	980	1	980	D001	いぬ手帳	880	2	1,760

繰返し項目

第1正規形

第1正規化では，非正規形のデータから繰返し項目を排除します。また，計算で求められる項目(合計金額と金額)を削除します。

ここで，主キーは，「受注No」と「商品CD」の複合主キーです。

受注No	受注日	顧客CD	顧客名	商品CD	商品名	単価	数量
10183	2022/10/01	G003	○△商店	C001	ねこ手帳	980	1
10183	2022/10/01	G003	○△商店	D001	いぬ手帳	880	2

下線の項目は，主キーを表す

“くれば”で覚える

第1正規化 とくれば **繰返し項目を排除する。計算で求められる項目を削除する**

第6章 データベース

第２正規形

第２正規化では，主キーの一部の項目で一意に決まる項目を，別の表に分離します。

・「受注No」が決まれば，「受注日」，「顧客CD」，「顧客名」が一意に決まります。

・「商品CD」が決まれば，「商品名」，「単価」が一意に決まります。

[受注表]

受注No	受注日	顧客CD	顧客名

[商品表]

商品CD	商品名	単価

残った「数量」は，「受注No」と「商品CD」が決まれば，一意に決まります。

[受注明細表]

受注No	商品CD	数量

“くれば”で覚える

第２正規化 とくれば **主キーの一部の項目で一意に決まる項目を，別の表に分離する**

第３正規形

第３正規化では，主キー以外の項目で一意に決まる項目を，別の表に分離します。

・「顧客CD」が決まれば，「顧客名」が一意に決まります。

[顧客表]

顧客CD	顧客名

“くれば”で覚える

第３正規化 とくれば **主キー以外の項目で一意に決まる項目を，別の表に分離する**

以上をまとめると，第３正規形は次のようになります。

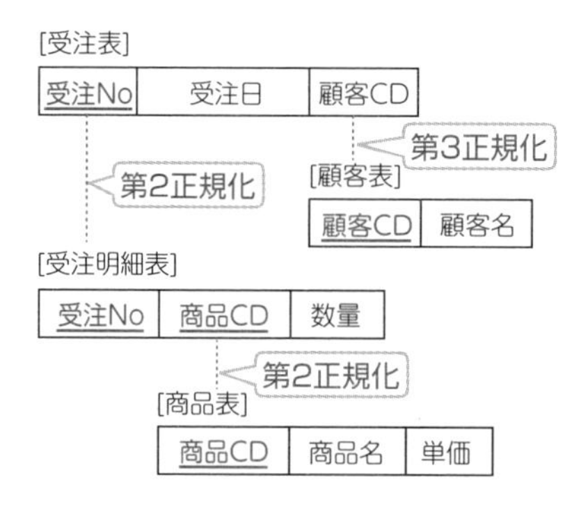

確認問題 1

▸令和6年度 問81　正解率▸中　応用

一つの表で管理されていた受注データを，受注に関する情報と商品に関する情報に分割して，正規化を行った上で関係データベースの表で管理する。正規化を行った結果の表の組合せとして，最も適切なものはどれか。ここで，同一商品で単価が異なるときは商品番号も異なるものとする。また，発注者名には同姓同名はいないものとする。

受注データ

受注番号	発注者名	商品番号	商品名	個数	単価
T0001	試験花子	M0001	商品1	5	3,000
T0002	情報太郎	M0002	商品2	3	4,000
T0003	高度秋子	M0001	商品1	2	3,000

ア

受注番号	発注者名

商品番号	商品名	個数	単価

イ

受注番号	発注者名	商品番号

商品番号	商品名	個数	単価

ウ

受注番号	発注者名	商品番号	個数	単価

商品番号	商品名

エ

受注番号	発注者名	商品番号	個数

商品番号	商品名	単価

受注データの主キーは「受注番号」です。「商品番号」が決まれば，「商品名」と「単価」が一意に決まるので，別の表に分離します。よって，エです。

解答

問題1：エ

6 04 データの抽出と論理演算

時々出　必須　超重要

イメージでつかむ

論理演算は，“AまたはB”，“AかつB”のように，集合で考えると分かりやすくなります。

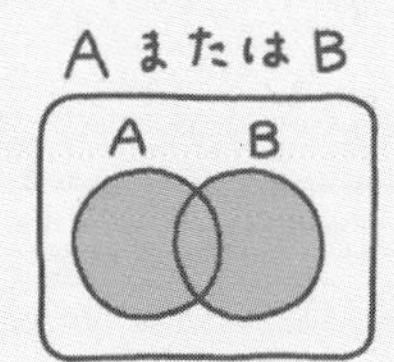

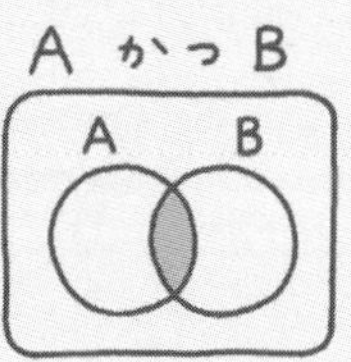

論理演算

GoogleやYahooなどの検索窓に，「ITパスポート　参考書」のように二つ以上の言葉を入力することがあります。Webページの検索や，関係データベースからのデータの抽出の際に，論理演算が使われます。

論理演算は，**真（true）と偽（false）の2通りの値の間で行われる演算**です。真を1に，偽を0に対応付けた2進数で表しますが，桁上がりを考えない演算です。論理演算には，論理和（OR）と論理積（AND），否定（NOT）のほかに，これらを組み合わせた排他的論理和（XOR）があります。

また，論理演算の結果表を**真理値表**といいます。論理演算を理解する上で，数学の集合とベン図と呼ばれる視覚的に表現した図で考えるとわかりやすくなります。

論理和（OR）

論理和（OR）は，**二つの入力値（AとB）のうち，少なくとも一方が1であるときに（両方が1のときも含む），1を出力する演算**です。AとBの論理和は，「A＋B」と表し，「AまたはB」と呼ばれます。

真理値表			ベン図

入力		出力
A	B	A+B
0	0	0
0	1	1
1	0	1
1	1	1

A B

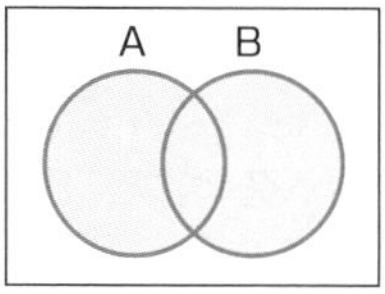

“くれば”で覚える

論理和　とくれば　**二つの入力値のうち，少なくとも一方が1ならば，出力値は1**

論理積(AND)

論理積(AND)は，**二つの入力値(AとB)の両方が1であるときに，1を出力する演算**です。AとBの論理積は，「A・B」と表し，「AかつB」と呼ばれます。

真理値表			ベン図

入力		出力
A	B	A·B
0	0	0
0	1	0
1	0	0
1	1	1

A B

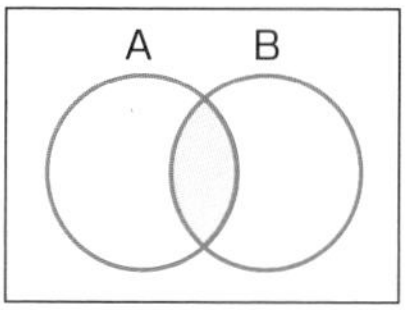

“くれば”で覚える

論理積　とくれば　**二つの入力値の両方が1ならば，出力値は1**

否定(NOT)

否定(NOT)は，**一つの入力値(A)が，1ならば0を，0ならば1を出力する演算**です。Aの否定は「$\overline{A}$」と表し，「Aでない」と呼ばれます。

真理値表		ベン図

入力	出力
A	$\overline{A}$
0	1
1	0

A

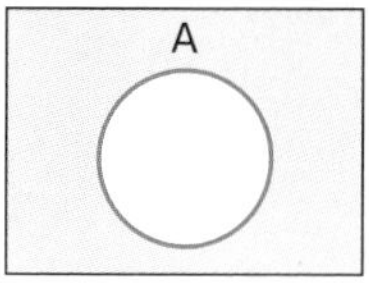

“くれば”で覚える

否定　とくれば　**入力値が1ならば出力値は0，入力値が0ならば出力値は1**

排他的論理和（XOR）

排他的論理和（XOR）は，**二つの入力値（AとB）が異なるときに，1を出力する演算**です。AとBの排他的論理和は「A⊕B」と表します。また，「$A \cdot \overline{B} + \overline{A} \cdot B$」で表すことができるので，論理和と論理積，否定を組み合わせたものと言えます。

真理値表

入力		出力
A	B	A⊕B
0	0	0
0	1	1
1	0	1
1	1	0

ベン図

A　B

$A \cdot \overline{B}$　+　$\overline{A} \cdot B$

“くれば”で覚える

排他的論理和　とくれば　**二つの入力値が異なれば，出力値は1**

データの抽出

では，次の会員登録について，論理演算を使ってデータを抽出してみましょう。

会員録

会員番号	氏名	性別	現住所	勤務地
0001	谷澤昭夫	男	東京都	埼玉県
0002	豊永誠人	男	東京都	東京都
0003	秋山真弓	女	千葉県	埼玉県
0004	笠井優花	女	東京都	東京都
0005	山内健太	男	埼玉県	埼玉県
0006	山本伸子	女	千葉県	東京都

（例）「現住所が東京都」OR「勤務地が東京都」のデータを抽出する

これは，「現住所」・「勤務地」のどちらか一方が「東京都」であるデータが抽出されます。なお，「現住所」・「勤務地」とも「東京都」であるデータも抽出されます。

抽出結果

会員番号	氏名	性別	現住所	勤務地
0001	谷澤昭夫	男	東京都	埼玉県
0002	豊永誠人	男	東京都	東京都
0004	笠井優花	女	東京都	東京都
0006	山本伸子	女	千葉県	東京都

(例)「現住所が東京都」AND「勤務地が東京都」のデータを抽出する

これは,「現住所」・「勤務地」とも「東京都」であるデータが抽出されます。

抽出結果

会員番号	氏名	性別	現住所	勤務地
0002	豊永誠人	男	東京都	東京都
0004	笠井優花	女	東京都	東京都

(例) NOT「現住所が東京都」のデータを抽出する

これは,「現住所が東京都でない」データが抽出されます。

抽出結果

会員番号	氏名	性別	現住所	勤務地
0003	秋山真弓	女	千葉県	埼玉県
0005	山内健太	男	埼玉県	埼玉県
0006	山本伸子	女	千葉県	東京都

(例)「現住所が東京都」XOR「勤務地が東京都」のデータを抽出する

これは,「現住所が東京都で,勤務地が東京都でない」または,「現住所が東京都でなく,勤務地が東京都」のデータが抽出されます。

抽出結果

会員番号	氏名	性別	現住所	勤務地
0001	谷澤昭夫	男	東京都	埼玉県
0006	山本伸子	女	千葉県	東京都

ワイルドカード

論理演算のほかに,ワイルドカードを使ってデータを抽出することがあります。**ワイルドカード**は,**不特定の文字や文字列を表わす特殊文字**です。次のような特殊文字があります。

ワイルドカード	意　味
%, *など	0文字以上の任意の文字
?, _など	1文字の任意の文字

では,ワイルドカードを使って,47都道府県名を抽出してみましょう。

ワイルドカード	意　味	抽出データ
%山%	山を含む都道府県名	山形,山梨,富山,和歌山,岡山,山口
山%	山で始まる都道府県名	山形,山梨,山口
%山	山で終わる都道府県名	富山,和歌山,岡山
??山	任意の2文字で始まり,山で終わる都道府県名	和歌山

確認問題 1

▸ 平成24年度春期　問69　　正解率 ▸ 中　　応用

札幌にある日本料理の店と函館にある日本料理の店をまとめて探したい。検索条件を表す論理式はどれか。

ア　（“札幌” AND “函館”）AND “日本料理”
イ　（“札幌” AND “函館”）OR “日本料理”
ウ　（“札幌” OR “函館”）AND “日本料理”
エ　（“札幌” OR “函館”）OR “日本料理”

要点解説

札幌にある日本料理の店　→ “札幌” AND “日本料理”
と　→ OR
函館にある日本料理の店　→ “函館” AND “日本料理”
よって，（“札幌” AND “日本料理”）OR（“函館” AND “日本料理”）
言い換えると，（“札幌” OR “函館”）AND “日本料理”となります。

確認問題 2

▸ 令和6年度　問93　　正解率 ▸ 低　　応用

関係データベースで管理している“従業員”表から，氏名が‘%葉_’に該当する従業員を抽出した。抽出された従業員は何名か。ここで，“_”は任意の1文字を表し，“%”は0文字以上の任意の文字列を表すものとする。

従業員

従業員番号	氏名
S001	千葉翔
S002	葉山花子
S003	鈴木葉子
S004	佐藤乙葉
S005	秋葉彩葉
S006	稲葉小春

ア　1　　イ　2　　ウ　3　　エ　4

最後の2文字が「葉」＋「任意の1文字」で終わるのは，従業員番号が「S001」と「S003」の2人です。

確認問題 3

▸平成31年度春期　問78　　正解率▸高　応用

関係データベースの“社員”表と“部署”表がある。“社員”表と“部署”表を結合し，社員の住所と所属する部署の所在地が異なる社員を抽出する。抽出される社員は何人か。

社員

社員ID	氏名	部署コード	住所
H001	伊藤　花子	G02	神奈川県
H002	高橋　四郎	G01	神奈川県
H003	鈴木　一郎	G03	三重県
H004	田中　春子	G04	大阪府
H005	渡辺　二郎	G03	愛知県
H006	佐藤　三郎	G02	神奈川県

部署

部署コード	部署名	所在地
G01	総務部	東京都
G02	営業部	神奈川県
G03	製造部	愛知県
G04	開発部	大阪府

ア　1　　イ　2　　ウ　3　　エ　4

社員表と部署表で共通する部署コードで結合します。試験会場ではPCの画面上で解くので，社員表の上の行から順に，部署コードを使って部署表の所在地を一人ずつ確認し，住所と所在地が異なる人を指を折りながらカウントすると効率良く解けます。つまり
「伊藤花子」は，住所は神奈川県，部署の所在地は神奈川県→同じ，NG
「高橋四郎」は，住所は神奈川県，部署の所在地は東京都→異なる，一人目…
のようなイメージで解きます。
なお，表を部署コードで結ぶと以下のようになります。網掛け部分が住所と所在地が異なる社員です。

社員

社員ID	氏名	部署コード	住所
H001	伊藤　花子	G02	神奈川県
H002	高橋　四郎	G01	神奈川県
H003	鈴木　一郎	G03	三重県
H004	田中　春子	G04	大阪府
H005	渡辺　二郎	G03	愛知県
H006	佐藤　三郎	G02	神奈川県

部署

部署コード	部署名	所在地
G01	総務部	東京都
G02	営業部	神奈川県
G03	製造部	愛知県
G04	開発部	大阪府

解答

問題1：ウ　　問題2：イ　　問題3：イ

6 05 データの整列と集計

時々出　必須　超重要

イメージでつかむ

　体育の時間で，背の低い順や高い順に整列して集合したことがよくありました。
　データベースでも，整列させて表示することがあります。

整列

整列（ソート）は，**データをある特定の規則に従い，並べ替えること**です。整列には，小さい順に並べる（小→大）**昇順**と，大きい順に並べる（大→小）**降順**などがあります。これは，体育の時間で，背の低い順，背の高い順に整列するようなイメージです。

“くれば”で覚える

昇順　とくれば　**値を小さい順（小→大）に並べること**
降順　とくれば　**値を大きい順（大→小）に並べること**

整列キー

整列キー（ソートキー）は，**データを整列するときの基準となる項目**です。

(例) 商品番号の昇順に並べ替える

(出庫記録)　整列前

商品番号	日付	数量
200	20221010	3
400	20221011	1
100	20221010	1
300	20221011	2

(出庫記録)　整列後

商品番号	日付	数量
100	20221010	1
200	20221010	3
300	20221011	2
400	20221011	1

(例) 商品番号の降順に並べ替える

(出庫記録)　整列前

商品番号	日付	数量
200	20221010	3
400	20221011	1
100	20221010	1
300	20221011	2

(出庫記録)　整列後

商品番号	日付	数量
400	20221011	1
300	20221011	2
200	20221010	3
100	20221010	1

複数の整列キー

複数の整列キーを指定して並べ替えることができます。

第１整列キーで並べ替え，第１整列キーが同じ値であれば，さらに第２整列キーで並べ替えます。

(例) 第１整列キーが日付の昇順，第２整列キーが数量の降順に並べ替える

①日付（第１整列キー）の昇順に並べ替えます。

(出庫記録)　整列前

商品番号	日付	数量
200	20221010	3
400	20221011	1
100	20221010	1
300	20221011	2

(出庫記録)　第1整列キー

商品番号	日付	数量
200	20221010	3
100	20221010	1
400	20221011	1
300	20221011	2

②日付が同じ値であれば，数量（第２整列キー）の降順に並べ替えます。

(出庫記録)

商品番号	日付	数量
200	20221010	3
100	20221010	1
400	20221011	1
300	20221011	2

(出庫記録)　整列後　第2整列キー

商品番号	日付	数量
200	20221010	3
100	20221010	1
300	20221011	2
400	20221011	1

集計

大量のデータの中から，ある列ごとに集計する場合があります。次の販売表を基にして，「商品別の販売数量」を集計する手順を考えてみましょう。

販売表

得意先	商品名	販売数量
K商会	A商品	100
K商会	B商品	120
S商店	C商品	160
S商店	A商品	150
K商会	C商品	100

①「商品別」に集計するためには，「商品名」順にデータを並べ替えます。

販売表

得意先	商品名	販売数量
K商会	A商品	100
S商店	A商品	150
K商会	B商品	120
S商店	C商品	160
K商会	C商品	100

②同一商品名ごとに販売数量を求めます。

販売表

得意先	商品名	販売数量
K商会	A商品	100
S商店	A商品	150
K商会	B商品	120
S商店	C商品	160
K商会	C商品	100

集計結果

商品名	販売数量
A商品	250
B商品	120
C商品	260

確認問題 1 ▸令和3年度 問95 正解率▸中 応用

関係データベースで管理された“商品”表，“売上”表から売上日が5月中で，かつ，商品ごとの合計額が20,000円以上になっている商品だけを全て挙げたものはどれか。

商品

商品コード	商品名	単価(円)
0001	商品A	2,000
0002	商品B	4,000
0003	商品C	7,000
0004	商品D	10,000

売上

売上番号	商品コード	個数	売上日	配達日
Z00001	0004	3	4/30	5/2
Z00002	0001	3	4/30	5/3
Z00005	0003	3	5/15	5/17
Z00006	0001	5	5/15	5/18
Z00003	0002	3	5/5	5/18
Z00004	0001	4	5/10	5/20
Z00007	0002	3	5/30	6/2
Z00008	0003	1	6/8	6/10

ア 商品A，商品B，商品C
イ 商品A，商品B，商品C，商品D
ウ 商品B，商品C
エ 商品C

①売上日が5月中で，②商品ごとの合計額が20,000以上の商品を抽出します。

・商品コード「0001」(商品A)の売上個数は5＋4＝9個。
　合計額は2,000円×9個＝18,000円
・商品コード「0002」(商品B)の売上個数は3＋3＝6個。
　合計額は4,000円×6個＝24,000円
・商品コード「0003」(商品C)の売上個数は3個。
　合計額は7,000円×3個＝21,000円

よって，ウです。

解答

問題1：ウ

6-06 トランザクション処理

時々出　必須　超重要

イメージでつかむ

トイレに入るときは，必ず鍵を閉めます。鍵でロックすれば，ほかの人は入ることはできません。

データベースでも，そういう使い方をすることがあります。

トランザクション管理

トランザクションは，**関連する複数の処理を，一連の切り離せない処理単位としてまとめたもの**です。

例えば，A口座からB口座へ現金を移動させる一連の処理がトランザクションです。これは，A口座の残高を減らして，B口座の残高を増やすという二つの処理ですが，A口座の残高は減らしたのに，B口座の残高が増えていないという事態が起こると困ります。また逆も同じです。

トランザクション処理では，一連の処理が異常なくできたときは，その全ての結果を確定（**コミット**という）します。もし処理中に異常が発生したときは，その全ての結果を破棄して処理前の状態に戻します。このように，トランザクション処理では，「全てが成功するか」，「全てが失敗するか」のどちらかになるように管理します。トランザクション管理は，DBMSの機能の一つです。

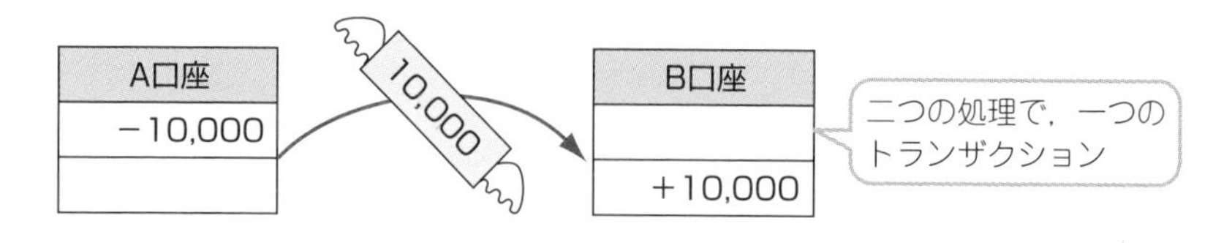

排他制御（同時実行制御）

データベースを使用する際に，複数のトランザクションがデータを同時に更新できる機能をもたせるとデータベースの内容に矛盾（不整合）が生じることがあります。

例えば，二つのトランザクションが一つのデータベースのデータを更新する処理があります。①～④の順で処理が行われるとすると，図のデータの内容（100の値）はどのようになるか考えてみましょう。

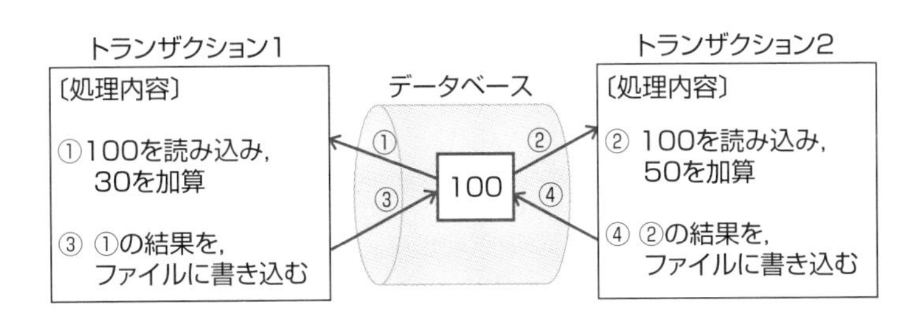

①100＋30→130
②100＋50→150
③データの内容を130に更新する。
④データの内容を150に更新する。

データの値が100で，トランザクション1から30を加算，トランザクション2から50を加算したのだから，データの内容が180にならなくてはいけません。ところが，データの値が150となっており，データに不整合が生じています。そこで，**複数のトランザクションが同一のデータを同時に更新する際に，データの不整合が生じないよう制限**（**ロックという**）**をかける機能**を**排他制御**といいます。**同時実行制御**とも呼ばれ，DBMSの機能の一つです。先ほどの例では，トランザクション1の更新処理前にロックをし，トランザクション2からアクセスできないようにします。その後，トランザクション1の更新処理が終了すればロックを解除し，トランザクション2の更新処理を開始します。これは，トイレを鍵でロックするように，データをロックして，ほかからのアクセスを制御するようなイメージです。

“くれば”で覚える

排他制御の目的　とくれば　**データの不整合を防ぐため**

デッドロック

デッドロックは，**複数のトランザクションが同時にデータをロックし，お互いのロックが解除されるのを待ち続けて処理が止まってしまう現象**です，例えば，同時にトランザクション1で「データAを更新した後にデータBを更新する」，トランザクション2で「データBを更新した後に，データAを更新する」場合を見ていきましょう。

① トランザクション1：データAを更新（データAをロック）
② トランザクション2：データBを更新（データBをロック）
③ トランザクション1：データBを更新（**データBのロック解放待ち**）
④ トランザクション2：データAを更新（**データAのロック解放待ち**）

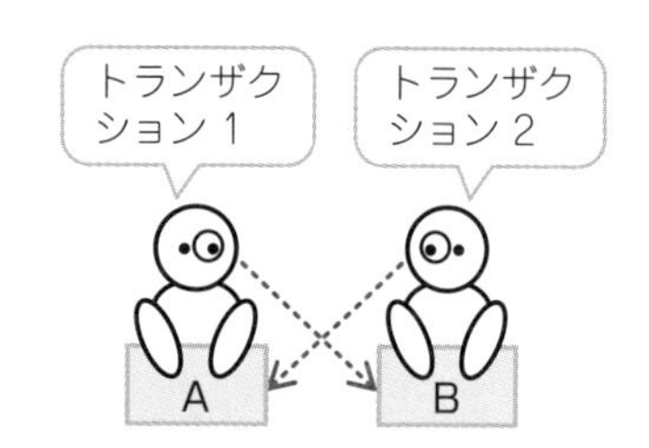

データベースの障害

各業務で使用しているデータベースでは，データが刻々と更新されていきます。もしデータベースが壊れて使えない状態が長引くと膨大（ぼうだい）な損失を被るので，素早く，かつ的確に復旧させることが重要です。

復旧には，次のファイルが用いられます。

* **バックアップファイル**は，ある時点のデータベースの内容を複製したファイルです。
* **ログファイル**は，データベースの更新前や更新後の値を書き出して，データベースの更新履歴を記録したファイルです。ジャーナルファイルとも呼ばれています。

データベースの復旧

データベースの復旧方法には，次の二つがあります。

ロールフォワード

ロールフォワードは，記憶媒体に障害が発生したときに，**バックアップファイルを使ってバックアップした時点まで復元し，その後はログファイルの更新後ログを使って，障害発生直前の状態まで戻す方法**です。フォワードリカバリとも呼ばれています。

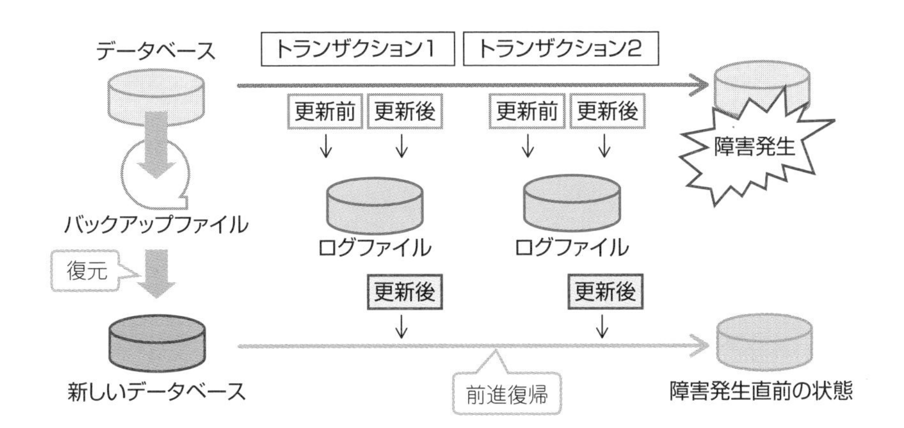

“くれば”で覚える

ロールフォワード　とくれば　**バックアップファイルと更新後ログで復旧させる**

ロールバック

ロールバックは，トランザクションの更新途中でエラーが発生したときに，**ログファイルの更新前ログを使ってトランザクションの開始直前の状態まで戻す方法**です。バックワードリカバリとも呼ばれ，処理がなかったかのように取り消すイメージです。

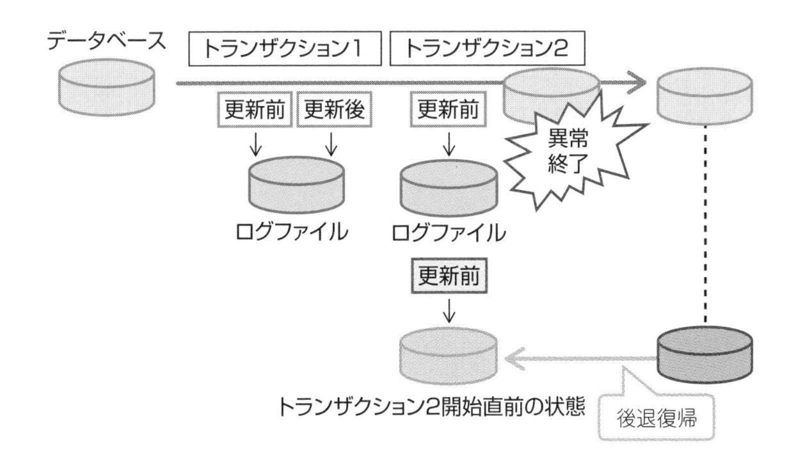

“くれば”で覚える

ロールバック　とくれば　**更新前ログで復旧させる**

ACID特性

データベースは複数の利用者が同時にアクセスするので，トランザクション処理には次の特性が求められています。頭文字をとって，**ACID特性**と呼ばれています。これらは，銀行の預金システムでも備わっている特性です。

原子性(Atomicity)	トランザクション処理が，全て完了したか，全く処理されていないかで終了すること
一貫性(Consistency)	データベースの内容に矛盾がないこと
独立性(Isolation)	複数のトランザクションを同時に実行した場合と，順番に実行した場合の処理結果が一致すること
耐久性(Durability)	トランザクションが正常終了すると，更新結果は障害が発生してもデータベースから消失しないこと

知っ得情報（レプリケーション）

レプリケーションは，別のサーバにデータをリアルタイムに複製して，同期をとることで，可用性の向上や負荷分散を図る仕組みです。Replication（レプリケーション）は，「複製」という意味です。レプリケーションは，DBMSの機能の一つです。

もっと詳しく（分散型データベース）

分散型データベースは，データベースを複数の場所に分散させ，一つの大きなデータベースとして制御する方式です。この方式では，データの不整合が生じないように制御する必要があり，各データベースのトランザクション処理をすぐには確定させずに，確定(コミット)も取り消し(ロールバック)もどちらもできる中間状態を設定し，全ての処理が成功したら確定させます。もし中間状態中に障害が発生したときは，全ての処理を強制終了(アボート)して取り消します。この制御を**2相コミット制御**といいます。

アドバイス［長い問題文］

最近，ITパスポートの問題文がどんどん長くなる傾向にあるようです。必ずしも必要ではない文章が長々と続く問題もあります。惑わされずに，問題文の本質をつかむことが重要です。裏技ですが，「このように」という言葉が入っている問題文は，その後だけ読めば解けることがほとんどです。

確認問題 1

▸令和5年度　問66　　正解率▸中　　基本

トランザクション処理におけるコミットの説明として，適切なものはどれか。

ア　あるトランザクションが共有データを更新しようとしたとき，そのデータに対する他のトランザクションからの更新を禁止すること
イ　トランザクションが正常に処理されたときに，データベースへの更新を確定させること
ウ　何らかの理由で，トランザクションが正常に処理されなかったときに，データベースをトランザクション開始前の状態にすること
エ　複数の表を，互いに関係付ける列をキーとして，一つの表にすること

ア　排他制御　　イ　コミット　　ウ　ロールバック　　エ　結合（6-01参照）

確認問題 2

▸令和6年度　問74　　正解率▸高　　基本

トランザクション処理に関する記述のうち，適切なものはどれか。

ア　コミットとは，トランザクションが正常に処理されなかったときに，データベースをトランザクション開始前の状態に戻すことである。
イ　排他制御とは，トランザクションが正常に処理されたときに，データベースの内容を確定させることである。
ウ　ロールバックとは，複数のトランザクションが同時に同一データを更新しようとしたときに，データの矛盾が起きないようにすることである。
エ　ログとは，データベースの更新履歴を記録したファイルのことである。

ア　ロールバック　　イ　コミット　　ウ　排他制御　　エ　ログ

確認問題 3 ▸平成25年度秋期　問67　正解率▸中　応用

あるトランザクション処理は，①共有領域から値を読み取り，②読み取った値に数値を加算し，③結果を共有領域に書き込む手順からなっている。複数のトランザクションを並列に矛盾なく処理するためには，トランザクション処理のどの時点で共有領域をロックし，どの時点でロックを解除するのが適切か。

	共有領域のロック	共有領域のロック解除
ア	時点(a)	時点(c)
イ	時点(a)	時点(d)
ウ	時点(b)	時点(c)
エ	時点(b)	時点(d)

複数のトランザクションを並列に矛盾なく処理するためには，排他制御をして，処理中の共有領域への他のトランザクションのアクセスを制限します。
排他制御では，共有領域の値を読み取る前の時点(a)から，結果を共有領域に書き込み終わった後の時点(d)までの間，一つのトランザクションだけが共有領域にアクセスできるようにしないと，値に矛盾が生じてしまいます。

解答

問題1：イ　　問題2：エ　　問題3：イ

第7章

アルゴリズムとプログラミング

【テクノロジ系】

7 01

アルゴリズムとデータ構造

時々出 必須 超重要

イメージでつかむ

私たちは，レシピに記述されたとおりに料理を作っていきます。

コンピュータは，アルゴリズムに記述されたとおりに動作をしていきます。

アルゴリズム

コンピュータに何らかの問題や課題を処理させるには「ああして，こうして」といった処理手順を与えてやる必要があります。**コンピュータに与える問題や課題を有限の時間で解決するための処理手順**を**アルゴリズム**といいます。これは料理を作るときのレシピのようなイメージです。人は，レシピに記述されたとおりに料理していきます。

フローチャート

フローチャートは，**アルゴリズムを視覚的に表現した図**です。**流れ図**とも呼ばれます。次のような記号を用いて記述していきます。試験では，簡単なフローチャートが出題されます。

記号	名称	説明
（角丸長方形）	端子	処理の開始と終了を表す
（長方形）	処理	処理を表す
（ひし形）	判断	二つ以上に分岐する判定を表す
（上下の角を落とした長方形2つ）	ループ端	ループ(繰返し)の開始と終了を表す
（直線）	流れ線	処理の順序を表す。矢印を付けることもある

アルゴリズムの基本構造

アルゴリズムの基本構造には，次の三つがあります。これらの構造の組み合わせで，コンピュータに指示を与える処理手順を考えます。

順次構造

順次構造は，**処理を順番に行う構造**です。例では，「処理1」→「処理2」→「処理3」の順番に行います。

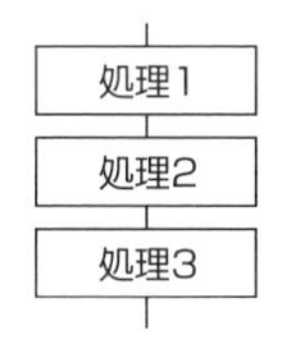

選択構造

選択構造は，**条件に従い，処理を二つ以上に分岐させる構造**です。例では，条件を満たしている場合は「処理1」を，満たしていない場合は「処理2」を行います。

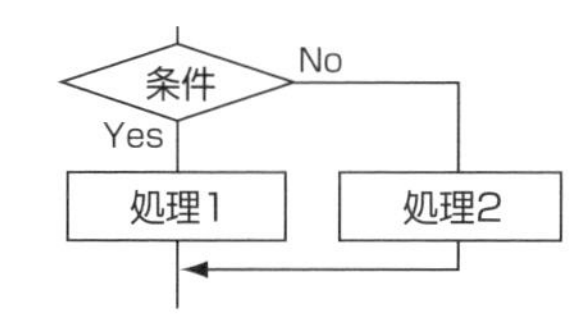

繰返し構造

繰返し構造は，**条件に従い，同じ処理を繰り返す構造**です。例では，条件を満たしている間，「処理」を繰り返します。

また，繰返しには，処理をする前に繰り返すかどうかを判定する**前判定繰返し**と，処理をした後に繰り返すかどうかを判定する**後判定繰返し**があり，書き方も2種類あります。

前判定

後判定

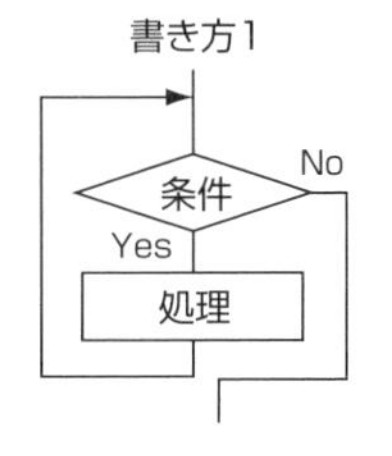

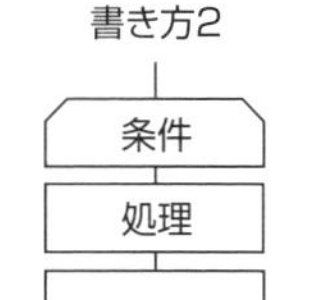

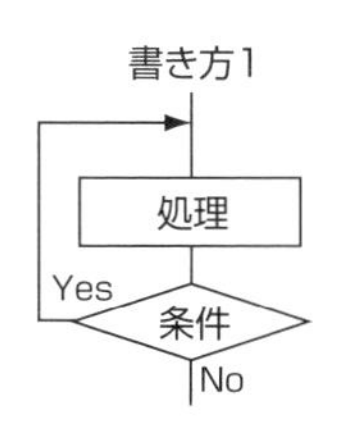

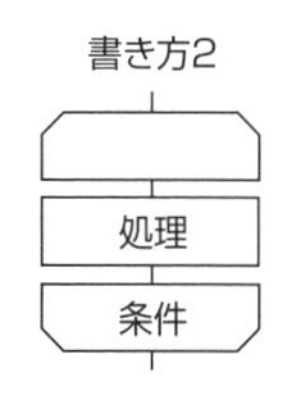

変数

コンピュータに処理手順を与えると，主記憶上に**変数**と呼ばれる**データを格納するための領域**が用意され，その値を変化させながら処理手順どおり実行していきます。変数は，データの出し入れができる箱のようなイメージです。

変数には，変数名と呼ばれる名前をつけます。また，変数に値を格納することを「代入する」といい，アルゴリズムでは「**値→変数名**」のように右矢印を使って記述します。例えば，次のような感じです。intAやtxtAは，変数名を表します。

(例) 数値の5を変数intAに代入する　　5 → intA
文字列の"ITパスポート"を変数txtAに代入する　　"ITパスポート" → txtA
変数intAに格納されている数値に1を加える　　intA ＋ 1 → intA

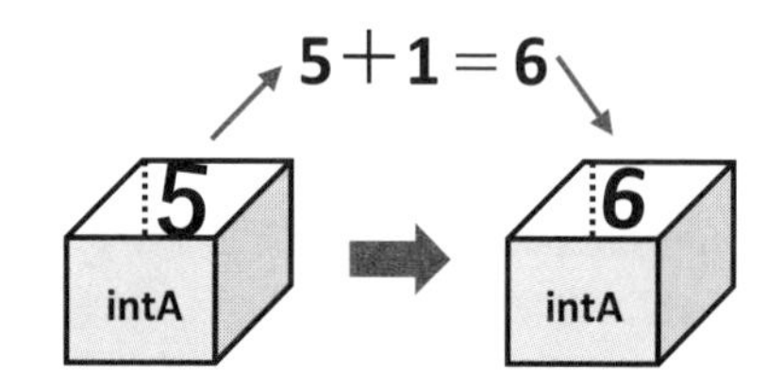

アルゴリズムの例

簡単なアルゴリズムを考えてみましょう。

●例1：1から3までの累計

次のフローチャートは，1から3までの累計を求めるアルゴリズムです。NとSUMという二つの変数を用います。

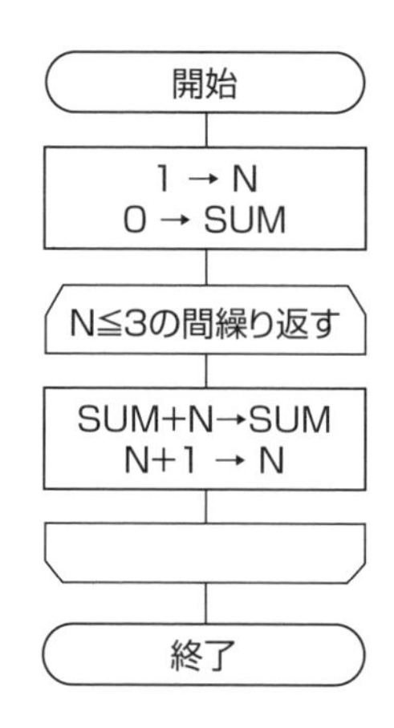

次の■の部分を3回繰り返すので，Nは繰り返す回数を数える変数です。繰り返しの回数を数えるためには，「初期値」，「繰返しの条件」，「増分値」が必要です。

今回は，「Nの初期値が1」，「N≦3の間」，「増分値が1（Nを＋1ずつ増やしていく）」です。

3回繰り返す中で，「SUM＋N→SUM」を求めています。最後はNが4になり，繰返しの条件「N≦3の間」を満たさなくなるので，4回目は繰り返さず終了します。

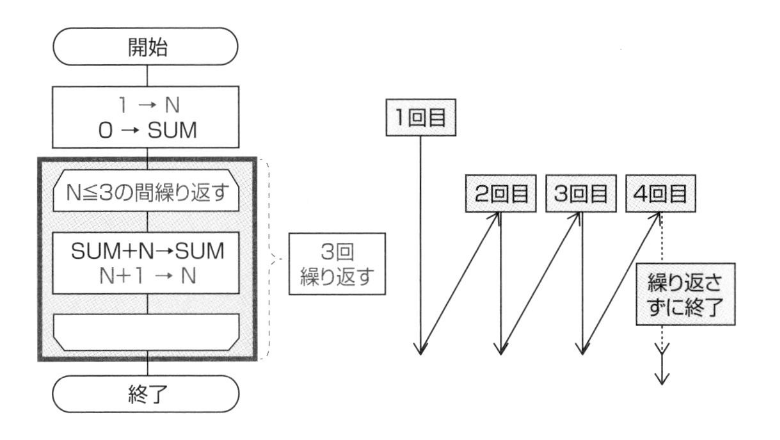

変数NとSUMの値の変化は，次のようになります。

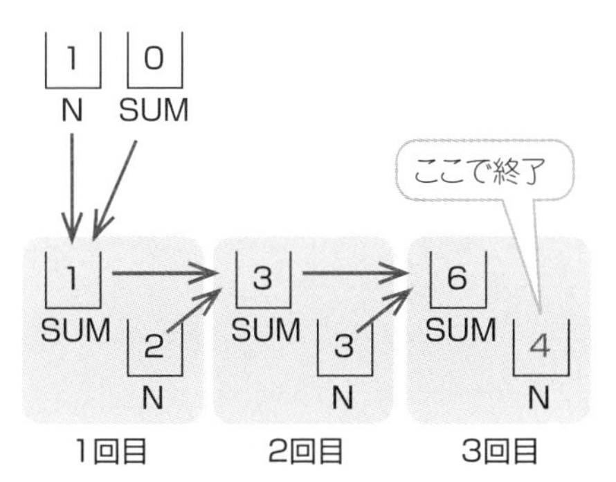

また，**アルゴリズムをたどって変数の変化を追跡すること**を**トレース**といいます。先ほどの例をトレースすると，次のようになります。

	N	SUM
初期値	1	0
1回目終了後	2	1
2回目終了後	3	3
3回目終了後	4	6

● 例2：偶数の数値の累計

次は1～100までの数値のうち，偶数の数値の累計を求めるアルゴリズムです。大きな流れは例1と同じで，変数Nを使って，100回繰り返しています。違うのは，選択の記号での分岐です。N%2＝0は，「N÷2の余りが0である」という意味で，Yesであれば，2で割り切れる偶数だと判断できるので，SUMにNを加算しています。

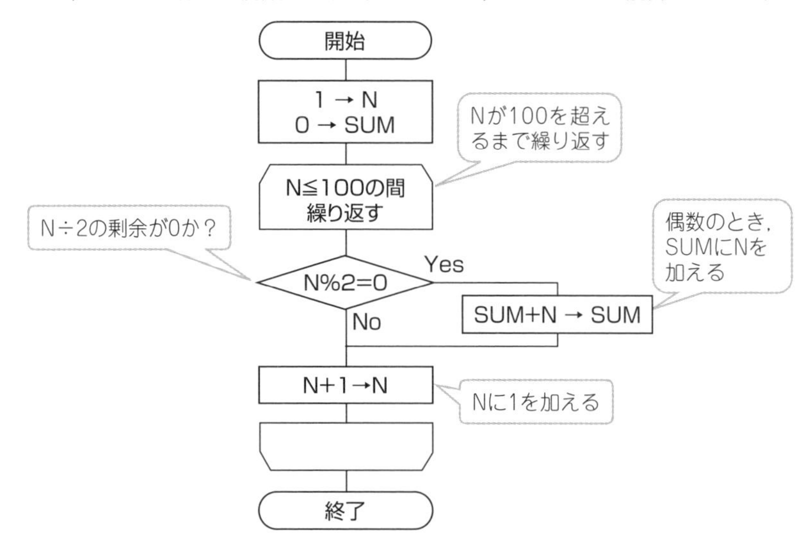

> **もっと詳しく 構造化プログラミング**
>
> 先ほどの順次・選択・繰返し構造の三つの基本構造を適切に組み合わせてプログラムを構築する手法を**構造化プログラミング**といいます。理解しやすい保守性の優れたプログラムを作成することが目的です。

データ構造

コンピュータがデータの計算や処理を効率よく行うために，あらかじめデータを扱いやすいように格納しておきますが，**データをどのような形式で格納するかを決めたもの**が**データ構造**です。アルゴリズムがレシピだとすると，データは具材で，データ構造は具材の状態です。例えば薄切り肉をハンバーグにするのは難しいですが，ひき肉なら簡単です。適切なデータ構造を使うことで，効率良く処理できます。

配列

配列は，**同じ型**(7-02参照)**のデータを，表形式で扱うデータ構造**です。配列の各要素には，先頭から1，2，3，…，と要素番号が付けられており(要素番号が0から始まる場合もあります)，例えば，下の例でAtai[3]を指定したときは，83を取り出せます。

配列 Atai[ ]　　要素番号

Atai[1]	Atai[2]	Atai[3]	Atai[4]	Atai[5]
78	60	83	58	71

要素

これは，同じ型の列車が連なり，識別するために1号車，2号車，…，と付けられているようなイメージです。

この他にも，次のようなデータ構造があります。

キュー	格納した順にデータを取り出すことができるデータ構造。この特徴を**先入先出**(FIFO：First In First Out)という
スタック	格納した順とは逆の順にデータを取り出すことができるデータ構造。この特徴を**後入先出**(LIFO：Last In First Out)という
木構造(ツリー構造)	階層の上位から下位に節点をたどることで，データを取り出すことができるデータ構造
リスト	ポインタ部とデータ部で構成され，ポインタをたどることで，データを取り出すことができるデータ構造

“くれば”で覚える

キュー　とくれば　**先入先出**
スタック　とくれば　**後入先出**

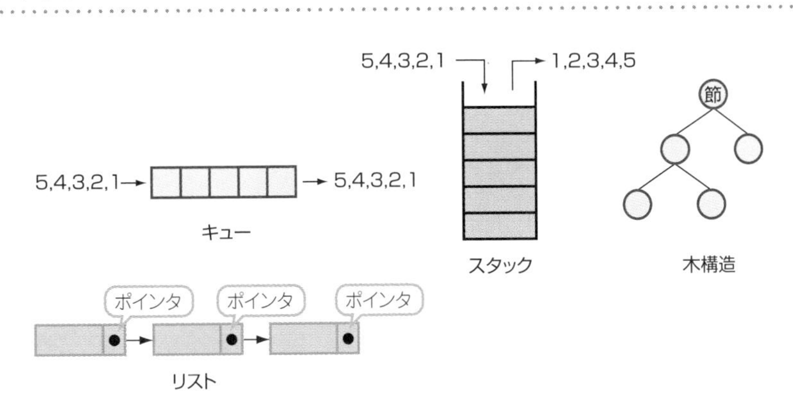

アドバイス

ITパスポート試験のアルゴリズム問題は，パズルのような頭の体操のイメージです。ちょっと時間がかかるので，本番の試験中に出くわしたら飛ばして，後で解くのもありです。

毎回必ず出るのですが，対策がしづらいところでもあります。過去問を解いておき，慣れるのが一番です。

確認問題 1　▶平成27年度春期　問59　正解率▶中　基本

プログラムの処理手順を図式を用いて視覚的に表したものはどれか。

ア　ガントチャート　　イ　データフローダイアグラム

ウ　フローチャート　　エ　レーダチャート

ガントチャートは作業内容と実施期間を帯で表す図です（8-06参照）。

データフローダイアグラム（DFD）は，業務をデータの流れに着目し表した図です（10-05参照）。

レーダチャートは，複数の項目間のバランスを見る蜘蛛の巣の形の図です。

確認問題 2　▶平成31年度春期　問71　正解率▶中　応用

図1のように二つの正の整数A1，A2を入力すると，二つの数値B1，B2を出力するボックスがある。B1はA2と同じ値であり，B2はA1をA2で割った余りである。図2のように，このボックスを2個つないだ構成において，左側のボックスのA1として49，A2として11を入力したとき，右側のボックスから出力されるB2の値は幾らか。

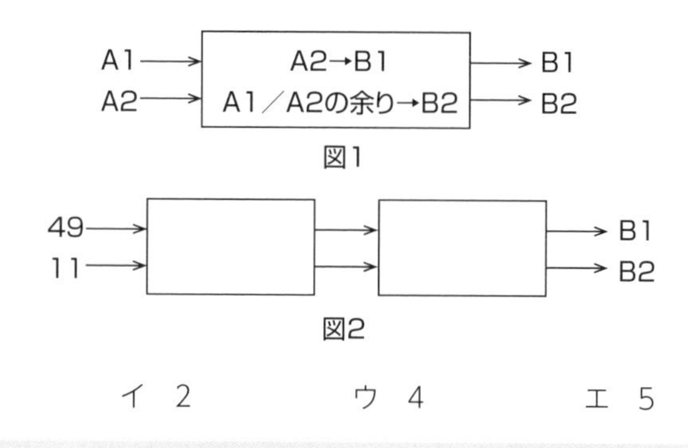

図1

図2

ア　1　　イ　2　　ウ　4　　エ　5

左のボックスA1，A2に入力し，左のボックスの出力を右のボックスにそのまま入力して最終的な出力を求めます。順に計算していくと，以下のようになります。

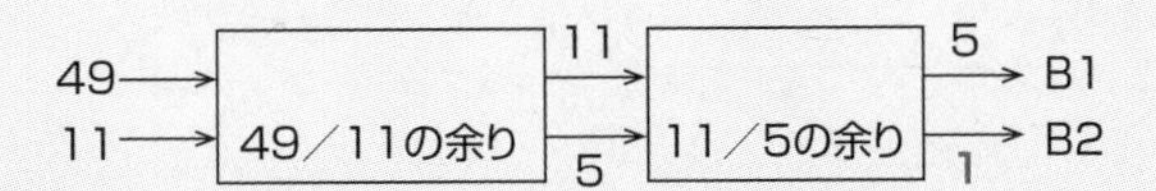

確認問題 3

▸平成28年度春期　問82　　正解率▸高　　応用

ファイルを4冊まで置くことができる机で，A～Fの6冊のファイルを使って仕事をする。机上に5冊目のファイルを置きたいときは，机上の4冊のファイルのうち，最後に参照してから最も時間が経過しているファイルを引き出しにしまうことにする。ファイルをA，B，C，D，E，C，B，D，F，Bの順で机上に置いて参照するとき，最後に引き出しにしまうファイルはどれか。

ア　A　　イ　B　　ウ　D　　エ　E

机の様子は下記のようになります。左から右に時間が経過していきます。色の文字は，そのとき参照したファイルです。網かけはその時点で最後に参照してから最も時間が経過しているファイルで，次のファイルが置けないときには置き換えられます。

⑤の時点でAが，⑨の時点でEが引き出しにしまわれます。

①	②	③	④	⑤	⑥	⑦	⑧	⑨	⑩
A	A	A	A	E	E	E	E	F	F
	B	B	B	B	B	B	B	B	B
		C	C	C	C	C	C	C	C
			D	D	D	D	D	D	D
				↓				↓	
				A				E	

確認問題 4 ‣ 令和4年度 問79 正解率 ‣ 中 応用

流れ図で示す処理を終了したとき，xの値はどれか。

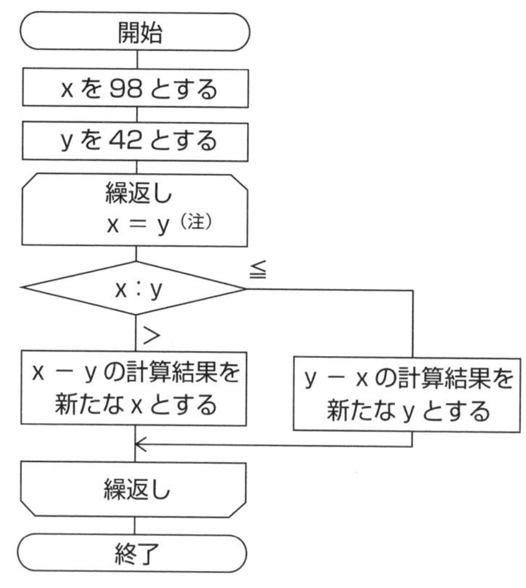

(注)ループ端の条件は，終了条件を示す。

ア 0　　イ 14　　ウ 28　　エ 56

要点解説

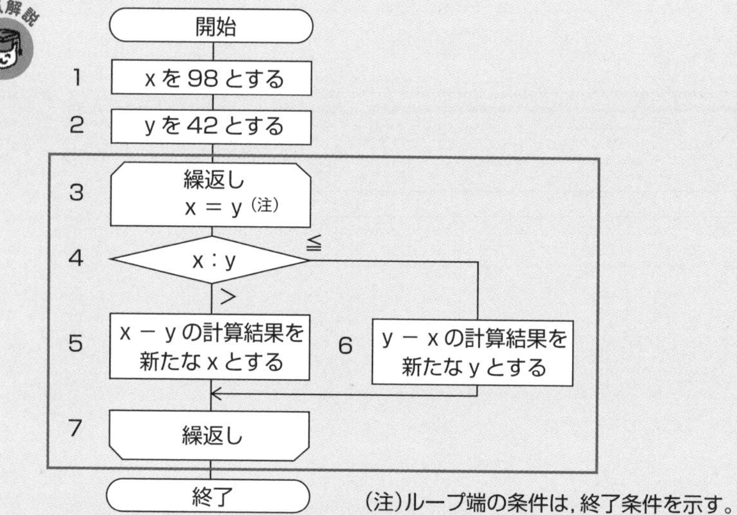

(注)ループ端の条件は，終了条件を示す。

xとyの値の変化をみながら流れ図をトレースします。ここで，繰返しは，x＝y（終了条件）を満たしたときに抜け出します。

番号	x	y	x：y
（開始）			
1	**98**		
2	98	**42**	
3	98	42	**98≠42**
4	98	42	**98＞42**
5	**56**	42	
7	56	42	
3	56	42	**56≠42**
4	56	42	**56＞42**
5	**14**	42	
7	14	42	
3	14	42	**14≠42**
4	14	42	**14＜42**
6	14	**28**	
7	14	28	
3	14	28	**14≠28**
4	14	28	**14＜28**
6	14	**14**	
7	14	14	
3	14	14	**14＝14**
7	14	14	
（終了）	**14**	14	

よって，xの値は14です。
これは，二つの数の最大公約数を求めるユークリッドの互除法というアルゴリズムです。

解答

問題1：ウ　問題2：ア　問題3：エ　問題4：イ

7-02 擬似言語

時々出 必須 超重要

イメージでつかむ

擬似言語を難しく思う人が多いですが，三つの構造をどのように組み合わせているかを見抜くことが大切です。

擬似言語

擬似言語は，プログラムの処理手順であるアルゴリズムを，実際にプログラム言語で記述する場合と近いイメージで表した記述方式です。試験では，以下のような形式が使われます（この記述形式は，試験中にも確認できます）。

記述形式	説明
○手続名または関数名	手続又は関数を宣言する。
型名: 変数名	変数を宣言する。
/* 注釈 */ または // 注釈	注釈を記述する。
変数名 ← 式	変数に式の値を代入する。
手続名または関数名 (引数, …)	手続又は関数を呼び出し，引数を受け渡す。

if (条件式1)
　処理1
elseif (条件式2)
　処理2
elseif (条件式n)
　処理n
else
　処理n + 1
endif
	選択処理を示す。
	条件式を上から評価し，最初に真になった条件式に対応する処理を実行する。以降の条件式は評価せず，対応する処理も実行しない。どの条件式も真にならないときは，処理n + 1を実行する。
	各処理は，0以上の文の集まりである。
	elseifと処理の組みは，複数記述することがあり，省略することもある。
	elseと処理n + 1の組みは一つだけ記述し，省略することもある。

while (条件式)
　処理
endwhile
	前判定繰返し処理を示す。
	　条件式が真の間，処理を繰返し実行する。

do 　処理 while (条件式)	後判定繰返し処理を示す。 　処理を実行し，条件式が真の間，処理を繰返し実行する。

for (制御記述)
　処理
endfor
	繰返し処理を示す。
	　制御記述の内容に基づいて，処理を繰返し実行する。

フローチャートと擬似言語の比較

擬似言語は，フローチャートと記述の仕方が違うだけで，特別なことをやっているわけではありません。順に考えてみましょう。

変数と型

一般的なプログラミング言語では最初に，「このような変数を使用します」と**変数の宣言**をし，その変数に代入する値の種類を，以下のような**型**として指定します。試験の擬似言語も同じです。一方，フローチャートでは変数の宣言も型の指定も省略されます。ここでも，擬似言語は，実際のプログラム言語に近い記述であることがわかります。

主な型の種類は次のとおりです。

型	説　明	例
整数型	小数点のない整数	－5，0，5
実数型	小数点を含む実数	－3.14，3.14
文字列型	文字の集まり	"ITパスポート"，"基本情報"

では，具体例でフローチャートと擬似言語を比較してみましょう。擬似言語もフローチャートと同じく，次のような順次構造，選択構造，繰返し構造の三つのパターンの組み合わせが基本です。

順次構造

処理を上から下へ順番に行う例です。擬似言語では，変数を用いるときは，変数の宣言と型の指定を行います。また，値を代入するときは，「**変数名 ← 値**」と左矢印を使って記述します。

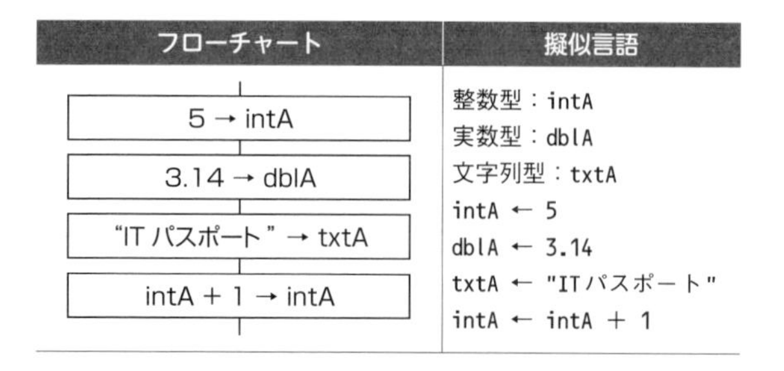

選択構造

条件に従い，処理を二つに分岐させる例です。得点(Ten)に従い，80点以上なら"合格"を，そうでなければ"不合格"を，判定(Hantei)に代入しています。

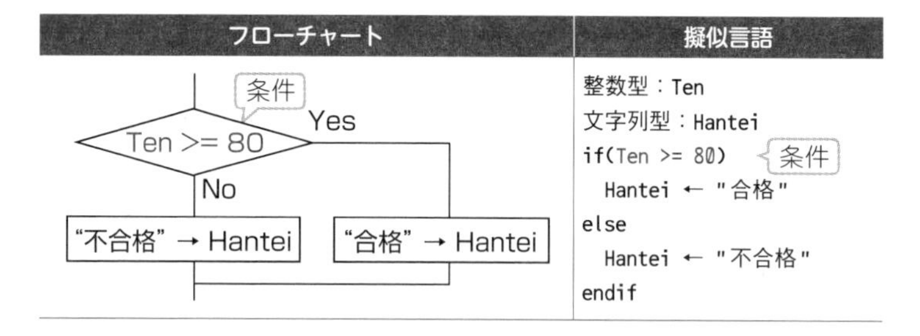

少し複雑にはなりますが，条件を追加することで，分岐を増やすこともできます。次の例では得点(Ten)に従い，80点以上なら"優"を，そうでなければ次の条件へ，60点以上なら"良"を，そうでなければ"可"を，判定(Hantei)に代入しています。

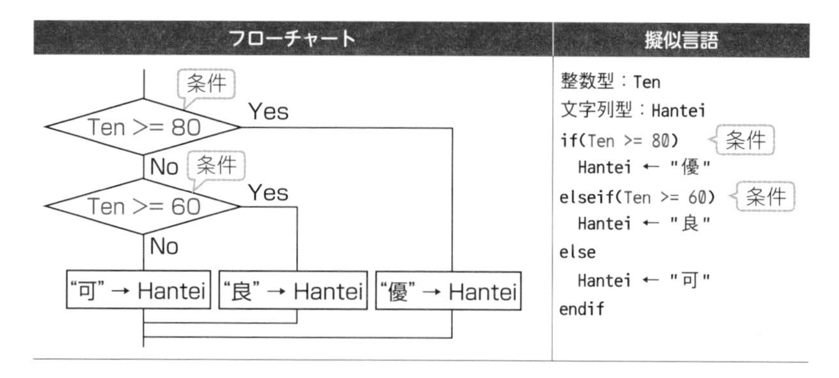

繰返し構造

次は条件に従い，同一の処理を繰り返す例を考えてみましょう。値(Atai)を1から10まで1ずつ増やしながら，その値の総和(Kei)を求めています。

繰返しの回数を数えるためには，「初期値」，「繰返しの条件」，「増分値」が必要です。ここで，繰返しの条件について「その条件を満たしている間，処理を繰り返す」ことに注意しましょう（「条件を満たしたら終了」ではない）。

試験で出題される疑似言語は行数が少ないので，繰返しが出てきた場合は，まず「どこからどこまでを繰り返しているのか」，「何回繰り返しているのか」，「その繰り返しの中でどのような処理をしているのか」と頭の中で展開していくとわかりやすくなります。次の例では，赤字の箇所で繰返しの制御をしている中で，1から10までの総和を求めています。

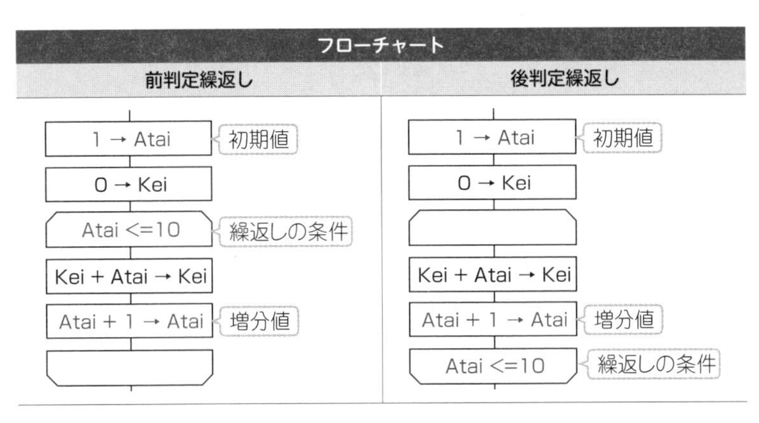

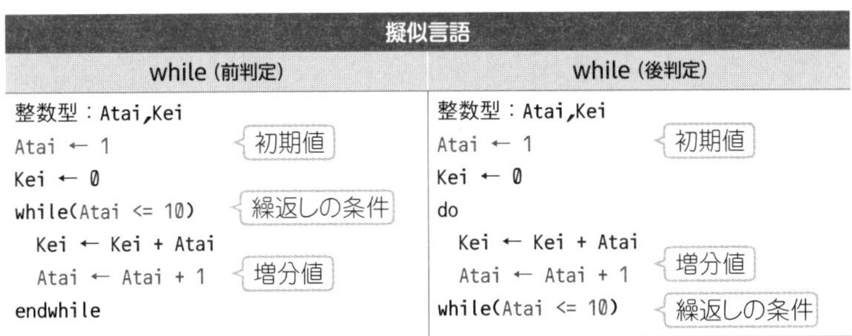

擬似言語	
while（前判定）	**while（後判定）**

整数型：Atai,Kei
Atai ← 1　（初期値）
Kei ← 0
while(Atai <= 10)　（繰返しの条件）
　Kei ← Kei + Atai
　Atai ← Atai + 1　（増分値）
endwhile
	整数型：Atai,Kei
	Atai ← 1　（初期値）
	Kei ← 0
	do
	　Kei ← Kei + Atai
	　Atai ← Atai + 1　（増分値）
	while(Atai <= 10)　（繰返しの条件）

また，whileを用いた繰返しを，forを使って書き換えることもできます。

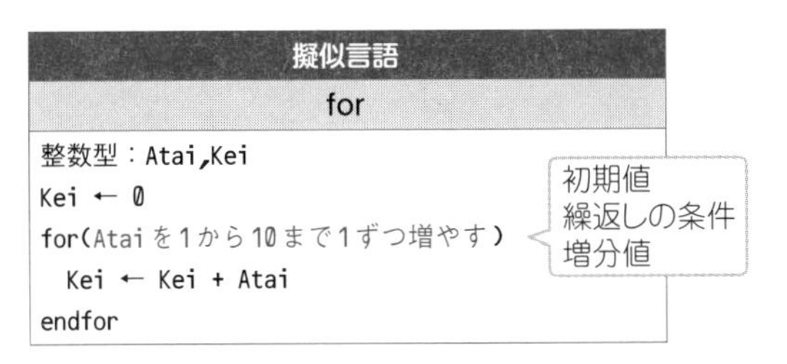

擬似言語

for

```
整数型：Atai,Kei
Kei ← 0
for(Atai を1から10まで1ずつ増やす)
  Kei ← Kei + Atai
endfor
```

（初期値　繰返しの条件　増分値）

次の例は，7-01の例2のフローチャートと同じアルゴリズムを擬似言語で書いたものです。

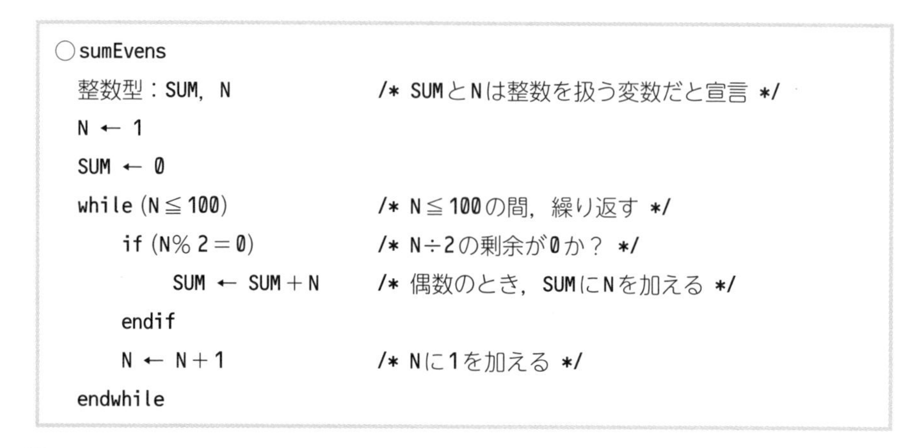

```
○sumEvens
  整数型：SUM, N             /* SUMとNは整数を扱う変数だと宣言 */
  N ← 1
  SUM ← 0
  while (N ≦ 100)            /* N≦100の間，繰り返す */
      if (N % 2 = 0)         /* N÷2の剰余が0か？ */
          SUM ← SUM + N      /* 偶数のとき，SUMにNを加える */
      endif
      N ← N + 1              /* Nに1を加える */
  endwhile
```

配列を使った処理

試験では，配列を使った問題も出題されています。配列は同じ型の列車がつながっているとイメージしましょう。その列車は，識別するための1号車，2号車，…と番号が付けられています。

次の例の配列Ataiでは識別するために，[ ]で番号が付けられています。その番号は要素番号と呼ばれています。Atai[1]からAtai[5]の列車が連なっているイメージです。

では，Atai[1]からAtai[5]に初期値として次の値が格納されている状態で，その総和を求めてみましょう。

配列 Atai[ ]

Atai[1]	Atai[2]	Atai[3]	Atai[4]	Atai[5]
78	60	83	58	71

擬似言語

```
Kei ← 0
Kei ← Kei + Atai[1]
Kei ← Kei + Atai[2]
        ≀
Kei ← Kei + Atai[5]
```

確かにこれでも目的は果たせるのですが，繰返しを使えばもっとシンプルに記述できます。配列と繰返しは相性が抜群に良いです。

ここで，「変数の宣言」と「初期値の設定」をまとめて記述することもできます。

さらに整数型の配列Ataiに，初期値として次の値を格納しておくことを，整数型：Atai[ ] ← {78,60,83,58,71}と記述できます。

では配列と繰返しを組み合わせた例を見てみましょう。

擬似言語	
while（前判定）	for

整数型：cnt ← 1，Kei ← 0
整数型：Atai[ ] ← {78,60,83,58,71}
while(cnt <= 5)
　Kei ← Kei + Atai[cnt]
　cnt ← cnt + 1
endwhile
	整数型：cnt，Kei ← 0
	整数型：Atai[ ] ←{78,60,83,58,71}
	for(cntを1から5まで1ずつ増やす)
	　Kei ← Kei + Atai[cnt]
	endfor

このように，同じ結果を得るのにいろいろな書き方があります。大量のデータを処理するプログラムの場合，書き方を変えると処理速度が改善することもよくあります。

関数

あるプログラムから別の関数を呼び出す問題も出題されています。**関数**は，**与えられた値をもとに，関数内の定められた処理を実行して，その結果を返す機能をもったもの**です。これは，表計算の関数と同じイメージです。例えば，合計関数は合計（引数）という形式で呼び出し，呼び出された合計関数は与えられた引数をもとに合計値を求め，その結果を返す機能を持っています。このときに，呼び出される関数に渡す値は**引数**（ひきすう），呼び出し元に返す値は**戻り値**（もどりち）（**返り値**（かえりち））と呼ばれています（引数や戻り値がない場合もあります）。次の例は，引数を5倍にして戻り値を返す関数のイメージです。

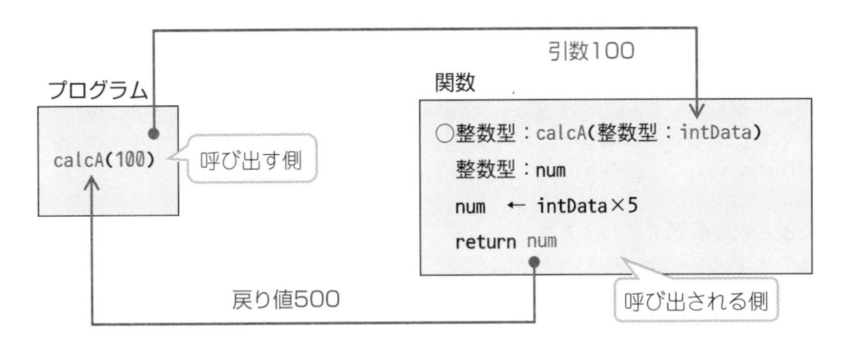

アドバイス［すぐに理解できなくても大丈夫］

ITパスポートの試験範囲の中でも，最難関の分野がアルゴリズムや擬似言語です。2022年4月から，毎回2～3問程度必ず出題されるようになりました。

どうしても苦手であれば，この種の問題は避け，他で点数を稼いで合格するという手段もあります。しかし，どんなプログラミング言語でも，順次・選択・繰返しで組み立てていくところは同じです。ここで基礎を身に付けておけば，日常のちょっとした仕事を自動化するヒントになりますし，将来，上位試験である基本情報技術者へのステップアップにもつながります。

一度に全部理解できなくても大丈夫です。時間をあけて，また戻ってきてみてください。

攻略法…… 擬似言語攻略のポイント

●プログラムのトレース能力は必須！

試験で正解を得るためには，トレース能力が必須です。具体的な値を想定して，プログラム中の変数がどのように変化していくかを順に追跡しながら確かめる場合が多くあります。トレースは，最初は時間がかかるかもしれませんが，継続していけば着実に力が付いていきます。

●問題中の具体例は，出題者から「これを使って解きなさい」というメッセージ

問題中に図などを入れて，具体例を示してくれる場合があります。これは，問題の出題者から「これを使って解きなさい」というメッセージです。出題者は，問題の記述だけでは解くことが難しいのではと判断して，図を入れることで問題をわかりやすくしてくれています。もし具体例がない問題は，問題の趣旨に沿った具体例を自分で想定してみましょう。具体例を作ることで，イメージしやすくなり，問題がやさしくなります。自分なりに図を書いてみることも良い方法です。

●空欄を埋めるタイプは，選択肢をヒントにする

プログラムを1行ずつ見ていっても，どんな処理が行われるのか見当が付かないことがよくあります。しかし，選択式なので必ず選択肢があります。具体的な値を使って変数の変化を見ながら，選択肢をあてはめ，「あるべき値」になるかどうかを見極めます。

●よく使われる英語を知っておく

変数名や関数名によく使われる単語を知っておくと，わかりやすくなります。

array→配列　binary→2進数　digit→桁　exponent→指数
integer→整数　num→番号　string→文字列

確認問題 1

▸令和6年度　問62　　正解率▸中　　応用

関数convertは，整数型の配列を一定のルールで文字列に変換するプログラムである。関数convertをconvert(arrayInput)として呼び出したときの戻り値が"AABAB"になる引数arrayInputの値はどれか。ここで，arrayInputの要素数は1以上とし，配列の要素番号は1から始まる。

〔プログラム〕

```
○文字列型: convert（整数型の配列: arrayInput）
  文字列型: stringOutput ← "" //空文字列を格納
  整数型: i
  for（i を 1 から arrayInput の要素数まで 1 ずつ増やす）
    if（arrayInput[i] が 1 と等しい）
      stringOutput の末尾に "A" を追加する
    else
      stringOutput の末尾に "B" を追加する
    endif
  endfor
  return stringOutput
```

ア {0, 0, 1, 2, 1}　　イ {0, 1, 2, 1, 1}
ウ {1, 0, 1, 2, 0}　　エ {1, 1, 2, 1, 0}

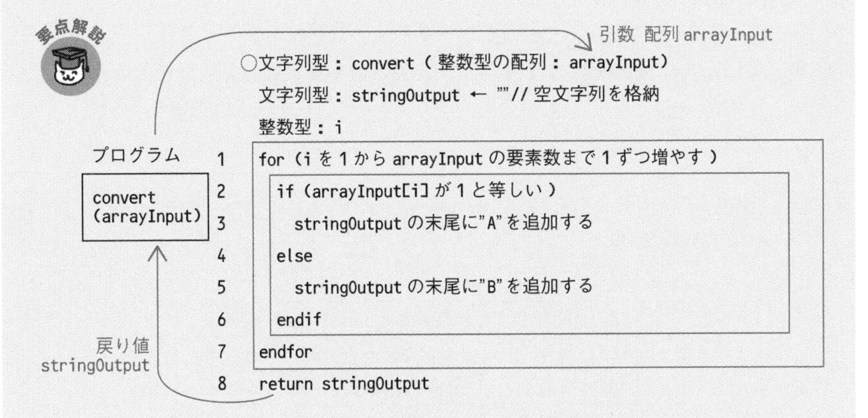

関数convertは，あるプログラムから呼ばれると同時に配列arrayInputを引数として渡され，処理を行った後，stringOutputを戻り値として返します。
配列arrayInputは次のようなイメージです。要素数は5です。

	1	2	3	4	5
arrayInput					

【1行目～7行目】
for文を使って，iを1からarrayInputの要素数の5まで1ずつ増やしながら，つまり5回繰り返しながら判定を行います。

【2行目～6行目】
5回繰り返す中で，if文を使ってarrayInput[1]から順に，1と等しいならば"A"を，そうでなければ"B"を末尾に追加しています。

【8行目】
戻り値stringOutputを返しています。

ここまでの関数convertの働きをまとめると，元の配列を頭から「1ならA，1以外ならB」に変換しています。変換後に「AABAB」になるのは，元の配列が「1 1 ? 1 ?」のときです。これに当てはまるのはエです。

確認問題 2

▸ 令和6年度　問85　　正解率 ▸ 低　　応用

関数binaryToIntegerは，1桁以上の符号なし2進数を文字列で表した値を引数binaryStrで受け取り，その値を整数に変換した結果を戻り値とする。例えば，引数として"100"を受け取ると，4を返す。プログラム中のa，bに入れる字句の適切な組合せはどれか。

〔プログラム〕

```
○整数型: binaryToInteger（文字列型: binaryStr）
  整数型: integerNum, digitNum, exponent, i
  integerNum ← 0
  for（i を 1 から binaryStr の文字数まで 1 ずつ増やす）
    digitNum ← binaryStr の末尾から i 番目の文字を整数型に変換した値
                                    // 例: 文字"1"であれば整数値1に変換
    exponent ← [ a ]
    integerNum ← [ b ]
  endfor
  return integerNum
```

	a	b
ア	(2のi乗)−1	integerNum × digitNum × exponent
イ	(2のi乗)−1	integerNum ＋ digitNum × exponent
ウ	2の(i−1)乗	integerNum × digitNum × exponent
エ	2の(i−1)乗	integerNum ＋ digitNum × exponent

要点解説

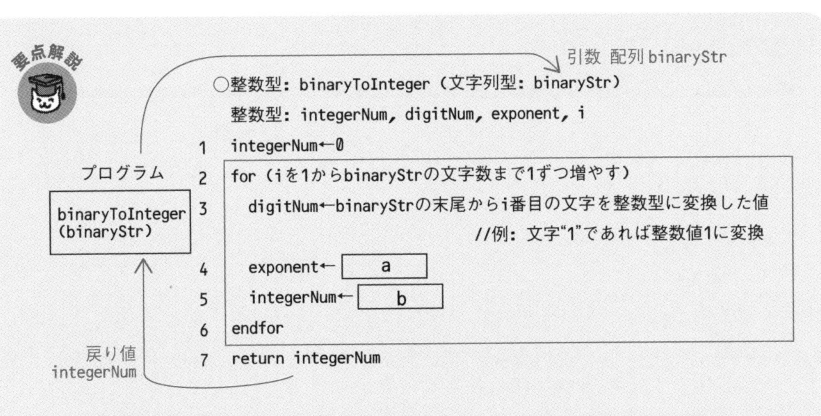

関数binaryToIntegerは，あるプログラムから呼ばれると同時に配列binaryStrを引数として渡され，処理を行った後，integerNumを戻り値として返します。

引数として"100"が渡されたときの配列binaryToIntegerは，右のようなイメージです。要素数は3です。

	1	2	3
binaryToInteger	1	0	0

右のように10進数に変換しています。2進数から10進数への基数変換は各桁に2進数の重みをかけて足して求めます(1-09参照)。

2進数	1	0	0	
	×	×	×	
2進数の重み	2^2	2^1	2^0	
10進数	4＋	0＋	0＝	**4**

【2行目～6行目】

for文を使って，iを1からbinaryStrの要素数の3まで1ずつ増やしながら，つまり3回繰り返しながら2進数に変換します。

【4行目】

3回繰り返す中で，選択肢から判断して下位桁から処理しています。exponentには2進数の各桁の重みが格納されていきます。

繰り返し	1回目時点 (i＝1)		
digitNum	1	0	0
exponent	2^2	2^1	**2^0**

2回目時点 (i＝2)		
1	0	0
2^2	**2^1**	2^0

3回目時点 (i＝3)		
1	0	0
2^2	2^1	2^0

aは，2の(i－1)乗です。

【5行目】

3回繰り返す中で，2進数の各桁(digitNum)に，4行目で求めた2進数の重み(exponent)を掛けて，integerNumに合計していきます。

繰り返し	1回目時点		
digitNum	1	0	**0**
	×	×	×
exponent	2^2	2^1	**2^0**
integerNum	0←0＋**0**×**1**		

2回目時点		
1	**0**	0
×	×	×
2^2	**2^1**	2^0
0←0＋**0**×**2**		

3回目時点		
1	0	0
×	×	×
2^2	2^1	2^0
4←0＋**1**×**4**		

bは，intgerNum＋digitNum×exponent

よって，エです。

確認問題 3 ▸令和5年度 問60 正解率▸中 応用

手続printArrayは，配列integerArrayの要素を並べ替えて出力する。手続printArrayを呼び出したときの出力はどれか。ここで，配列の要素番号は1から始まる。

〔プログラム〕

```
○printArray()
  整数型: n, m
  整数型の配列: integerArray ← {2, 4, 1, 3}
  for (nを1から(integerArrayの要素数−1)まで1ずつ増やす)
      for (mを1から(integerArrayの要素数−n)まで1ずつ増やす)
          if (integerArray[m] > integerArray[m + 1])
            integerArray[m]とintegerArray[m + 1]の値を入れ替える
          endif
      endfor
  endfor
  integerArrayの全ての要素を先頭から順にコンマ区切りで出力する
```

ア 1, 2, 3, 4　　イ 1, 3, 2, 4

ウ 3, 1, 4, 2　　エ 4, 3, 2, 1

要点解説 配列と二重の繰返し（繰返しの中に繰返しがある）の問題です。**配列**は，**要素番号を用いてデータを取得するデータ構造**です。

〔プログラム〕

```
1  ○printArray()
2    整数型: n, m
3    整数型の配列: integerArray ← {2, 4, 1, 3}
4    for (nを1から(integerArrayの要素数−1)まで1ずつ増やす)
5      for (mを1から(integerArrayの要素数−n)まで1ずつ増やす)
6        if (integerArray[m] > integerArray[m + 1])
7          integerArray[m]とintegerArray[m + 1]の値を入れ替える
8        endif
9      endfor
10   endfor
11   integerArrayの全ての要素を先頭から順にコンマ区切りで出力する
```

2行目：繰返しの回数をカウントする変数nと変数mを用意します。
3行目：配列integerArrayを用意し，初期値として{2,4,1,3}を代入します。配列integerArrayの要素数は4です。

integerArray

2	4	1	3
[1]	[2]	[3]	[4]

要素数4

ここで，integerArrayの要素数が4なので，4行目～10行目で，変数nを，1，2，3まで変化させながら3回繰り返す中で，5行目～9行目で，変数mを，1から変数nまで変化させながら繰り返す，二重の繰返しになっています。この二重の繰り返しの中で変数nと変数mがどのように変化していくのかがポイントです。6行目の時点の変数nと変数mの値は，次のようになります。

繰返し	変数n		変数m
6行目（1回目）	1	変数n＝1の状態で，6行目～9行目を3回繰り返す	**1**
6行目（2回目）	1		**2**
6行目（3回目）	1		**3**
6行目（4回目）	2	変数n＝2の状態で，6行目～9行目を2回繰り返す	**1**
6行目（5回目）	2		**2**
6行目（6回目）	3	変数n＝3の状態で，6行目～9行目を1回繰り返す	**1**

二重の繰返し中の変数の変化がややこしいので確認しましょう。このようなイメージです。

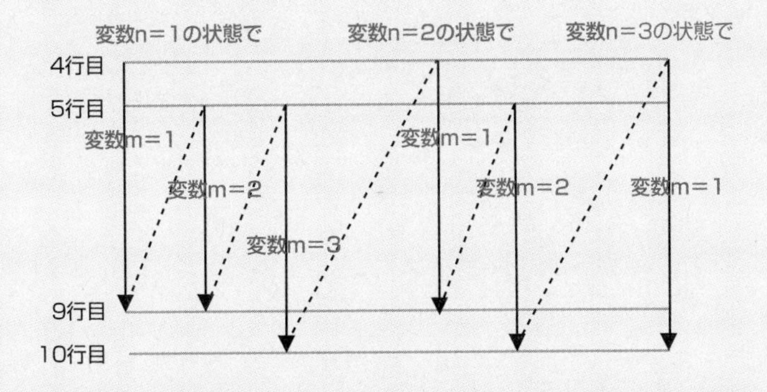

では，6行目と7行目を具体的に見ていきましょう。

●n＝1の状態で

・m＝1のとき

6行目（繰返し1回目）：integerArray[1]＞integerArray[2]は，2＞4なので偽となり

7行目（繰返し1回目）：値の入替えはありません。

integerArray

2	4	1	3
[1]	[2]	[3]	[4]

・m＝2のとき

6行目（繰返し2回目）：integerArray[2]＞integerArray[3]は，4＞1なので真となり

7行目（繰返し2回目）：integerArray[2]とintegerArray[3]の値を入れ替えます。

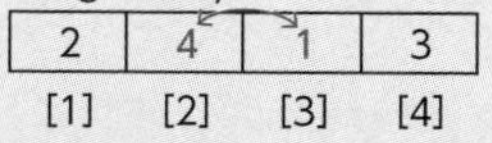

・m＝3のとき

6行目（繰返し3回目）：integerArray[3]＞integerArray[4]は，4＞3なので真となり

7行目（繰返し3回目）：integerArray[3]とintegerArray[4]の値を入れ替えます。

integerArray

2	1	4	3
[1]	[2]	[3]	[4]

●n＝2の状態で

・m＝1のとき

6行目（繰返し4回目）：integerArray[1]＞integerArray[2]は，2＞1なので真となり

7行目（繰返し4回目）：integerArray[1]とintegerArray[2]の値を入れ替えます。

integerArray

2	1	3	4
[1]	[2]	[3]	[4]

・m＝2のとき

6行目（**繰返し5回目**）：integerArray[2]＞integerArray[3]は，2＞3なので偽となり

7行目（**繰返し5回目**）：値の入替えはありません。

integerArray

1	2	3	4
[1]	[2]	[3]	[4]

●n＝3の状態で

・m＝1のとき

6行目（**繰返し6回目**）：integerArray[1]＞integerArray[2]は，1＞2なので偽となり

7行目（**繰返し6回目**）：値の入替えはありません。

integerArray

1	2	3	4
[1]	[2]	[3]	[4]

11行目：配列integerArrayの全ての要素を先頭から順にコンマ区切りで出力します。

integerArray

1	2	3	4
[1]	[2]	[3]	[4]

このプログラムは，要素の値を小さい値から大きい値へ並べ替えています。
よって，アです。

解答

問題1：エ　　問題2：エ　　問題3：ア

7 03 プログラム言語とマークアップ言語

時々出 **必須** 超重要

イメージでつかむ

世界には，日本語や英語，フランス語などのように多くの言語があります。
プログラム言語にも，多くの言語があります。

プログラム言語

プログラム言語は，**コンピュータに対して一連の処理手順を与えるために作られた言語**です。次のような種類がありますが，0と1だけで構成される機械語に近い**低水準言語**と，英語のような人の言葉に近い**高水準言語**に分類されます。

	種 類	特 徴
低水準言語	アセンブラ	機械語とほぼ1対1に対応した命令で表す
高水準言語	C言語	ハードウェアの制御に適している。OSや組込みシステム，IoTの開発などに用いられる
	C++（シープラスプラス）	C言語にオブジェクト指向（後述）の考えを取り入れる
	Java（ジャバ）	オブジェクト指向型の言語。様々なアプリケーションの開発に用いられる。「Java仮想マシン」と呼ばれる環境で動作し，ハードウェアやOSが異なっても動作する
	Python（パイソン）	オブジェクト指向型のスクリプト言語。AIや機械学習の開発などに用いられる
	R	統計分析やデータの可視化に特化した言語
	Go	Googleが開発したプログラミング言語。文法が簡潔でわかりやすく，軽量な並列処理ができる

もっと詳しく（手続き型・オブジェクト指向型）

手続き型のプログラム言語は，一連の処理手順を「手続き」として記述し，その手続きに「データ」を読み込んで処理します。一方，**オブジェクト指向型**のプログラム言語は，「手続き」と「データ」を一体化した（**カプセル化**という）**オブジェクト**を作成し，様々なオブジェクトを部品化して組み合わせて処理します。C++，Java，Pythonなどは，オブジェクト指向型のプログラム言語です。

機械語への翻訳

ソースコードは，**プログラム言語を用いてコンピュータに与える命令を記述したもの**です。ソースコードは，人は理解できますが，このままではコンピュータは理解することができないので，次のような翻訳ソフトを用いて，コンピュータが理解できる機械語に変換します。

インタプリタ	ソースコードを1命令ずつ翻訳して実行するソフトウェア
コンパイラ	ソースコードを一括して翻訳するソフトウェア （さらに，**ロードモジュール**と呼ばれる実行可能な機械語に変換してから実行される）

これは，英語から日本語に通訳するときに行われる，同時通訳と逐次（ちくじ）通訳の違いのようなイメージです。

もっと詳しく（ノーコード・ローコード）

最近は，ソースコードを全く記述せずにアプリケーションを開発する**ノーコード**と，ソースコードをできる限り少なくしてアプリケーションを開発する**ローコード**が，注目されています。プログラミングの知識がなくても，テンプレート（ひな形）や部品，機能などを組み合わせることで，必要なアプリケーションが迅速に作成できると期待されています。

マークアップ言語

マークアップ言語は，**<>で囲まれたタグを用いて，文章構造を表現する言語**です。Markupは，「タグをつける」という意味です。文書の電子化を目的に開発された**SGML**（Standard Generalized Markup Language）は，次のXMLやHTMLの基となったマークアップ言語です。ISOの国際規格に制定されています。

XML

XML（Extensible Markup Language）は，**データの意味がわかるように，独自にタグを定義できるマークアップ言語**です。Extensibleは，「拡張できる」という意味です。取引データの起票や，アプリケーション間でのデータ交換用として用いられています。

> **知っ得情報（JSON）**
>
> **JSON**（JavaScript Object Notification）は，JavaScript（後述）と名前はついていますが，現在は様々なプログラム言語でサポートされ，異なるプログラム間でのデータ交換用として用いられています。XMLと同様にテキスト形式で可読性が高く，XMLと比べて通信時のデータ量を削減できます。

HTML

HTML（Hyper Text Markup Language）は，**Webページを作成するためのマークアップ言語**です。画像や音声，ビデオや，ほかの文書の参照情報（**ハイパーリンク**）などを含むページを表現できます。HTMLの記述が同じでも，利用するWebブラウザによってWebページの表示が異なる場合があるので，それぞれの表示具合を確かめながら記述する必要があります。

さらに，Webブラウザに**プラグイン**（**アドイン**）と呼ばれるソフトウェアを組み込むことで，機能を追加できます。最新のHTML規格では，プラグインなしで動画などのマルチメディアの再生ができます。

> **"くれば"で覚える**
>
> **HTML**　とくれば　**Webページを作成するマークアップ言語**

> **もっと詳しく（JavaScript）**
>
> **JavaScript**は，HTMLに組み込み，Webブラウザ上で実行される言語です。ボタンのクリックでメッセージを出すなどの動的に変化するWebサイトを作成できます。なお，名前は似ていますが，Javaとは互換性はありません。

CSS

CSS (Cascading Style Sheets) は，**Webページの見栄えをデザインするスタイルシート言語**です。文字の大きさや色，フォント，配置などが指定でき，**スタイルシート**とも呼ばれます。

例えば，HTMLで「ここは表題」，「ここは見出し」，「ここは本文」のように文章構造だけを指定し，CSSで「表題は青文字」，「見出しは太字」，「本文の背景は水色」と指定することで，文章構造とデザインを分離できます。Webサイトは，多くのHTMLファイルから構成されているので，デザインの統一や変更がしやすくなります。また，スマートフォンなどでWebサイトを見る人も多くなっていますが，CSSを活用することで，端末の画面サイズに応じて最適に表示されるように自動調整できます。これを**レスポンシブデザイン**といい，PC用サイトとモバイル用サイトを別々に作る必要がありません。

HTMLファイル

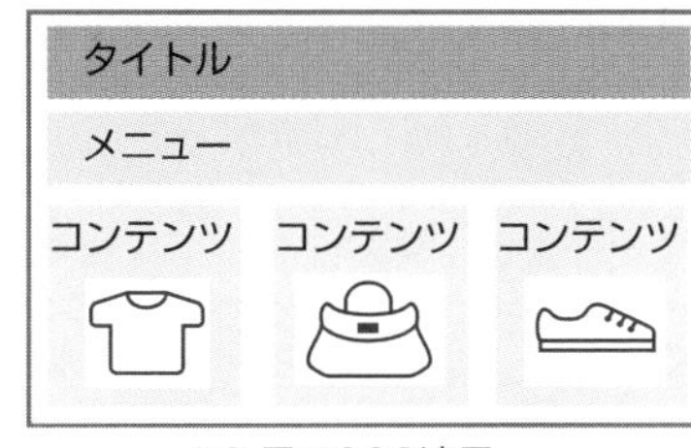

PC 用のCSS適用

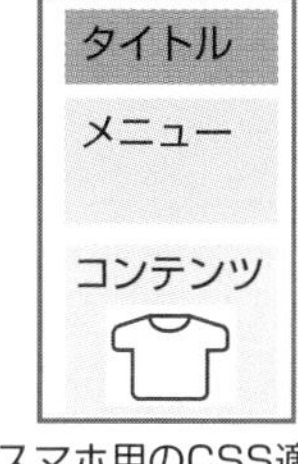

スマホ用のCSS適用

現在のWebページは，内容を表すHTMLと，見た目を担当するCSS，そして動きを担当するJavaScriptの三つの要素で構成されています。

知っ得情報 Webサイトの更新情報

RSS (Rich Site Summary) は，Webサイトの更新情報の要約や見出しなどを簡単に配信できるXMLベースの文書形式です。RSSリーダと呼ばれるソフトウェアや，RSSに対応したWebブラウザを使えば，指定したWebサイトの新着情報として容易に入手できます。Webサイトが更新されたかをチェックする手間が省けます。さらに新しいATOM（アトム）という形式もあります。

確認問題 1　▸令和6年度　問88　正解率▸中　基本

JavaScriptに関する記述として，適切なものはどれか。

ア　Webブラウザ上に，動的な振る舞いなどを組み込むことができる。
イ　Webブラウザではなく，Webサーバ上だけで動作する。
ウ　実行するためには，あらかじめコンパイルする必要がある。
エ　名前のとおり，Javaのスクリプト版である。

JavaScriptはHTMLに組み込んでWebブラウザ上で実行され，動的なWebサイトを作成できます。インタプリタの言語で，Javaとは別物です。

確認問題 2　▸令和4年度　問88　正解率▸高　基本

IoTデバイスで収集した情報をIoTサーバに送信するときに利用されるデータ形式に関する次の記述中のa，bに入れる字句の適切な組合せはどれか。

［ a ］形式は，コンマなどの区切り文字で，データの区切りを示すデータ形式であり，［ b ］形式は，マークアップ言語であり，データの論理構造を，タグを用いて記述できるデータ形式である。

	a	b
ア	CSV	JSON
イ	CSV	XML
ウ	RSS	JSON
エ	RSS	XML

CSVはデータの各項目をコンマで区切られた形式（2-04参照）で，XMLはマークアップ言語です。RSSはWebサイト更新情報の要約や見出しなどを簡単に配信できる形式で，JSON（ジェイソン）は異なるプログラム間でのデータ交換用の形式です。

解答

問題1：ア　　問題2：イ

第8章

マネジメント

【マネジメント系】

8-01 企画・要件定義プロセス

時々出　必須　超重要

イメージでつかむ

家を建てるとき，車を購入するときは，複数の業者から見積りをとり，最終的には1社に決めます。システムを開発するときも，まずは複数の見積りをとります。

ソフトウェアライフサイクルプロセス

ソフトウェアライフサイクルプロセス（SLCP：Software Life Cycle Process）は，**ソフトウェアの企画・要件定義・開発・運用・保守までの一連の活動**をいいます。試験では，次の五つのプロセスが出題されます。

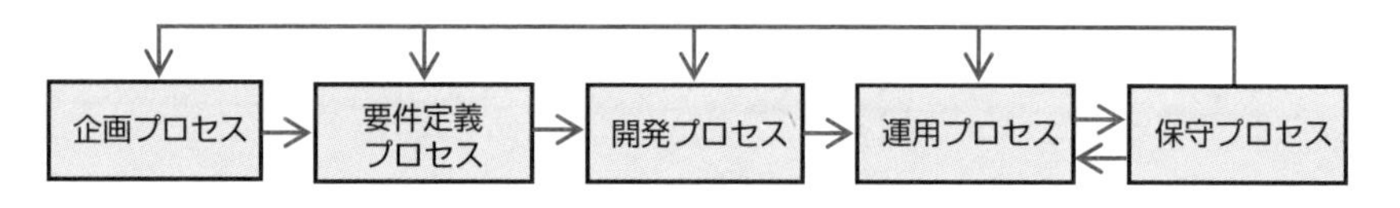

なお，8-01節から8-04節は，次の場面を想定して説明します。

依頼元（利用者）

経営層
↕
情報システム部門
↕
利用部門

←→

依頼先（開発者）

ベンダ

システムを開発する外部の事業者

システムの利用者

共通フレーム

ソフトウェアライフサイクルプロセスにおいて，同じ用語でありながら利用者と開発者の間で微妙な意味の取り違いからズレが生じ，システム開発に大きな影響を与えてしまうことがあります。そこで，システム開発に関係する人たちが「同じ言葉」で話せるように，**共通の物差しとなるガイドライン**（**共通フレーム**という）を作り，各プロセスにおける用語や作業内容を明確にしています。

企画プロセス

企画プロセスは，**情報システム全体の構想や計画を策定するプロセス**です。導入するシステムは，経営のニーズに基づいたものであることが重要です。

システム化構想	経営上のニーズや課題を確認する。業務と情報システムの将来像を明確にした上で，全体最適化を図る
システム化計画	システム化の基本方針を策定する。管理体制や開発スケジュール，概算コスト，費用対効果などを検討する

これは家を建てるときの初期段階で，「家を建てる必要がある？」「いつ建てるの？」「どれくらいのお金がいるの？」と考えるようなイメージです。

もっと詳しく（費用対効果）

ROI（Return on Investment）は，投資額に対する利益の割合を表した指標です。ROI（%）＝利益÷投資額×100で求めます。この指標により，投資額がどの程度効率的に利益を生み出しているかを把握でき，この数値が高いほど投資額が効果的に活用されていると判断します。情報システムの開発計画を立てる際にも費用対効果を考えることが重要です。

要件定義プロセス

要件定義プロセスは，**情報システムの機能や性能を明確にするプロセス**です。導入するシステムは，利用者を含めた利害関係者のニーズに基づいたものであることが重要です。

要件定義には，次のようなものがあります。

業務要件定義		日々の業務に必要な要件。業務手順，関係する組織の責任や権限など
システム要件	**機能要件定義**	システムに必要な機能。必要なデータ項目，処理内容，ユーザインタフェースなど
	非機能要件定義	システムに必要な性能。応答時間，稼働時間，セキュリティなど

これは家を建てることが現実になってくると，住む人の立場から「どのような家を建てるの？」「間取りはどうするの？」と考えるようなイメージです。

調達

システム化が決まると，システム開発を担当するベンダを選定し，契約を結びます。

これは家を建てることが決まると，複数の業者から見積りをとり，「どの業者に頼むの？」と考えるようなイメージです。

ベンダとの契約締結までの流れは，次のようになります。様々な情報や書類をやり取りし，最終的にはあらかじめ設定しておいた評価基準を用いて，提案内容を比較してベンダを選定します。

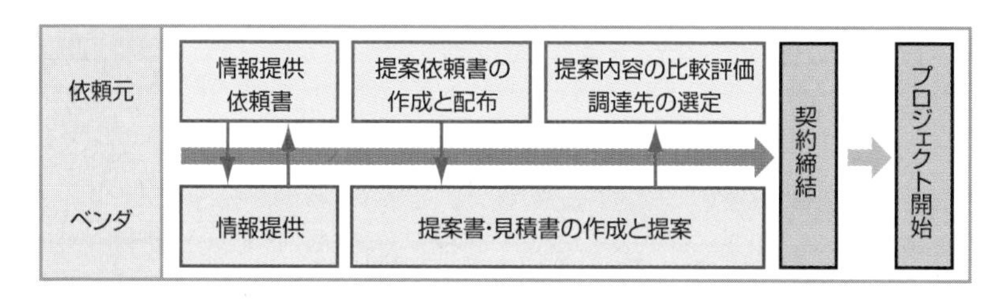

次のような書類がやり取りされます。

RFI（情報提供依頼書）(Request For Information)	システム化の目的や業務の概要を提示し，ベンダの実績や開発方法，情報技術動向などの情報提供を依頼する文書。依頼元からベンダへ渡す
RFP（提案依頼書）(Request For Proposal)	導入するシステムの基本方針や概要，実現すべき機能，調達条件などを提示し，提案書の提出を依頼する文書。依頼元からベンダへ渡す
提案書	RFPを基に，開発体制やシステム構成，開発手法などを提案する文書。ベンダから依頼元へ渡す
見積書	システムの開発や運用・保守などにかかる費用を提示する文書。ベンダから依頼元へ渡す

RFIとRFPが紛らわしいわりに頻出です。RFIは「最近の住宅の建材や設備はどんなものがあるか情報がほしい」と依頼するイメージ，RFPは「三階建てで二世帯住宅にしたいから間取りなどの提案がほしい」と依頼するイメージです。

“くれば”で覚える

RFI　とくれば　**ベンダに対して，情報提供を依頼する文書**
RFP　とくれば　**ベンダに対して，提案書の提出を依頼する文書**

システム開発が終わると，「システムが完成したので納めます」という意味の**納品書**や，「注文通りのものを確かに受け取りました」という意味の**検収書**，そして請求書が交わされます。

知っ得情報

NDA (Non-Disclosure Agreement) は，秘密保持契約です。企業間でお互いに知り得た相手の秘密情報の守秘義務について契約したものです。システム開発では再委託先も含め，秘密保持契約を結んでおくことが重要です。

重み付け評価

各ベンダから提案書が提出されたあと，どのベンダに依頼するかを決定するときなどによく用いられるのが重み付け評価です。項目ごとの評価点に重みを掛け合わせて評価します。

図の例では，A社の金額の評価点は3×2＝6となります。合計するとA社の評価点が高くなります。

評価項目	重み	A社	B社
金額	3	2	3
内容	4	3	2
実績	1	1	1
評価点	−	**19**	**18**

知っ得情報 （一般競争入札）

国や地方自治体などで物品や役務を調達するときには，原則として入札が行われています。そのうちの一つである**一般競争入札**は，入札情報を広報やホームページなどに公示した上で，一定の参加資格を有する者から，最も安い有利な条件を提示した入札者と契約する方式です。

確認問題 1 ▸令和5年度 問32　正解率▸中　**基本**

新システムの導入を予定している企業や官公庁などが作成するRFPの説明として，最も適切なものはどれか。

ア　ベンダー企業から情報収集を行い，システムの技術的な課題や実現性を把握するもの

イ　ベンダー企業と発注者で新システムに求められる性能要件などを定義するもの

ウ　ベンダー企業と発注者との間でサービス品質のレベルに関する合意事項を列挙したもの

エ　ベンダー企業にシステムの導入目的や機能概要などを示し，提案書の提出を求めるもの

要点解説

ア　RFI　　イ　システム要件定義書 (8-02参照)

ウ　SLA (8-07参照)　　エ　RFP

アドバイス［マネジメント分野］

第8章のマネジメントは，システムの開発やプロジェクトマネジメントの章ということで，学生や非IT系の社会人の方にはなじみの薄い分野です。苦手意識をもっている方も多いかと思います。しかし，全100問のうち20問程度はマネジメント系が出題されますし，マネジメントの点数が30%以下だと不合格になってしまいます。合格のためには避けて通れないところです。単純に用語の意味を覚えればよいだけの問題も多いので，がんばって覚えましょう。

確認問題 2

▸令和元年度秋期　問39　正解率▸低　応用

共通フレームの定義に含まれているものとして，適切なものはどれか。

ア　各工程で作成する成果物の文書化に関する詳細な規定
イ　システムの開発や保守の各工程の作業項目
ウ　システムを構成するソフトウェアの信頼性レベルや保守性レベルなどの尺度の規定
エ　システムを構成するハードウェアの開発に関する詳細な作業項目

要点解説　共通フレームは，システム開発の作業項目について，取得者（利用者）や供給者（開発者）間で誤解が生じないように標準化したものです。どの作業項目で具体的に何を行うのかといったガイドラインを定めています。

確認問題 3

▸令和3年度　問22　正解率▸低　頻出　応用

業務パッケージを活用したシステム化を検討している。情報システムのライフサイクルを，システム化計画プロセス，要件定義プロセス，開発プロセス，保守プロセスに分けたとき，システム化計画プロセスで実施する作業として，最も適切なものはどれか。

ア　機能，性能，価格などの観点から業務パッケージを評価する。
イ　業務パッケージの標準機能だけでは実現できないので，追加開発が必要なシステム機能の範囲を決定する。
ウ　システム運用において発生した障害に関する分析，対応を行う。
エ　システム機能を実現するために必要なパラメタを業務パッケージに設定する。

要点解説
ア　システム化計画プロセス　　イ　要件定義プロセス
ウ　保守プロセス　　エ　開発プロセス
選択肢の内容を少しずつ変えながら，ずっと出題され続けている定番問題です。システム化計画プロセスか，要件定義プロセスのどちらかが問われます。

確認問題 4

▸令和3年度 問46 正解率▸**低** **応用**

システム要件定義で明確にするもののうち，性能に関する要件はどれか。

ア 業務要件を実現するシステムの機能
イ システムの稼働率
ウ 照会機能の応答時間
エ 障害の復旧時間

システム要件定義では，必要な機能のほかに，データベースへの照会に対する応答時間や，時間当たりの処理能力などの性能についても合意します。

確認問題 5

▸平成28年度春期 問22 正解率▸**中** **応用**

導入予定のシステムについて，3種類の実現方式を検討している。各実現方式で見込まれる費用の内訳が表のとおりであるとき，導入後の運用期間を10年とした場合の開発・導入，運用，保守の総費用の大小関係を表したものはどれか。ここで，利用者は毎年4,000人で一定とする。また，記載のない条件（10年後の除却費，更改費用など）は考慮しない。

単位 円

	実現方式	初期費用	年間費用	
			運用	保守
A案	自主開発	4億	500万	200万
B案	パッケージ適用	2億	初期費用の15%	
C案	Saas利用	5,000万	利用者1人当たり1万	300万

ア A案＞B案＞C案　　イ A案＞C案＞B案
ウ B案＞C案＞A案　　エ C案＞B案＞A案

要点解説

SaaSは，ソフトウェアをインターネット経由で利用する形態です。（3-06参照）
10年間の総費用は以下のとおりです。
A案 4億＋（500万＋200万）×10＝4.7億
B案 2億＋2億×15%×10＝5億
C案 5000万＋（4000×1万＋300万）×10＝4.8億
したがって，B案＞C案＞A案となります。

解答

問題1：エ　問題2：イ　問題3：ア　問題4：ウ　問題5：ウ

8 02 開発プロセス

時々出 必須 超重要

イメージでつかむ

家を建てるまでの過程を考えてみます。どんな家を建てたいのか，まず住人と打ち合わせし，住人の立場から設計します。次に，家を建てる立場から設計し，家を建てます。完成すれば，検証して受け渡します。

システムも同じように作ります。

開発プロセス

開発プロセスは，**開発者が利用者の要件を取り入れながら，実際にシステムを開発するプロセス**です。次のような各工程を順番に実施し，各工程で作成された定義書や設計書は，次の工程へと引き継がれていきます。

これは家を建てるときのように，最初は住人(利用者)の要件を聞きながら，工務店などがその要望を設計書におこして，大工がその設計書を基に家を建てていくようなイメージです。

なお，次の工程表に出てくるシステムとソフトウェアの違いがわかりにくいかもしれませんが，システムは，ソフトウェアに加えてハードウェアなども含んだ概念です。

システム要件定義	開発者が利用者にヒアリングして，システム化の対象範囲(対象業務，対象部署)を明確にし，システムに要求される機能や性能などを定義する。ここでは，システムの応答時間や処理時間，信頼性の目標値などを決定する
	成果物：システム要件定義書など
↓	
ソフトウェア要件定義	開発者が利用者にヒアリングして，システムを構成するソフトウェアに要求される機能や性能，インタフェースなどを定義する。ここでは，画面や帳票のレイアウトなどの利用者とのインタフェースなどを決定する
	成果物：ソフトウェア要件定義書など
↓	

システム設計	開発者がシステム要件をシステムでどのように実現できるかを検討する。ここでは，ハードウェア，ソフトウェアで実現する範囲と手作業で実施する範囲を明確し，ハードウェア構成やソフトウェア構成などを決定する 成果物：システム設計書など
⬇	
ソフトウェア設計	開発者がソフトウェア要件をソフトウェアでどのように実現できるかを検討する。ここでは，ソフトウェアの構造を設計し，実装に向けたソフトウェアの詳細を検討する 成果物：ソフトウェア設計書，ソフトウェア詳細設計書など
⬇	
ソフトウェア構築（プログラミング）	開発者がソフトウェア詳細設計書に基づき，プログラムを作成する 成果物：プログラムなど

もっと詳しく 検討会議

レビューは，定義書や設計書の不備や誤りを早期に発見する目的で，工程ごとに行われる検討会議です。開発者と利用者が共同で行うものは**共同レビュー**といい，設計書が利用者の要件を満たしているかどうかを確認します。

ソフトウェアの品質特性

ソフトウェアの品質特性には，次の六つの特性があります。これらの特性を意識して開発をすることで，高品質なシステムが出来上がり，利用者の満足度も高くなるといえます。

品質特性	内容
機能性	仕様書どおりに操作ができ，正しく動作すること
使用性	理解や習得，操作がしやすいこと
信頼性	必要な時に使用でき，故障時には速やかに回復できること
効率性	応答時間や処理時間など求められる性能が備わっていること
保守性	修正がしやすいこと
移植性	他の環境へ移しやすいこと

知っ得情報 コーディング規約

プログラムを作成するにあたり，コーディング規約と呼ばれるルールを事前に決めておきます。**コーディング規約**は，プログラム内の変数名の付け方やコメントの書き方などの標準的な記述のルールのことです。コーディング規約にしたがって，プログラムを記述することで保守性を向上させることができます。

知っ得情報（セキュリティバイデザイン）

セキュリティバイデザインは，システムができて完成してからセキュリティについて考えるのではなく，システムの企画・設計段階から，セキュリティ対策を組み込んでおこうという考え方です。

確認問題 1

▶平成31年度春期　問51　　正解率▶中　　基本

システムの利用者と開発者の間で，システムの設計書の記載内容が利用者の要求を満たしていることを確認するために実施するものはどれか。

ア　共同レビュー　　イ　結合テスト
ウ　シミュレーション　　エ　進捗会議

設計書や仕様書の内容を確認する検討会議をレビューといいます。利用者と開発者が行うものは共同レビューです。

確認問題 2

▶令和6年度　問50　　正解率▶中

ソフトウェア製品の品質特性を，移植性，機能適合性，互換性，使用性，信頼性，性能効率性，セキュリティ，保守性に分類したとき，RPAソフトウェアの使用性に関する記述として，最も適切なものはどれか。

ア　RPAが稼働するPCのOSが変わっても動作する。
イ　RPAで指定した時間及び条件に基づき，適切に自動処理が実行される。
ウ　RPAで操作対象となるアプリケーションソフトウェアがバージョンアップされても，簡単な設定変更で対応できる。
エ　RPAを利用したことがない人でも，簡単な教育だけで利用可能になる。

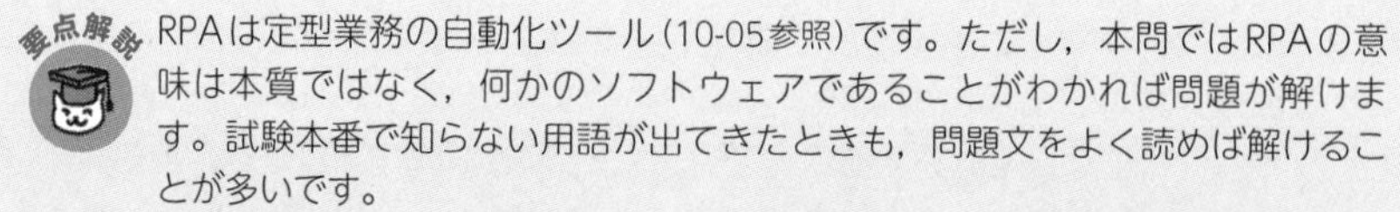

要点解説　RPAは定型業務の自動化ツール（10-05参照）です。ただし，本問ではRPAの意味は本質ではなく，何かのソフトウェアであることがわかれば問題が解けます。試験本番で知らない用語が出てきたときも，問題文をよく読めば解けることが多いです。

ア　移植性　　イ　信頼性　　ウ　保守性　　エ　使用性

確認問題 3

▸令和2年度秋期 問44　正解率▸中　**基本**

次の作業はシステム開発プロセスのどの段階で実施されるか。

実務に精通している利用者に参画してもらい，開発するシステムの具体的な利用方法について分析を行う。

ア　システム要件定義　　イ　システム設計
ウ　テスト　　エ　プログラミング

利用者に参画してもらい，どのように利用するか，どんなニーズがあるかについて分析するのはシステム要件定義です。

確認問題 4

▸令和元年度秋期 問47　正解率▸低　**計算**

ソフトウェアの品質を判定する指標として，機能単位の不良件数をその開発規模で割った値を"不良密度"と定義する。不良密度の下限値と上限値を設定し，実績値がその範囲を逸脱した場合に問題ありと判定するとき，A工程では問題がなく，B工程で問題があると判定される機能はどれか。ここで，不良密度の下限値は0.25件／KS，上限値は0.65件／KSとする。また，不良密度の下限値，上限値及び開発規模は，両工程とも同じとする。

	機能	開発規模(KS)	A工程の不良件数(件)	B工程の不良件数(件)
ア	機能1	10	6	3
イ	機能2	20	14	10
ウ	機能3	50	10	40
エ	機能4	80	32	8

要点解説

一見難しそうに見えますが，予備知識は不要で，問題文のとおりに計算するだけです。
問題より，不良密度（件／KS）は不良件数÷開発規模で求め，不良密度が，0.25以下か0.65以上の場合は「問題あり」と判定します。
ア　A工程：6÷10＝0.6（問題なし），B工程：3÷10＝0.3（問題なし）
イ　A工程：14÷20＝0.7（問題あり），B工程：10÷20＝0.5（問題なし）
ウ　A工程：10÷50＝0.2（問題あり），B工程：40÷50＝0.8（問題あり）
エ　A工程：32÷80＝0.4（問題なし），B工程：8÷80＝0.1（問題あり）
したがって，A工程では問題がなく，B工程で問題があると判定されるのはエです。

解答

問題1：ア　問題2：エ　問題3：ア　問題4：エ

8 03 テスト手法と運用・保守プロセス

時々出　必須　超重要

イメージでつかむ

PCはまず部品単位で製造し，次に複数の部品を組み合わせて，最終的に一つのPCが完成します。

システムやソフトウェアも同じように，複数の部品を組み合わせて作ります。

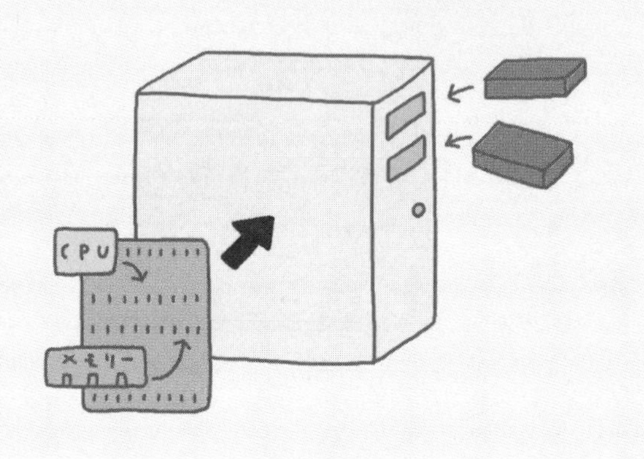

テスト

学生の頃のテストと聞くと，あまり良い思い出はないかもしれませんが，システム開発でのテストとは，開発中のシステムやソフトウェアが，利用者の要件どおりに，また，開発者が設計した仕様どおりに正しく動作するかを確認する作業です。

試験では，システム開発のテストを，単体テスト，結合テスト，システムテスト，運用テストの順に実施していくと出題されます。このあと順に説明します。

アドバイス

この節でも，用語の意味が出題されます。いろいろなテストがありますが，頻出用語マークのある用語は必ず覚えておきましょう。深く考えさせる問題は出ないので，比較的攻略しやすいところです。

テスト手法

ソフトウェア設計では，ソフトウェアを**モジュール**というレベルまで詳細化し，モジュール単位にプログラムを作成します。Module（モジュール）は，ソフトウェアにおける独立した機能をもった構成要素のことで，「部品」という意味です。

テスト工程では，一つのモジュールから徐々に積み上げていく方法がとられます。

もっと詳しく（テストケース）

テストケースは，作成したプログラムが正しく動作するかを検証するために，入力データを想定して，それに対する出力結果がどうあるべきかを記述したものです。想定した出力結果が得られなければ，プログラム中に誤り（**バグ**という）があるということです。テストの目的はこのバグを取り除くことにあります。

単体テスト

単体テストは，**プログラム（モジュール）単位のテスト**です。ベンダが実施します。代表的なテスト手法に，**プログラムの内部構造に着目し，プログラムが正しく動作することを確認する**✦**ホワイトボックステスト**✦があります。

単体テストのときに，

* 全ての分岐が少なくとも１回は実行されるようにテストデータを選ぶ
* 全ての分岐条件の組合せが実行されるようにテストデータを選ぶ
* 全ての命令が少なくとも１回は実行されるようにテストデータを選ぶ

といったように，プログラム中の命令や分岐まで考慮する場合は，プログラムの内部構造まで着目しているので，ホワイトボックステストに当たります。

もっと詳しく（ブラックボックステスト）

✦**ブラックボックステスト**✦は，プログラムの内部構造は考慮せず，外部仕様を満たしていることを確認するテストです。入力と出力だけに着目して，様々な入力に対して仕様書どおりの出力が得られるかを確認するテスト手法で，各テスト工程で用いられます。

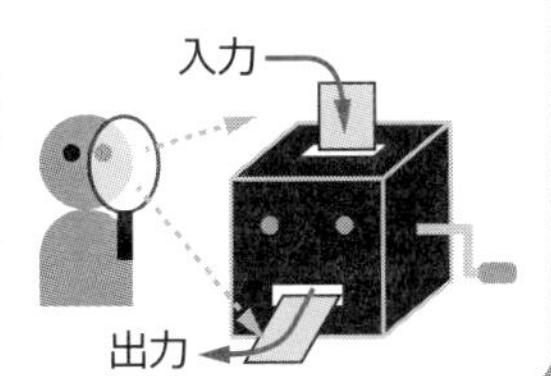

結合テスト

✦**結合テスト**✦は，**プログラム間のインタフェースを確認するテスト**です。ベンダが実施します。プログラム間でやり取りする命令やデータの受け渡しがうまくいくかというインタフェースを確認します。人に例えると，他の人とコミュニケーションがうまく取れているかというようなイメージです。

知っ得情報 （コードレビュー）

他の開発者が書いたプログラムのコードを開発者間で検討することで，バグや問題点を早期に発見できます。これを**コードレビュー**といいます。品質の向上だけでなく同時に可読性のあるコードを書くことにつながり，将来のコードの変更や拡張がしやすくなります。

システムテスト

システムテストは，**システム全体の機能や性能を確認するテスト**です。プログラムやサブシステム間の連携，応答時間や処理時間などの性能，システムにかかる負荷などを確認します。ベンダが主体となり，利用者と協力して実施します。

運用テスト

運用テストは，**本番環境下で実際にシステムを運用して確認するテスト**です。業務手順どおりにシステムが運用できるか，運用マニュアルが適切であるかなどを確認します。利用者が主体となり，ベンダと協力して実施します。

受入れテスト

受入れテストは，納品されたシステムを，利用者が受け入れるかどうかを確認するテストです。利用者の要件を満たし，利用できる水準であるかを最終的に判断します。利用者が主体となり，ベンダは受け入れを支援します。

“くれば”で覚える

単体テスト とくれば **プログラム単位で確認する**
結合テスト とくれば **プログラム間のインタフェースを確認する**
システムテスト とくれば **システムの要件を満たしていることを確認する**
運用テスト とくれば **本番環境下で業務が実施できることを確認する**

もっと詳しく （システム導入）

システムが完成すると，開発環境から本番環境へ移行します。システムの本番環境への導入に先立ち，次のような項目を記載したシステム導入計画書を作成します。

* 新システムに切り替えるための体制やスケジュール
* 新システムへの移行方法
* 新システムの移行による業務への影響範囲　など

攻略法 …… **これがテストの流れのイメージだ！**

ベンダの関与

単体テスト	結合テスト	システムテスト	運用テスト	受入れテスト	新システム稼働

利用部門の関与

運用・保守プロセス

受入れテストをクリアすると，日々の業務を通して新システムを稼働させ，運用していくことになります。ベンダは，利用者に対して操作研修などを行い，運用を支援します。また，**本番稼働中のソフトウェアに対するバグの修正や，新しい要件に対応すること**を**ソフトウェア保守**といい，次のようなものがこれに当たります。なお，システム開発期間中に実施するソフトウェアの修正は，ソフトウェア保守には含まれません。

1. 本番稼働中のソフトウェアに不具合が発生したので修正する
2. 仕様変更に伴いソフトウェアを修正する
3. 法律改正に伴いソフトウェアを修正する

“くれば”で覚える

ソフトウェア保守　とくれば　＊**本番稼働中のソフトウェアを修正する**
＊**仕様変更に伴いソフトウェアを修正する**
＊**法改正に伴いソフトウェアを修正する**

知っ得情報 （レグレションテスト）

レグレションテストは，ソフトウェア保守に当たり，ソフトウェアの修正箇所が他の正常箇所に影響を及ぼしていないことを確認するテストです。**退行テスト**とも呼ばれています。

確認問題 1 ▸令和4年度 問45 正解率▸高 基本

ブラックボックステストに関する記述として，適切なものはどれか。

ア プログラムの全ての分岐についてテストする。
イ プログラムの全ての命令についてテストする。
ウ プログラムの内部構造に基づいてテストする。
エ プログラムの入力と出力に着目してテストする。

ブラックボックステストは，入力と出力に着目してテストするので，エです。
ア・イ・ウは内部構造に着目してテストするホワイトボックステストです。

確認問題 2 ▸令和5年度 問42 正解率▸中 基本

ソフトウェア開発における，テストに関する記述a～cとテスト工程の適切な組合せはどれか。

a 運用予定時間内に処理が終了することを確認する。
b ソフトウェア間のインタフェースを確認する。
c プログラムの内部パスを網羅的に確認する。

	単体テスト	結合テスト	システムテスト
ア	a	b	c
イ	a	c	b
ウ	b	a	c
エ	c	b	a

a システムテスト　b 結合テスト　c 単体テスト
なお内部パスとは，プログラム内で指定されている，特定のファイルやフォルダの場所のことです。

確認問題 3 ▸オリジナル 正解率▸中 基本

ソフトウェア受入れに関する記述で適切なものはどれか。

ア 開発者が実施し，利用者は関与しない。
イ 開発者が主体となり，利用者も協力して実施する。
ウ 利用者が主体となり，開発者は関与しない。
エ 利用者が主体となり，開発者は教育訓練などをサポートする。

ソフトウェアが要件どおりに完成しているかどうかを，開発者の支援を受けつつ利用者が確認し，検収します。また，開発者は教育訓練なども行い，利用者がソフトウェアをスムーズに利用できるようにサポートします。

確認問題 4

▶令和4年度 問47　正解率▶高　基本

ソフトウェア保守に関する記述のうち，適切なものはどれか。

ア　本番環境で運用中のシステムに対して，ソフトウェアの潜在不良を発見し，障害が発生する前に修正を行うことはソフトウェア保守には含まれない。
イ　本番環境で運用中のシステムに対して，ソフトウェアの不具合を修正することがソフトウェア保守であり，仕様変更に伴う修正はソフトウェア保守には含まれない。
ウ　本番環境で運用中のシステムに対して，法律改正に伴うソフトウェア修正もソフトウェア保守に含まれる。
エ　本番環境で運用中のシステムに対する修正だけでなく，納入前のシステム開発期間中に実施した不具合の修正もソフトウェア保守に含まれる。

要点解説

ア　本番環境で運用中のシステムに対して，障害が発生する前に修正することはソフトウェア保守に含まれます。
イ　本番環境で運用中のシステムに対して，仕様変更に伴う修正はソフトウェア保守に含まれます。
ウ　本番環境で運用中のシステムに対して，法律改正に伴う修正はソフトウェア保守に含まれます。
エ　導入前のシステム開発期間中に実施した不具合の修正はソフトウェア保守に含まれません。

確認問題 5

▶令和3年度 問43　正解率▶低　応用

A社で新規にシステムを開発するプロジェクトにおいて，システムの開発をシステム要件定義，設計，プログラミング，結合テスト，総合テスト，運用テストの順に行う。A社は，外部ベンダのB社と設計，プログラミング及び結合テストを委託範囲とする請負契約を結んだ。A社が実施する受入れ検収はどの工程とどの工程の間で実施するのが適切か。

ア　システム要件定義と設計の間　　イ　プログラミングと結合テストの間
ウ　結合テストと総合テストの間　　エ　総合テストと運用テストの間

要点解説

検収は，ある会社に依頼したものが納品されたときに，確かに注文通りのものになっているか確認することです。B社に委託したのは結合テストまでなので，受入れ検収は結合テストが終了したときに行います。なお，請負契約は仕事の成果物に対し対価を支払う契約です(9-05参照)。

解答

問題1：エ　問題2：エ　問題3：エ　問題4：ウ　問題5：ウ

8-04 ソフトウェア開発手法

時々出 必須 超重要

イメージでつかむ

滝の水が上流から下流に流れるように，システムやソフトウェアにも上流から下流へ順番に逆戻りすることなく作っていく昔ながらの開発手法があります。

ソフトウェア開発手法

家を建てる工法が色々ありますが，ソフトウェア開発手法も同じです。主なものとして次のようなものがあります。

ウォータフォールモデル

ウォータフォールモデルは，従来から用いられ，8-02節・8-03節で見たように，**開発工程を「要件定義」，「設計」，「開発」，「テスト」と，上流工程から下流工程へと順番に進めていく開発手法**です。Water Fall（ウォータ フォール）は「滝」という意味で，滝の水が上流から下流へと順に流れていくようなイメージです。この開発手法は，大規模なシステム開発に向いています。

●特徴

* 全体のスケジュールが立てやすい
* 各工程間にはドキュメント（定義書や設計書など）を引き継いでいくので，開発全体の進捗（しんちょく）が把握しやすい
* 開発工程ごとの実施すべき作業が全て完了してから次の工程に進む
* 手戻りが発生しないように，各工程が終了する際に綿密にチェックを行う

● **欠点**

* 開発の初期段階で，利用者の要件を確定してしまうので，開発途中での利用者の要件を取り入れにくい
* 仕様変更が発生すると，手戻り作業による影響が大きい
* 最後の工程で不具合が発生すると，遡り（さかのぼり）によるコストと時間が膨大（ぼうだい）になる

"くれば"で覚える

ウォータフォールモデル　とくれば　**上流工程から下流工程へ順番に開発する**

攻略法 …… **これがウォータフォールモデルの欠点だ！**

ウォータフォールモデルは，各工程を順番に進め，後戻りせずに開発を進めるのが原則です。ただし，利用者が完成品を確認できるのは，最終段階になってからなので，もし利用者の要件と異なっていれば後戻りが発生し，開発効率が著しく低下します。これらの欠点を解決するために登場したのが，次のアジャイル開発です。

アジャイル開発

アジャイル開発は，**短い開発工程を何度も繰り返し，迅速かつ段階的に完成度を高めていく開発手法**です。Agile（アジャイル）は，「俊敏な」・「素早い」という意味です。企業を取り巻く環境や利用者のニーズが変化していくことを前提に，ニーズの変化を随時取り入れながら，ブラッシュアップしていくイメージです。この開発手法は，小規模なシステム開発に向いています。

● **特徴**

* 少人数のチームが，コミュニケーションをとり協力しながら作業を進める
* ドキュメントの作成よりもソフトウェアの作成を優先する
* 変化する利用者の要件を素早く取り入れることができる
* 軽量であるので，仕様変更に柔軟に対応でき，手戻り作業による影響も小さい

● **欠点**

* 全体のスケジュールが立てにくく，進捗管理も難しい
* 開発の方向性がブレやすい

アジャイル開発関連の用語は，最近は1回の試験に2問出ることもあるほど超頻出です。必ず覚えておきましょう。

XP

エクストリームプログラミング(eXtreme Programming)は，アジャイル開発の手法の一つで，**XP**とも呼ばれます。次のような実践(**プラクティス**)が提唱されています。

* **イテレーション**と呼ばれる固定された短いサイクル(数週間程度)で，動作するプログラムを作ることを繰り返す
* **2人1組となってプログラミングをする**(**ペアプログラミング**という)。1人がプログラムのコードを打ち込み，もう1人はコードをチェックする。また，相互に役割を交代することで，コミュニケーションを円滑にし，プログラムの品質を図る
* **外部から見たプログラムの動作を変更せずに，内部構造を改善する**(**リファクタリング**という)。リリースしたソースコードであっても，わかりやすく書き換えることで，ソフトウェアの可読性や保守性を高める
* **プログラムを書く前にテストケースを作成する**(**テスト駆動開発**，**テストファースト**という)。求められる機能が洗い出され，ソフトウェアの品質が向上する

スクラム開発

スクラム開発は，アジャイル開発の手法の一つです。ラグビーのスクラムが語源であり，共通のゴールに到達するために，開発チームが一体となりコミュニケーションを重視しながら取り組みます。次のような特徴があります。

* 製品(プロダクト)の責任者で機能の優先順位を決める**プロダクトオーナー**，スクラム開発のプロセスを円滑に進める**スクラムマスター**，実際の開発を担う**チーム**で構成される
* **スプリント**と呼ばれる固定された短いサイクル(数週間程度)で，動作するプログラムを作ることを繰り返す
* スプリントの終わりのふりかえり(**レトロスペクティブ**)で，改善事項を検討し，次のスプリントの課題とする
* 優先順位の高い機能から作成する
* 毎日のミーティング(**デイリースクラム**という)を重ねることで，問題が発生しても早めに解決できる

"くれば"で覚える

アジャイル開発　とくれば　**利用者のニーズを取り入れながら，短期間で素早く開発する**

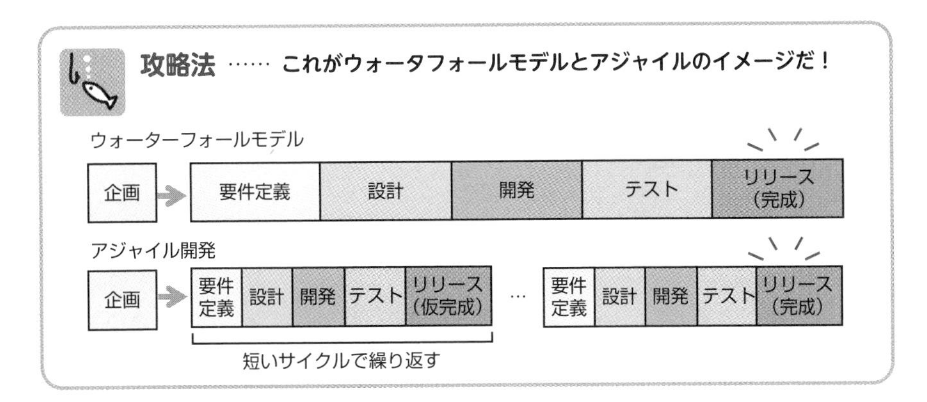

その他の開発手法

プロトタイピングモデル

プロトタイピングモデルは，システム開発の早い段階から試作品（**プロトタイプ**という）を作成して，利用者の確認を得ながら開発を進めていく開発手法です。Prototype（プロトタイプ）は，「試作品」という意味です。利用者と開発者の間で，システム要求についての解釈の違いを早い段階で確認できるので，後戻りを少なくできると同時に，利用者のシステムへの参画意識を高めることができます。この開発手法は，小規模なシステム開発に向いています。

攻略法 …… これがプロトタイピングモデルのイメージだ！

化粧品を購入した後に，自分に合わなかった経験はありませんか？ そんな時のための試供品。あらかじめ試供品で試しておけば失敗は少なくなります。

スパイラルモデル

スパイラルモデルは，システムをさらに独立性の高いサブシステムに分割し，サブシステムごとに要件定義や設計・開発・テストを繰り返しながら段階的にシステムを完成させていく開発手法です。Spiral（スパイラル）は，「渦巻き」という意味です。

サブシステムごとにウォータフォールモデルで開発し，完成したサブシステムをプロトタイプとして利用者に見せることができるので，ウォータフォールモデルとプロトタイピングモデルの特徴を合わせもった開発手法であるといえます。

RAD

RAD（Rapid Application Development）は，利用者を含む少人数で，GUI（2-07参照）などによる開発支援ツールを活用してプロトタイプを作成し，評価と改良を繰り返すことで開発期間を短縮する開発手法です。「高速アプリケーション開発」という意味です。

DevOps

開発部門と運用部門は別部署で縦割りになっていることが多いですが，**開発部門（Development）と運用部門（Operations）が協力しながらシステムの改善を進めようという考え方**を DevOps といいます。開発部門が重要機能から順に追加・リリースし，運用部門が実際に利用してフィードバックすることを繰り返すことで，システムが改善されていくということです。

リバースエンジニアリング

通常のシステム開発では，仕様書を基にしてプログラムを作成します。それとは逆に，**既存のプログラムを解析してそのプログラムの仕様書を導き出すこと**をリバースエンジニアリングといいます。Reverseは，「逆」という意味です。

ソフトウェアの見積り

ソフトウェアの規模を見積もる手法には，次のようなものがあります。

ファンクションポイント法

ファンクションポイント法は，**ソフトウェアの仕様から機能数を洗い出し，機能ごとの複雑度を考慮した重み付けをしてソフトウェアの規模を見積もる手法**です。Functionは「機能」，Pointは「得点」という意味で，機能ごとに得点化して見積もるということです。画面や帳票などを単位として見積もるので，利用者にとって理解しやすいという特徴があります。

類推見積法

類推見積法は，過去の類似したシステムの実績値を基にソフトウェアの規模を見積もる手法です。他の見積もり方法より，正確さでは劣ってしまう特徴があります。

知っ得情報 開発工数

ソフトウェアの規模を見積もるときに，**開発工数**が使われます。単位には，**人月**（にんげつ）や**人日**（にんにち）などがあります。例えば，6人月の作業とは，「6人で行えば1か月」，「3人で行えば2か月」，「1人で行えば6か月」かかる作業をいいます。**人月＝人数×月数**で表します。

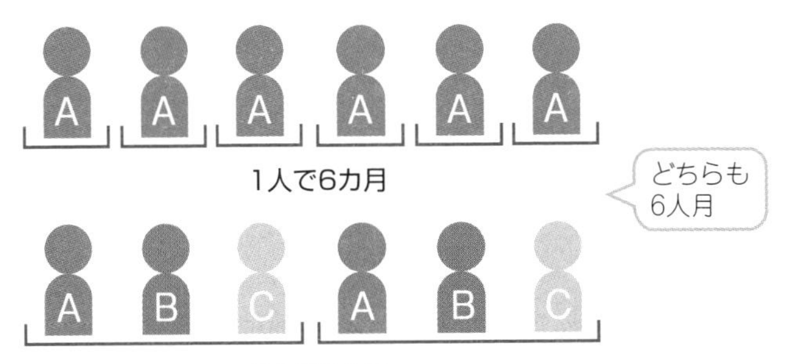

また，**ステップ**という単位で見積もるときは，ソースコードの行数が使われます。

確認問題 1

▸令和4年度 問38　正解率▸中　基本

XP（エクストリームプログラミング）の説明として，最も適切なものはどれか。

ア　テストプログラムを先に作成し，そのテストに合格するようにコードを記述する開発手法のことである。
イ　一つのプログラムを2人のプログラマが，1台のコンピュータに向かって共同で開発する方法のことである。
ウ　プログラムの振る舞いを変えずに，プログラムの内部構造を改善することである。
エ　要求の変化に対応した高品質のソフトウェアを短いサイクルでリリースする，アジャイル開発のアプローチの一つである。

ア　テスト駆動開発
イ　ペアプログラミング
ウ　リファクタリング
エ　XP（エクストリームプログラミング）

確認問題 2

▸令和3年度 問51　正解率▸中　応用

アジャイル開発を実施している事例として，最も適切なものはどれか。

ア　AIシステムの予測精度を検証するために，開発に着手する前にトライアルを行い，有効なアルゴリズムを選択する。
イ　IoTの様々な技術を幅広く採用したいので，技術を保有するベンダに開発を委託する。
ウ　IoTを採用した大規模システムの開発を，上流から下流までの各工程における完了の承認を行いながら順番に進める。
エ　分析システムの開発において，分析の精度の向上を図るために，固定された短期間のサイクルを繰り返しながら分析プログラムの機能を順次追加する。

アジャイル開発では，「短期間で動作するアプリケーションを開発する」という作業を反復させ，段階的にシステム全体を完成させていきます。エが該当します。

確認問題 3

▸令和6年度 問47　正解率▸高　頻出　基本

ソフトウェアの開発におけるDevOpsに関する記述として，最も適切なものはどれか。

ア　開発側が重要な機能のプロトタイプを作成し，顧客とともにその性能を実測して妥当性を評価する。
イ　開発側では，開発の各工程でその工程の完了を判断した上で次工程に進み，総合テストで利用者が参加して操作性の確認を実施した後に運用側に引き渡す。
ウ　開発側と運用側が密接に連携し，自動化ツールなどを活用して機能の導入や更新などを迅速に進める。
エ　システム開発において，機能の拡張を図るために，固定された短期間のサイクルを繰り返しながらプログラムを順次追加する。

ア　プロトタイピングモデル　　イ　ウォータフォールモデル
ウ　DevOps　　エ　アジャイル開発

確認問題 4

▸令和5年度 問39　正解率▸中　基本

運用中のソフトウェアの仕様書がないので，ソースコードを解析してプログラムの仕様書を作成した。この手法を何というか。

ア　コードレビュー　　イ　デザインレビュー
ウ　リバースエンジニアリング　　エ　リファクタリング

要点解説　リバースエンジニアリングは，既存のプログラムを解析してそのプログラムの仕様を導き出すことです。コードレビューはソースコードを検証すること，デザインレビューは各工程の設計内容を検証すること，リファクタリングは外部から見たプログラムの動作を変更せずに，内部構造を改善することです。

確認問題 5

▸令和4年度 問50　正解率▸低　計算

120kステップのソフトウェアを開発した。開発の各工程における生産性の実績が表のとおりであるとき，開発全体の工数は何人月か。ここで，生産性は1人月当たりのkステップとする。

単位　kステップ/人月

工程	生産性
設計	6.0
製造	4.0

ア　10　　イ　12　　ウ　24　　エ　50

要点解説　ステップは，ソースコードの行数です。設計工程で120kステップの設計をし，開発工程で120kステップのソースコードを作成します。
設計工程で必要な工数は，1人月当たり6.0kステップの生産性なので，120÷6＝20人月です。
製造工程で必要な工数は，1人月当たり4.0kステップの生産性なので，120÷4＝30人月です。
したがって，開発全体では50人月が必要となります。

解答

問題1：エ　問題2：エ　問題3：ウ　問題4：ウ　問題5：エ

8-05 プロジェクトマネジメント

時々出　必須　超重要

イメージでつかむ

何かを達成しようとする場合，まずはゴールとなる最終目的を考え，そこに向かって頑張っていきます。

途中でモチベーションが下がったり，誘惑もあるかもしれません。プロジェクトも同じで，うまくバランスよく管理していきます。

プロジェクト

プロジェクトは，通常の業務と異なり，**決められた期間の中で，独自の製品やサービスを作り出すなど，特定の目標を達成するための業務**のことです。今まで見てきた，システム開発もプロジェクトの一つといえます。

プロジェクトマネージャ

プロジェクトマネージャは，**プロジェクトを管理する責任者**で，プロジェクトが成功するように「コスト（予算）」，「スケジュール（納期）」，「スコープ（作業範囲）」などをバランスよく調整しながら管理していきます。さらに，プロジェクトマネージャの指揮のもとで業務を遂行（すいこう）する人を**プロジェクトメンバ**といい，プロジェクトの影響を受ける全ての人を**ステークホルダ**（利害関係者）といいます。プロジェクトマネージャやプロジェクトメンバもステークホルダに含まれます。

プロジェクト憲章

プロジェクトマネージャは，プロジェクトの立ち上げの際に，**プロジェクトの目標や期待される効果などを盛り込んだ**✦**プロジェクト憲章**✦を作成します。ステークホルダがプロジェクト憲章を承認することで，正式にプロジェクトが開始されます。

なお，プロジェクト憲章の作成は，統合マネジメント（後述）の範囲です。

PMBOK

PMBOK（Project Management Body of Knowledge：プロジェクトマネジメント知識体系ガイド）は，**プロジェクト管理に必要な知識を体系化した文書**です。米国のプロジェクトマネジメント協会が，どのようなプロジェクトにも汎用的に役立つように作成し，現在ではプロジェクトマネジメントにおける**デファクトスタンダード**（事実上の標準）になっています。

PMBOKの最新版では，次の10の知識エリアがなくなっていますが，プロジェクトマネジメントに必要な知識なので，試験対策として覚えておきましょう。試験では，統合マネジメント（後述），スコープマネジメント（後述），タイムマネジメント（8-06参照），リスクマネジメント（5-04参照）がよく出題されます。

プロジェクトマネジメントの知識エリア

知識エリアとは耳慣れない言葉ですが，「分野」のことです。プロジェクトマネジメントの10の知識エリアには，次のようなものがあります。

知識エリア	説明
統合マネジメント	他の知識エリアを統合的に調整・管理する
スコープマネジメント	作業範囲を明確にし，必要な作業を洗い出す
タイムマネジメント	予定の期間内に完了させるために，スケジュール管理・進捗管理を行う（8-06参照）
コストマネジメント	予定の予算内に完了させるために，コスト管理を行う
品質マネジメント	要求される品質を確保するために，品質管理を行う
資源マネジメント	必要な人的・物的資源を管理する
コミュニケーションマネジメント	ステークホルダとの適切なコミュニケーション手段を選択する
リスクマネジメント	想定されるリスクの特定・分析・評価を行い，リスク対応を検討する（5-04参照）
調達マネジメント	外部調達や契約を管理する
ステークホルダマネジメント	利害関係者と良好な関係を構築する

統合マネジメント

統合マネジメントは，**プロジェクトの制約条件である予算や納期，作業範囲などを統合的に調整して管理する分野**です。ソフトウェアの品質はできるだけ高いものにしつつ，なるべく早く，予算は少なくというのが理想ですが，そうはうまくはいかないものです。例えば「納期に間に合わせるために，当初使える機能を削る」などの調整が必要になります。

また，プロジェクトを終結するときには，プロジェクトで得た知識や教訓を文書化します。もしプロジェクトがうまくいかずに途中で中止になった場合は，「何が原因であったのか」を定義し，業務や他のプロジェクトに影響を及ぼすリスクを評価したり，リソースを他に再配分したりします。ステークホルダへの説明責任も発生します。今回の失敗を分析して，将来の業務やプロジェクトに活かすことが重要です。

もっと詳しく（仕様変更）

プロジェクトの途中で，仕様変更が発生する場合があります。まずは，仕様変更の要求を受け付け，仕様変更の必要性や影響度，優先順位などを評価します。決定権を持つ会議や責任者によって仕様変更の承認が得られれば，関係者に指示し変更を反映します。

知っ得情報（プロジェクトマネジメントオフィス）

プロジェクトマネジメントオフィスは，プロジェクトマネジメントを支援する部署です。プロジェクトを進めるための基準や書類の標準化，各プロジェクトのモニタリングなどを行います。また「このプロジェクトが炎上してるから，もっと人を回してほしい」というような，複数プロジェクト間でのリソースの調整なども行います。

スコープマネジメント

プロジェクトにおけるスコープには，次の二つがあります。Scope（スコープ）は，「範囲」という意味です。

1. **プロジェクトで作成する成果物**（**成果物スコープ**という）
2. **成果物を作成するために必要な作業**（**プロジェクトスコープ**という）

この二つをプロジェクトスコープ記述書にまとめますが，スコープから除外する内容も明示することがあります。

また，**プロジェクトで実施すべき全ての成果物や作業を洗い出し，階層構造に分割（ブレークダウン）して整理した構成図**が，**WBS**（Work Breakdown Structure：作業分解構成図）です。WBSの作成はプロジェクトの計画段階で行う作業の一つです。WBSでの最下位にある具体的な作業を**ワークパッケージ**といい，コストの見積もりやスケジュール管理を行えるレベルになっています。このワークパッケージを積み上げることで，プロジェクトの工数を見積もる手法を**積み上げ法**といいます。

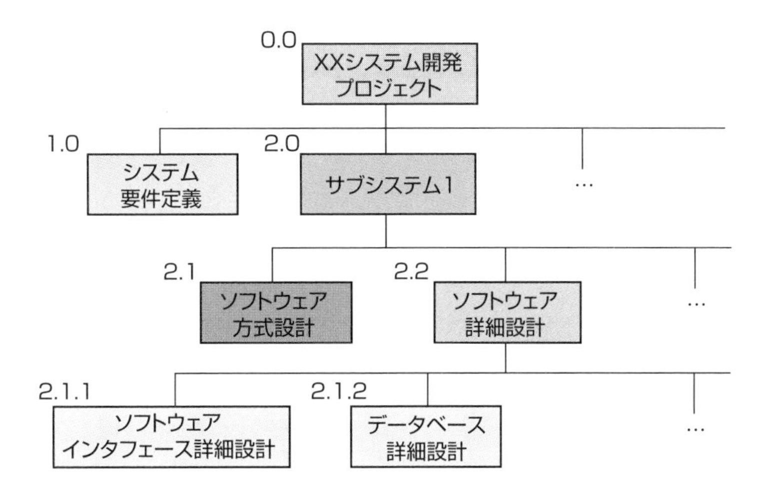

"くれば"で覚える

スコープ	とくれば	**プロジェクトの成果物と,成果物を作成するための作業**
WBS	とくれば	**プロジェクトの成果物や作業を階層的に分割した図**

知っ得情報（コミュニケーションの経路の組合せ）

プロジェクトメンバA，B，Cの3者間で，直接一対一でコミュニケーションをする場合は，次のような三つの経路が存在します。

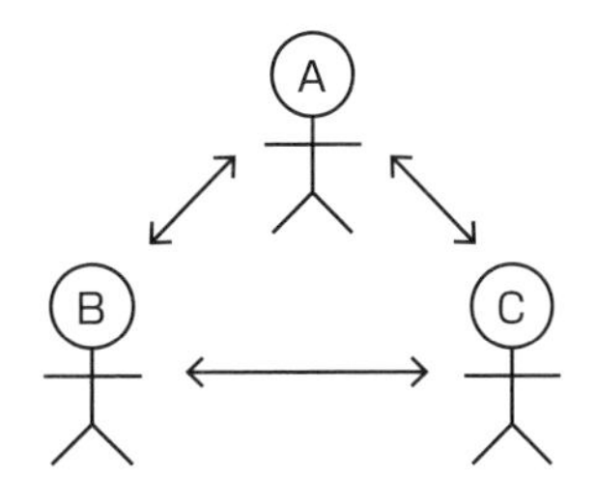

では，5人でコミュニケーションをする場合の伝達経路は最大で幾つになるかを考えてみましょう。5人ともコミュニケーションをとる相手は自分を除いた4人なので，5×4＝20経路です。ただし，「A－B」と「B－A」，「A－C」と「C－A」，…，は同じ経路なので，20÷2＝10経路です。

確認問題 1

▸令和4年度　問36　正解率▸中　頻出　応用

プロジェクトで作成するWBSに関する記述のうち，適切なものはどれか。

ア　WBSではプロジェクトで実施すべき作業内容と成果物を定義するので，作業工数を見積もるときの根拠として使用できる。
イ　WBSには，プロジェクトのスコープ外の作業も検討して含める。
ウ　全てのプロジェクトにおいて，WBSは成果物と作業内容を同じ階層まで詳細化する。
エ　プロジェクトの担当者がスコープ内の類似作業を実施する場合，WBSにはそれらの作業を記載しなくてよい。

要点解説

ア　プロジェクトで実施すべき作業内容と成果物を定義するので，作業工数を見積もるときの根拠として使用できます。
イ　プロジェクトのスコープ外の作業は含めません。
ウ　プロジェクトによって成果物と作業内容が異なるので，同じ階層にはなりません。
エ　担当者がスコープ内の類似作業を実施する場合は記載する必要があります。

確認問題 2

▸令和3年度　問47　正解率▸低　基本

システム開発プロジェクトにおいて，成果物として定義された画面・帳票の一覧と，実際に作成された画面・帳票の数を比較して，開発中に生じた差異とその理由を確認するプロジェクトマネジメントの活動はどれか。

ア　プロジェクト資源マネジメント
イ　プロジェクトスコープマネジメント
ウ　プロジェクト調達マネジメント
エ　プロジェクト品質マネジメント

要点解説

作成すべき画面や帳票などの成果物のことを成果スコープといいます。成果物を確認するのはスコープマネジメントです。

確認問題 3

▸令和4年度 問52　　正解率▸高　　応用

A社がB社にシステム開発を発注し，システム開発プロジェクトを開始した。プロジェクトの関係者①～④のうち，プロジェクトのステークホルダとなるものだけを全て挙げたものはどれか。

① A社の経営者
② A社の利用部門
③ B社のプロジェクトマネージャ
④ B社を技術支援する協力会社

ア ①，②，④　　イ ①，②，③，④
ウ ②，③，④　　エ ②，④

要点解説

プロジェクトのステークホルダは，プロジェクトに関わるすべての利害関係者です。よって，イです。

確認問題 4

▸令和5年度 問54　　正解率▸中　　応用

システム開発のプロジェクトマネジメントに関する記述a～dのうち，スコープのマネジメントの失敗事例だけを全て挙げたものはどれか。

a 開発に必要な人件費を過少に見積もったので，予算を超過した。
b 開発の作業に必要な期間を短く設定したので，予定期間で開発を完了させることができなかった。
c 作成する機能の範囲をあらかじめ決めずにプロジェクトを開始したので，開発期間を超過した。
d プロジェクトで実施すべき作業が幾つか計画から欠落していたので，システムを完成できなかった。

ア a，b　　イ b，c　　ウ b，d　　エ c，d

要点解説

プロジェクトを成功させるには，スコープを明確にしておくことが重要です。スコープには，プロジェクトで作成する成果物スコープと，成果物を作成するために必要なプロジェクトスコープがあります。

a コストのマネジメントの失敗事例
b スケジュールのマネジメントの失敗事例
c，d スコープのマネジメントの失敗事例

確認問題 5　▸令和6年度　問37　正解率▸低　基本

システム開発プロジェクトを終結する時に，プロジェクト統合マネジメントで実施する活動として，最も適切なものはどれか。

ア　工程の進捗の予定と実績の差異を分析する。
イ　作成した全ての成果物の一覧を確認する。
ウ　総費用の予算と実績の差異を分析する。
エ　知識や教訓を組織の資産として登録する。

ア　プロジェクトスケジュールマネジメント
イ　プロジェクトスコープマネジメント
ウ　プロジェクトコストマネジメント
エ　プロジェクト統合マネジメント

確認問題 6　▸令和3年度　問36　正解率▸高　計算

開発期間10か月，開発の人件費予算1,000万円のプロジェクトがある。5か月経過した時点で，人件費の実績は600万円であり，成果物は全体の40%が完成していた。このままの生産性で完成まで開発を続けると，人件費の予算超過はいくらになるか。

ア　100万円　　イ　200万円　　ウ　250万円　　エ　500万円

予定の開発期間のうち半分経過しました。予定通りであれば，人件費の実績は全体の半分の500万円で，成果物は50%完成していなければなりません。しかし，それぞれの実績は600万円で成果物は40%です。600万円で40%ならば，100%にするにはいくらかかるか計算します。
600万円÷0.4＝1,500万円となり，当初予算は1,000万円なので，その差の500万円が超過分となります。

確認問題 7

▸ オリジナル　正解率 ▸ 中　基本

プロジェクトマネジメントにおけるプロジェクト憲章が明確にするものとして，適切なものはどれか。

ア　プロジェクトの実行・コントロール・終結の方法
イ　プロジェクトの成果物と必要な作業
ウ　プロジェクトが提供するプロダクトの特性
エ　プロジェクトの目標や期待される結果

プロジェクト憲章は，プロジェクトの概要を示す文書で，プロジェクトの目標や期待される結果などを明確にします。また，プロジェクトマネージャを指定してその責任や権限なども記載します。

確認問題 8

▸ 令和3年度　問42　正解率 ▸ 低　応用

システム開発プロジェクトにおいて，利用者から出た要望に対応するために，プログラムを追加で作成することになった。このプログラムを作成するために，先行するプログラムの作成を終えたプログラマを割り当てることにした。そして，結合テストの開始予定日までに全てのプログラムが作成できるようにスケジュールを変更し，新たな計画をプロジェクト内に周知した。このように，変更要求をマネジメントする活動はどれか。

ア　プロジェクト資源マネジメント
イ　プロジェクトスコープマネジメント
ウ　プロジェクトスケジュールマネジメント
エ　プロジェクト統合マネジメント

変更要求のマネジメントということで，少し戸惑ったかもしれません。プログラムの追加はスコープマネジメント，プログラマの割り当ては資源マネジメント，スケジュールの変更はスケジュール（タイム）マネジメントです。これらをとりまとめて全体を調整するのが統合マネジメントです。

解答

問題1：ア	問題2：イ	問題3：イ	問題4：エ	問題5：エ
問題6：エ	問題7：エ	問題8：エ		

8 06 タイムマネジメント

時々出 必須 超重要

イメージでつかむ

友人と待ち合わせて，映画に行く予定なのに，友人が来ません。映画に間に合わないかもしれない…と焦ったことはありませんか。

2人揃わないと，映画館に出かけられない。アローダイアグラムの理解のポイントはこれです。

アローダイアグラム

プロジェクトの日程管理や工程管理の手法として，**作業の順序や作業の関連性を図で表したアローダイアグラム**があります。**PERT図**（パート）(Program Evaluation and Review Technique) とも呼ばれています。プロジェクトの「所要日数」や「遅れてはいけない作業」などが把握でき，次のような記号を使って記述します。

記号	意味
───→	作業を表す。矢印の上に作業名，矢印の下に所要日数(所要時間)を記入する
○	作業と作業の結合点を表す(ノードという)。先行するものから順に番号を付ける
- - - - -→	ダミー作業で，作業の順序関係だけを表す。所要日数(所要時間)が0の作業である

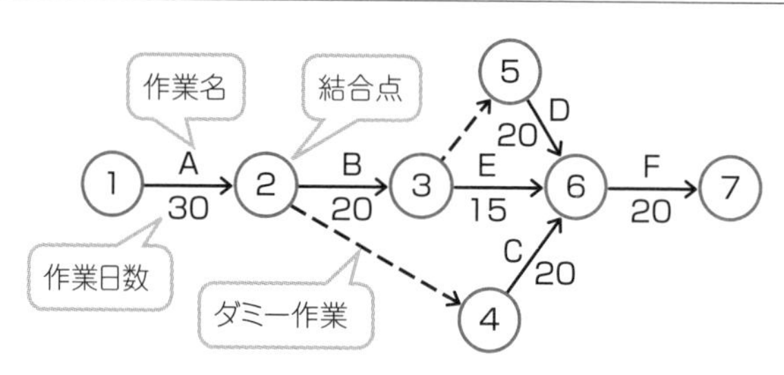

作業には，同時に進められる作業もあれば，先行作業が終わらないと開始できない作業もあります。

例えば，次のようなプロジェクトの日程計画があります。

日程計画

作業		作業日数	先行作業
A	システム設計	30	−
B	プログラム作成	20	A
C	回線申請設置工事	20	A
D	データベース移行	20	B
E	システムテスト	15	B
F	運用テスト	20	C, D, E

作業Aは作業Bの先行作業です。逆に作業Bは作業Aの後続作業です。先行作業が完了してから後続作業を開始することができるので，作業Aが完了してから作業Bが開始できます。

作業Fは，作業C・作業D・作業Eの全ての作業が完了しないと開始できません。複数の先行作業が全て完了しなければ後続作業が開始できないので，これは映画の待ち合わせで，メンバが全員揃わないと映画に行けないようなイメージです。

アローダイアグラムで記述すると，次のようになります。

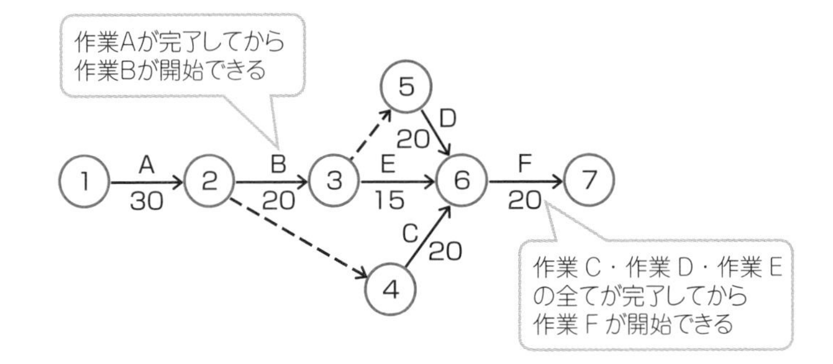

"くれば"で覚える

複数の先行作業 とくれば **全ての先行作業が完了してから後続作業が開始できる**

最早開始日（最早結合点時刻）

最早開始日は，**全ての先行作業が完了し，最も早く後続作業を開始できる時点**です。「**先行作業の最早開始日＋作業日数**」で求めます。複数の作業が集まる結合点の最早開始日は，最も遅い作業に合わせることがポイントです。

次のように，最初の作業から順に，結合点ごとに最早開始日を求めます。

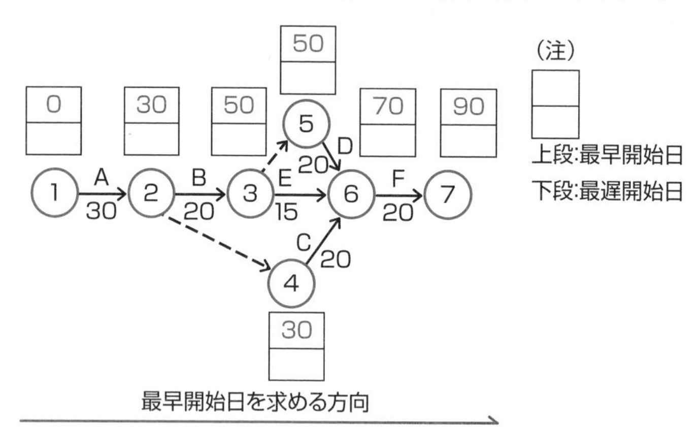

* 結合点①の最早開始日：0日（先行作業はなし）
* 結合点②の最早開始日：0＋30＝30日
* 結合点③の最早開始日：30＋20＝50日
* 結合点④の最早開始日：30＋0（ダミー作業）＝30日
* 結合点⑤の最早開始日：50＋0（ダミー作業）＝50日
* 複数の作業が集まる結合点⑥の最早開始日は，最も遅い作業に合わせます。

  ③→⑥：50＋15＝65日

  ④→⑥：30＋20＝50日

  ⑤→⑥：50＋20＝70日

  したがって，結合点⑥の最早開始日は70日です。
* 結合点⑦の最早開始日：70＋20＝90日

  このプロジェクトは，最短で90日で完了することになります。

“くれば”で覚える

最早開始日　とくれば　**最も遅い作業に合わす**

最遅開始日（最遅結合点時刻）

最遅開始日は，**全ての後続作業の日程が遅れないように，先行作業が完了していなくてはならない時点**です。「**後続作業の最遅開始日－作業日数**」で求めます。複数の作業が分岐する結合点の最遅開始日は，最も早い作業に合わせることがポイントです。

次のように，最後の作業から順に，遡（さかのぼ）って最遅開始日を求めます。

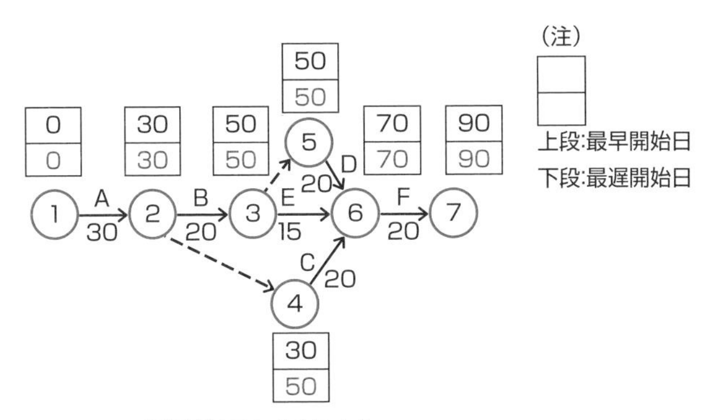

最遅開始日を求める方向

* 結合点⑦の最遅開始日：90日（全体の作業が終了する日）
* 結合点⑥の最遅開始日：90－20＝70日
* 結合点⑤の最遅開始日：70－20＝50日
* 結合点④の最遅開始日：70－20＝50日
* 複数の作業が分岐する結合点③の最遅開始日は，最も早い作業に合わせます。
  ⑤→③＝50－0（ダミー作業）＝50日
  ⑥→③＝70－15＝55日
  したがって，結合点③の最遅開始日は50日です。
* 複数の作業が分岐する結合点②の最遅開始日は，最も早い作業に合わせます。
  ③→②＝50－20＝30日
  ④→②＝50－0（ダミー作業）＝50日
  したがって，結合点②の最遅開始日は30日です。
* 結合点①の最遅開始日：30－30＝0日

“くれば”で覚える

最遅開始日　とくれば　**最も早い作業に合わす**

攻略法 …… **これが最遅開始日のイメージだ！**

最後の単元の学習に3日かかる。その前の単元は，遅くとも試験3日前には完了していなくては間に合わない。

クリティカルパス

クリティカルパスは，**最早開始日と最遅開始日が等しい結合点を結んだ経路**です。Critical Path（クリティカルパス）は，「危険な経路」・「余裕のない経路」という意味で，余裕日数が0の作業を結んだ経路です。クリティカルパス上の作業が遅れると，プロジェクト全体の遅れにつながり，逆にクリティカルパス上の作業が短縮できると，プロジェクト全体の日数を短縮できます。

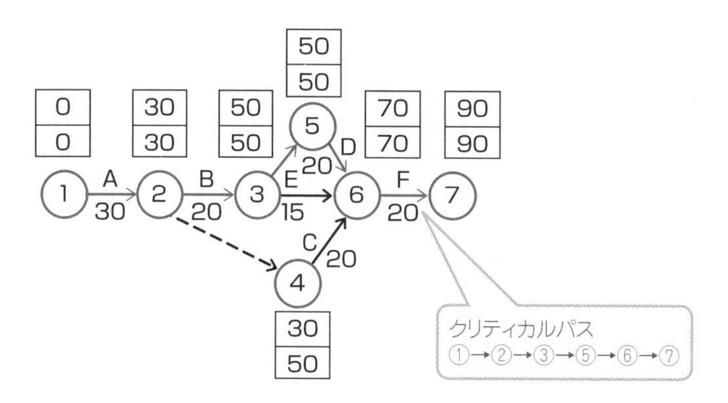

クリティカルパスを求める問題が出題されたら，次のように全ての経路パターンを拾い上げ，その中で最も日数がかかる経路を求めます。この経路がクリティカルパスになっています。試験を解く上で時間が短縮できるので，テクニックとして覚えておきましょう。

①→②→③→⑤→⑥→⑦＝30＋20＋0＋20＋20＝90（クリティカルパス）

①→②→③→⑥→⑦＝30＋20＋15＋20＝85

①→②→④→⑥→⑦＝30＋0＋20＋20＝70

アドバイス［アローダイアグラム］

アローダイアグラムに関する問題は頻出です。いろんな出題パターンがありますが，「先行作業が全て終わらないと次に進めない」「クリティカルパスは最も日数がかかる経路」が手掛かりになります。

ガントチャート

ガントチャートは，**作業別に作業内容とその実施期間を棒状に図示したもの**です。作業の相互関係の把握は困難ですが，予定作業に対する実績を把握するのに適していて，個人やグループの進捗（しんちょく）管理に利用されています。

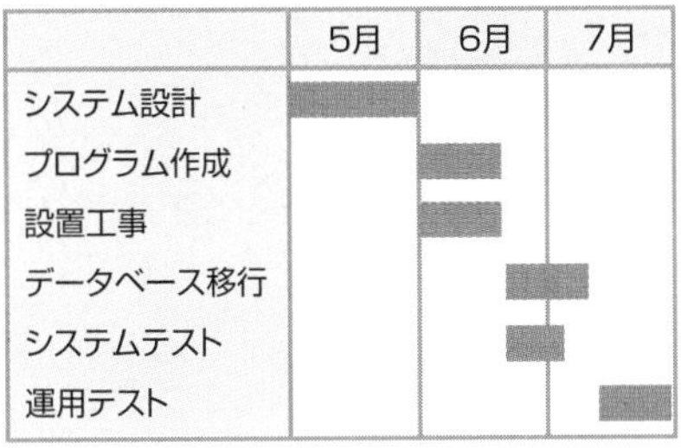

	5月	6月	7月
システム設計			
プログラム作成			
設置工事			
データベース移行			
システムテスト			
運用テスト			

もっと詳しく（マイルストーン）

プロジェクトでは全体を幾つかの工程に分割し，それぞれの「開始」と「終了」を明確にします。そのうち，ある意思決定をする時点を**マイルストーン**といいます。Milestone（マイルストーン）は，「一里塚」という意味で，中間到達点のことです。プロジェクトを決められた期間内に完了させるには，工程と工程の節目に日時などのマイルストーンを設定してクリアするようにすると，進捗管理が容易になるということです。この進捗管理上のマイルストーンを把握するのに適した図を**マイルストーンチャート**といい，プロジェクト全体の進捗管理などに利用されています。

	5月	6月	7月	8月	9月
設計	5/1開始 →	6/10完了			
開発		6/11開始 →	7/20完了		
テスト			7/21開始 →		9/9完了
導入					9/10開始 → 9/30完了

バーンダウンチャート

バーンダウンチャートは，**時間と残作業量の関係を表した図**です。グラフは右肩下がりとなり，予定の時間内にどれだけ作業が進んでいるのかを視覚的に把握できます。Burn Down（バーンダウン）は，「下火になる」という意味です。

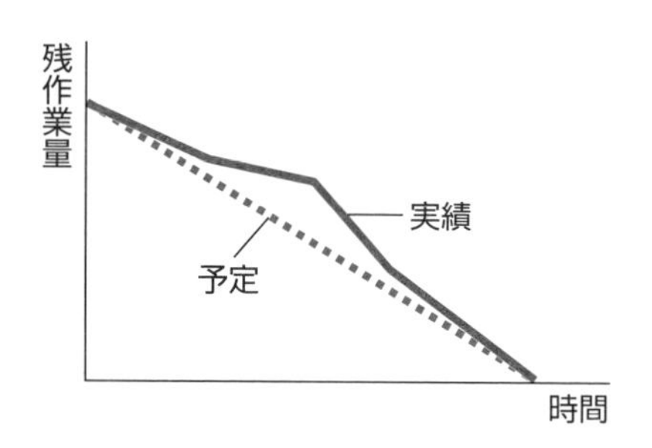

知っ得情報 グラフ理論

グラフ理論は，ノード（頂点・接点）と，そのつながりであるエッジ（枝）で表された対象をグラフと呼び，このグラフの性質を分析することです。ここでいうグラフは，棒グラフや円グラフなどではありません。

次の二つの図は，ぱっと見は違うように見えますが，ノードとそのつながりという観点からは同じ意味です。エッジの長さは関係ありません。

あるノードから出ているエッジの数のことを次数といいます。例えば，下図のDの次数は3です。

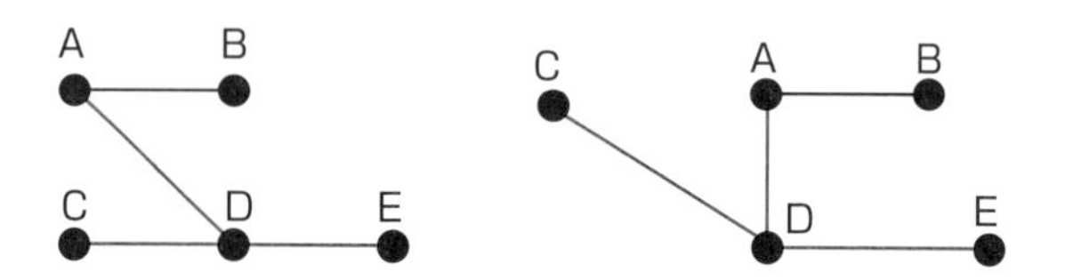

点どうしのつながりということで，様々な分野に応用できます。SNSでのフォローや乗換案内，ルーティングなどが代表例です。アローダイアグラムも応用例の一つです。

また，つながりに方向性がないものを無向グラフ，あるものを有向グラフといいます。

確認問題 1 ▸令和元年度秋期 問42 正解率▸低

システム開発において使用するアローダイアグラムの説明として，適切なものはどれか。

ア 業務のデータの流れを表した図である。
イ 作業の関連をネットワークで表した図である。
ウ 作業を縦軸にとって，作業の所要期間を横棒で表した図である。
エ ソフトウェアのデータ間の関係を表した図である。

要点解説

「流れ」という言葉に惑わされることが多いようですが，ある種のひっかけ問題ともいえます。
アローダイアグラムは，作業を構成する各工程と，それぞれの工程の前後関係を，ネットワーク状の図にしたものです。
ア：DFD（10-05参照） ウ：ガントチャート エ：E-R図（6-02参照）

確認問題 2 ▸平成28年度春期 問52 正解率▸中 計算

次の表に示す作業全体の最短の所要日数を増やすことなく作業Eの所要日数を増やしたい。最大何日増やすことができるか。

作業	前提作業	所要日数
A	−	7
B	−	4
C	−	2
D	C	1
E	B，D	1

ア 0 イ 1 ウ 2 エ 3

要点解説

作業A，B，Cは前提作業がなく，同時にスタートします。Cの後にDが，B，Dの後にEが開始できます。このことから，以下のようなアローダイアグラムが書けます。作業を→で，作業の結合点を○で表すことに注意しましょう。

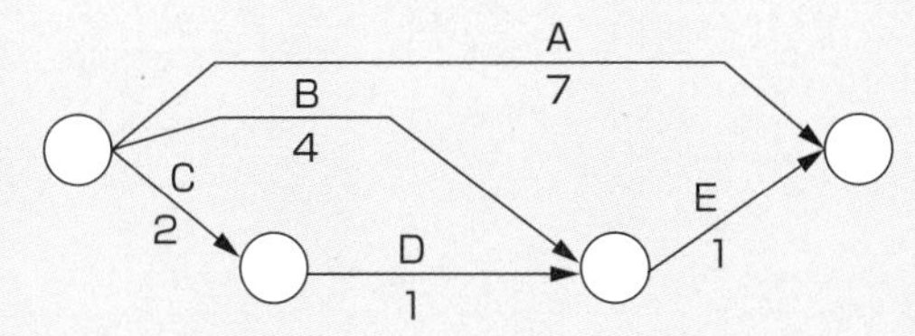

クリティカルパスは最も日数がかかるAで，全体で7日間かかります。
作業Eは，最短で4日後から始められます。全体の7日間から，Eが開始できるまでの工程にかかる4日と，作業Eの工程1日を差し引くと2日です。2日間ならば，Eの所要日数を増やしても全体を7日間で終えることができます。

確認問題 3 ▸令和6年度 問41 正解率 ▸ 中 計算

あるプロジェクトの作業間の関係と所要時間がアローダイアグラムで示されている。このアローダイアグラムのBからEの四つの結合点のうち，工程全体の完了時間に影響を与えることなく，その結合点から始まる全ての作業の開始を最も遅らせることができるものはどれか。ここで，各結合点から始まる作業はその結合点に至る作業が全て完了するまで開始できず，作業から次の作業への段取り時間は考えないものとする。

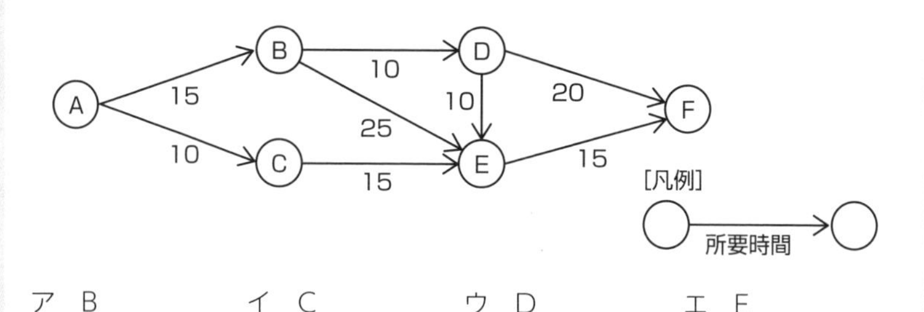

ア B　　イ C　　ウ D　　エ E

要点解説

まずはクリティカルパスを求めます。

A→B→D→F＝15＋10＋20＝45時間

A→B→D→E→F=15＋10＋10＋15＝50時間

A→B→E→F＝15＋25＋15＝55時間（クリティカルパス）

A→C→E→F＝10＋15＋15＝40時間

ここで，作業の開始を遅らせることができるのはクリティカルパス上にないCとDです（クリティカルパス上の作業が遅れると全体が遅れます）。

A→B→E＝40時間。Eは40時間後には開始する必要があります。

A→C→E=10＋15＝25時間。Cから始まる作業は，40－25＝15時間遅らせることができます。

A→B→D→E＝15＋10＋10＝35時間。Dから始まる作業は40－35＝5時間遅らせることができます。

よって，イです。

確認問題 4

▸令和4年度　問43　　正解率▸低　計算

図のアローダイアグラムにおいて，作業Bが2日遅れて完了した。そこで，予定どおりの期間で全ての作業を完了させるために，作業Dに要員を追加することにした。作業Dに当初20名が割り当てられているとき，作業Dに追加する要員は最少で何名必要か。ここで，要員の作業効率は一律である。

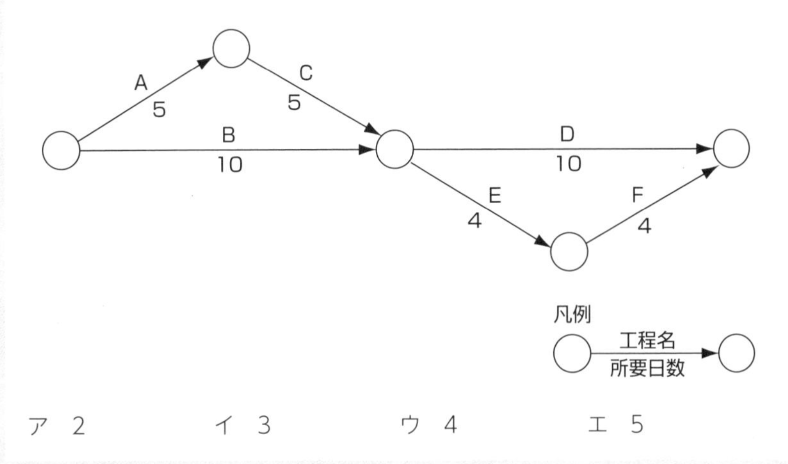

ア　2　　イ　3　　ウ　4　　エ　5

要点解説

当初の予定では，
A→C→D＝5＋5＋10＝20日
A→C→E→F＝5＋5＋4＋4＝18日
B→D＝10＋10＝20日
B→E→F＝10＋4＋4＝18日
クリティカルパスは最も日数がかかる「A→C→D」および「B→D」で，全体で20日かかります。
作業Bが2日遅れたので，作業Bの日数は12日となり，全体を20日で完了するためには作業Dを8日で完了する必要があります。
当初，Dの作業は20人で10日かかっていたので，作業工数は20人×10日＝200人日です。
この作業を8日で完了させるには，200人日÷8日＝25人が必要となり，追加で最少5名が必要となります。

解答

問題1：イ　　問題2：ウ　　問題3：イ　　問題4：エ

8 07 ITサービスマネジメント

時々出　必須　超重要

イメージでつかむ

サービスデスクに電話したことはありませんか？対応策がすぐ見つかったり，時間がかかったり…。その前になかなか電話がつながらない？！

ITサービスマネジメント

ITサービスマネジメントは，利用者のニーズに合ったITサービスを安定的・効果的に提供し，その品質を維持・改善するための一連のマネジメント活動です。

ITサービスマネジメントのベストプラクティス（成功事例）を集め，ITサービスのフレームワーク（枠組み）を示したものに**ITIL**（アイティル）(Information Technology Infrastructure Library) があります。これは，英国で作成されたものですが，今やデファクトスタンダート（事実上の標準）として各国で導入され，「ITサービスをこのように提供・管理すればうまくいくよ」という，ITサービスを安定的・効果的に提供するための手引書になっています。

“くれば”で覚える

ITIL　とくれば　**ITサービスマネジメントに関する成功事例を集めたもの**

サービスレベル合意書とサービスレベル管理

利用者のニーズに合っているかどうかを判断するためには，あらかじめ目標値を明確にしておくことが必要です。例えば，「注文してから〇分以内に届けられなかったら，料金を割り引きます」とうたっていた宅配ピザ屋がありましたが，同じようなことがITサービスの世界でも行われています。

SLA

ITサービスを提供する際に，**サービス提供事業者と利用者との間でサービスの範囲やレベルを定めた** **SLA**（Service Level Agreement：サービスレベル合意書）を締結します。

具体的には，両者間で，「サービスの提供時間は〇時から〇時までの間」，「月の稼働率は〇%以上を確保する」，「障害が発生してから〇時間以内に復旧させる」など，あらかじめ合意事項を決めておきます。サービスの範囲と品質を明確にすることで，両者が共通認識を持てます。もし合意事項を守れなかったときには，減額することを盛り込む場合もあります。

また，SLAは一過性のものではなく，PDCA（Plan-Do-Check-Act）を実施します。**サービス提供事業者が，ITサービスのレベルを継続的に維持・向上させるマネジメント活動**を **SLM**（Service Level Management：サービスレベル管理）といいます。

"くれば"で覚える

SLA　とくれば　**ITサービスレベルについて取り交わされる合意書**
SLM　とくれば　**ITサービスレベルを継続的に維持・改善するマネジメント活動**

利用者の問合せに対する対応

利用者は，システムの操作方法がわからないときやトラブルが発生したときなどは，サービス提供事業者の窓口に電話やメールで問合せをします。この窓口は，**サービスデスク**（ヘルプデスク）と呼ばれ，**サービスに関するあらゆる問合せを受け付けるために設置された，利用者に対する単一の窓口**です。窓口の集約で「たらい回し」を防げます。

ただし，サービスデスクに電話をかけてもつながりにくかったり，メールを送っても回答までに時間がかかったりすることがあります。その対策として，問合せの多い内容とその回答は，**FAQ**（Frequently Asked Questions）としてホームページに掲載し，利用者が問題を自己解決できるように支援します。最近は**チャットボット**と呼ばれる，**自動応答技術を用いて実現された，リアルタイムにLINEなどのような会話形式で回答するコミュニケーションツール**が活用されています。

もっと詳しく（サービスデスク）

サービスデスクには，次のような種類があります。

中央サービスデスク	サービスデスクを一か所に配置して効率化を図る
ローカルサービスデスク	サービスデスクを利用者の近くに配置して，利用者との正確な意思疎通や多言語対応を図る
バーチャルサービスデスク	サービスデスクの場所を複数に分散させ，インターネット技術を利用して，論理的に窓口の一元化を図る
フォロー・ザ・サン	時差のある二つ以上のサービスデスクを組み合わせて，24時間体制を図る。「太陽を追いかける」という意味

利用者のインシデントに対する対応

インシデントは，ITサービスの品質低下を引き起こす，または引き起こす恐れのある出来事です。インシデントへの対応は次の二つに分類できます。

インシデント管理

インシデント管理は，**インシデントの原因究明をせずに，通常のITサービスを回復する応急措置を行うプロセス**です。既に分かっている回避策があれば，まずそれを伝えるなど，ITサービスの迅速な回復に重点を置いて対応します。これは「とりあえず再起動してみて動けばOK」のようなイメージです。

問題管理

問題管理は，**インシデントが発生した原因を究明し，恒久的な解決策を提示するプロセス**です。根本原因を突き止めてインシデントの再発防止に重点を置いて対応します。

サービスデスクが利用者からトラブルの連絡を受けた際は，まずインシデント管理の対応をします。サービスデスクだけでは解決できない場合は，専門知識や権限のあるスタッフに解決を委(ゆだ)ねたり，さらには問題管理へ対応を依頼したりします。このように，上位のスペシャリストに対応を依頼することを**エスカレーション**といいます。

根本原因に対する対応

問題管理で根本原因が究明されれば，情報システムへの変更の要否を判断し，変更が承認されれば本番環境に実装します。

変更管理

変更管理は，情報システムの変更に伴う影響を様々な観点から検証・評価するプロセスです。ここでは，情報システムへの変更の要否を決定します。

リリース管理及び展開管理

リリース管理及び展開管理は，変更管理で承認された変更を本番環境に実装するプロセスです。

資産管理

資産管理は，ハードウェアの種類やソフトウェアのバージョンなどを管理するプロセスです。ここでは，変更管理で承認された情報システムへの変更情報を反映させます。

“くれば”で覚える

サービスデスク	とくれば	**利用者の問合せに対する窓口**
インシデント管理	とくれば	**ITサービスの迅速な回復に重点をおく**
問題管理	とくれば	**インシデントの根本原因の究明に重点をおく**

攻略法 …… **これがサービスサポートのイメージだ！**

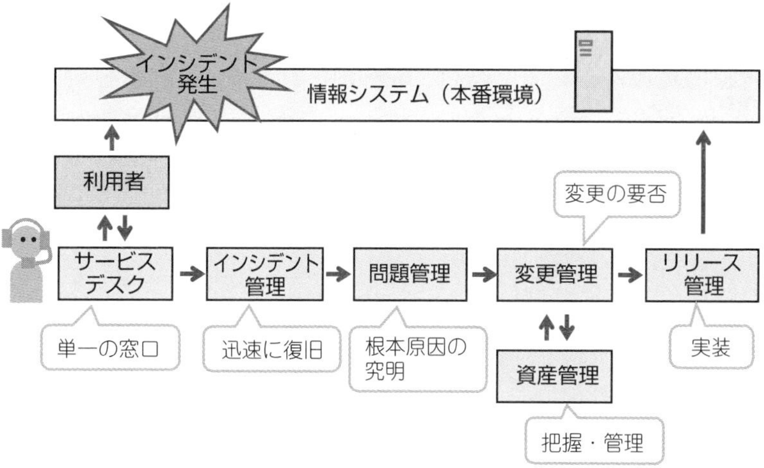

インシデント発生
情報システム（本番環境）
利用者
変更の要否
サービスデスク → インシデント管理 → 問題管理 → 変更管理 → リリース管理
単一の窓口
迅速に復旧
根本原因の究明
資産管理
実装
把握・管理

ファシリティマネジメント

ファシリティマネジメントは，**建物や設備の保有や運用，維持などを最適にするマネジメント活動**です。「施設管理」という意味です。情報システムにおけるファシリティマネジメントでは，IT関連設備が最適な状態で使われているかを常に監視し改善していきます。

具体的には，次のようなファシリティマネジメントの施策があります。

* 電源の喪失対策に自家発電装置を設置する
* 電源の瞬断対策にUPSを設置する（後述）
* 地震対策に免震床を設置する
* 落雷による過電圧対策にサージプロテクト機能のあるOAタップを使用する
* PCの盗難対策にセキュリティワイヤを使用する
* セキュリティ対策に入退出管理を実施する
* コスト削減を図るために省エネのIT機器を使用する
* 快適な環境を提供するためにフリーアドレスを導入する（自席を設けず，空いている席を使って仕事を行うこと）

など

"くれば"で覚える

ファシリティマネジメント とくれば **施設管理の最適化**

もっと詳しく（一時的な電源供給）

UPS（Uninterruptible Power Supply）は，電源の瞬断時や停電時に，システムを終了させるための一時的な電源を供給する装置です。無停電電源装置とも呼ばれています。電源異常を検出した後は，数分以内にシャットダウンさせます。

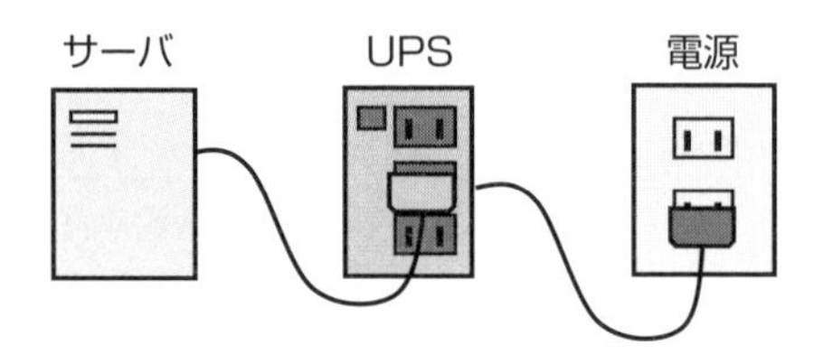

確認問題 1 ▸令和4年度 問49　正解率 ▸ 中　頻出　応用

ITサービスの利用者からの問合せに自動応答で対応するために，チャットボットを導入することにした。このようにチャットボットによる自動化が有効な管理プロセスとして，最も適切なものはどれか。

ア　インシデント管理　　イ　構成管理
ウ　変更管理　　エ　問題管理

チャットボットは，人が入力した問い合わせに対して，自動的に回答するシステムです。既にわかっている回避策を回答するのでインシデント管理です。

確認問題 2 ▸令和2年度秋期 問47　正解率 ▸ 中　基本

システム障害が発生した際，インシデント管理を担当するサービスデスクの役割として，適切なものはどれか。

ア　既知の障害事象とその回避策の利用者への紹介
イ　システム障害対応後の利用者への教育
ウ　障害が発生している業務の代行処理
エ　障害の根本原因調査

サービスデスクは，利用者からの問合せに対応する単一の窓口です。インシデント管理の場合は，根本的な原因の調査などは後回しにして，すでにわかっている障害とその回避策を利用者に回答します。

確認問題 3 ▸令和4年度 問44　正解率 ▸ 低　基本

ITサービスマネジメントにおけるインシデント管理の目的として，適切なものはどれか。

ア　インシデントの原因を分析し，根本的な原因を解決することによって，インシデントの再発を防止する。
イ　サービスに対する全ての変更を一元的に管理することによって，変更に伴う障害発生などのリスクを低減する。
ウ　サービスを構成する全ての機器やソフトウェアに関する情報を最新，正確に維持管理する。
エ　インシデントによって中断しているサービスを可能な限り迅速に回復する。

要点解説

問題管理とインシデント管理を混同しがちなので，しっかり区別して覚えましょう。
ア　問題管理　　イ　変更管理　　ウ　構成管理　　エ　インシデント管理

確認問題 4 ▸令和5年度 問48 正解率▸高 基本

システム環境整備に関する次の記述中のa，bに入れる字句の適切な組合せはどれか。

企業などがシステム環境である建物や設備などの資源を最善の状態に保つ考え方として［ a ］がある。その考え方を踏まえたシステム環境整備の施策として，突発的な停電が発生したときにサーバに一定時間電力を供給する機器である［ b ］の配備などがある。

	a	b
ア	サービスレベルマネジメント	IPS
イ	サービスレベルマネジメント	UPS
ウ	ファシリティマネジメント	IPS
エ	ファシリティマネジメント	UPS

要点解説 ファシリティマネジメントは，建物や設備の保有や運用，維持などを最適化するマネジメント活動です。UPSは電源の瞬断時や停電時に，システムを終了させるための一時的な電源を供給する装置です。

確認問題 5 ▸令和元年度秋期 問50 正解率▸低 頻出 基本

ITサービスマネジメントのフレームワークはどれか。

ア IEEE　　イ IETF　　ウ ISMS　　エ ITIL

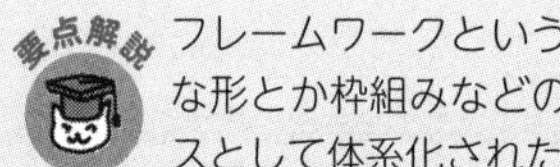

要点解説 フレームワークという用語がわかりにくくて間違える場合が多いようです。ひな形とか枠組みなどの意味です。ITサービスマネジメントのベストプラクティスとして体系化されたフレームワークは，ITILです。

確認問題 6

▸令和4年度　問51　　正解率▸中　　基本

ITサービスマネジメントにおけるSLAに関する次の記述において，a，bに当てはまる語句の組合せとして，適切なものはどれか。

SLAは，［ a ］と［ b ］との間で交わされる合意文書である。［ a ］が期待するサービスの目標値を定量化して合意した上でSLAに明記し，［ b ］はこれを測定・評価した上でサービスの品質を改善していく。

	a	b
ア	経営者	システム監査人
イ	顧客	サービスの供給者
ウ	システム開発の発注者	システム開発の受託者
エ	データの分析者	データの提供者

要点解説

SLAは，顧客（利用者）とサービスの供給者（サービス提供事業者）との間で交わされる合意文書です。

確認問題 7

▸令和3年度　問44　　正解率▸高　　基本

ITサービスマネジメントにおいて，サービスデスクが受け付けた難度の高いインシデントを解決するために，サービスデスクの担当者が専門技術をもつ二次サポートに解決を委ねることはどれか。

ア　FAQ　　　イ　SLA
ウ　エスカレーション　　　エ　ワークアラウンド

前例のないインシデントなど，サービスデスクで対応できない難しいものについては，詳しい知識のある二次サポートに任せます。これをエスカレーションといいます。

解答

問題1：ア　問題2：ア　問題3：エ　問題4：エ　問題5：エ
問題6：イ　問題7：ウ

第8章　マネジメント

8 08 システム監査

時々出　必須　超重要

イメージでつかむ

自分の間違いは自分では発見しづらく，見落としてしまう場合もあります。
情報システムにおいても，第三者によるチェックが必要です。

システム監査

せっかく開発した情報システムなのに，利用者の意見が反映されず効率が悪いものだったり，データが適当に入力されていて間違いだらけだったりすると困ります。

システム監査は，**情報システムのリスクが適切にコントロールされているかを，独立した第三者が監査すること**です。システム監査には，企業内部の監査部門が行う内部監査と外部の第三者機関に依頼して行う外部監査があります。

情報システムを監査する人を**システム監査人**といい，監査対象とは関わりをもたない独立した第三者（外観上の独立性という）が，客観的な立場かつ公正な判断（精神上の独立性という）で調査し，最終的に監査結果をまとめて，監査の依頼者（経営者など）に改善案を報告します。

また，システム監査が正しく実施されるように，経済産業省が次の二つの基準を作成し，公表しています。

1. **システム管理基準**は，企業が情報システムを管理するうえで実施すべき事項などをまとめたものです。
2. **システム監査基準**は，システム監査人の行動規範などをまとめたものです。

ここで，システム監査を人で例えるなら，「人は自分のことが見えないもの。他の人から指摘や評価をされることで，自分になかったものが見えてくる。それを改善することで，人として成長していく」というようなイメージです。

"くれば"で覚える

システム監査 とくれば **情報システムを，独立した第三者が客観的な立場で調査し改善案を助言すること**

システム監査は，大きく次のような順で実施されます。

監査依頼者（経営者など）からの依頼を受けて，システム監査人は，監査手続きの種類や実施時期，適用範囲などについて，監査計画を策定します。

予備調査

予備調査は，**アンケート調査などを行い，本監査に先立って監査対象の実態を把握すること**です。例えば，監査対象の情報システムや業務内容，役割分担などを把握します。

本調査

本調査は，**ヒアリングや現地調査などを行い，監査対象の実態を詳細に調査して，監査証拠を入手し，監査調書を作成すること**です。ここで，**監査証拠**とは，システム監査人が実態を調査し，収集した資料やデータで，監査の結論を裏付けるものです。また，**監査調書**とは，システム監査人が行った監査業務の実施記録で，監査の結論に至った過程を明らかにするものです。

監査報告書の提出

本調査での監査証拠と監査調書に基づいて，監査対象の情報システムの問題点などの指摘事項について**監査報告書**を作成し，指摘事項に齟齬（そご）がないことを確認した後，遅延なく監査依頼者（経営者など）に提出します。

フォローアップ

フォローアップは，指摘事項について，監査依頼者（経営者など）からの是正処置報告を受けた後に，**システム監査人が適切に指摘事業の改善が実施されているかを確認し助言する**ことです。システム監査人はあくまでも助言までで，改善命令を出すのは監査依頼者（経営者など）です。

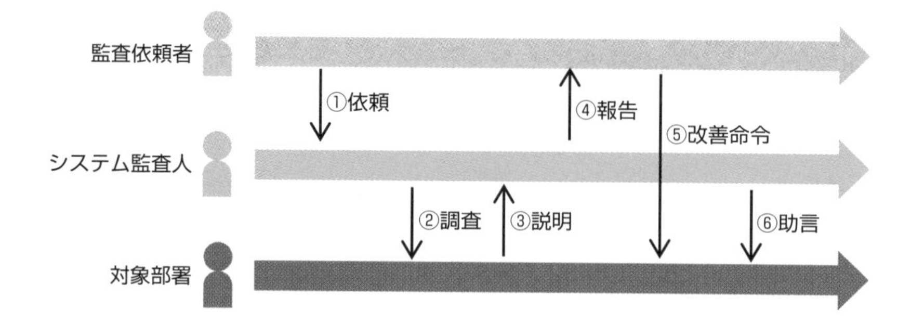

確認問題　1　▸令和6年度　問55　正解率▸高　**基本**

システム監査の目的に関する記述として，適切なものはどれか。

ア　開発すべきシステムの具体的な用途を分析し，システム要件を明らかにすること
イ　情報システムが設置されている施設とその環境を総合的に企画，管理，活用すること
ウ　情報システムに係るリスクに適切に対応しているかどうかを評価することによって，組織体の目標達成に寄与すること
エ　知識，スキル，ツール及び技法をプロジェクト活動に適用することによってプロジェクトの要求事項を満足させること

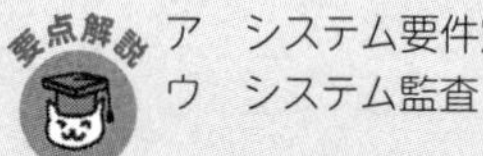

ア　システム要件定義（8-02参照）　イ　ファシリティマネジメント（8-07参照）
ウ　システム監査　ウ　プロジェクトマネジメント（8-05参照）

確認問題　2　▸令和元年度秋期　問44　正解率▸中　**応用**

業務処理時間の短縮を目的として，運用中の業務システムの処理能力の改善を図った。この改善が有効であることを評価するためにシステム監査を実施するとき，システム監査人が運用部門に要求する情報として，適切なものはどれか。

ア　稼働統計資料　イ　システム運用体制
ウ　システム運用マニュアル　エ　ユーザマニュアル

要点解説　運用中の業務システムの処理能力の改善をはかったのであれば，稼働状況の統計資料を見て，応答時間などが短縮されているかどうか確認します。

確認問題 3 ▸令和3年度 問55 正解率▸低 応用

有料のメールサービスを提供している企業において，メールサービスに関する開発・設備投資の費用対効果の効率性を対象にしてシステム監査を実施するとき，システム監査人が所属している組織として，最も適切なものはどれか。

ア 社長直轄の品質保証部門
イ メールサービスに必要な機器の調達を行う運用部門
ウ メールサービスの機能の選定や費用対効果の評価を行う企画部門
エ メールシステムの開発部門

システム監査人は，監査対象から独立した第三者の立場で客観的に監査を実施します。選択肢の中で独立している立場なのは，社長直轄の品質保証部門です。

確認問題 4 ▸令和6年度 問42 正解率▸低 応用

システム監査人の役割として，適切なものだけを全て挙げたものはどれか。

a 監査手続の種類，実施時期，適用範囲などについて，監査計画を立案する。
b 監査の目的に応じた監査報告書を作成し，社内に公開する。
c 監査報告書にある改善提案に基づく改善の実施を監査対象部門に指示する。
d 監査報告書にある改善提案に基づく改善の実施状況をモニタリングする。

ア a，b　イ a，d　ウ b，c　エ c，d

a 監査計画を立案し，それに基づき監査を実施します。
b 監査報告書は監査依頼者（経営者など）に提出しますが，公開はしません。
c 改善提案に基づく改善の実施について監査対象部門には指示しません。改善命令の指示をするのは監査依頼人（経営者など）です。
d 改善提案に基づく改善の実施状況をモニタリングします。

第8章 マネジメント

確認問題 5　▸令和6年度　問48　正解率 ▸ 低　応用

システム監査で用いる判断尺度の選定方法に関する記述として，最も適切なものはどれか。

ア　システム監査ではシステム管理基準の全項目をそのまま使用しなければならない。
イ　システム監査のテーマに応じて，システム管理基準以外の基準を使用してもよい。
ウ　システム監査のテーマによらず，システム管理基準以外の基準は使用すべきでない。
エ　アジャイル開発では，システム管理基準は使用すべきでない。

ア　そのまま使用するのではなく，テーマや目的に適した形で使用します。
イ　テーマに応じて，システム管理基準以外の基準を使用しても構いません。
ウ　テーマに応じて，システム管理基準以外の基準は使用しても構いません。
エ　アジャイル開発でも，システム管理基準は使用できます。

確認問題 6　▸令和4年度　問53　正解率 ▸ 低　応用

a～dのうち，システム監査人が，合理的な評価・結論を得るために予備調査や本調査のときに利用する調査手段に関する記述として，適切なものだけを全て挙げたものはどれか。

a　EA (Enterprise Architecture) の活用
b　コンピュータを利用した監査技法の活用
c　資料や文書の閲覧
d　ヒアリング

ア　a，b，c　　イ　a，b，d　　ウ　a，c，d　　エ　b，c，d

要点解説

EAは全体最適の観点から業務とシステムを同時に改善していくための技法（10-05参照）で，システム監査とは関係がありません。
「コンピュータを利用した監査技法の活用」，「資料や文書の閲覧」，「ヒアリング」は，予備調査や本調査で用いられる調査技法です。

解答

問題1：ウ　問題2：ア　問題3：ア　問題4：イ　問題5：イ
問題6：エ

第9章

企業活動と法務

〔ストラテジ系〕

9 01 財務諸表

時々出 必須 超重要

イメージでつかむ

私たちは健康診断書を見て，体が健康か病気かをチェックします。企業においても，計算書類を見て，業績が好調か不調かをチェックします。

財務諸表

財務諸表は，**企業の財政状態や経営成績をステークホルダ（株主や債権者などの利害関係者）へ報告するために作成される計算書類**です。企業の健康診断書のようなもので，これらの計算書類で企業が好調か不調かをチェックできます。

財務諸表には，貸借対照表や損益計算書，キャッシュフロー計算書などがあります。上場企業には，事業年度ごとに有価証券報告書での開示が義務付けられており，**企業の財務状態や経営成績を外部に公開すること**を**ディスクロージャ**といいます。

また，**連結財務諸表**は，親会社と子会社の会計を合算し，グループ間の取引を相殺（そうさい）した計算書類で，企業グループ全体の財政状態や経営成績を表します。

貸借対照表（たいしゃくたいしょうひょう）

貸借対照表は，**決算日における企業の資産・負債・純資産を記載したもの**です。企業の財政状態を明らかにします。これは「その時点での会社の財産や借金はいくらあるの？」ということです。

貸借対照表の記載形式は次のようになります。左側がプラスの財産，右側がマイナスの財産と正味の財産です。貸借対照表では「**資産＝負債＋純資産**」の関係が成り立ちます。つまり，貸借対照表の左側と右側の合計額は必ず一致するので，B/S (Balance

Sheet：バランスシート）とも呼ばれています。

借方	貸方
資産の部	負債の部
	純資産の部

プラスの財産 → 資産の部
マイナスの財産 → 負債の部
正味の財産 → 純資産の部

貸借対照表をもう少し詳しく考えてみましょう。貸借対照表の資産の部や負債の部は，次のように分類されます。それぞれ具体的に何が該当するのか表を見て確認して下さい。

資産	**流動資産**	1年以内に現金化できる資産
	固定資産	1年以上，保有する資産
負債	**流動負債**	1年以内に返済すべき負債
	固定負債	1年以上，返済しなくてよい負債

単位　億円

資産の部		負債の部	
流動資産	**9000**	**流動負債**	**14000**
現金預金	2000	短期借入金	12000
受取手形	500	支払手形	1000
売掛金	4000	買掛金	1000
有価証券	1000	**固定負債**	**2000**
商品	1500	長期借入金	1000
固定資産	**9000**	社債	1000
土地	5000	純資産の部	
建物	3000	資本金	600
機械	1000	利益剰余金	1400
合計	**18000**	**合計**	**18000**

他人資本
返済の必要がある資金

自己資本
返済の必要がない資金

また，企業間の取引では，代金をすぐに支払うのではなく，ある期間の取引額をまとめて後払い（ツケ）する場合が多くあります。**後で支払う代金**を**買掛金**（かいかけきん），**後で支払われる代金**を**売掛金**（うりかけきん）といいます。例えば「毎月20日締め翌月末払い」の場合は，5/21～6/20までの売上の分を6/20に請求し，7/31に入金されます。

安全性を表す指標

貸借対照表からは様々な指標が計算でき，企業の安全性（倒産するリスクが高いか低いか）を判断できます。健康診断書の指標で，健康かどうかを判断するのと同じです。

流動比率

✨**流動比率**✨は，**流動負債に対する流動資産の割合を示した指標**です。流動比率（%）＝流動資産÷流動負債×100で求めます。この指標により，1年以内に現金化できる資産（流動資産）が，1年以内に返済すべき負債（流動負債）をどれだけ上回っているかを把握でき，この数値が大きいほど，短期的な支払い能力が高いと判断されます。120%以上なら安心な数値とされています。

先ほどの貸借対照表の例では，9000÷14000×100≒64%で，支払い能力は低く，設備投資のため，銀行からかなり借金をしたようです。

固定比率

固定比率は，**自己資本に対する固定資産の割合を表した指標**です。固定比率（%）＝固定資産÷自己資本×100で求めます。この指標により，固定資産が返済の必要のない自己資本によって十分に調達されているかを把握でき，この数値が100%を超えないことが理想とされています。

先ほどの例では，9000÷2000×100＝450%なので，固定比率は高いようです。

自己資本比率

自己資本比率は，**総資産に対する自己資本の割合を示した指標**です。自己資本比率（%）＝自己資本÷総資産×100で求めます。この指標により，総資産（他人資本＋自己資本）のうち，返済の必要のない自己資本が全体の何割を占めているかを把握でき，この数値が大きいほど財務の安全性が高いと判断されます。50%以上が理想とされています。

先ほどの例では，2000÷18000×100≒11%なので，やはり借金が響いていることがわかります。

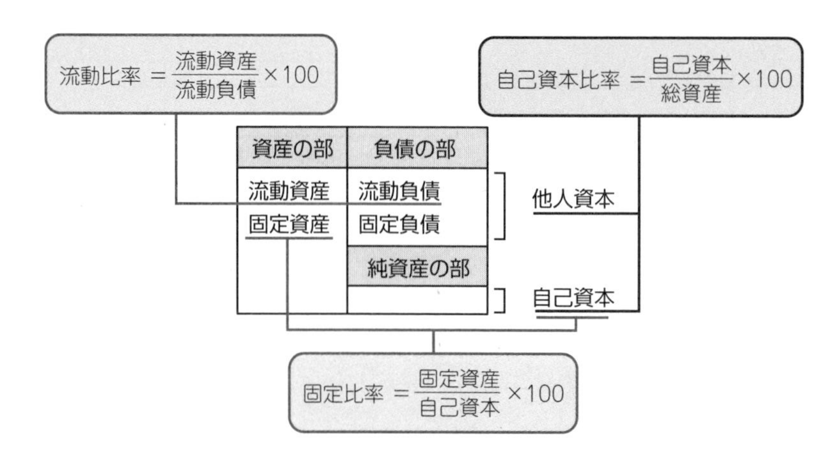

アドバイス［指標が多すぎて覚えられない？］

あとで説明する収益性を表す指標も含めて，試験では，それぞれの指標の意味や，指標の値を求める問題が出題されます。

このあたりのところは，馴染みがないと難しく感じるかもしれませんが，毎回1~2問必ず出題される重要項目です。最低限，**頻出用語**になっているところは覚えて下さい。

損益計算書

損益計算書（P/L：Profit and Loss statement）は，**会計期間に発生した収益と費用によって，企業の経営成績を表示したもの**です。これは「その期間にいくら儲かった？損した？」ということです。

売上高から費用を引けば利益が求まりますが，どこまで差し引くかにより5段階の利益があります。

損益計算書

	単位 億円
売上高	100
売上原価	75
売上総利益 ①	25
販売費及び一般管理費	15
営業利益 ②	10
営業外収益	2
営業外費用	5
経常利益 ③	7
特別利益	0
特別損失	1
税引前当期純利益 ④	6
法人税等	2
当期純利益 ⑤	4

①売上総利益（粗利益）
＝売上高－売上原価

②営業利益
＝売上総利益（①）－販売費及び一般管理費

③経常利益
＝営業利益（②）＋営業外収益－営業外費用

④税引前当期純利益
＝経常利益（③）＋特別利益－特別損失

⑤当期純利益
＝税引前当期利益（④）－法人税等

このうち，試験でよく出るのは営業利益や経常利益です。それぞれの計算方法と，利益はいくらかという問題が出ます。

営業利益は，**売上総利益－販売費及び一般管理費**（後述）で求め「本業の儲け」を表します。**経常利益**は，**営業利益＋営業外収益－営業外費用**で求め「本業以外も含めた通常業務での儲け」を表します。「本業は鉄道会社だが，副業でせんべいも売っているのでその利益も考える」というイメージです。

損益計算書には，費用や収益を表す次のような用語が出てきます。

売上原価	商品の原価にかかった費用 商品の仕入高，材料費など
販売費及び一般管理費 (販管費)	商品を売るためにかかった費用 人件費，広告宣伝費，交通費など
営業外収益・営業外費用 (営業外損益)	本業以外の経常的に発生する損益 受取利息，有価証券売却益，支払利息，有価証券売却損など
特別利益・特別損失 (特別損益)	本業以外の臨時的に発生する損益 株の売却，不動産の売却など
法人税等	法人税，法人住民税，法人事業税

収益性を表す指標

収益性を表す指標には，次のようなものがあります。貸借対照表と損益計算書の値を組み合わせて分析するものもあります。

ROE

ROE（Return On Equity：**自己資本利益率**）は，**自己資本に対する当期純利益の割合を示した指標**です。ROE（%）＝当期純利益÷自己資本×100で求めます。この指標により，自己資本（返済の必要がない資金）がどの程度効率的に利益を生み出しているかを把握でき，この数値が高いほど，自己資本が効率的に活用されていると判断できます。

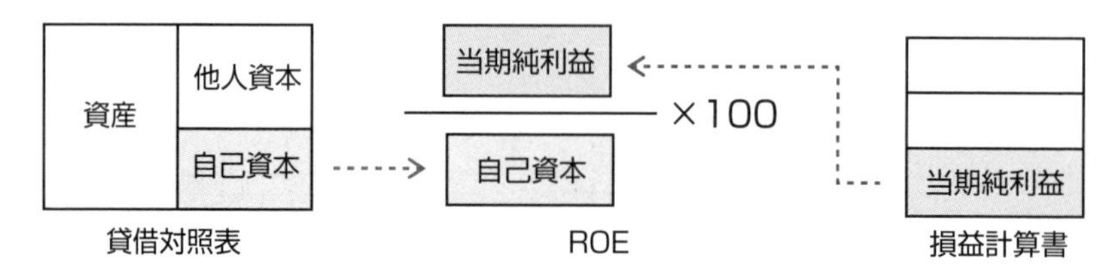

"くれば"で覚える

ROE　とくれば　**自己資本に対する収益性を表す指標**

ROA

ROA（Return On Asset：**総資産利益率**）は，**総資産に対する当期純利益の割合を示した指標**です。ROA（%）＝当期純利益 ÷総資産×100で求めます。この指標により，総資産（他人資本＋自己資本）がどの程度効率的に利益を生み出しているかを把握でき，この数値が高いほど，総資産が効率的に活用されていると判断できます。ただし，他人資本（返済の必要がある資金）も含んでいるので，流動比率などの指標と組み合わせて分析する必要があります。

売上総利益率（粗利率）

売上総利益率（粗利率）は，**売上高に対する売上総利益の割合を示した指標**です。売上総利益率（%）＝売上総利益÷売上高×100で求めます。この指標により，企業の製品やサービスの競争力を把握でき，この数値が高いほど競争力が高いと判断できます。

総資本回転率

総資本回転率は，**総資本に対する売上高を示した指標**です。総資本回転率（回）＝売上高÷総資本で求めます。この指標により，総資本（他人資本＋自己資本）と売上高を比較することで，総資本を使ってどの程度効率的に売上を生み出しているかを把握でき，この数値が高いほど，総資本が効果的に活用されていると判断できます。

キャッシュフロー計算書

キャッシュフロー計算書は，**会計期間におけるキャッシュフロー（現金の流れ）の状況を「営業活動」・「投資活動」・「財務活動」の三つの活動区分に分けて表したもの**です。「その期間の現金の動きは？資金繰りは？」ということです。例えば今月の売上が100万円でも，入金が来月末，手持ちの現金は50万円，今月中に100万円を支払うとなると大変です。現金の流れはしっかり把握しておく必要があります。

営業活動によるキャッシュフロー	企業活動による現金の増減を表したもの 増加要因…商品の販売，棚卸資産の減少など 減少要因…商品の仕入，給与の支払いなど
投資活動によるキャッシュフロー	固定資産や設備投資，有価証券などの投資活動による現金の増減を表したもの 増加要因…固定資産の売却，有価証券の売却など 減少要因…固定資産の取得，有価証券の取得など
財務活動によるキャッシュフロー	資金の調達や返済による現金の増減を表したもの 増加要因…借入，社債の発行，株式の発行など 減少要因…借入金の返済，社債の償還，配当金の支払いなど

知っ得情報（インボイス）

インボイス（適格請求書）とは、事業者が発行する特別な請求書で，取引先が受け取った消費税の額を控除するために必要な書類です。この請求書を発行するには，税務署に登録し，適格事業者登録番号を取得する必要があります。

確認問題 1

▸オリジナル　正解率▸高　頻出　基本

買掛金は，貸借対照表ではどこに分類されるか。

ア　売上原価　　イ　資産　　ウ　純資産　　エ　負債

買掛金は，商品の納品後に支払う購入代金のことをいいます。支払わなければいけないマイナスの財産ということで，負債に該当します。

確認問題 2

▸平成31年度春期　問18　正解率▸高　基本

貸借対照表を説明したものはどれか。

ア　一定期間におけるキャッシュフローの状況を活動区分別に表示したもの
イ　一定期間に発生した収益と費用によって会社の経営成績を表示したもの
ウ　会社の純資産の各項目の前期末残高，当期変動額，当期末残高を表示したもの
エ　決算日における会社の財務状態を資産・負債・純資産の区分で表示したもの

要点解説

貸借対照表は，決算日での会社の資産・負債・純資産がいくらかを示します。
ア：キャッシュフロー計算書　イ：損益計算書
ウは株主資本等変動報告書といいます。

確認問題 3

▸令和6年度　問30　正解率▸低　応用

上司から自社の当期の損益計算書を渡され，“我が社の収益性分析をしなさい”と言われた。経営に関する指標のうち，この損益計算書だけから計算できるものだけを全て挙げたものはどれか。

a　売上高増加率
b　売上高利益率
c　自己資本利益率

ア　a　　イ　a，b　　ウ　a，b，c　　エ　b

要点解説

a　（当期売上高－前期売上高）÷当期売上高×100で求めます。前期の損益計算書がないので計算できません。
b　利益÷売上高×100で求めます。営業利益，経常利益，当期純利益などの利益から計算できます。
c　当期純利益÷自己資本×100で求めます。損益計算書には自己資本がないので計算できません。

確認問題 4

▸平成30年度春期　問11　　正解率▸高　計算

貸借対照表から求められる，自己資本比率は何％か。

単位　百万円

資産の部	負債の部
流動資産合計　100	流動負債合計　160
固定資産合計　500	固定負債合計　200
	純資産の部
	株主資本　240

ア　40　　イ　80　　ウ　125　　エ　150

要点解説

自己資本比率は，自己資本÷総資産で求められます。本問の場合，自己資本は株主資本のみです。

総資産は，負債＋純資産なので，160＋200＋240＝600

自己資本÷総資産＝240÷600＝0.4

自己資本比率は，40％となります。

確認問題 5

▸令和4年度　問30　　正解率▸中　頻出　基本

営業利益を求める計算式はどれか。

ア　(売上高)－(売上原価)

イ　(売上総利益)－(販売費及び一般管理費)

ウ　(経常利益)＋(特別利益)－(特別損失)

エ　(税引前当期純利益)－(法人税，住民税及び事業税)

要点解説

営業利益は，本業の儲けを表します。売上総利益－(販売費及び一般管理費)で求めます。

アは売上総利益，ウは税引前当期純利益，エは，当期純利益です。

この問題はいろいろなバリエーションで出題されています。それぞれの選択肢がどの利益の式なのか，どれが出ても答えられるようにしておきましょう。なお，売上総利益は，粗利益という用語でも出題されます。

確認問題 6 ▸令和3年度 問28 正解率▸低 頻出 計算

次の当期末損益計算資料から求められる経常利益は何百万円か。

単位 百万円

売上高	3,000
売上原価	1,500
販売費及び一般管理費	500
営業外費用	15
特別損失	300
法人税	300

ア 385　イ 685　ウ 985　エ 1,000

経常利益は，売上高－売上原価－販売費および一般管理費－営業外費用で求まります。
3,000－1,500－500－15＝985百万円となります。

確認問題 7 ▸令和4年度 問28 正解率▸中 計算

A社のある期の資産，負債及び純資産が次のとおりであるとき，経営の安全性指標の一つで，短期の支払能力を示す流動比率は何％か。

単位 百万円

資産の部		負債の部	
流動資産	3,000	流動負債	1,500
固定資産	4,500	固定負債	4,000
		純資産の部	
		株主資本	2,000

ア 50　イ 100　ウ 150　エ 200

流動比率は，流動資産÷流動負債×100で求まります。
3,000÷1,500×100＝200％となります。
なお，流動比率の数値が大きいほど，短期的な支払能力が高いと判断され，120％以上なら安心な数値とされています。

確認問題 8 ▸平成30年度秋期 問19 正解率▸高

複数の店舗をもつ小売業A社の業績推移を示す表から読み取れるものはどれか。

	2015年	2016年	2017年
売上高(億円)	6,000	5,500	5,000
営業利益(億円)	600	1,000	1,200
店舗数	300	250	200

ア 1店舗当たりの売上高は減少し，営業利益率は増加している。
イ 1店舗当たりの売上高は減少し，営業利益率も減少している。
ウ 1店舗当たりの売上高は増加し，営業利益率も増加している。
エ 1店舗当たりの売上高は増加し，営業利益率は減少している。

1店舗当たりの売上高は，売上高÷店舗数で求まります。
営業利益率は，営業利益÷売上高で求まります。
それぞれ計算した値は以下のようになります。

	2015年	2016年	2017年
売上高(億円)	6,000	5,500	5,000
営業利益(億円)	600	1,000	1,200
店舗数	300	250	200
1店舗当たりの売上高(億円)	20	22	25
営業利益率(%)	10	18	24

全体としてみると売上高や店舗数は減っていますが，1店舗当たりの売上高は増加し，営業利益率も増加しているので，不採算の店舗を閉鎖するなどで効率的に稼げるようになっています。

解答

問題1：エ　問題2：エ　問題3：エ　問題4：ア　問題5：イ
問題6：ウ　問題7：エ　問題8：ウ

9 02 損益分岐点と資産管理

時々出　必須　超重要

イメージでつかむ

ラーメン１杯の売上（値段）から，それを作るのにかかった費用を引いた部分が１杯分の利益（もうけ）になります。
費用を減らせば，利益はより増えるのですが，なかなか簡単にはいきません。

費用と利益

商品を製造するときにかかる費用には，**売上高とは関係なく発生する固定費**と，**売上高に比例して発生する変動費**があります。例えば，人件費（固定給）や店舗の家賃，光熱費などが固定費で，材料費や材料の運送費などが変動費です。

固定費と変動費を合わせて総費用といい，利益は次の式で求められます。

利益＝売上高－総費用
＝売上高－（固定費＋変動費）

“くれば”で覚える

固定費　とくれば　**売上高とは関係なく発生する費用**
変動費　とくれば　**売上高に比例して発生する費用**
総費用　とくれば　**固定費＋変動費**
利益　とくれば　**売上高－（固定費＋変動費）**

損益分岐点分析

損益分岐点売上高は，**利益と損失の分岐点にある売上高**です。売上高が，この点を上回れば利益が，下回れば損失が出ることになります。

損益分岐点をグラフに表すと，下図のようになります。

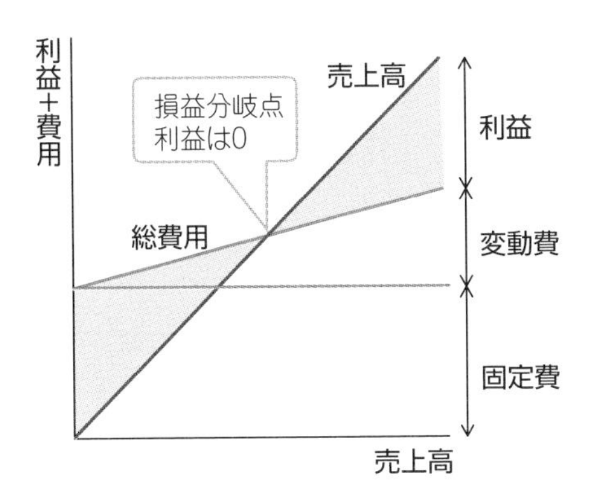

損益分岐点は，次の式で求められます。変動費率は，売上高に対する変動費の比率です。試験では，よく出題されるので覚えましょう。

損益分岐点売上高＝固定費÷（1－変動費率）
変動費率＝変動費÷売上高

“くれば”で覚える

損益分岐点売上高	とくれば	**固定費÷（1－変動費率）**
変動費率	とくれば	**変動費÷売上高**

具体的に考えてみましょう。損益分岐点の公式を使って，ある商品の1年間の売上高が400万円，利益が50万円，固定費が150万円であるとき，この商品の損益分岐点での売上高は何万円かを求めます。

まず，利益＝売上高－（固定費＋変動費）より

変動費＝売上高－利益－固定費＝400－50－150＝200万円

次に，変動費率＝変動費÷売上高＝200÷400＝0.5

損益分岐点売上高＝固定費÷（1－変動費率）＝150÷（1－0.5）＝300万円
です。

また，グラフを書くことで求めることもできます。一般的に次のような関係になります。数学が得意でない人は飛ばしても大丈夫です。次の直線①と直線②の交点が損益分岐点です。

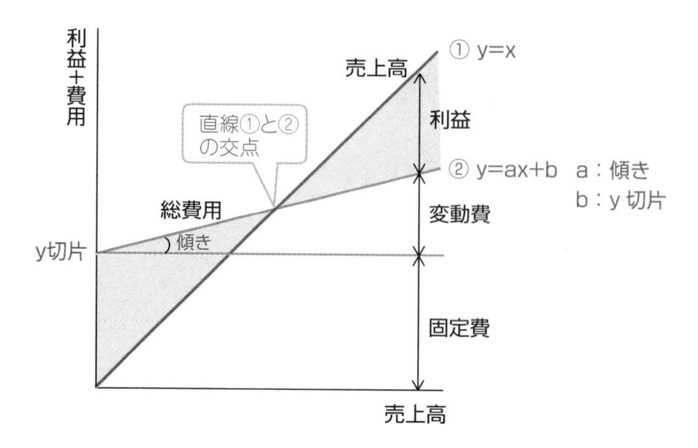

問題をグラフで表すと次のようになります。

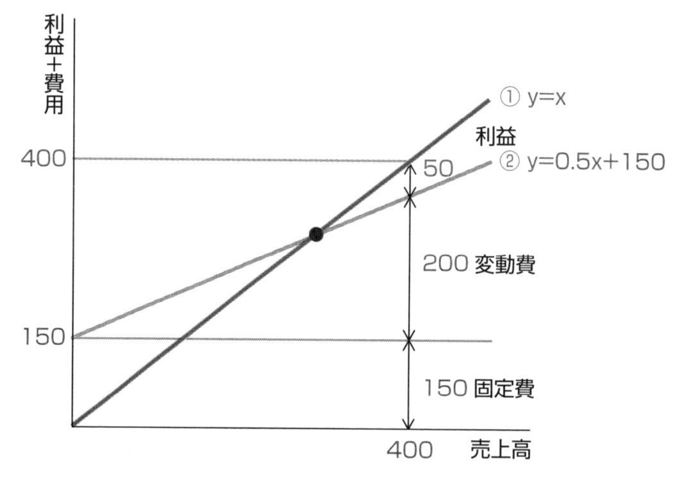

直線①：$y = x$

直線②：$y = 0.5x + 150$

（傾き：yの増加量÷xの増加量＝200÷400＝0.5，y切片：150）

①の式を②へ代入すると，

$x = 0.5x + 150$

$x = 300$万円です。

アドバイス［損益分岐点はよく出る］

このあたり，眺めていてもさっぱり頭に入らない，と思う方もいるかもしれません。損益分岐点関連の問題は出題頻度が高いので，現段階で捨ててしまうのはもったいないです。問題文の条件を公式にあてはめられれば，あとは方程式を解くだけです。公式を忘れても，「利益は売上高から固定費と変動費を引いたもの」「損益分岐点売上高では利益はゼロ」「売上高と変動費は比例」という原則からも式を導けます。

棚卸資産の評価法

棚卸資産は，いつか売るために保管している商品や材料，つまり在庫のことです。

商品を仕入れて顧客に販売する場合は，顧客からの注文にすぐ対応するために，ある程度の在庫をもつのが普通です。同じ商品でも，仕入時期によって仕入単価が異なります。いくらで仕入れたものが売れたのか，また，倉庫にあるのはいくら分なのか，計算する方法に次のようなものがあり，評価法によって評価額が変わります。

先入先出法	先に仕入れた商品から先に払い出していくと仮定して，払出単価とする方式
移動平均法	商品の仕入の都度，在庫商品の平均単価を算出して，直前の在庫商品の平均単価を払出単価とする方式

“くれば”で覚える

先入先出法　とくれば　**先に仕入れた商品から先に払い出す方式**

次の例で，先入先出法と移動平均法でそれぞれ評価した場合の月末の在庫評価額を考えてみましょう。

日付	摘要	個数	単価	金額
4/1	前月繰越	40	10	400
4/8	仕入	60	14	840
4/16	出庫	**50**		

●先入先出法で評価した場合

先入先出法は，先に仕入れた商品から先に払い出したとみなします。4/16の50個の出庫は，4/1の40個のうちの40個と，4/8の60個のうちの10個を払い出したとみなします。

つまり在庫は，4/8の60個のうちの50個なので，在庫評価額は，50個×14円＝700円となります。

第9章　企業活動と法務

ちなみに，在庫評価額ではなく，売上原価を求める問題も出題されます。どちらが問われているのか注意しましょう。

売上原価は，40個×10円＋10個×14円＝540円となります。

先入先出法の問題はよく出題されます。次のように図解すれば簡単に解けてしまいます。ここでは，○は個数10個分を表すものとします。

・4/1に40個を前月から繰り越し，4/8に60個を仕入れます。

日付	適用	個数	単価
4/1	前月繰越	○○○○	10
4/8	仕入	○○○○○○	14

・4/16に50個を出庫します。先入先出法なので，4/16の50個の出庫は，4/1の40個のうちの40個と，4/8の60個のうちの10個を払い出したとみなします。

日付	適用	個数	単価
4/1	前月繰越	~~○○○○~~	10
4/8	仕入	~~○~~○○○○○	14

在庫評価額は，50個×14円=700円となります。

●**移動平均法で評価した場合**

移動平均法は，商品を仕入れるたびに平均単価を求めます。

平均単価＝(在庫残高＋仕入金額)÷(在庫個数＋仕入個数)
＝(40個×10円＋60個×14円)÷(40＋60)
＝12.4円

在庫評価額は，50個×12.4円＝620円となります。

知っ得情報 (在庫回転率)

在庫回転率は，**平均在庫高に対する売上高を示した指標**です。在庫回転率(回)＝売上高÷平均在庫高で求めます。この指標により，在庫となっている商品(棚卸資産)の金額とすでに販売された商品の売上高を比較することで，在庫が何回入れ替わったかを評価でき，この数値が高いほど，商品の仕入れから販売までの期間が短く効率的と判断できます。

例えば売上原価が1個100円で，図のように出庫した場合
平均在庫高＝(期首在庫高＋期末在庫高)÷2＝(300＋0)÷2＝150
在庫回転率＝売上高÷平均在庫高＝900÷150＝6(回)となります。

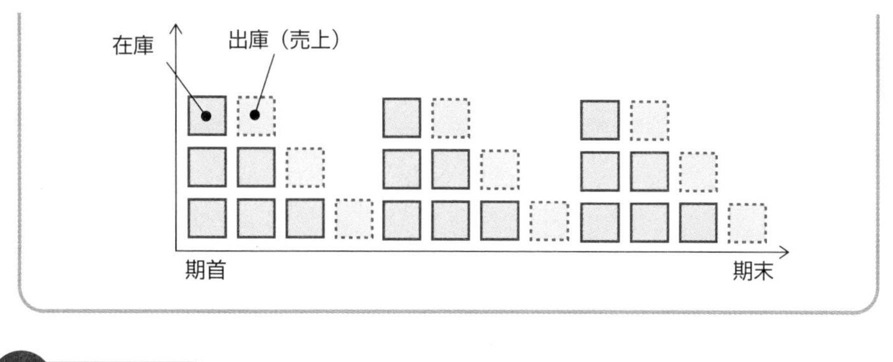

在庫管理

商品を発売したり，部品や資材を管理したりする際に，在庫管理を行います。在庫が少なすぎると出荷に支障が出ますし，在庫が多すぎても費用がかさみます。現在の在庫量を把握し，調達期間や未来の需要を考慮して適正な量の在庫を維持することが重要です。

部品や資材の発注方法には，**在庫が基準を下回ったら一定量を発注する定量発注方式**と，**一定の間隔で発注する定期発注方式**があります。定量発注方式は，発注量は一定ですが，発注の間隔はまちまちであるのに対して，定期発注方式は発注の間隔は一定ですが発注量はまちまちです。

減価償却

建物や機械などのような固定資産は，一般的に時間の経過とともに価値が減っていきます。**減価償却**は，資産の購入にかかった金額（**取得価額**という）を，一定の方法にしたがって，利用した年度ごとに減価償却費として計上する会計処理です。これは，取得した年度に全額を計上すると，その年度だけが増えてしまい，正確な経営状況がつかめなくなるためです。

資産の利用可能な年数を耐用年数といい，資産の種別ごとに**法定耐用年数**として定められています。PCは4年，サーバは5年，ソフトウェアも「販売するための原本」及び「研究開発目的」は3年，「その他のもの」は5年と定められています。

減価償却の方法には，**毎年同じ金額を計上する定額法**と，**毎年同じ割合（償却率という）の金額を計上する定率法**があります。

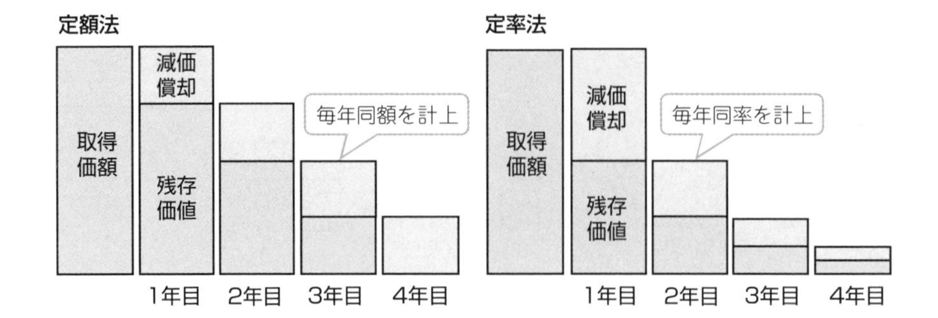

知っ得情報 期待値の求め方

売上や利益などを予想する場合に，期待値を求めることがあります。

期待値は，期待できる数値の平均値で，起こりうる事象の全ての場合の数値に，それぞれの確率をかけて足すことで求めます。

例えば，各経済状況下で，ある生産の方策を実施した場合に，次のような利益が得られると見積りました。

経済状況	好転	変化なし	悪化
予測利益	800百万円	300百万円	200百万円

そこで，経済状況の見通しの割合が好転30%，変化なし60%，悪化10%であると想定される場合の利益の期待値は，$800 \times 0.3 + 300 \times 0.6 + 200 \times 0.1 =$ 440 百万円となります。

確認問題 1 ▸平成30年度秋期　問27　正解率▸中　計算

ある商品を表の条件で販売したとき，損益分岐点売上高は何円か。

販売価格	300円／個
変動費	100円／個
固定費	100,000円

ア　150,000　　イ　200,000　　ウ　250,000　　エ　300,000

要点解説

損益分岐点の個数をxとすると，損益分岐点の売上高＝300x（①）
損益分岐点の費用は100x＋100,000（②）
①と②が等しくなるので，300x＝100x＋100,000
x＝500となり，①に代入すると売上高は150,000円となります。

確認問題 2

▶平成31年度春期 問13　正解率▶中　頻出　計算

次の条件で，インターネット上にWebサイトを開設して商品販売を開始した。

毎月10万円の利益を上げるためには，Webサイトへの毎月の来訪者は少なくとも何人必要か。ここで，Webサイトへの来訪者は全員がインターネット広告経由で来訪し，購入者は1人当たり1個の商品を購入するものとする。また，条件以外の費用は考慮しないものとする。

〔条件〕		
	①サーバのレンタル費用	5万円／月
	②インターネット広告費用	10円／来訪者
	③商品の販売による利益	400円／個
	④来訪者が商品を購入する比率	10%

ア　385　　イ　3,000　　ウ　3,750　　エ　5,000

毎月の来訪者をx人とします。④より，購入者数は0.1x人
①よりサーバレンタル費用は5万円…固定費
②より広告費用は10x円…変動費
③より，400円×0.1x＝40x…得られる利益
③－(①＋②)を10万円としたいので
40x－(50,000＋10x)＝100,000
30x＝150,000
x＝5,000人となります。
なお，本問では「条件以外の費用は考慮しない」とあることから，「③商品の販売による利益」は，商品の製造費または仕入れにかかる費用をすでに差し引いた利益とみなして考えてよいでしょう。

確認問題 3

▶平成28年度秋期 問9　正解率▶中　計算

ある製品を生産，販売するのに，固定費が100万円，製品1個当たりの変動費が7万円である。この製品を単価10万円で販売するとき，利益を170万円以上確保するためには，少なくとも何個を販売する必要があるか。

ア　90　　イ　270　　ウ　630　　エ　900

製品がx個売れたとすると，売上高＝10万xとなり，総費用は100万＋7x万となります。
利益＝売上高－総費用で求められます。
利益が170万円となる個数を求めるには，
170＝10x－(100＋7x)のxを求めます。
3x＝270となり，x＝90個以上を販売すればよいとわかります。

確認問題 4　▸令和2年度秋期　問33　正解率▸中　計算

インターネット上で通信販売を行っているＡ社は，販売促進策として他社が発行するメールマガジンに自社商品Ｙの広告を出すことにした。広告は，メールマガジンの購読者が広告中のURLをクリックすると，その商品ページが表示される仕組みになっている。この販売促進策の前提を表のとおりとしたとき，この販売促進策での収支がマイナスとならないようにするためには，商品Ｙの販売価格は少なくとも何円以上である必要があるか。ここで，購入者による商品Ｙの購入は１人１個に限定されるものとする。また，他のコストは考えないものとする。

①	メールマガジンの購読者数	100,000人
②	①のうち，広告中のURLをクリックする割合	2%
③	②のうち，商品Ｙを購入する割合	10%
④	商品Ｙの１個当たりの原価	1,000円
⑤	販売促進策に掛かる費用の総額	200,000円

ア　1,020　　イ　1,100　　ウ　1,500　　エ　2,000

②より，広告中のURLをクリックする人は，100,000×0.02＝2,000人
③より，商品Ｙを購入する人は，2,000×0.1＝200人
④より，原価は200×1,000＝200,000円
ここで，収支が少なくともマイナスとならないためには，売上高＝費用（④+⑤）の関係が成立する必要があります。商品Ｙの販売価格をxとすると，
200×x＝200,000＋200,000
求めると，x＝2,000円となります。

確認問題 5　▸平成30年度春期　問27　正解率▸中　計算

ある商品の前期，当期２期分の売上高と総費用は表のとおりである。この商品の１期間の固定費は何千円か。ここで，総費用は固定費と変動費の合計であり，固定費，及び売上高に対する変動費の割合は，前期，当期ともに変わらないものとする。

単位　千円

	前期	当期
売上高	10,000	11,000
総費用	9,000	9,600

ア　2,400　　イ　3,000　　ウ　3,600　　エ　4,000

固定費は，前期と当期どちらも同じ額になるので，これをxとおきます。
売上高と変動費は比例します。売上高が前期と当期で1.1倍になっているので，変動費も1.1倍になっているはずです。前期の変動費をyとすると，当期の変動費は1.1yとなります。
前期の固定費は，$x=9{,}000-y$ … ①
当期の固定費は，$x=9{,}600-1.1y$
xは等しいので，
$9{,}000-y=9{,}600-1.1y$
$0.1y=600$
$y=6{,}000$
①に代入すると，$x=9{,}000-6{,}000=3{,}000$千円となります。

確認問題 6

▸令和5年度　問13　　正解率▸中　　計算

ある製品の今月の売上高と費用は表のとおりであった。販売単価を1,000円から800円に変更するとき，赤字にならないためには少なくとも毎月何個を販売する必要があるか。ここで，固定費及び製品1個当たりの変動費は変化しないものとする。

売上高	2,000,000円
販売単価	1,000円
販売個数	2,000個
固定費	600,000円
1個当たりの変動費	700円

ア　2,400　　イ　2,500　　ウ　4,800　　エ　6,000

赤字にならないということなので，損益分岐点を求めます。
損益分岐点売上高＝固定費÷(1－変動費率)
まず，変動費率を求めると，700円÷800円＝7/8
次に，損益分岐点売上高を求めると，600,000円÷(1－7/8)＝4,800,000円
販売単価が800円で，4,800,000円の売上高を得るために必要な販売個数を求めると，4,800,000円÷800円＝6,000個となります。
本問の売上高や値引き前の販売単価，販売個数の情報は，答えを出すためには不要です。このように，不要な情報が提示されていることがよくあるので，何が必要な数字なのか見極めることが大切です。

解答

問題1：ア　問題2：エ　問題3：ア　問題4：エ　問題5：イ
問題6：エ

9 03 知的財産権

時々出 必須 **超重要**

イメージでつかむ

財産ってどんなもの？　と聞かれたら，普通は土地や建物をイメージします。
土地や建物などの目に見える財産のほかに，頭を使って作り出す，目に見えない財産もあります。もしかすると，あなたの頭の中にも財産が眠っているかもしれません。

知的財産権

知的財産権は，芸術や文化的な創造物を保護する権利である**著作権**と，産業の発展を保護する権利である**産業財産権**とに分類できます。

著作権

著作権は，**文芸や美術，音楽，映像，コンピュータプログラムなどの創作物に関わる権利**です。著作権法で保護され，出願や登録をしなくても，著作物を創作した時点から権利が発生し，個人では著作者の死後70年間は保護されます。
さらに，著作権は著作者人格権と著作財産権とに分けられます。

著作者人格権	公表権，氏名表示権，同一性保持権など
著作財産権	複製権，貸与権，頒布（はんぷ）権など

* 公表権 ………… 未公表の著作物を公開するかどうか，公表の時期や方法，条件などを著作者が決定できる権利
* 氏名表示権 …… 著作名を表示するのか，実名で表示するのか，ペンネームで表示するのかなどを著作者が決定できる権利
* 同一性保持権 … 著作物に対して，著作者の意に反する改変などを受けない権利

これらの著作者人格権は，他人に譲渡したり相続したりできませんが，著作財産権は，他人に一部または全部を譲渡したり相続したりできます。

“くれば”で覚える

著作権 とくれば **著作物を創作した時点から発生する**

コンピュータに関する著作物

プログラムやマニュアル，Webページなどのコンピュータに関する著作物も著作権の対象であり，無断で複製した時は著作権の侵害になります。

また，次のようなことがよく出題されます。

* プログラム言語やアルゴリズム（解法），規約（プロトコル）は著作権の保護対象外である。
* プログラムは著作権の保護対象である。
* A社に属するBさんが業務でプログラムを開発した場合は，特段の取り決めがない限り，プログラムの著作権はA社にある。
* A社がB社にプログラム開発を委託した場合は，特段の取り決めがない限り，プログラムの著作権はB社にある。

著作物の特例的な利用

教育機関が，教育目的で資料の複製や配布を行う場合は，著作物の特例的な利用が可能です。例えば，教員が他人の著作物を使って作成した教材をサーバに置き，生徒に見てもらうようなことが有償・無許諾で可能になりました。教育機関の設置者は，**授業目的公衆送信補償金制度**に基づき補償金を支払います。ただし，必要と認められる範囲内で，かつ著作権者の利益を不当に害さないことが条件です。他人の著作物を使った授業動画をYouTubeで一般公開したり，本を1冊まるごとPDFにしてサーバに置いたりするのはこの制度の範囲外です。

知っ得情報 （違法なコンテンツ）

違法にアップロードされたコンテンツと知りながらダウンロードする行為は，著作権の侵害になります。例えば，販売されているCDやDVD，有償で提供されている音楽や映画などがこれに当たります。

産業財産権

産業財産権には次のようなものがあり，特許庁に出願・審査・登録することで権利が発生します。先ほどの著作権は産業財産権に属さないことも覚えておきましょう。

（スマートフォンの例）

特許権	新しい高度な発明を保護	リチウムイオン電池
実用新案権	物品の構造・形状の考案を保護	ボタンの配置
意匠権	物品のデザインを保護	画面のデザイン
商標権	商品やサービスに使用するマークを保護	商品名

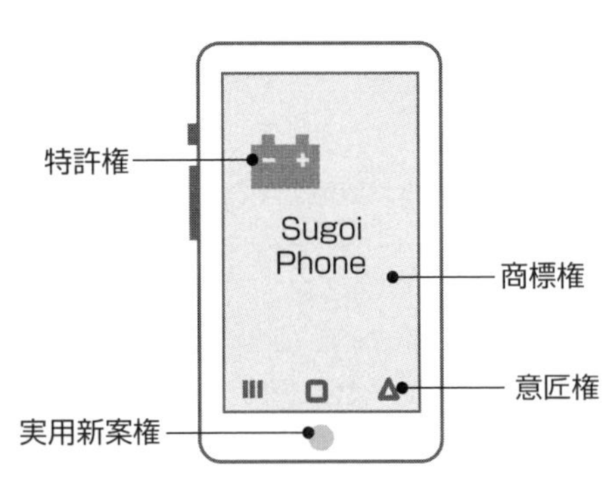

"くれば"で覚える

産業財産権　とくれば　**特許権・実用新案権・意匠権・商標権**

特許権

特許権は，**産業上利用できる新規性のある高度な発明に関わる権利**です。特許法で保護され，最初の出願者に与えられる権利（先願主義）で，出願から20年間は独占的に利用できます。

従来の特許は，製品や技術を対象にしたものでしたが，最近はコンピュータやインターネットなどを活用した新しいビジネスの仕組み（ビジネスモデル）を対象とした**ビジネスモデル特許**があります。例えば，Amazon社の「1-click」は，あらかじめ利用者が支払情報を入力しておけば，1回のクリックで商品のオンライン購入を完結できます。

実用新案権

実用新案権は，**物品の形状や構造，組合せの考案に関わる権利**です。実用新案法で，出願から10年間は保護されます。特許権と違い，高度さまでは求められていません。

意匠権

意匠権は，**物品の形状や模様，色彩などで表した物品のデザインに関わる権利**です。意匠法で，出願から25年間は保護されます。

商標権

商標権は，**商品や役務（サービス）を他社のものと区別するために使用するマークや名称，ロゴに関わる権利**です。商標法で保護され，登録から10年ごとに更新することで，半永久的に権利を保有できます。商品について使用する**トレードマーク**と，役務について使用する**サービスマーク**とがあります。

“くれば”で覚える

特許権	とくれば	**高度な発明を保護する**
実用新案権	とくれば	**考案を保護する**
意匠権	とくれば	**デザインを保護する**
商標権	とくれば	**マークを保護する**

不正競争防止法

不正競争防止法は，**事業活動に有用な技術上または営業上の秘密として管理されている情報を保護する法律**です。不正な競争を防止することを目的とし，他人の商品の形態の丸写し（デッドコピー）などの模倣，他人の商品や営業活動と誤認混同されるような表示の使用に対して，差止請求や損害賠償請求ができます。**営業秘密**とは，次の三つの要件を満たすものです。

1. 秘密として管理されているもの
2. 事業活動に有用な技術または情報であるもの
3. 公然と知られていないもの

“くれば”で覚える

不正競争防止法　とくれば　**営業秘密を保護する法律**

もっと詳しく（限定提供データ）

限定提供データは，携帯電話の位置情報，工作機械の稼働状況，POSの売上データのように，企業間での共有により付加価値を生み出せるデータで，不正競争防止法で保護されます。以下の条件を満たすものです。

①利用者を限定して提供される
②相当量蓄積がある
③電磁的にアクセス管理されている
④技術上営業上の情報である
⑤秘密管理されていない（ただし①③）
⑥無償公開の情報と同一でない

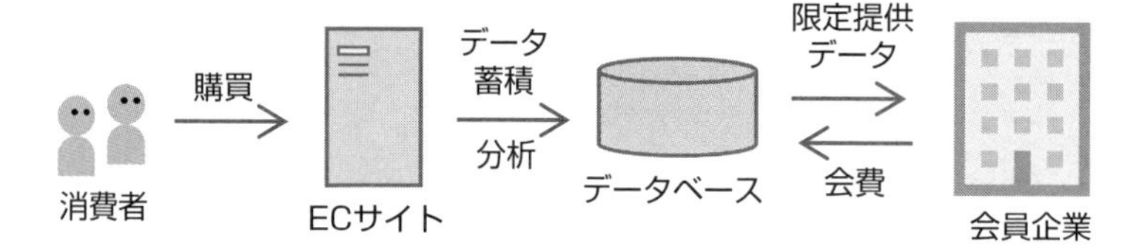

ソフトウェアと使用許諾契約

市販のソフトウェアを購入して使用する場合は，ソフトウェア使用許諾契約書（ライセンス契約書）に同意する必要があります。ソフトウェアを購入せず不正に使用することは，著作権の侵害に当たります。

最近は，ソフトウェアの不正利用を防止するために，プロダクトIDと利用者のハードウェア情報を使って，ソフトウェアのライセンス認証を行う（**アクティベーション**という），ソフトウェアが増えています。Activation（アクティベーション）は，「有効化」という意味です。

また，ソフトを購入時に代金を支払うのではなく，月額や年額で利用料金を支払い，常に最新のバージョンが利用できる**サブスクリプション契約**も増えています。Subscription（サブスクリプション）は，「定期購読」という意味です。例えば，Microsoft 365はMS Officeのサブスクリプション契約です。

知っ得情報（シュリンクラップ契約）

シュリンクラップ契約は，ソフトウェアの購入者がパッケージを開封することで，使用許諾契約に同意したものとみなす契約です。Shrink Wrap（シュリンク ラップ）は，熱によって収縮するプラスチックフィルムを使った包装のことです。

ライセンス

企業や教育機関などでは，複数人や複数台まで使用できる次のような契約があります。これはまとめ買いで安くなるというイメージで，例えば1台分のライセンスを10個購入するより，10ライセンスパックを1個購入するほうが購入金額は安くなります。

ボリュームライセンス	大量購入者向けに，マスターを提供してインストールの許諾数をあらかじめ取り決める契約
サイトライセンス	特定の企業や教育機関などにある複数のコンピュータでの使用を一括して認める契約

また，ソフトウェア製品ではなく，サーバのサービスにアクセスする権利を利用者に与える**CAL**（キャル）(Client Access License) があります。例えば，Windows ServerのOSに「10CAL付き」とあれば，同時に10台のクライアントにサービスを提供でき，後から必要に応じてCALを追加購入できます。

知っ得情報　デジタルコンテンツの不正利用防止

DRM (Digital Rights Management：デジタル著作権管理) は，音楽や電子書籍，映画などのデジタルコンテンツの著作権を守るための技術です。特定のソフトウェア上でしかデータを再生できなくしたり，コピー回数の制限を設けたりするなどの方法があります。例えば，**CPRM** (Content Protection for Recordable Media) は，1回だけ複製できるようにしたコピープロテクトの技術で，これを無効化するプログラムの販売は，不正競争防止法で禁止されています。

電子透かしはDRMの一種で，デジタルコンテンツに，一見して分からないように著作権情報などを埋め込み，不正に利用された場合に検出できるようにするものです。**デジタル・ウォーターマーク**とも呼ばれています。Watermark（ウォーターマーク）は，「透かし」という意味です。

確認問題 1　平成31年度春期　問20　正解率 中　応用

実用新案権の保護対象として，適切なものはどれか。

ア　圧縮比率を大きくしても高い復元性を得られる工夫をした画像処理プログラム
イ　インターネットを利用し，顧客の多様な要望に対応できるビジネスモデル
ウ　岩石に含まれているレアメタルを無駄なく抽出して，資源を有効活用する方法
エ　電気スタンドと時計を組み合わせて夜間でも容易に時刻を確かめられる機器

要点解説　実用新案権は，「発明」とまではいかない，物品の形状や構造，組合せの考案を保護します。

確認問題 2

▸令和3年度 問7　正解率▸低　頻出　応用

著作権法によって保護の対象と成り得るものだけを，全て挙げたものはどれか。

a インターネットに公開されたフリーソフトウェア
b データベースの操作マニュアル
c プログラム言語
d プログラムのアルゴリズム

ア a，b　イ a，d　ウ b，c　エ c，d

要点解説 定番的な問題です。ソフトウェアや操作マニュアルも著作権法で守られますが，プログラム言語そのものや，アルゴリズムは対象外です（そうしなければ，自由にプログラミングができなくなってしまいます）。

確認問題 3

▸令和4年度 問1　正解率▸中　応用

著作権及び特許権に関する記述a～cのうち，適切なものだけを全て挙げたものはどれか。

a 偶然二つの同じようなものが生み出された場合，発明に伴う特許権は両方に認められるが，著作権は一方の著作者にだけ認められる。
b ソフトウェアの場合，特許権も著作権もソースプログラムリストに対して認められる。
c 特許権の取得には出願と登録が必要だが，著作権は出願や登録の必要はない。

ア a，b　イ b　ウ b，c　エ c

要点解説
a 特許権は最初の出願者に与えられる権利（先願主義）ですが，著作権は創作した時点で権利が発生し，両方に認められます。
b ソースプログラムリストの著作権は認められますが，特許権は高度な発明を保護するためのものであり，認められません。
c 特許権の取得には出願と登録が必要ですが，著作権は出願や登録の必要ありません。

確認問題 4 ▸令和6年度 問21 正解率▸高 基本

あるソフトウェアは，定額の料金や一定の期間での利用ができる形態で提供されている。この利用形態を表す用語として，適切なものはどれか。

ア アクティベーション　　イ アドウェア
ウ サブスクリプション　　エ ボリュームライセンス

サブスクリプションは，ソフトウェアの利用に対して月額，年額で利用料を支払う形態です。アクティベーションはソフトウェアの不正利用を防止するためのライセンス認証，アドウェアは無料で使える代わりに広告が表示されるソフトウェア，ボリュームライセンスは大量購入者向けにソフトウェアを一括で購入できるライセンスです。

確認問題 5 ▸令和3年度 問9 正解率▸中 頻出 応用

不適切な行為a～cのうち，不正競争防止法で規制されているものだけを全て挙げたものはどれか。

a キャンペーンの応募者の個人情報を，応募者に無断で他の目的のために利用する行為
b 他人のIDとパスワードを不正に入手し，それらを使用してインターネット経由でコンピュータにアクセスする行為
c 不正な利益を得ようとして，他社の商品名や社名に類似したドメイン名を使用する行為

ア a　　イ a，c　　ウ b　　エ c

不正競争防止法で規制の対象になるものを問う問題は，定番中の定番です。
a 個人情報保護法(9-04参照)で規制されています。
b 不正アクセス禁止法(9-04参照)で規制されています。
c 不正競争防止法で規制されています。

解答

問題1：エ	問題2：ア	問題3：エ	問題4：ウ	問題5：エ

9 04 セキュリティ関連・個人情報関連法規

イメージでつかむ

不審な電子メールの添付ファイルは開封しないよう注意があるけれども，毎日のように送信され，さらに複雑化・巧妙化しているので見分けることが難しい(汗)。

サイバーセキュリティ基本法

サイバーセキュリティ基本法は，**日本のサイバーセキュリティに関する施策の基本理念やセキュリティ戦略を定めた法律**です。国や地方自治体，企業などに対するセキュリティ脅威が高まっていることを受け，2014年に成立しました。この法律では，国や地方公共団体，重要社会基盤事業者（重要インフラ事業者）などが果たすべき責務が定められています。また，国民についても，「国民は，基本理念にのっとり，サイバーセキュリティの重要性に関する関心と理解を深め，サイバーセキュリティの確保に必要な注意を払うよう努めるものとする」と，努力すべきこととされています。

知っ得情報

サイバーセキュリティ経営ガイドラインは，サイバー攻撃から企業を守る観点で，経営者が認識すべき3原則などを記したガイドラインです。3原則は，次のとおりです。

1. 経営者は自らのリーダシップの下で対策を進めることが重要
2. 自社のみならず，サプライチェーン全体にわたる配慮が重要
3. 平時から関係者との積極的なコミュニケーションが重要

不正アクセス禁止法

不正アクセス禁止法は，**コンピュータへの不正な侵入や利用を禁止する法律**です。ネットワークに接続され，アクセス制限されているコンピュータが対象で，以下のような行為を禁止し，違反者に対しての罰則規定を定めています。

* 無断で他人の認証情報（IDやパスワードなど）を使い，コンピュータにアクセスする行為
* 無断で第三者に他人の認証情報を教える行為
* セキュリティホール（ソフトウェアのセキュリティ上の弱点）を攻撃してコンピュータに侵入する行為　など

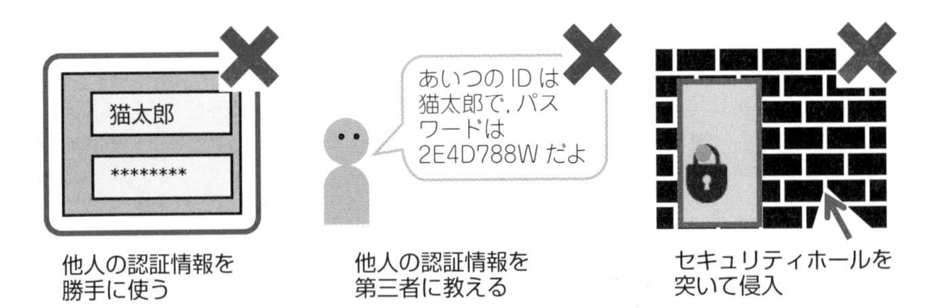

“くれば”で覚える

不正アクセス禁止法　とくれば　**不正な侵入や利用を禁止する法律**

情報流通プラットフォーム対処法

インターネット上の誹謗（ひぼう）中傷などが絶えない中，プロバイダ責任制限法が改正され，**情報流通プラットフォーム対処法**と名称が変更されました。SNSなどの大規模プラットフォーム事業者を対象に，投稿の削除申請を受ける窓口の設置や，十分な知識経験を有する調査専門員の配置を義務付けています。また，削除基準を作成・公表したうえで，削除依頼があった場合は一定期間内に投稿を削除するかどうかを判断し，申請者へ通知することなどが盛り込まれています。

特定電子メール法

特定電子メール法は，**迷惑メールを規制する法律**です。不特定多数の人に一方的に大量に送り付ける**スパムメール**対策として施行されました。特定電子メールとは，広告や宣伝など営利目的で送信されるメールのことです。特定電子メールの送信者は，電子メールの送信に際し，あらかじめ受信者の承諾を得ておく必要があります。これを**オプ**

トインといいます。また，電子メールの中に「送信者の名称」や「受信拒否の連絡用の送信者のアドレス」などを表示することが義務付けられています。

もっと詳しく（不審な電子メール）

最近は国や地方公共団体，企業等において，実在する事業者などをかたる不審な電子メールが送信される事案が多数発生しています。このような不審な電子メールは，PCなどに保存されている重要情報を窃取（せっしゅ）するなどの不正行為を目的として送信されてきます。心当たりのない不審な電子メールを受信した場合は，添付ファイルを開封せず，またメール本文に記載されているURLをクリックしないよう心掛けることが大切です。

コンピュータ犯罪と刑法

不正指令電磁的記録に関する罪は，**コンピュータウイルスを正当な理由なく作成，配布するコンピュータ犯罪**です。通称，**ウイルス作成罪**と呼ばれ，刑法の処罰対象となります。

ウイルスの作成・保管

ウイルスの取得・供用

“くれば”で覚える

ウイルス作成罪　とくれば　**刑法の処罰対象**

個人情報保護法

個人情報保護法は，**個人情報を適切に取り扱うことを義務付ける法律**です。**個人情報**とは，生存する個人に関する情報で，氏名や生年月日，住所などの記述により特定の個人を識別できる情報のほか，**個人識別符号**（DNAや顔，マイナンバー，免許証の番号など）を含む情報のことです。防犯カメラの映像なども，個人を特定できるときは個人情報に該当します。

個人情報保護法では，個人情報を取り扱う会社（個人情報取扱事業者）に対し，以下のことが義務付けられています。

* 利用目的を通知・公表して取得すること
* 利用目的の範囲を超えないこと

* 本人の同意を得ずに第三者に提供しないこと
* 本人の申し出により，開示や訂正，削除に応じること
* 業務委託先を監督すること　など

ただし，生命に危険を及ぼすような緊急事態が発生したときは，本人の同意なく第三者に個人情報を提供してもよいとされています。

さらに，本人の人種や信条，病歴，犯罪歴，障害の有無，健康診断の結果，診療調剤情報などの情報を**要配慮個人情報**といい，その取得や第三者に提供する際には，原則として本人の同意を得る必要があります。

2020年の改正では，個人情報の利用と提供に関する規制が強化されています。公表された個人情報をGoogle Mapに載せるなどの不適切な形での利用や，第三者へのデータ提供の際は，提供先がもつ会員情報と照合することで個人情報として扱われるような情報（**個人関連情報**）について，本人の同意が必要とされました。

もっと詳しく（GDPR）

GDPR（General Data Protection Regulation：EUの一般データ保護規則）は，EU（欧州連合）が定めている個人情報保護に関する規則です。日本企業であってもGDPRの適用を受けることがあり，違反すると巨額の制裁金が科される可能性があります。

GDPRでは，過去の自分の個人データの削除や非表示を検索サイトなどに要求する権利（**忘れられる権利**）も制定されています。

適用される範囲をまとめると，次のようになります。

1. EU区域内に拠点がある事業者
2. EU区域外に拠点がある事業者であっても，EU区域内に居住する個人のデータを処理している事業者

知っ得情報（匿名加工情報）

匿名加工情報は，特定の個人が識別できないように加工した情報です。個人情報保護法の対象外で，一定のルールの下で本人の同意を得ることなく目的外利用や第三者提供が可能ですが，データが特定の企業に集中しすぎて寡占化（かせんか）が起こり，健全な競争を阻害する懸念もあります。

確認問題 1　▸令和3年度　問30　正解率▸低　頻出　応用

情報の取扱いに関する不適切な行為a～cのうち，不正アクセス禁止法で定められている禁止行為に該当するものだけを全て挙げたものはどれか。

a　オフィス内で拾った手帳に記載されていた他人の利用者IDとパスワードを無断で使って，自社のサーバにネットワークを介してログインし，格納されていた人事評価情報を閲覧した。
b　同僚が席を離れたときに，同僚のPCの画面に表示されていた，自分にはアクセスする権限のない人事評価情報を閲覧した。
c　部門の保管庫に保管されていた人事評価情報が入ったUSBメモリを上司に無断で持ち出し，自分のPCで人事評価情報を閲覧した。

ア　a　　イ　a，b　　ウ　a，b，c　　エ　a，c

要点解説
定番的な問題です。事例を変えたりしながら出題され続けています。
不正アクセス禁止法では，他人のIDとパスワードを無断で使用したり，第三者に提供したり，セキュリティホールを攻撃してコンピュータに侵入する行為などが禁止されています。該当するのはaだけです。

確認問題 2　▸令和4年度　問27　正解率▸中　応用

個人情報保護法で定められた，特に取扱いに配慮が必要となる“要配慮個人情報”に該当するものはどれか。

ア　学歴　　イ　国籍　　ウ　資産額　　エ　信条

要配慮個人情報は，本人の人種や信条，病歴，犯罪歴，障害の有無，健康診断の結果などです。

確認問題 3

▸令和3年度 問32　正解率▸低　頻出　基本

a～cのうち，サイバーセキュリティ基本法に規定されているものだけを全て挙げたものはどれか。

a サイバーセキュリティに関して，国や地方公共団体が果たすべき責務
b サイバーセキュリティに関して，国民が努力すべきこと
c サイバーセキュリティに関する施策の推進についての基本理念

ア a，b　イ a，b，c　ウ a，c　エ b，c

「基本法」には，国の政策に関する理念や基本方針と，措置するべきことなどが示されます。サイバーセキュリティ基本法には，a～cの全てが規定されています。

確認問題 4

▸令和6年度 問27　正解率▸高　応用

個人情報保護法では，あらかじめ本人の同意を得ていなくても個人データの提供が許される行為を規定している。この行為に該当するものだけを，全て挙げたものはどれか。

a 事故で意識不明の人がもっていた本人の社員証を見て，搬送先の病院が本人の会社に電話してきたので，総務の担当者が本人の自宅電話番号を教えた。
b 新規加入者を勧誘したいと保険会社の従業員に頼まれたので，総務の担当者が新入社員の名前と所属部門のリストを渡した。
c 不正送金等の金融犯罪被害者に関する個人情報を，類似犯罪の防止対策を進める捜査機関からの法令に基づく要請に応じて，総務の担当者が提供した。

ア a　イ a，c　ウ b，c　エ c

a 災害時などの人の生命または財産の保護のために必要であり，本人の同意を得ることができない場合は認められています。
b 保険の勧誘なので，認められていません。
c 法令に基づく場合は，認められています。

解答

問題1：ア　問題2：エ　問題3：イ　問題4：イ

9 05 労働関連・取引関連法規

時々出　必須　超重要

イメージでつかむ

何事もやりかけたことは，最後まで責任をもってやり通さなくてはなりません。また，やったことに責任をもたなくてはなりません。仕事においても当然です！

労働関連の法規

労働関連の法規や契約形態には，次のようなものがあります。

労働基準法

労働基準法は，**労働者の労働条件の最低基準を定めた法律**です。労働時間は原則として1日8時間，週40時間を超えてはいけませんが，時間外や休日の労働を認めるためには，労使協定を書面で締結し，行政官庁に届けることになっています。これは，労働基準法第36条に規定されているので，**36協定**（サブロク）と呼ばれています。また，休息時間は，労働時間が6時間を超える場合は45分，8時間を超える場合は1時間を少なくとも途中で入れる必要があります。ただし，経営的立場にある管理監督者は残業などの規制の対象外です。

また，関連した法規として，労働者と雇用主が対等の立場で労働条件について合意し，労働契約を締結することを定めた**労働契約法**があります。

フレックスタイム

フレックスタイムは，**所定の労働時間を満たしていれば，始業時間や終業時間を定時からずらしてもよいとする制度**です。必ず勤務する時間帯（コアタイム）が決まっている場合もあります。労働者が始業時間や終業時間をフレキシブルにずらせる一方で，上司による労働時間の管理が必要となります。

テレワークは，ICT（情報通信技術）を活用し，時間や場所の制約を受けない柔軟な働き方の一つです。自宅やサテライトオフィス（自宅に近いところに設けられた拠点）などで仕事をします。Tele（テレ）（離れた場所）とWork（ワーク）（仕事）の造語です。

裁量労働制

裁量労働制は，**労働者が自己の裁量で労働時間を決められる制度**です。労使協定で定めたみなし労働時間で報酬を支払うもので，次の二つの形態があります。

1. **専門業務型裁量労働制**は，研究開発職・デザイナー・証券アナリスト・システムエンジニアなど，業務の遂行（すいこう）手段を労働者の裁量に任せる必要がある19種の専門的な業種が対象です。
2. **企画業務型裁量労働制**は，企業の本社などで事業運営，企画立案や調査分析を行う業務にあたるホワイトカラーが対象で，導入には専門業務型よりも厳格な手続きが必要です。

労働者派遣契約

労働者派遣契約は，**労働者が，派遣元企業（派遣会社）との雇用関係とは別に，派遣先企業の指揮命令を受けて仕事を行う契約**です。雇用関係と指揮命令関係が切り離されている形態です。次の図は重要なポイントなので，しっかり覚えましょう。

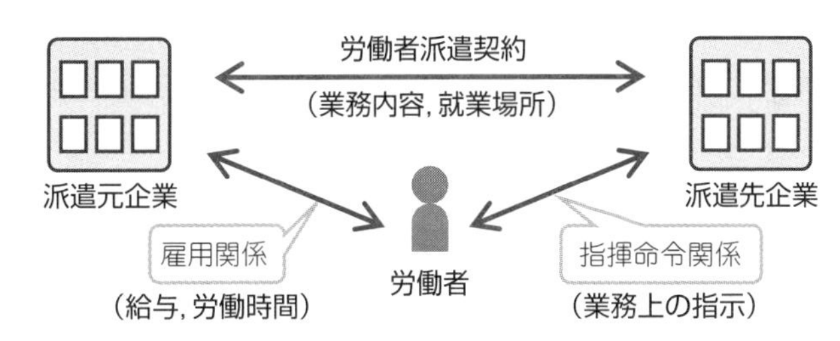

労働者派遣法では，派遣労働者を保護するため，次のようなことが定められています。

* 同一の組織単位への同一人物の派遣は原則3年を上限とする。
* 派遣先企業は，派遣労働者を選ぶことができない（事前面接の禁止）。
* 派遣先企業は，派遣された労働者を別会社へ再派遣することはできない（二重派遣の禁止）。
* 派遣元企業は，派遣労働者との雇用期間が終了後，派遣先企業に雇用されることを禁止することはできない（派遣先企業が雇用してもよい）。
* 自社を離職した労働者を1年以内に派遣労働者として迎えることはできない。
* 建設・警備・医療関係などの派遣禁止の業務がある。

また，通常の派遣とは異なり，将来正社員などとして直接雇用があることを前提とした派遣の形態があります。これは**紹介予定派遣**と呼ばれ，試用期間というイメージで，事前面接や面談も認められます。

請負契約

請負契約は，**請負企業が発注企業から請け負った仕事を期日までに完成させることを約束して，発注企業がその仕事の成果物に対して対価を支払う契約**です。請負契約は民法で定められています。

請負契約では，請負企業が成果物を納品するまでは，全て請負企業の責任とリスクにおいて作業を実施するので，発注企業が請負企業の労働者に直接指示を出せません。

また，成果物が契約の内容に合わないときは，相当の期間内（最長10年）であれば，請負企業が責任を負う**契約不適合責任**があります。

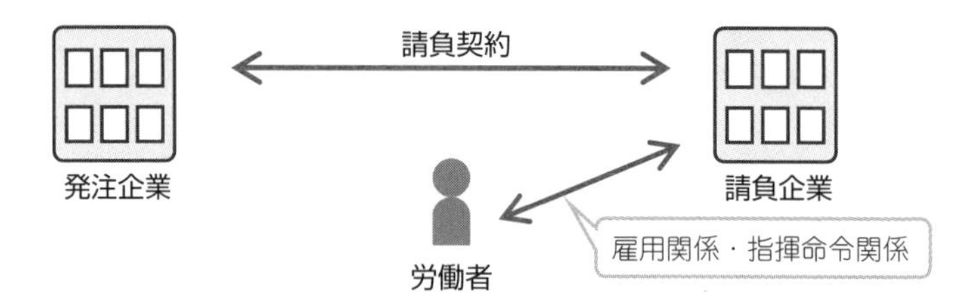

公益通報者保護法

公益通報者保護法は，**所属する組織や派遣先企業などの重大な犯罪行為を知り，公益のために内部告発（公益通報）した労働者が，解雇などの不利益な扱いを受けないように保護する法律**です。

通報先によって保護要件が異なります。組織内の窓口への通報は，「①犯罪行為がありそうだと思う」だけで保護されますが，監督官庁や警察への通報は「②証拠」が必要です。さらに，報道機関などへの通報には，①②に加え，証拠隠滅の恐れや人の生命への切迫した危険があるなどの要件が必要です。なお，匿名での通報も可能で，アルバイトも対象となります。

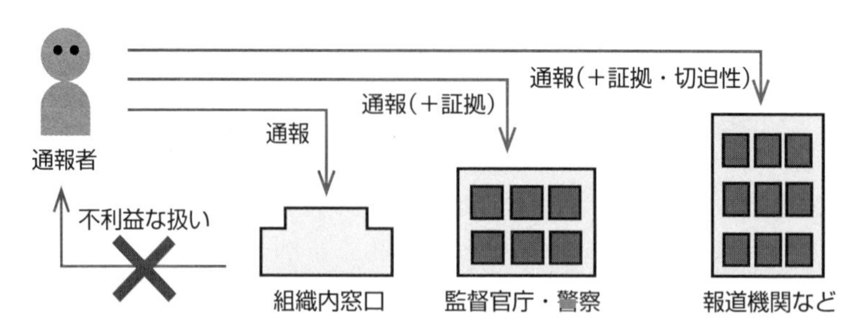

取引関連法規

取引関連の法規には，次のようなものがあります。

下請法

下請法（下請代金支払遅延等防止法）は，**下請取引の公正化や下請事業者の利益保護を目的として定められた法律**です。親事業者は，委託の内容や受領期日，成果物を検査する場合は，検査完了日，代金または代金の算定方法，支払期日などを書面にし，下請け業者に交付します。また，検査の有無に関わらず，成果物等を受領した日から60日以内に下請け代金を支払う義務があります。

製造物責任法

製造物責任法（PL法）は，**消費者が製造物を使用することで生じた損害に対し，製造業者などが負う責任を定めた法律**です。消費者を保護することを目的としています。製造物責任とは，次の要件を満たすものです。

1. 製造業者等が製造物を自ら引き渡したこと
2. 製造物に欠陥が存在すること
3. 欠陥と損害発生との間に因果関係が存在すること

特定商取引法

特定商取引法は，トラブルが生じやすい訪問販売や通信販売などの取引に関する法律です。消費者の保護を目的としています。

事業者名の表示義務や契約締結時の書面交付の義務，不当な勧誘の禁止，誇大広告の規制，通信販売などの広告メールの規制などが定められています。

景品表示法

景品表示法は，誇大広告や，広告と表示をせず広告するステルスマーケティングなどの不当な表示を規制する法律です。SNSやレビューサイトでの口コミも対象です。

リサイクル法

リサイクル法は，資源の分別回収と再資源化について定めた法律です。資源によっていくつかに分かれており，パソコンリサイクル法，家電リサイクル法などがあります。

資金決済法

資金決済法は，商品券やプリペイドカード，電子マネー，暗号資産（10-10参照）などの資金決済手段の取り扱いを定めた法律です。発行業者は金融庁に登録する必要があります。

金融商品取引法

金融商品取引法は，株式や有価証券，投資信託などの金融商品の発行や売買について定められた法律です。投資者保護や公正な取引を目的としています。

情報公開法

情報公開法は，国や地方自治体などの行政機関が作成，保有する行政文書について，原則公開を義務づけた法律です。国民が情報の開示を請求する権利とその手続きなどについて定めています。

確認問題 1　▸令和3年度　問12　正解率▸中　応用

労働者派遣に関する記述a～cのうち，適切なものだけを全て挙げたものはどれか。

a　派遣契約の種類によらず派遣労働者の選任は派遣先が行う。
b　派遣労働者であった者を，派遣元との雇用期間が終了後，派遣先が雇用してもよい。
c　派遣労働者の給与を派遣先が支払う。

ア　a　　イ　a，b　　ウ　b　　エ　b，c

a　労働者の選任は派遣元が行います。
b　派遣労働者であった者を，派遣元との雇用期間が終了後，派遣先が雇用できます。
c　派遣労働者の給与は派遣元が支払います。

確認問題 2　▸令和4年度　問13　正解率▸中　応用

情報公開法に基づいて公開請求することができる文書として，適切なものはどれか。

ア　国会などの立法機関が作成，保有する立法文書
イ　最高裁判所などの司法機関が作成，保有する司法文書
ウ　証券取引所に上場している企業が作成，保有する社内文書
エ　総務省などの行政機関が作成，保有する行政文書

要点解説　情報公開法は，国や地方公共団体などの行政機関が作成，保有する文書について，原則公開を義務づけた法律です。

確認問題 3

▶平成31年度春期　問4　　正解率▶高　　応用

次の記述a～cのうち，勤務先の法令違反行為の通報に関して，公益通報者保護法で規定されているものだけを全て挙げたものはどれか。

a　勤務先の同業他社への転職のあっせん
b　通報したことを理由とした解雇の無効
c　通報の内容に応じた報奨金の授与

ア　a，b　　イ　b　　ウ　b，c　　エ　c

公益通報者保護法では，公益（社会全体の利益）のための通報を指定された連絡先に通報した労働者が，解雇などの不利益を受けることのないように保護されます。転職のあっせんや報奨金などの規定はありません。

確認問題 4

▶令和6年度　問32　　正解率▶高　　頻出　基本

労働者派遣における派遣労働者の雇用関係に関する記述のうち，適切なものはどれか。

ア　派遣先との間に雇用関係があり，派遣元との間には存在しない。
イ　派遣元との間に雇用関係があり，派遣先との間には存在しない。
ウ　派遣元と派遣先のいずれの間にも雇用関係が存在する。
エ　派遣元と派遣先のいずれの間にも雇用関係は存在しない。

要点解説

派遣は，指揮命令関係と，雇用関係が切り離されている形態です。
派遣労働者の雇用関係は，派遣元との間に雇用関係があり，派遣先との間には存在しません。

解答

問題1：ウ　　問題2：エ　　問題3：イ　　問題4：イ

9-06 業務分析

時々出　必須　超重要

イメージでつかむ

リンゴに傷や汚れが付くと，商品としての価値が下がります。傷や汚れがどうして付いたのか，データを集めて整理し，分析することが必要です。

業務分析手法

業務を把握して分析するために，データを収集・数値化して定量的にデータを分析し，分析結果や課題を視覚的に図解にして整理します。代表的な図解には，次のようなものがあります。

特性要因図

特性要因図は，**特性がどのような要因によって引き起こされたかを体系的に整理した図**です。特性要因図では，要因と特性の関連を把握できます。魚の骨のような形をしているので，「フィッシュボーン図」とも呼ばれています。

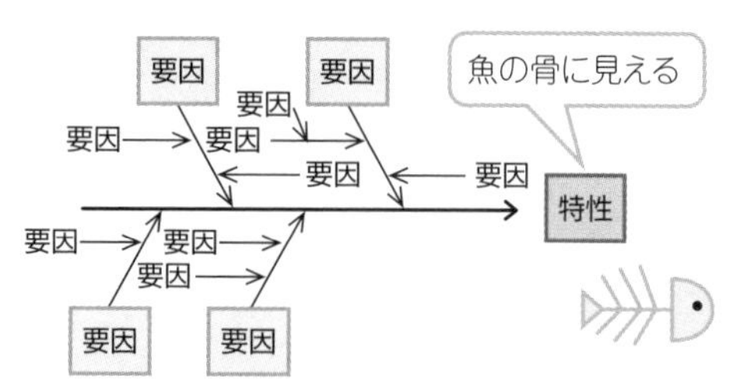

“くれば”で覚える

特性要因図　とくれば　＊**魚の骨のような図**
　　　　　　　　　　　＊**特性と要因の関連を把握する**

パレート図

パレート図は，**分類項目別に分けたデータを件数の多い順(降順)に並べた棒グラフと，これに重ねて総件数に対する比率の累積和を折れ線グラフで表した図**です。パレート図では，重点項目を把握できます。

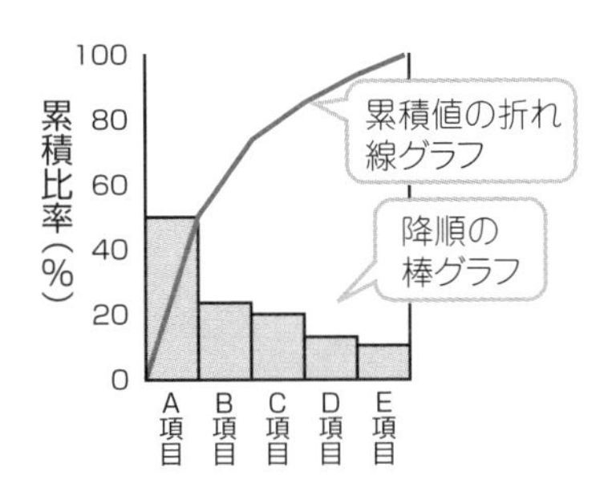

“くれば”で覚える

パレート図　とくれば　＊**降順の棒グラフと累積値の折れ線グラフ**
　　　　　　　　　　　＊**重点項目を把握する**

パレート図を利用したものに，ABC分析があります。**ABC分析**は，ある項目の件数を降順に並べた結果，全体に対する比率によって，A群(70%)，B群(20%)，C群(10%)のようにクラス分けをします。クラスに分けることで，重点項目を把握できます。

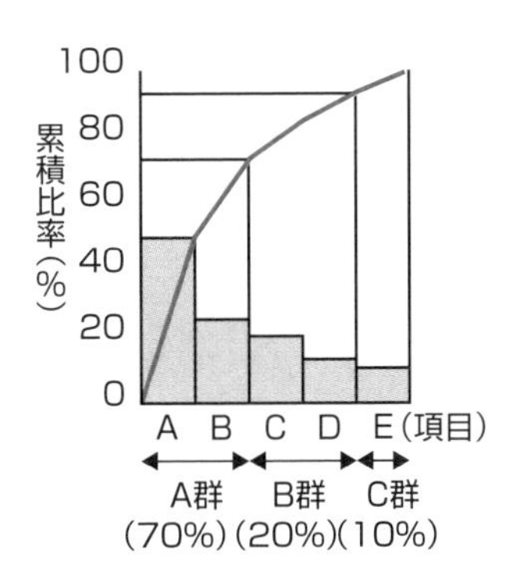

ヒストグラム

ヒストグラムは，**収集したデータをいくつかの区間に分類し，各区間に属するデータの個数を棒グラフで表した図**です。ヒストグラムでは，データのばらつきを把握できます。

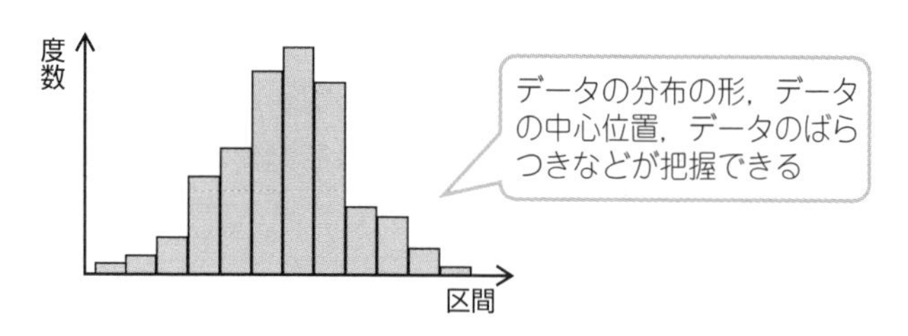

箱ひげ図

箱ひげ図は，**長方形の箱とその両端から伸びるひげで表した図**です。箱ひげ図では，データの分布とばらつきを把握できます。箱ひげ図は，四分位を用いてデータのばらつきを表します。四分位とは，データを昇順に並べて4等分したもので，小さい値から、総数の1/4番目に当たる値が第1四分位，真ん中に当たる値が第2四分位（=中央値），3/4番目にあたる値が第3四分位です。

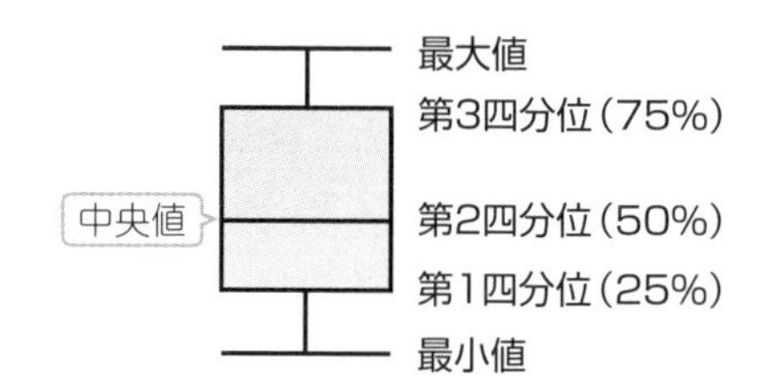

管理図

管理図は，**基準値となる中心線と上下の管理限界線を引き，製品などの特性値を折れ線グラフでプロットした図**です。管理図では，品質不良や製造工程の異常を検出して不良原因を把握できます。上昇や下降傾向が続いたり，管理限界線を越えたりすると異常と判断します。

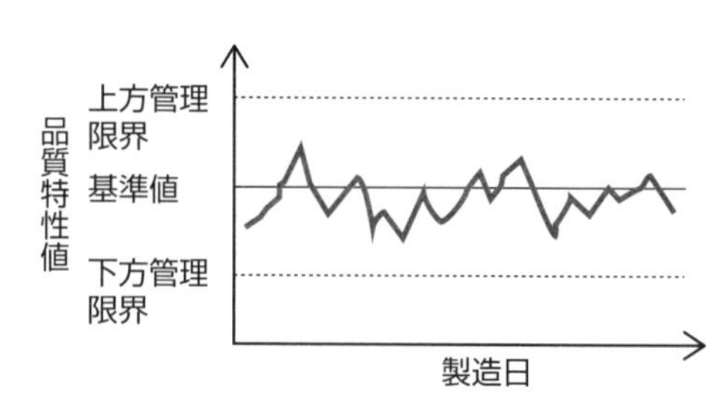

散布図

散布図は，**2種類のデータの値を縦軸と横軸の座標値としてプロットした図**です。散布図では，座標上にプロットした点のばらつき具合から，2種類のデータの相関関係を把握できます。相関関係には，「**正の相関**」，「**負の相関**」，「**相関なし**」があります。

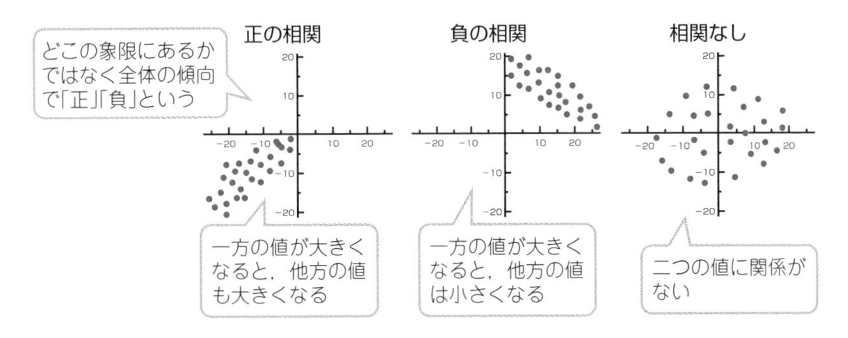

相関係数は2種類のデータの関連の強さを示し，－1から1までの範囲を取ります。正の相関では1に近づくほど，負の相関では－1に近づくほど相関が強くなるのに対し，ゼロに近いほど相関が弱くなります。

また，2種類のデータのうち，予測したい要素を**目的変数**，目的変数に影響を与える要素を**説明変数**といいます。例えば「暑くなればアイスクリームが売れる」という仮説をたてたとき，「売上数」は目的変数で，「気温」は説明変数です。

"くれば"で覚える

散布図　とくれば　＊**座標上をプロットした図**
　　　　　　　　　＊**2種類のデータの相関関係を把握する**

もっと詳しく（回帰分析）

回帰分析は，結果となる数値（目的変数）と要因となる数値（説明変数）の関係を調べて，それぞれの関係を明らかにする統計的手法です。先ほどの例のような，アイスクリームの売上数と気温との関係を明らかにする場合などに用いられます。説明変数が一つの場合は，y＝ax＋bの一次関数の式で表すことができ，「yが目的変数」，「xが説明変数」，「aが回帰係数」です。回帰係数aが大きいほど，目的変数に及ぼす説明変数の影響が大きくなります。

ヒートマップ

ヒートマップは，**様々な集計データを，数値の大小により色の濃淡や色相で色分けして表した図**です。分布や傾向を把握できます。ある都市の地図を数km平方の升目(ますめ)に区切り，携帯電話の位置情報を用いて滞在する人数が多い部分は赤く，少ない部分は青く表示するなどの例があります。

データの視覚化

その他，次のようなデータを視覚化する手法が使われます。

系統図（ロジックツリー）	目的を達成するための手段と，さらにその手段を実施するためのいくつかの手段を考えることを繰り返し，細分化する
マトリックス図	二つの要素を行と列で表現したもので，例えばスマホの機種ごとに性能や機能を比較した表などが該当する
モザイク図	縦横両方向に意味をもたせたグラフの一種で，複数の帯グラフを横に並べたイメージ。クロス集計したデータを視覚化する
コンセプトマップ	概念地図という意味で，キーワード同士の関連を表現する

知っ得情報 〈 TQCとTQM 〉

TQC（Total Quality Control：全社的品質管理）は，主に製造部門で取り組んでいた品質管理を他部門まで拡大し取り組むことです。さらにその考えを経営戦略へと発展させ，経営陣を中心に全社的に協力して継続的に品質管理の改善に取り組むことを**TQM**（Total Quality Management：総合的品質管理）といいます。

確認問題 1 ▸令和4年度 問31　正解率▸高　応用

コールセンタの顧客サービスレベルを改善するために，顧客から寄せられたコールセンタ対応に関する苦情を分類集計する。苦情の多い順に，件数を棒グラフ，累積百分率を折れ線グラフで表し，対応の優先度を判断するのに適した図はどれか。

ア　PERT図　　イ　管理図　　ウ　特性要因図　　エ　パレート図

要点解説 パレート図は，データの件数が多い順に並べた棒グラフと，累積百分率の折れ線グラフを重ねた図です。

確認問題 2

▸令和3年度 問21　正解率▸中　頻出　応用

ABC分析の事例として，適切なものはどれか。

ア　顧客の消費行動を，時代，年齢，世代の三つの観点から分析する。
イ　自社の商品を，売上高の高い順に三つのグループに分類して分析する。
ウ　マーケティング環境を，顧客，競合，自社の三つの観点から分析する。
エ　リピート顧客を，最新購買日，購買頻度，購買金額の三つの観点から分析する。

ABC分析の目的は，重要な要素が何かを決めることです。イのように，売上高が高いものから，重要な商品・普通の商品・あまり重要ではない商品に分類し，マーケティングの予算を重要な商品に重点的に振り分けるなどの施策を行います。
ア　コーホート分析
ウ　3C分析（10-04参照）
エ　RFM分析（10-06参照）

確認問題 3

▸令和4年度 問48　正解率▸中　応用

システム開発プロジェクトの品質マネジメントにおいて，品質上の問題と原因との関連付けを行って根本原因を追究する方法の説明として，適切なものはどれか。

ア　管理限界を設定し，上限と下限を逸脱する事象から根本原因を推定する。
イ　原因の候補リストから原因に該当しないものを削除し，残った項目から根本原因を絞り込む。
ウ　候補となる原因を魚の骨の形で整理し，根本原因を検討する。
エ　複数の原因を分類し，件数が多かった原因の順に対処すべき根本原因の優先度を決めていく。

原因がどのような問題によって引き起こされたかを体系的に整理した図に特性要因図があります。
ア　管理図　　イ　チェックリスト　　ウ　特性要因図　　エ　パレート図

解答

問題1：エ　　問題2：イ　　問題3：ウ

9 07 データ利活用と問題解決

時々出 必須 超重要

イメージでつかむ

試験でも過去問題を分析すると,「よく出る分野」や「よく出る用語」の傾向が見えてきます。試験勉強においてもデータ分析をうまく活用しましょう。

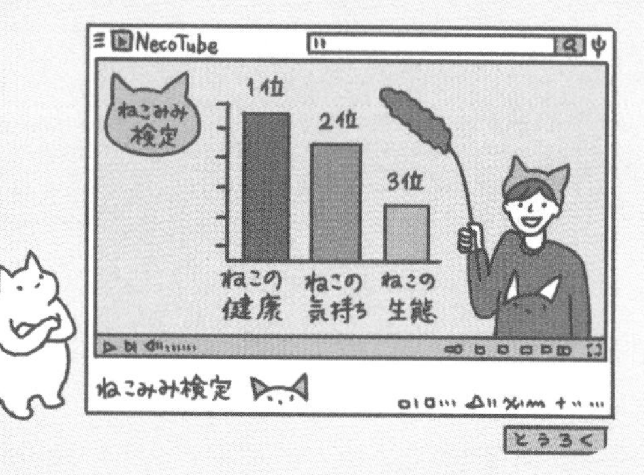

データ利活用

母集団と標本抽出

統計データをとるときに,**調べる対象になる集団**を**母集団**といいます。例えば,日本国民を母集団としてラーメンの好き嫌いを調査するときは,全数調査して国民全員から回答をもらえば正確になりますが,時間も手間もかかるので,通常は全体の一部のサンプル(**標本**)を対象として調査します(**標本抽出**という)。母集団から完全にランダムで標本を抽出する**単純無作為抽出法**や,もう少し簡易化して母集団の中からランダムに小集団を選び,その小集団を全数調査する**クラスター抽出法**など各種の抽出方法があります。いずれにしても,偏りが少なくなるように標本を抽出します。

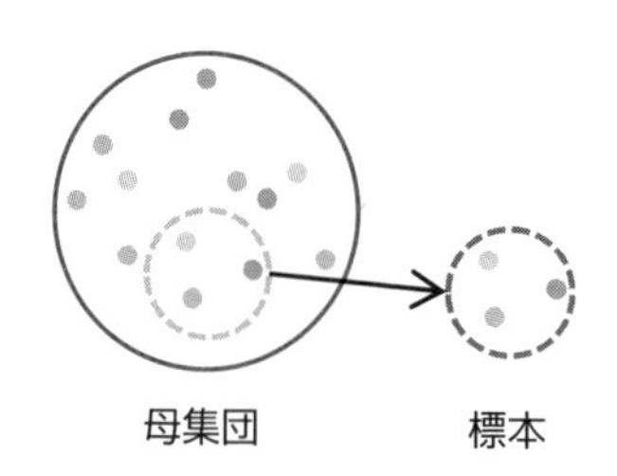

データの種類

データとして入力される数値は，情報の種類により次のように分類できます。

変数	尺度	
質的変数	名義尺度	単なるカテゴリ 性別　　1:男，2:女 血液型　1:A型，2:B型，3:AB型，4:O型
	順序尺度	順序があるが，間隔が等しいとは限らない 順位　1: 1位，2: 2位，3: 3位 評価　1:非常に満足，2:やや満足，3:普通，4:やや不満，5:非常に不満
量的変数	間隔尺度	間隔が等しいが，0は「何もないこと」を表さない 時間　0時，9時，18時 気温　0度，20度，30度
	比較尺度	間隔が等しく，0は「何もないこと」を表す 体重　30kg，60kg，90kg 収入　300万円，500万円，1000万円

間隔尺度と比較尺度の違いがわかりづらいので，具体例で説明します。例えば，時間（間隔尺度）では，18時と9時の差は9時間ですが，18時は9時の2倍とはいいません。

一方，体重（比較尺度）では，60kgと30kgの差は30kgといえ，60kgは30kgの2倍ともいえます。このように間隔尺度は加減ができ，比較尺度は加減だけでなく乗除もできるという違いがあります。

相関と因果

2種類のデータの間に関連があることを**相関関係**といい，**2種類のデータが原因と結果の関係にあること**を**因果関係**といいます。相関関係と因果関係は，混同されることがあります。

例えば，次頁の図は，中学生に朝食を毎日食べているかという質問をし，数学のテストの平均正答率とクロス集計（2-06参照）し，グラフにしたものです。一見すると「朝食をとる頻度が低い人ほどテストの点数が低い」という相関関係がありそうです。では，「朝食をとらないから，テストの点数が低くなる」という因果関係は成立するのでしょうか。もし成立するなら，テストの点数の低い人に朝食を食べさせればテストの点数が上がるはずですが，そう簡単には解決しなさそうです。

「相関関係があれば必ず因果関係が成立する」とは限りません。単なる偶然かもしれませんし，共通した別の原因があるためかもしれません（**疑似相関**という）。また，因果関係が逆になっているかもしれません。データ分析の際は，このことに十分に気を付ける必要があります。

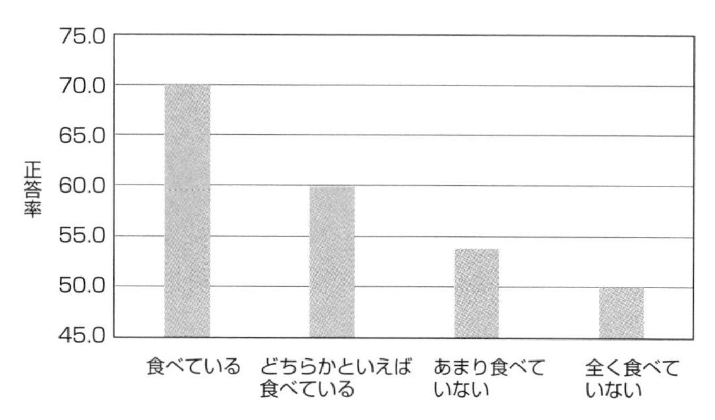

（出典：平成26年度　全国学力・学習状況調査）

主成分分析

主成分分析は，**データの分析の際，関係する要素の種類を減らし，大きく影響を与える要素**（**主成分**）**に絞って分析すること**です。単純な例では，肥満の度合いを表すのに，身長と体重という二つの要素からBMIという一つの値を計算し，指数として用います。

知っ得情報〈クロスセクションデータ〉

クロスセクションデータ（横断面データ）は，ある時点における複数の項目を集めたデータです。例えば，ある時点における日本の人口を地域別や男女別，年齢別等で集計した場合は，同一時点での複数項目間の分析ができます。

仮説検定

仮説検定は，**ある仮説が正しいかを統計学を用いて検証する方法**です。この方法では最初に「特に変化や影響がない」という**帰無仮説**を立て，次にその**対立仮説**を立てます。例えば「勉強時間を増やしても，成績は変わらない（帰無仮説）」と「勉強時間を増やせば，成績は上がる（対立仮説）」の仮説を立て，勉強時間を「増やす」と「増やさない」のグループに分けて成績を比較します。もし「増やす」ことに効果があれば帰無仮説を棄却して対立仮説を採択し，効果がなければ帰無仮説を採択します。このときの帰無仮説を棄却する基準となる確率を**有意水準**といいます。

仮説検定は確率を用いて判断するので絶対ではなく誤ることもあります。**第1種の誤り**は，本当は帰無仮説が正しいのに棄却して，対立仮説を採択してしまうことで，**第2種の誤り**は，本当は帰無仮説が誤りなのに棄却されず，帰無仮説を採択してしまうことです。第1種の誤りと第2種の誤りはトレードオフの関係にあるので，仮説検定を用いる際は，どちらの誤りがより重大な結果をもたらすかを考慮します。

帰納推論と演繹推論

帰納推論（きのう）は，**具体的な事象から一般的な法則を導き出す方法**です。例えば，「暑い日はアイスクリームが売れる」，「暑い日はざるそばが売れる」から，「暑い日は冷たいものが売れるはずだ」と導き出すイメージです。この方法では，前提となる事象から得られた結論となるので，結果は必ずしも正しくなるわけではありません。

演繹推論（えんえき）は，**一般的な法則から具体的な事象を導き出す方法**です。例えば，「暑い日は冷たいものが売れる」，「アイスクリームは冷たい」から，「暑い日はアイスクリームが売れるはずだ」と導き出すイメージです。この方法では，前提が正しければ必ず結果も正しくなります。

問題解決手法

問題解決するためのアイディアを引き出す手法には，次のようなものがあります。

ブレーンストーミングとブレーンライティング

ブレーンストーミングは，**複数人が集まってより多くのアイディアを口頭で出し合う手法**です。「自由奔放（ほんぽう）」，「質より量」，「批判禁止」，「結合・便乗」を原則に，参加者が自由に多くのアイディアを出し合うのが特徴です。一方，**ブレーンライティング**は，**複数人が集まってより多くのアイディアを紙に書き出す手法**です。参加者がテーマに沿ったアイディアを紙に書き，書いたものを次の人に回します。次の人は，前の人のアイディアにさらにアイディアを書き加えます。そうすることで，発言が苦手な人も自分のアイディアが出しやすくなります。

知っ得情報 会議の進め方

会議では，中立な立場から会議を運営する進行役である**ファシリテータ**を立てることがあります。内容に関する決定権はもたず，意見を整理したり，活発な発言や建設的な議論を促したりして，合意の形成に導きます。

確認問題　1　▸平成28年度秋期　問15　　正解率▸高　**基本**

複数人が集まり，お互いの意見を批判せず，質より量を重視して自由に意見を出し合うことによって，アイディアを創出していく技法はどれか。

ア　ブレーンストーミング　　イ　ベンチマーキング
ウ　ロールプレイング　　エ　ワークデザイン

思いつく意見を遠慮せず自由奔放に出し合うのは，ブレーンストーミングです。他人の意見の批判はせず，突飛なアイディアや他人のアイディアへの便乗も歓迎します。

確認問題　2　▸令和5年度　問6　　正解率▸低　**応用**

A社では，顧客の行動や天候，販売店のロケーションなどの多くの項目から成るデータを取得している。これらのデータを分析することによって販売数量の変化を説明することを考える。その際，説明に使用するパラメータをできるだけ少数に絞りたい。このときに用いる分析法として，最も適切なものはどれか。

ア　ABC分析　　イ　クラスター分析
ウ　主成分分析　　エ　相関分析

主成分分析は，関係する要素の種類を減らし，大きく影響を与える要素に絞って分析することです。

確認問題 3 ▸令和4年度 問57 正解率▸低 応用

推論に関する次の記述中のa，bに入れる字句の適切な組合せはどれか。

[a]は，個々の事例を基にして，事例に共通する規則を得る方法であり，得られた規則は[b]。

	a	b
ア	演繹推論	成立しないことがある
イ	演繹推論	常に成立する
ウ	帰納推論	成立しないことがある
エ	帰納推論	常に成立する

要点解説 個々の具体的な事例を基にして，事例に共通する一般的な規則を得るのは帰納推論です。帰納推論は，必ず成立するとは限りません。

確認問題 4 ▸オリジナル 正解率▸中 基本

母集団から一部のデータを抽出する手法はどれか。

ア 標本抽出　　イ 偏差　　ウ 分散　　エ 回帰分析

要点解説 標本抽出は，母集団から一部のデータ（標本）を抽出することです。偏差はデータの値とその平均値との差（1-08参照），分散はデータの散らばり具合を示す指標，回帰分析は変数間の因果関係を分析する手法です。

解答

問題1：ア　　問題2：ウ　　問題3：ウ　　問題4：ア

9 08 標準化

時々出 必須 超重要

イメージでつかむ

使っている電化製品が電池切れで止まってしまった。規格のあった電池を買って入れ替えるだけで，動き始めます。

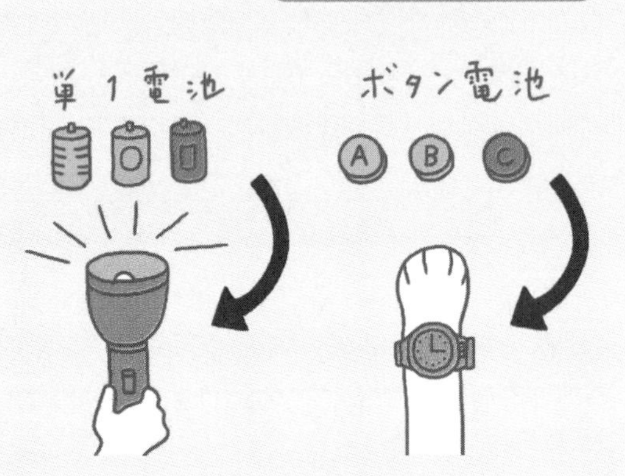

標準化

標準化は，**物やサービスなどにおいて共通の基準や規格を決めること**です。標準化することで，互換性が確保され，利便性が上がります。また，品質の確保や大量生産に役立ち，良質の物を安く作れます。

身近な例では，単三電池や単四電池などの電池は，規格が決まっていてサイズや形状などが細かく決められています。そのおかげで，私たちはストレスなく電池を購入して使えます。

知っ得情報 （いろいろな標準）

＊**デファクトスタンダード**は，市場のシェアなどによって広く使用されるようになり，その結果として事実上の業界標準になったものです。周りの皆が使用しているので私も使用しているというイメージです。例えば，PCのOSであるWindowsやワープロのWord，表計算のExcelなどがこれに当たります。

＊ISOなどの公的な機関が定めた標準規格を**デジュレスタンダード**といいます。これに対して，公的な機関ではなく，業界団体（フォーラム）が策定する標準規格のことを**フォーラム標準**といいます。例えば，IEEE（後述）やDVDなどが該当します。

代表的な規格

代表的な規格には，次のような国際規格や国内規格があります。

ISO

ISO（International Organization for Standardization：国際標準化機構）は，**電気分野を除く，工業や技術に関する国際規格**を決めています。また，国家間の調整を行っており，試験では次のような規格が出題されます。

ISO 9000シリーズ	品質マネジメントシステムに関する国際規格
ISO 14000シリーズ	環境マネジメントシステムに関する国際規格
ISO/IEC 20000シリーズ（*）	ITサービスマネジメントに関する国際規格
ISO 26000シリーズ	組織の社会的責任に関する国際規格
ISO/IEC 27000シリーズ（*）	情報セキュリティマネジメントシステムに関する国際規格
ISO/IEC 38500シリーズ	ITガバナンスに関する国際規格

（*）国際標準化機構（ISO）と国際電気標準会議（IEC）が共同で策定

"くれば"で覚える

ISO9000　とくれば　**品質に苦戦（くせん）**
ISO14000　とくれば　**環境にいいよ**
ISO20000　とくれば　**ITサービスに満（まん）足**
ISO26000　とくれば　**社会的責任のある任務（にんむ）**
ISO27000　とくれば　**セキュリティを担う（になう）**
ISO38500　とくれば　**ITガバナンスの都（みやこ）**

語呂合わせで覚えよう

JISC

JISC（Japanese Industrial Standards Committee：日本産業標準調査会）が，**産業製品に関する国内規格**である**JIS**（Japanese Industrial Standards：日本産業規格）を決めています。JISはISOなどの国際規格との整合性に配慮した規格となっています。

国際規格	国内規格
ISO 9000シリーズ	JIS Q 9000シリーズ
ISO 14000シリーズ	JIS Q 14000シリーズ
ISO/IEC 20000シリーズ	JIS Q 20000シリーズ
ISO 26000シリーズ	JIS Z 26000シリーズ
ISO/IEC 27000シリーズ	JIS Q 27000シリーズ
ISO/IEC 38500シリーズ	JIS Q 38500シリーズ

IEEE

IEEE（The Institute of Electrical and Electronics Engineers：米国電気電子技術者協会）は，電気工学・電子工学に関する規格を決めています。次のようなLANの規格があります。

IEEE802.3	有線LAN
IEEE802.11	無線LAN

ITU

ITU（International Telecommunication Union：国際電子通信連合）は，国際連合の専門機関の一つで，電気通信技術に関する規格を決めています。

確認問題 1　▸令和5年度　問10　正解率▸中　基本

フォーラム標準に関する記述として，最も適切なものはどれか。

ア　工業製品が，定められた品質，寸法，機能及び形状の範囲内であることを保証したもの
イ　公的な標準化機関において，透明かつ公正な手続の下，関係者が合意の上で制定したもの
ウ　特定の企業が開発した仕様が広く利用された結果，事実上の業界標準になったもの
エ　特定の分野に関心のある複数の企業などが集まって結成した組織が，規格として作ったもの

要点解説
ア　日本工業規格（JIS規格）　イ　デジュレスタンダード
ウ　デファクトスタンダード　エ　フォーラム標準

確認問題 2　▸平成29年度秋期　問10　正解率▸中　基本

ISOが定めた環境マネジメントシステムの国際規格はどれか。

ア　ISO9000　イ　ISO14000
ウ　ISO/IEC20000　エ　ISO/IEC27000

要点解説
ア　品質マネジメントシステム
イ　環境マネジメントシステム
ウ　ITサービスマネジメントシステム
エ　情報セキュリティマネジメントシステム

解答

問題1：エ　問題2：イ

第10章

経営戦略とシステム戦略

【ストラテジ系】

10-01 第4次産業革命とビッグデータ

時々出　必須　**超重要**

イメージでつかむ

これまで三つの産業革命がありました。21世紀のいま，四つ目の産業革命が始まっています。

第4次産業革命

産業革命は製造工程の革新にとどまらず，仕事の内容や社会構造も変えます。これまでに，蒸気機関による機械化に代表される第1次産業革命，フォードの自動車など電力や分業による大量生産に代表される第2次産業革命，電子工学やコンピュータやロボット技術による自動化に代表される第3次産業革命が起こり，そのたびに産業構造の転換や資本主義の発展，人口集中，交通の発達など，社会構造が変化してきました。

第4次産業革命

第3次産業革命の次は，AIやビッグデータ（後述），IoTなどによる**第4次産業革命**（**インダストリー4.0**）です。大量のデータを自動収集し連携させ，解析して活用することで新たな価値を創出します。

第4次産業革命により，これまで人間が行っていた判断や接客などの高度な作業もAIが代替できるようになり，生産の効率化やサービスの低価格化などが期待できます。

また，AIやIoTなどの技術を生活分野にも広げることで，国籍や性別，年齢などに関わらず必要なときに必要なモノやサービスを享受（きょうじゅ）でき，個人が快適に暮らせる**超スマート社会**が実現するかもしれません。「超スマート社会」は，「狩猟社会」・「農耕社会」・「工業社会」・「情報社会」に続く人間中心の社会ということで**Society5.0**とも呼ばれます。

SDGs

SDGs(Sustainable Development Goals：**持続的な開発目標**)は，地球環境を保護しながら全ての人が貧困を脱し，平和で豊かに暮らせるような世界を実現するための17の国際的な目標です。2030年までの目標で，将来に渡り環境破壊や資源の枯渇がなく，経済活動が継続できる**持続可能性**(**サステナビリティ**)のある世界の実現に向けた指針です。

5G

5G(5 Generation)は，**第5世代移動通信システム**です。総務省の資料によれば，**超高速・超低遅延・多数同時接続**の三つの特徴があります。

1. 通信速度は10Gbpsと飛躍的に速くなる
2. 利用者が遅延を意識することがなくなる
3. 身の回りのあらゆる機器がネットにつながる

また，地方自治体や企業などが，スポット的に専用の5Gネットワークを構築・運用する**ローカル5G**があります。利用にあたっては無線局免許が必要ですが，電波の干渉がないので通信が安定するなどの特徴があります。

“くれば”で覚える

5G とくれば **第5世代移動通信システム。超高速・超低遅延・多数同時接続**

ビッグデータ

ビッグデータは，**従来のデータベース管理システムなどでは保管，解析が難しいような膨大なデータ群**で，次のような三つの特徴があります。

1. データの量が大きい(Volume)
2. データの種類が多様(Variety)
3. データの発生頻度・更新頻度が速い(Velocity)

例えば，サーバのログや売上データ，購入履歴，GPSの位置情報，センサの情報，RFIDの情報，SNSのコメント，電子メール，動画などが該当します。

ビッグデータには，次のようなデータも含まれます。

オープンデータ

オープンデータは，国や地方自治体が保有している情報を，誰でも使用，再配布できる形式で公開されているデータです。このデータを基にアプリを開発したり，サービスを提供できます。例えば，AEDの設置場所をオープンデータとして公開することで，AEDマップが作成されています。

もっと詳しく 官民データ活用推進基本法

官民データ活用推進基本法は，行政や企業が保有するデジタルデータ(官民データという)を公開して活用することを推進する基本方針を定めた法律です。官民データを有効活用して経済成長や社会的課題の解決などを図ることが目的です。

"くれば"で覚える

ビッグデータ　とくれば　**多種多様で高頻度に更新される大量のデータ**

ライフログ

ライフログは，個人の日常生活に関する情報を記録したものです。Webの閲覧履歴，GPS機能やカメラ機能付きの携帯電話やスマートフォン，さらにはIoT機器のセンサやウェアラブル端末などによる情報の自動収集が進んだことで，ライフログをマーケティングなどのビジネスに活用する企業も拡大しています。一方，個人の特定やプライバシーの公開につながるなどの危険性もあり，ルールの整備が求められています。

知っ得情報 個人情報とビッグデータ

個人情報の保護と，企業活動の活性化を両立させようという取組みがあります。

* **パーソナルデータストア**(PDS：Personal Data Store)は，個人が自らのデータを保存・管理ができ，プライバシーを保護しながら利用できる仕組みです。例えば，健康管理アプリには，利用者の運動や健康記録を管理でき，医療提供者に共有できるものもあります。
* **情報銀行**は，個人に代わってパーソナルデータを管理し，第三者に提供する事業者です。位置情報や購買情報，医療情報などの個人情報を，契約に基づき一元管理し，高度にカスタマイズされたサービスを提供したり，匿名化したビッグデータとして第三者に提供したりするなどのビジネスが考えられています。

データサイエンスとデータマイニング

データサイエンスは，大量のデータを数学・統計的に処理，分析することで，新たな価値を生み出そうとする分野です。その専門家を**データサイエンティスト**といいます。

データマイニング

データマイニングは，**大量のデータを分析し，単なる検索だけでは発見できないような隠れた規則や相関関係を導き出そうとする技術**です。Mining（マイニング）は，「発掘」という意味です。

データマイニングの解析手法の一つとして，よく一緒に購入される商品を分析する**バスケット分析**があります。例えば，POSデータを分析し，「缶ビールを購入する客は，おむつを同時に買い求めることが多い」というような新たな情報を導き出せます。

"くれば"で覚える

データマイニング　とくれば　**隠れた法則を導き出す**

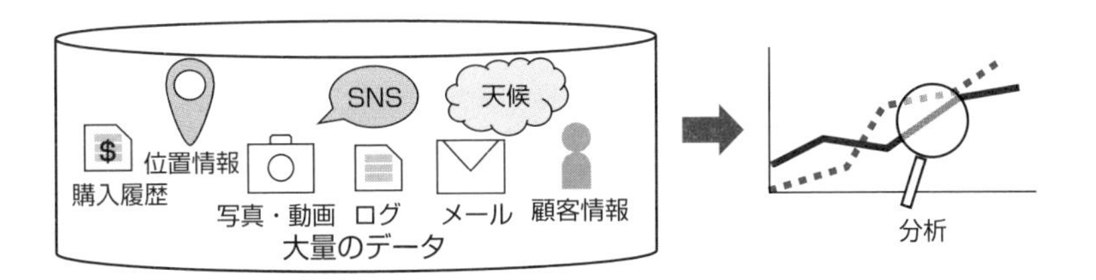

テキストマイニング

テキストマイニングは，データマイニングの一種で，**大量のテキストデータ（文字情報）から有益な情報を抽出する技術**です。キーワードどうしの関連や出現頻度などを解析します。例えば，顧客からの問い合わせ内容を解析して製品の改良につなげたりします。

もっと詳しく（構造化データ・非構造化データ）

構造化データは，関係データベースで扱えるデータです。つまり，学生一覧表や売上表など，データの中に「項目」があって定型化されているデータです。一方，**非構造化データ**は，写真や電子メールなど，定型化されていないデータです。非構造化データを扱うには，付随するメタデータを活用します。例えば，写真なら撮影日や撮影したカメラの設定情報などがメタデータです。また，AIを利用して写真の内容や電子メールのテキストを解析してメタデータを付与すること（**アノテーション**という）も可能になってきています。

知っ得情報 《データサイエンスのサイクル》

統計を使った問題の発見から解決までのフレームワークの一つとして**PPDACサイクル**があります。これは，Problem（問題設定）・Plan（調査の計画）・Data（データ）・Analysis（分析）・Conclusion（結論）の略で，データに基づき，現象を中立・公正に捉えて，客観的な分析を行っていく解決プロセスです。

確認問題　1　▸平成31年度春期　問28　正解率▸高　基本

意思決定に役立つ知見を得ることなどが期待されており，大量かつ多種多様な形式でリアルタイム性を有する情報などの意味で用いられる言葉として，最も適切なものはどれか。

ア　ビッグデータ　　イ　ダイバーシティ

ウ　コアコンピタンス　　エ　クラウドファンディング

大量かつ多種多様な形式でリアルタイム性を有する情報は，ビッグデータです。

イ　ダイバーシティは，多様な人材を採用し，多様な働き方を受容していく考え方で，一歩進めたDE＆Iという考え方に進化しています（10-02参照）。

ウ　コアコンピタンスは，競合他社が真似できない自社独自の技術やノウハウです（10-04参照）。

エ　クラウドファンディングは，新しい事業などを立ち上げるときなどに，インターネットを利用して，資金を不特定多数の人から集めることです（10-10参照）。

確認問題　2　▸令和3年度　問19　正解率▸高　応用

ビッグデータの分析に関する記述として，最も適切なものはどれか。

ア　大量のデータから未知の状況を予測するためには，統計学的な分析手法に加え，機械学習を用いた分析も有効である。

イ　テキストデータ以外の，動画や画像，音声データは，分析の対象として扱うことができない。

ウ　電子掲示板のコメントやSNSのメッセージ，Webサイトの検索履歴など，人間の発信する情報だけが，人間の行動を分析することに用いられる。

エ　ブログの書き込みのような，分析されることを前提としていないデータについては，分析の目的にかかわらず，対象から除外する。

ア 記述の通りです（機械学習は1-07参照）。
イ 動画や画像，音声データなども分析できます。
ウ センサで得られた情報なども人間の行動の分析に用いられます。
エ ブログの書き込みなども分析対象にすることができます。
なお，「〇〇だけが」とか「〇〇にかかわらず」など，条件を限定する言葉が出てきたら，その選択肢の記述は誤っていることが多いです。

確認問題 3 ▸平成31年度春期 問73 正解率▸高 

LTEよりも通信速度が高速なだけではなく，より多くの端末が接続でき，通信の遅延も少ないという特徴をもつ移動通信システムはどれか。

ア ブロックチェーン　イ MVNO　ウ 8K　エ 5G

ア ブロックチェーンは，仮想通貨の取引の履歴を持ち合う仕組み（10-10参照）。
イ MVNOは，自前の回線をもたずに借りて運用する通信事業者（4-05参照）。
ウ 8Kは，高解像度の映像規格（1-05参照）。
エ 5Gは，LTEより高速かつ多くの端末が接続できる通信規格。

確認問題 4 ▸令和5年度 問35 正解率▸高 基本

第4次産業革命に関する記述として，最も適切なものはどれか。

ア 医療やインフラ，交通システムなどの生活における様々な領域で，インターネットやAIを活用して，サービスの自動化と質の向上を図る。
イ エレクトロニクスを活用した産業用ロボットを工場に導入することによって，生産の自動化と人件費の抑制を行う。
ウ 工場においてベルトコンベアを利用した生産ラインを構築することによって，工業製品の大量生産を行う。
エ 織機など，軽工業の機械の動力に蒸気エネルギーを利用することによって，人手による作業に比べて生産性を高める。

ア 第4次産業革命　イ 第3次産業革命
ウ 第2次産業革命　エ 第1次産業革命

解答

問題1：ア　問題2：ア　問題3：エ　問題4：ア

10-02 企業活動

時々出　必須　超重要

イメージでつかむ

5年先・10年先といった自分の将来の理想像を描きながらIパスの合格を目指して頑張っています。

企業も自社の成長を願い日々活動しています

企業活動

あなたも「将来，このようになりたい」という将来的な理想像を描き，20歳代，30歳代…とそれぞれ節目までの人生設計を立てていくでしょう。その過程で周りの環境や自分の状況が変わり，プランを変更しなければならない時があるかもしれません。企業活動も同じことがいえます。

経営理念

経営理念は，**企業の存在理由や価値観**などです。企業が活動する際に指針となる基本的な考え方であり，社是(しゃぜ)や社訓(しゃくん)などに明文化され，社員や顧客，社会に対して示されています。

経営理念を達成するために，ビジョンや戦略，計画を練っていきます。

経営ビジョン	企業の到達したい理想像
経営戦略	経営ビジョンを実現するための具体的な方策
経営計画	企業の経営戦略を実現するための具体的な行動計画

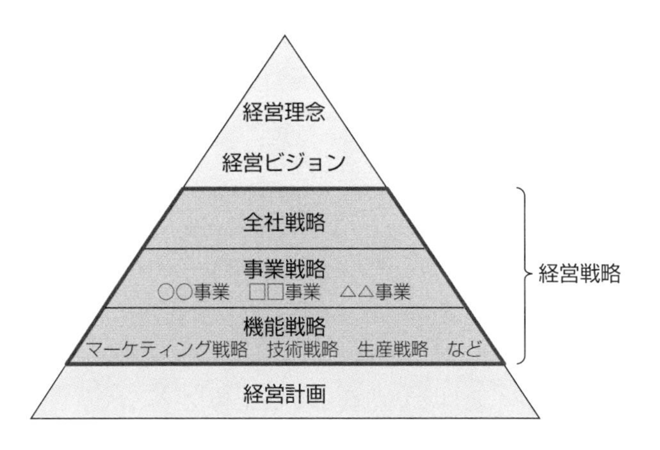

まとめると，次のようなイメージです。

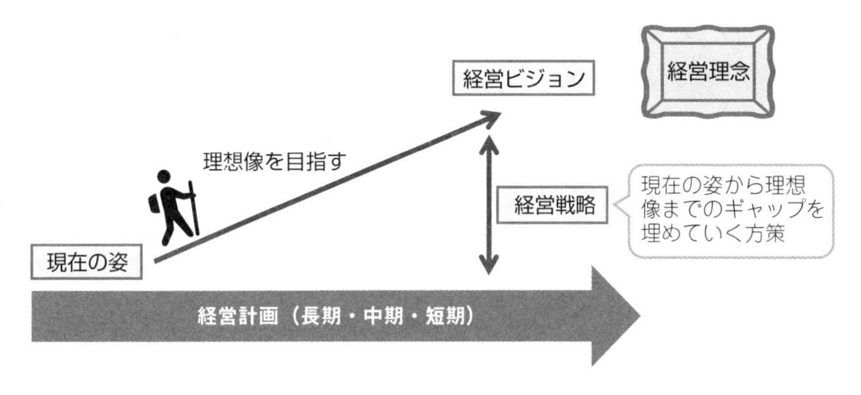

もっと詳しく 企業の資源

経営資源は，企業が競争優位性を構築するために必要とされる資源で，「ヒト」・「モノ」・「カネ」・「情報」のことです。これらをその時の経営状況に応じて適切に配分していくことが重要となります。

株式会社

株式会社は，**株式を発行して，より多くの株主から資金を集め，事業を行う会社形態**です。利益は株主に配当されます。株主は，企業活動に直接参加するのではなく，**株主総会**と呼ばれる最高意思決定機関において，取締役や監査役の選任，合弁の決定などの重要な意思決定を行います。

企業の社会的責任

企業活動は利益の追求だけでなく，顧客への適切な対応や環境への配慮，地域社会へのボランティア活動などを意識することが求められています。これを**CSR**（Corporate Social Responsibility：企業の社会的責任）といいます。社会に貢献することで，企業が社会的にも信頼され，長期的なビジネスの成長につながります。

また，企業には，顧客や従業員，株主，取引先，住民などの利害関係者（**ステークホルダ**）に対し，企業活動の内容や実績に関する説明責任（**アカウンタビリティ**）があります。

知っ得情報（よりよい社会にするために）

＊**グリーンIT**は，省エネの，環境に配慮した（グリーンな）IT機器を利用することで，社会の省エネを推進し，環境を保護していくという考え方です。

＊**カーボンフットプリント**は，製品の生産から廃棄までに生じたCO_2換算の温室効果ガス排出量です。製品に明示し，環境に配慮したものを選んでもらいます。

＊**ESG投資**は，投資する企業を選ぶに当たり，財務の観点だけではなく，環境（Environment）・社会（Social）・企業統治（Governance）（10-03参照）の三つの観点も加えて判断しようというものです。

＊**ソーシャルビジネス**は，事業として収益をあげながら，貧困や環境などの社会的課題を解決しようとするものです。例えば，売れ残りが出そうな飲食店と，食べ物を安く購入したい人をアプリでマッチングし，フードロスの削減を目指すサービスなどがあります。

経営組織

経営組織の形態には，次のようなものがあります。

職能別組織

職能別組織は，「生産」や「販売」，「人事」などの**職能（仕事の性質）によって，部門を編成した組織**です。規模が小さい企業，単一事業の企業などに最適な組織といえます。

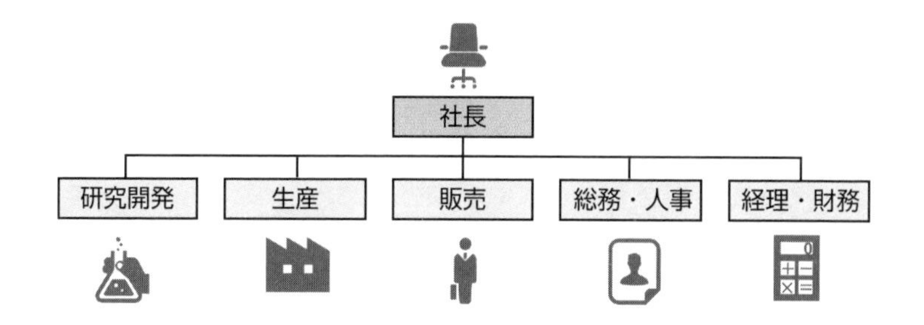

事業部制組織

事業部制組織は，社内を「製品」や「顧客」，「地域」などの**事業ごとに分割し，編成した組織**です。編成された組織単位に自己完結的な経営活動が展開できる組織といえます。

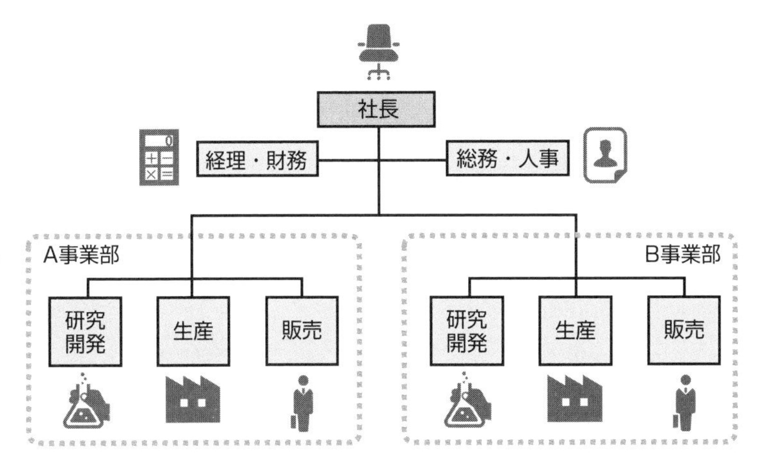

また，事業部制をさらに進化させ，各事業部を独立した会社のように扱う**カンパニー制組織**と呼ばれるものもあります。事業部ごとに研究開発や生産，販売などの機能をもたせ，独立採算制とします。迅速な意思決定ができるようになり，責任も明確化されます。

プロジェクト組織

プロジェクト組織は，**特定の問題を解決するために一定の期間に限って結成される組織**です。問題が解決されると解散します。また，プロジェクトを企業内の新しい事業と位置づけ，その成果に対して全面的な責任と起業者としての権限を与えられた**社内ベンチャ制**と呼ばれるものもあります。

マトリックス組織

マトリックス組織は，**構成員が自己の専門とする職能部門と特定の事業を遂行（すいこう）する部門の両方に所属する組織**です。マトリクスには，「縦と横の構造」という意味があり，2人またはそれ以上の上司から指揮命令を受けることになります。

教育訓練技法

仕事に必要な技術や知識を習得する方法に，次のようなものがあります。

OJT

OJTは，実際の仕事を通じて，業務に必要な知識や技術を習得させる手法です。上司や先輩が実務に密着して実践的に教育するので，必要な能力を習得できます。

Off-JT

Off-JT（Off the Job Training）は，仕事を離れて，業務に必要な知識や技術を習得させる手法です。集合教育やe-ラーニングなどがこれに当たります。**e-ラーニング**は，インターネットやWebサービスを利用して，自分の仕事の空き時間などを利用して受講できます。また，学習履歴を管理することで，一人ひとりの学習進行度や理解度に応じて学習内容や学習レベルを最適化して提供してくれる**アダプティブラーニング**（適応学習）にも向いています。

リスキリングは，社会環境の変化に対応できる新しいスキルを獲得することです。

> **知っ得情報〈指導の方法〉**
>
> * **コーチング**は，指導者（コーチ）が質問や簡単なアドバイスを投げかけ，自らが目標に向かって行動を起こすように仕向けることです。やがては自ら問題解決できるように導こうとするものです。
> * **メンタリング**は，OJTやコーチング，カウンセリングなどの各種の手法を使って，指導者（メンタ）が，知識も技術も足りない新入社員に対して，仕事だけでなく，キャリア形成や人格的成長までも支援することです。

人材管理

人材管理の方法も時代とともに変化しています。

HRM（Human Resource Management：人的資源管理）は，**人材を経営資源として戦略的に管理していく考え方**です。具体的には，人材の採用や育成，配置，評価，報酬から人事制度の設計，組織設計に至るまでを戦略的に管理します。現在ではAIやビッグデータなどの最新技術を人事や採用，人材育成などに応用する**HRTech**が注目されています。Human Resource（ヒューマン リソース）（人的資源）とTechnology（テクノロジ）（技術）を合わせた造語です。

DE&I（Diversity（ダイバーシティ），Equity（エクイティ）&Inclusion（インクルージョン））とは，日本語に訳すと**多様性，公平性，包摂性**のことです。性別，国籍などの違いを受け入れて尊重し，公平に活躍の機会を提供することが組織自体の活性化につながります。

もっと詳しく（リテンション）

少子高齢化や転職市場の活性化などにより，人材を確保することが難しい時代です。**リテンション**は，社員の離職を防ぐための施策のことで，人材の流出を防ぐためには，「働きやすさ」に加えて，仕事の達成感や責任感の拡大，自己成長などの「働きがい」もますます重要な要素となっています。Retention（リテンション）は，「保持」・「維持」するという意味です。

確認問題 1　▸平成30年度秋期　問8　正解率▸高　応用

小売業A社は，自社の流通センタ近隣の小学校において，食料品の一般的な流通プロセスを分かりやすく説明する活動を行っている。A社のこの活動の背景にある考え方はどれか。

ア　CSR　　イ　アライアンス
ウ　コアコンピタンス　　エ　コーポレートガバナンス

営利を直接的な目的とせず，地域社会に貢献しようという活動であり，CSR（企業の社会的責任）を果たそうという考えが背景にあります。

確認問題 2　▸令和3年度　問26　正解率▸中

企業の人事機能の向上や，働き方改革を実現することなどを目的として，人事評価や人材採用などの人事関連業務に，AIやIoTといったITを活用する手法を表す用語として，最も適切なものはどれか。

ア　e-ラーニング　　イ　FinTech
ウ　HRTech　　エ　コンピテンシ

人事を英語でいうとHuman Resourcesです。人事にITを活用する手法は，HRTechと呼ばれます。AIを用いて求職者と企業のマッチングをするなどの事例があります。

解答

問題1：ア　　問題2：ウ

10-03 企業統治と内部統制

時々出　必須　超重要

イメージでつかむ

企業の不祥事が新聞やニュースで話題になっています。従業員によるSNSへの不適切な投稿などが炎上することもよくあります。経営者も知らなかったでは済まされない時代です。

レピュテーションリスク

レピュテーションリスクは，**企業の評判が下がるリスク**のことです。評判が下がると，企業に対する信用がなくなり，経営上のダメージを被(こうむ)ることになります。これを防ぐために，企業内のチェック体制や基準，業務手続きなどを整備・運用していくと同時に，外部からも監視することがますます重要になっています。

コーポレートガバナンス

コーポレートガバナンス（Corporate Governance：**企業統治**）は，**企業経営が健全に行われているかどうかを，外部から監督・監視する仕組み**です。「会社は経営者のものではなく，ステークホルダのものである」という考えに基づき，経営者による経営の暴走を防止することが目的です。具体的な取り組みとして，独立性の高い社外取締役の登用，ステークホルダへのアカウンタビリティ（説明責任）などが挙げられます。

コンプライアンス

コンプライアンス（Compliance：**法令遵守**(じゅんしゅ)）は，**法律を遵守して企業活動を行うこと**です。法律以外にも各種ガイドラインや社内規則，社会通念，慣習，倫理，道徳なども含むと解釈されています。これは，企業の存続の危機につながりかねない，経営者や従業員による不正行為を抑制できます。例えば，粉飾決算や品質データの改ざん，個人情報漏えい，さらには，最近では外食産業において不適切なSNSの投稿なども発生しており，遵守すべき法律やルールについて従業員に教育を行ったり，内部通報の仕組みを作ったりすることで不正行為の発生を抑制します。

内部統制

内部統制は，**企業自らが，健全な企業活動を継続するための体制を整備・運用する仕組み**です。経営者の責任のもと，チェック体制や基準，業務手続きなどを整備・運用します。さらには，内部統制が有効に機能していることを継続的に監視・評価する**モニタリング**も行います。先ほどのコーポレートガバナンスは外部から企業の健全化を図るのに対して，内部統制は内部から企業の健全化を図ります。

なお，会社法と金融商品取引法では，内部統制の整備が求められています。

職務分掌（しょくむぶんしょう）

職務分掌は，**業務における不正や誤りが発生するリスクを減らすために，仕事の役割分担や仕事の権限を明確にすること**です。例えば，担当者間で**相互牽（けん）制**が働くように，「作業を行う人」と「承認する人」を分ける，「購買の担当」と「支払の担当」を分けるなどが挙げられます。

IT統制

IT統制は，**ITを活用して内部統制を強化すること**です。そのうち個別の業務に対する統制を**業務処理統制**，すべての業務に共通する統制を**全般統制**といいます。例えば，業務個別に「データを重複なく入力させる統制」，「エラーを表示して再入力させる統制」などが業務処理統制であり，業務共通の「情報システムの開発・保守に関する統制」，「情報システムの運用・管理に関する統制」などが全般統制に当たります。

“くれば”で覚える

コーポレートガバナンス	とくれば	**企業経営を外部から監督・監視する仕組み**
内部統制	とくれば	**企業経営を内部から整備する仕組み**
コンプライアンス	とくれば	**法令等を遵守（じゅんしゅ）して企業活動を行うこと**

監査

監査は，企業経営を行っていく上で発生する各種のリスクへの対策が，適切に整備・運用されているかを評価することです。次のような監査があります。

会計監査	その組織体の財産・損益の状況などが財務諸表に適正に表示されているかを評価する
業務監査	会計業務などを含む各業務が，組織の方針に従って合理的かつ効率的に運用されているかを評価する
情報セキュリティ監査	情報資産のセキュリティに関するリスクマネジメントが，効果的に実施されているかを評価する
システム監査	情報システムに関するリスクをコントロールし，ITガバナンスが実現されているかを評価する

監査は，企業内部の監査部門が行う**内部監査**と外部の第三者機関に依頼して行う**外部監査**に分類できます。ここで，内部監査を例えるなら，第三者のチェックも必要だけれども，それ以前に自分達で律することは大事だよねというようなイメージです。

知っ得情報 （会計監査人）

会計監査人は，会社の計算書類（貸借対照表や損益計算書など）を会計監査します。会計監査人は，会社の規模によって会社法で設置が義務付けられ，公認会計士か監査法人に限られています。

確認問題 1 ‣ 令和元年度秋期　問37　　正解率 ‣ 高　　**基本**

内部統制におけるモニタリングの説明として，適切なものはどれか。

ア　内部統制が有効に働いていることを継続的に評価するプロセス
イ　内部統制に関わる法令その他の規範の遵守を促進するプロセス
ウ　内部統制の体制を構築するプロセス
エ　内部統制を阻害するリスクを分析するプロセス

要点解説 モニタリングは，内部統制が有効に機能しているかどうか継続的に監視し，評価するプロセスです。

確認問題 2

▸平成28年度春期 問26　正解率 ▸ 高

会社を組織的に運営するためのルールのうち，職務分掌を説明したものはどれか。

ア　会社の基本となる経営組織，職制を定めたもの
イ　各部門の職務の内容と責任及び権限を定めたもの
ウ　従業員の労働条件などの就業に関する事項を定めたもの
エ　法令，各種規則や社会的規範に照らして正しく行動することを定めたもの

職務分掌では，実際に作業を行う人とそれを承認する人のように，役割分担や権限を明確にします。

確認問題 3

▸令和2年度秋期 問2　正解率 ▸ 中

応用

企業が社会の信頼に応えていくために，法令を遵守することはもちろん，社会的規範などの基本的なルールに従って活動する，いわゆるコンプライアンスが求められている。a～dのうち，コンプライアンスとして考慮しなければならないものだけを全て挙げたものはどれか。

a　交通ルールの遵守　　b　公務員接待の禁止
c　自社の就業規則の遵守　　d　他者の知的財産権の尊重

ア　a，b，c　　イ　a，b，c，d　　ウ　a，c，d　　エ　b，c，d

コンプライアンスは，法令や倫理，道徳などを遵守してルールを守った企業活動を行うことです。配慮すべきものは，a，b，c，dの全てです。

解答

問題1：ア　　問題2：イ　　問題3：イ

10 04 経営戦略

時々出 必須 超重要

イメージでつかむ

相手に勝つには，自分の強みと弱みを知ると同時に，相手のこともよく知る必要があります。これは，経営戦略も同じです。

経営戦略

経営戦略は，内部環境や外部環境の変化に適応しながら，競合他社との激しい競争に勝ち抜くための方針を，経営理念や経営ビジョンに基づき決定することです。

経営戦略は，企業全体を対象とした「全社戦略」，個別の事業を対象とした「事業戦略」，営業や開発・生産・人事などの部署（機能）を対象とした「機能別戦略」などの視点から決定します。

全社戦略

全社戦略は，企業全体の方向性を決める戦略です。全体戦略では，事業を展開する土俵となる事業領域（**事業ドメイン**）を決定し，どのような強みを活かして，経営資源（ヒト・モノ・カネ・情報）を集中させていくかのシナリオを描きます。自社の経営資源だけでは不十分な場合は，他社の経営資源で補完していくことも考えます。

コアコンピタンス

コアコンピタンスは，**競合他社には真似できない自社独自の技術やノウハウ**のことです。自社の強みを十分に活かして，企業が長期的・継続的に成長していくための礎（いしずえ）となります。Core（コア）は「核」，Competence（コンピタンス）は「能力」という意味です。

ベンチマーキング

ベンチマーキングは，**自社の製品やサービスを継続的に測定して，競合他社や先進企業と比較すること**です。競合他社や先進企業の**ベストプラクティス**（優れた事例）を参考にして，自社の改善点を見つけ出すものです。Benchmark（ベンチマーク）は，「標準点」という意味です。

M&A

M&A（Mergers and Acquisitions）は，**企業の合併・買収**です。他社を合併・買収することで，短期的に自社の不足している経営資源を獲得できます。A＋B→A'のイメージです。Mergers（マージャーズ）は「合併」，Acquisitions（アクイジションズ）は「買収」という意味です。

M&Aは，関係がある企業間でよく行われます。**垂直統合**は，商社が小売店を傘下に収めるように，流通や製造などの別工程を担当する企業同士が統合することをいい，**水平統合**は，銀行の合併のように，同業他社同士が統合することをいいます。

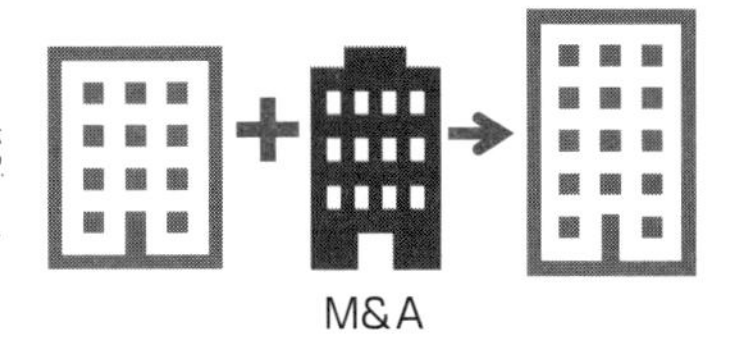

もっと詳しく 株式の買付け

* **TOB**（Take Over Bid）は，株式の公開買付けです。ある株式会社の株式の価格と買付け期間などを公告し，不特定かつ多数の株主から株式を買い付けて，経営支配権を獲得します。企業買収の手段として利用されます。
* **MBO**（Management Buyout）は，経営陣による自社の買収です。子会社や事業部門の経営陣が，自社の株式を買い取り，独立します。一方，経営陣に属さない一般従業員による自社の買収を**EBO**（Employee Buyout）といいます。

アライアンス

アライアンスは，**企業同士の連携**です。他社と統合することなく，自社で不足している経営資源を他社との連携によって補完します。Alliance（アライアンス）は，「同盟」という意味です。A＋B→A・Bのイメージです。例えば，航空会社が他社と連携し，共同運航便を飛ばしたり，マイレージプログラムを共通化したりします。

アライアンスは**企業提携**とも呼ばれ，提携の内容には技術提携や販売提携，生産提携などがあります。そのうち，**OEM**（Original Equipment Manufacturer）は，相手先の商標やブランドで製品を製造し，供給する生産提携です。

また，企業同士が共同出資して新しい企業を設立する**ジョイントベンチャ**があります。得意分野を持ち寄ることで，一社ではできないような事業を可能にします。A＋B→Cのイメージです。

アライアンス

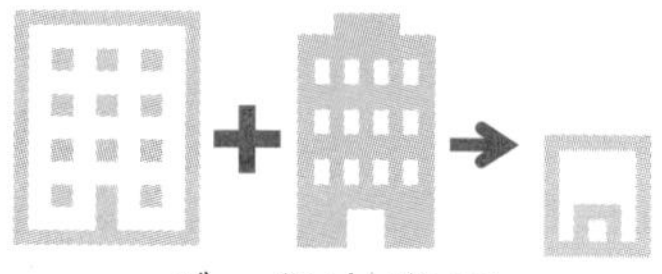
ジョイントベンチャ

さらに，自社の事業と関連のあるベンチャー企業に投資し，自社の事業との相乗効果を図る形態を，**CVC**（Corporate Venture Capital）といいます。

急成長が見込めるベンチャー企業やスタートアップ企業（新興の企業）に投資してリターンを狙う投資会社は，**ベンチャーキャピタル**です。

アウトソーシング

アウトソーシングは，**自社の業務の一部または全部を外部の業者に委託する形態**です。「外部の経営資源を利用する」というイメージです。アウトソーシングのうち，海外の企業に外部委託する形態を**オフショアアウトソーシング**といい，人件費が安いことが最大のメリットです。また，自社では工場をもたずに他の企業に生産を委託する形態を**ファブレス**といいます。

エコシステム

エコシステムは，**業種の枠組みを超え幅広く連携し，影響しあいながら収益を上げる経済圏**です。iPhoneの場合，部品や周辺機器，アプリを作る企業も連携しています。

事業戦略

事業戦略は，事業ごとに進むべき方向性を示した戦略です。顧客や競合他社などを分析し，事業の目標や戦略を決定していきます。

競争の基本戦略

競合他社との激しい競争に打ち勝つには，次のような基本戦略があります。

コストリーダシップ戦略	低価格で勝負する戦略。価値を保ちながら，低価格を実現する必要がある （例）マクドナルドなど
集中戦略	限定された顧客層や商品，地域などに絞って勝負する戦略 （例）地域限定のご当地バーガーなど
差別化戦略	価格以外で，他では簡単に模倣できないもので勝負する戦略 （例）メニューが豊富なモスバーガーなど
同質化戦略	同様の商品をぶつけて違いによる優位性をなくす戦略。市場のリーダ（10-06参照）がとる戦略

知っ得情報 ブルーオーシャン戦略

既に様々な企業が激しい競争を展開している市場をレッドオーシャンといいます。一方，競争のない新たな市場を開拓する戦略を**ブルーオーシャン戦略**といいます。例えば，散髪で洗髪や肩もみのサービスを取り除き，「低価格で短時間でカットしたい」という顧客ニーズを満たす市場を開拓した，理容チェーン店があります。これは，競争の激しい血みどろの「赤い海」に対して，競争のない穏やかな「青い海」のようなイメージです。

PPM

PPM（Product Portfolio Management）は，**市場の成長率と自社の市場占有率から「負け犬」・「問題児」・「金のなる木」・「花形」**の四つのカテゴリに分類し，分析する手法です。自社がどの事業や製品に力を入れるべきかを分析します。

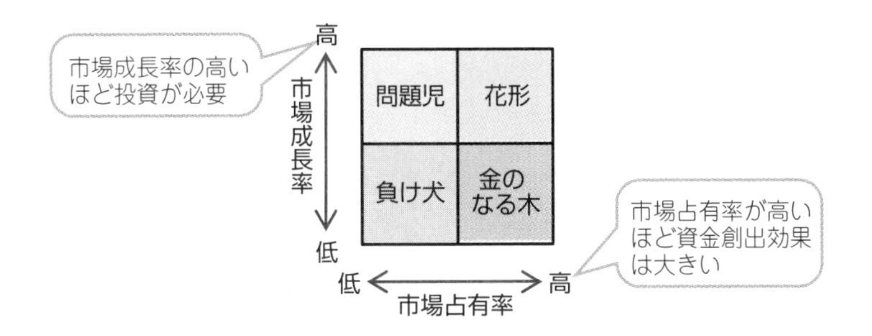

負け犬	市場成長率　**低** 市場占有率　**低**	将来的には撤退を考えざるを得ない
問題児	市場成長率　**高** 市場占有率　**低**	魅力はあるが，育てるためには積極的な投資が必要である
金のなる木	市場成長率　**低** 市場占有率　**高**	企業の主たる資金源の役割を果たしている
花形	市場成長率　**高** 市場占有率　**高**	資金創出効果は大きいが，継続して投資も必要となる

“くれば”で覚える

PPM　とくれば　**共に低い「負け犬」，成長するには投資が必要な「問題児」，占有して資金を創る「金のなる木」，共に高い「花形」**

SWOT分析

✦SWOT分析✦は，**内部環境**である**「強み」**と**「弱み」**，**外部環境**である**「機会」**と**「脅威」**の四つのカテゴリに分類し，分析する手法です。例えば，内部環境には，商品価格やブランド力，販売力，技術力などがあり，外部環境には，顧客や競合他社，市場，政治情勢，経済事情などがあります。SWOTは，Strength（強み），Weakness（弱み），Opportunity（機会），Threat（脅威）の頭文字です。

内部環境と外部環境から，次のような戦略をとります。

		外部環境	
		機会	脅威
内部環境	強み	強みを活かし機会をつかむ戦略	強みを活かし脅威を克服する戦略
	弱み	機会を活かし弱みを克服する戦略	最悪の事態を回避する戦略

"くれば"で覚える

SWOT　とくれば　**内部環境の強みと弱み，外部環境の機会と脅威**

3C分析

3C分析は，**「自社」・「競合」・「顧客」**の三つのカテゴリに分類し，分析する手法です。自社の分析で自社の強みと弱み，競合と顧客の分析で自社の機会と脅威を分析します。3Cは，Company（自社），Competitor（競合），Customer（顧客）の頭文字です。

ファイブフォース分析

ファイブフォース分析は，**「競合企業」・「新規参入の脅威」・「代替品の脅威」・「売り手の交渉力」・「買い手の交渉力」**の五つのカテゴリに分類し，分析する手法です。自社を取り巻く五つの脅威を分析します。

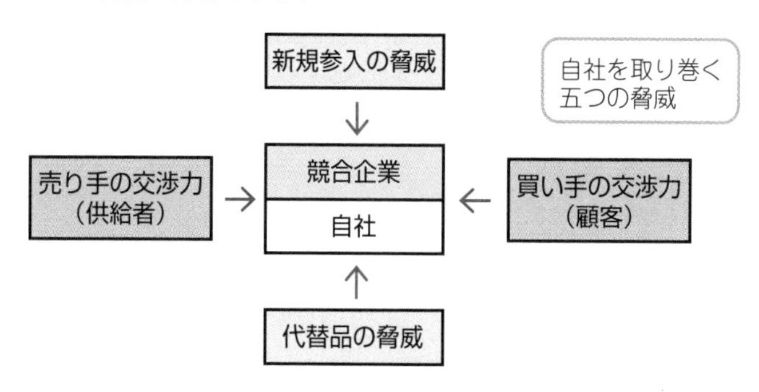

VRIO分析

VRIO分析は，**「経済価値」・「希少性」・「模倣可能性」・「組織」**の四つのカテゴリに分類し，分析する手法です。自社の強みや弱みの内部環境を分析します。VRIOは，Value（経済価値），Rareness（希少性），Imitability（模倣可能性），Organization（組織）の頭文字です。

バリューチェーン分析

バリューチェーン分析は，企業の事業活動を機能ごとに主活動と支援活動に分け，**製品やサービスの付加価値は，どの活動で生み出されているか**を分析する手法です。自社の競争優位性を分析します。

主活動	購買物流	製造	出荷物流	販売・マーケティング	サービス
支援活動	調達，技術開発，人事・労務管理，全般管理				

アンゾフの成長マトリクス

アンゾフの成長マトリクスは，市場と製品の2軸に，それぞれ既存と新規を区分して，**「市場浸透」，「製品開発」，「市場開拓」，「多角化」**の四つのカテゴリに分類し，分析する手法です。どの成長戦略が最適かを分析します。

		製品	
		既存	新規
市場	既存	**市場浸透**	**製品開発**
	新規	**市場開拓**	**多角化**

ビジネスモデルキャンバス

ビジネスモデルキャンバスは，ビジネスモデル（ビジネスモデルの仕組み）を成立させている要素を，9つに分けて分析する手法です。例えば，格安航空会社（LCC：Low Cost Carriers）のビジネスモデルを分析すると次のようになります。

パートナー	主要活動	価値提案	顧客との関係	顧客セグメント
・空港会社 ・航空機リース会社	・過剰サービスの省略	・低価格 ・高い就航率	・Web	・旅行客
	リソース ・統一機体 ・従業員		**チャネル** ・自社	

コスト構造	収益の流れ
・空港使用料 ・航空機リース料	・運賃

知っ得情報（規模の経済と範囲の経済）

複数事業を展開するとその分コストがかかります。**規模の経済**は，事業を絞り大量に仕入れて大量に生産・販売することでコストを削減する考え方です。

一方，**範囲の経済**は，複数の事業を行いつつもその基盤を共通化することでコストを削減する考え方です。

知っ得情報（デジタルトランスフォーメーション）

デジタルトランスフォーメーション（DX：Digital transformation）は，AIやビッグデータ，IoTなどのデジタル技術を活用して，従来の業務プロセス（業務の一連の流れ）やビジネスモデル（ビジネスの仕組み）を抜本的に変革し，新たな付加価値を創出することで，将来の成長や競争力強化につなげようというものです。例えば，ネット書店から始まったAmazonも，商品のネット販売事業だけにとどまらず，AWS（Amazon Web Services）というクラウドサービス事業でも収益を伸ばしています。

確認問題 1

▸平成28年度春期　問31　　正解率▸中　　基本

事業コストを低減する方策として“範囲の経済”を追求する方法や“規模の経済”を追求する方法などがある。範囲の経済の追求に基づくコスト低減策として，適切なものはどれか。

ア　共通の基盤技術を利用して複数の事業を行う。
イ　継続的な業務改善を行う。
ウ　工場での生産量を拡大する。
エ　同一製品を複数の工場で生産する。

要点解説　範囲の経済は，基盤を共通化することでコストを削減する考え方です。

確認問題 2

▸平成30年度秋期 問11　　正解率 ▸ 中　　応用

企業が，他の企業の経営資源を活用する手法として，企業買収や企業提携がある。企業買収と比較したときの企業提携の一般的なデメリットだけを全て挙げたものはどれか。

a　相手企業の組織や業務プロセスの改革が必要となる。
b　経営資源の活用に関する相手企業の意思決定への関与が限定的である。
c　必要な投資が大きく，財務状況への影響が発生する。

ア　a　　イ　a, b, c　　ウ　a, c　　エ　b

要点解説 企業提携は相手企業を完全に支配するわけではありません。つまり，相手企業の意思決定に大きく関与できません。

確認問題 3

▸令和3年度 問23　　正解率 ▸ 中　　

プロダクトポートフォリオマネジメントは，企業の経営資源を最適配分するために使用する手法であり，製品やサービスの市場成長率と市場におけるシェアから，その戦略的な位置付けを四つの領域に分類する。市場シェアは低いが急成長市場にあり，将来の成長のために多くの資金投入が必要となる領域はどれか。

ア　金のなる木　　イ　花形　　ウ　負け犬　　エ　問題児

プロダクトポートフォリオマネジメントは定番の問題です。問題児と金のなる木がよく問われます。市場シェアは低いが急成長市場にあるのは問題児です。

確認問題 4

▸令和5年度 問11　　正解率 ▸ 高　　

IoTやAIといったITを活用し，戦略的にビジネスモデルの刷新や新たな付加価値を生み出していくことなどを示す言葉として，最も適切なものはどれか。

ア　デジタルサイネージ　　イ　デジタルディバイド
ウ　デジタルトランスフォーメーション　　エ　デジタルネイティブ

デジタルトランスフォーメーションは，ITを活用して新たな付加価値を生み出せるよう，従来のビジネスや組織を変革することです。
デジタルサイネージは電子看板（10-10参照），デジタルディバイドは情報格差，デジタルネイティブは幼いころからITに親しんでいる世代のことです。

確認問題 5　▸平成30年度春期　問12　正解率▸中　基本

バリューチェーンの説明として，適切なものはどれか。

ア　企業が提供する製品やサービスの付加価値が事業活動のどの部分で生み出されているかを分析するための考え方である。
イ　企業内部で培った中核的な力（企業能力）のことであり，自社独自の価値を生み出す源泉となるものである。
ウ　製品や市場は必ず誕生から衰退までの流れをもち，その段階に応じてとるべき戦略が異なるとする考え方である。
エ　全社的な観点から製品又は事業の戦略的な位置付けをして，最適な経営資源の配分を考えようとするものである。

要点解説

バリューチェーンは，企業が顧客に提供する製品やサービスの利益は，どの活動で生み出されているかを分析する手法です。
イ：コアコンピタンス
ウ：プロダクトライフサイクル（10-06参照）
エ：PPM

確認問題 6　▸平成30年度春期　問1　正解率▸中　基本

製品と市場が，それぞれ既存のものか新規のものかで，事業戦略を“市場浸透”，“新製品開発”，“市場開拓”，“多角化”の四つに分類するとき，“市場浸透”の事例に該当するものはどれか。

ア　飲料メーカが，保有技術を生かして新種の花を開発する。
イ　カジュアル衣料品メーカが，ビジネススーツを販売する。
ウ　食品メーカが，販売エリアを地元中心から全国に拡大する。
エ　日用品メーカが，店頭販売員を増員して基幹商品の販売を拡大する。

要点解説

“市場浸透”，“新製品開発”，“市場開拓”，“多角化”の四つに分類するのは，アンゾフの成長マトリクスです。
ア　多角化　　イ　新製品開発　　ウ　市場開拓

確認問題 7

▶平成31年度春期 問10　正解率▶中

企業経営で用いられるベンチマーキングの説明として，適切なものはどれか。

ア　PDCAサイクルを適用して，ビジネスプロセスの継続的な改善を図ること
イ　改善を行う際に，比較や分析の対象とする最も優れた事例のこと
ウ　競合他社に対する優位性を確保するための独自のスキルや技術のこと
エ　自社の製品やサービスを測定し，他社の優れたそれらと比較すること

要点解説　ベンチマーキングは，お手本となるような優れた事例と自社の製品やサービスを比較し，現状のプロセスを改善・改革します。
ア：BPM（10-05参照）
イ：ベストプラクティス
ウ：コアコンピタンス

確認問題 8

▶令和2年度秋期 問17　正解率▶中　頻出

複数の企業が，研究開発を共同で行って新しい事業を展開したいと思っている。共同出資によって，新しい会社を組織する形態として，適切なものはどれか。

ア　M&A　　イ　クロスライセンス
ウ　ジョイントベンチャ　　エ　スピンオフ

要点解説　複数の企業が資金を出し合って新しく設立し，事業を行う企業をジョイントベンチャといいます。

解答

問題1：ア	問題2：エ	問題3：エ	問題4：ウ	問題5：ア
問題6：エ	問題7：エ	問題8：ウ		

10 05 情報システム戦略と業務プロセス

時々出 必須 超重要

イメージでつかむ

間取り図は，家を「モデル化」したものです。改築なら，間取り図を見て改善点を考えます。

会社の業務もモデル化して，改善点を考えたり，システム化の際の材料にしたりすることがあります。

情報システム戦略

情報システム戦略

企業は経営戦略に基づき企業活動を行っています。経営戦略上，**情報システムをどのように構築し，企業活動に活用していくのかという戦略**が**情報システム戦略**です。情報戦略やIT戦略の用語でも出題されます。この戦略では，**CEO**（Chief Executive Officer：**最高経営責任者**）の統括の下で，**CIO**（Chief Information Officer：**最高情報責任者**）が中心となり，経営戦略に基づいた情報システム戦略を立案することがポイントです。

ITガバナンス

現在は情報システムの良し悪しが企業経営に大きな影響を及ぼします。情報システム部門だけに任せるのではなく，全社的な視点（全体最適化）から情報システムの導入や運用，リスク管理などについてコントロールする仕組みが必要です。これが**ITガバナンス**と呼ばれるもので，**情報システム戦略の策定と実行をコントロールする組織能力のこと**です。つまり，経営陣がステークホルダ（利害関係者）のニーズに基づき，経営戦略と整合性をとりながら，情報システム戦略が効果的に活用されるようにするための組織能力といえます。「ITによる企業統治」という意味です。

また，ITガバナンスに関する国際規格に**ISO/IEC 38500**，国内規格に**JIS Q 38500**があります。

EA

エンタープライズアーキテクチャ（**EA**：Enterprise Architecture）は，**現状の業務と情報システムの全体像を可視化し，将来のあるべき理想の姿を設定して全体最適化を図る手法**です。この手法では，現状の業務と情報システムの姿（**As-Isモデル**）と，あるべき理想の姿（**To-Beモデル**）との差を分析（**ギャップ分析**）しながら，業務と情報システムを「ビジネス」・「データ」・「アプリケーション」・「テクノロジ」の四つの体系で分析し，全体最適化の観点から見直します。

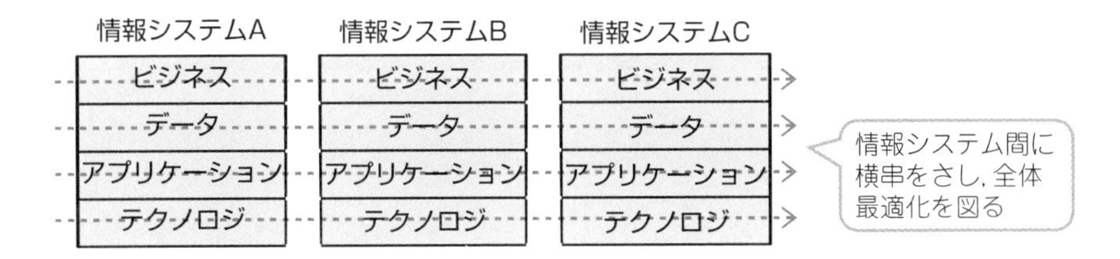

情報システムの種類

昨今の情報システムは，次の二つに分類できます。

1. **SoR**（Systems of Record）は，**データを正確に記録することを重視した，従来からある内部向けの基幹システム**です。Record（レコード）は，「記録」という意味です。
2. **SoE**（Systems of Engagement）は，**顧客とのつながりを重視した，外向けの情報システム**です。Engagement（エンゲージメント）は，「つながり」という意味です。

ITを使って新しいサービスをいち早く提供するために，UI（ユーザインタフェース）やスピードが求められます。そこで，従来のSoRを活用しながら，新しいSoEを取り入れていくことで，最適化されたシステムを導入できるといわれています。

業務プロセスとモデリング

情報システム戦略では，情報システムのあるべき姿を明確にするために，システム化の対象となる**業務プロセス**（業務の一連の流れ）や**ビジネスプロセス**（ビジネスの仕組み），データの流れを視覚的に図式化する**モデリング**を行います。視覚的に図式化することで，業務を把握・整理できると同時に，関係者間で共通認識が持てます。

モデリング手法

代表的なモデリング手法には，次のようなものがあります。

DFD

DFD (Data Flow Diagram) は，**データの流れに注目し，業務のデータの流れと処理の関係を視覚的に表した図**です。次のような記号を用いて，データの流れを表します。

記号	名称	意味
→	データフロー	データの流れを表す
○	プロセス(処理)	データの処理を表す
＝	データストア(ファイル)	ファイルを表す
□	データの源泉と吸収	データの始まりと終わりを表す

例えば，営業部で働いているMさんの業務内容で考えてみましょう。

①Mさんは受注処理を担当しています。
②まず，取引先から注文書がきます。
③いただいた注文を受注台帳に登録します。
④在庫台帳を参照して在庫の引当を行います。
⑤在庫の引当ができたときは，在庫台帳が更新されます。
⑥在庫の引当ができないときには，購買部門に対して購入を依頼します。

この業務内容を，DFDで表すと次のようになります。

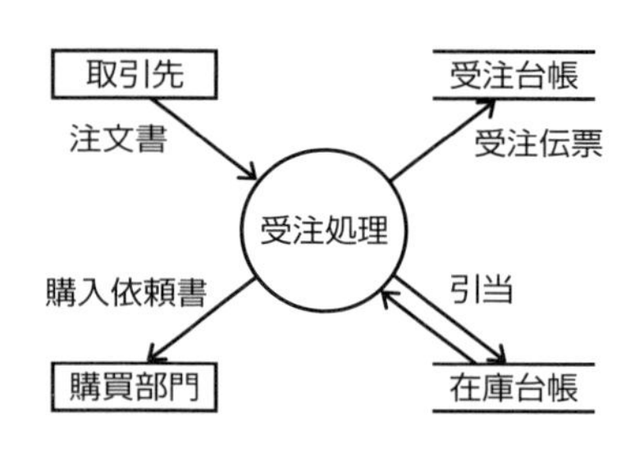

・プロセス：受注処理
・データの源泉：取引先
・データの吸収：購買部門
・データストア：受注台帳と在庫台帳
・データ：注文書，受注伝票，引当，購入依頼書

“くれば”で覚える

DFD　とくれば　**データの流れを表した図**

BPMN

DFDだとデータの流れは把握できますが，作業の順番は把握できません。

BPMN (Business Process Modeling Notation) (**ビジネスプロセスモデリング記法**) は，**業務プロセスをワークフロー形式で視覚的に表した図**です。DFDの例で挙げたMさんの業務内容をBPMNで表すと次のようになります。

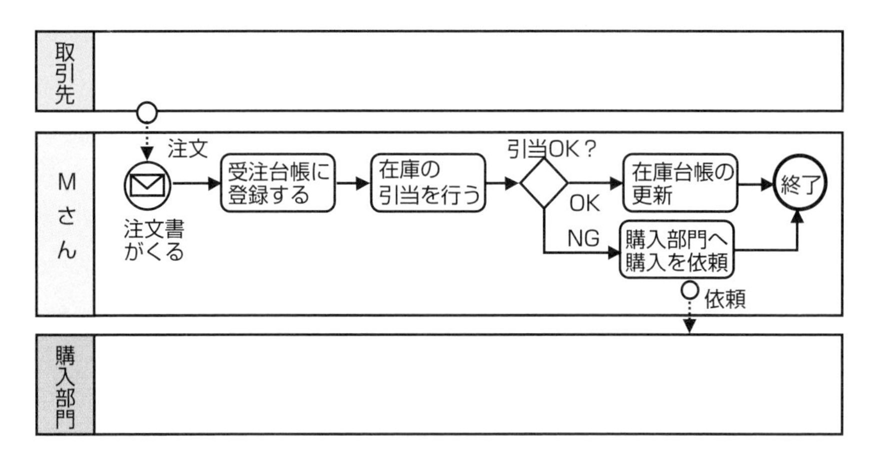

アクティビティ図

アクティビティ図は，**システム内の処理や作業の流れを視覚的に表した図**です。実行順序や条件分岐，並行処理などの制御の流れを記述します。特に，オブジェクト指向(7-03参照)での設計や分析によく用いられ，システムの振る舞いや機能を把握できます。先ほどのBPMNはビジネス全体の流れを，アクティビティ図はシステム内でどのように動くかを記述します。

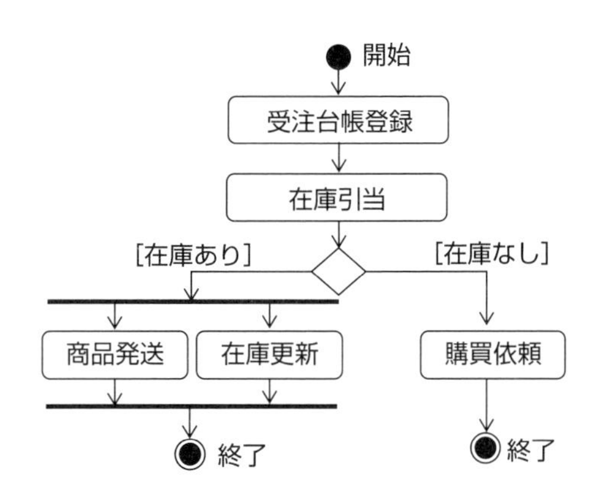

業務プロセスの分析

BPR（Business Process Re-engineering）は，**業務プロセスを根本的に見直し，再構築することです**。業務改善とは違い部分的な見直しではなく，業務内容や業務フロー，さらには組織や職務，管理体制までも徹底的に見直します。なおBPRは一過性のものではなく，PDCAサイクルで継続的に評価・改善していくことを**BPM**（Business Process Management）といいます。

“くれば”で覚える

BPR　とくれば　**業務プロセスを抜本的に見直し再構築すること**
BPM　とくれば　**業務プロセスを継続的に改善していくこと**

知っ得情報（外部委託）

BPO（Business Process Outsourcing）は，自社の業務プロセスの一部，または全部を外部の専門的な事業者に委託することです。管理部門やコールセンタなど，業務システムの運用などと一体化して委託することもあります。

ITの有効活用

業務改善や業務効率化を図る上で，次のような様々なITツールが活用されています。

RPA

RPA（Robotic Process Automation）は，**PCで行う定型的な業務を，ソフトウェアで実現したロボットを使って自動化や効率化を図ることです**。社員はロボットに対して，「どのソフトウェアを使うのか」，「画面のどこをクリックするのか」，「何を入力するか」などを記憶させ，データ抽出や転記などの操作を自動的に実行させます。

“くれば”で覚える

RPA　とくれば　**PCの定型的な業務を自動化する**

グループウェア

グループウェアは，**電子メールや電子掲示板を介したコミュニケーション，データ共有，スケジュールの一元管理などの機能を持ち，共同作業の支援を行うソフトウェア**です。ネットワーク上で，共同作業の場を提供し，業務効率を高めることができます。Group(グループ)とSoftware(ソフトウェア)を合わせた造語です。

BYOD

BYOD (Bring Your Own Device)は，**情報システム部門の許可を得て，私物のスマートフォン，タブレットなどのモバイル端末を業務に使用すること**です。業務効率の向上が図れる一方で，情報漏えいやプライバシーの対策が必要となります。

その対策として，企業が貸与するものも含め，**スマートフォンやタブレットなどのモバイル端末を一元管理する仕組み**が，**MDM** (Mobile Device Management：モバイルデバイス管理)です。働き方改革などにより，オフィス以外の場所で仕事をする，新しいワークスタイルが浸透しつつある中で，モバイル端末を一元管理することで管理の手間が減り，セキュリティ対策を強化できます。

もっと詳しく（隠れた情報端末）

シャドーITは，情報システム部門の許可を得ずに，私物のスマートフォン，タブレット，さらには社外のクラウドサービスなどを業務に使うことです。情報システム部門の目が届かないので，ウイルス感染や情報漏えいなどのセキュリティリスクが増大する危険性があります。

確認問題 1 ▸平成29年度春期　問14　正解率▸高　頻出　基本

DFDの表記に関する記述として，最も適切なものはどれか。

ア　時間の経過や状況の変化に伴う，システムの状態の遷移を表記する。
イ　システムで扱う実体同士を関連付けて，データの構造を表記する。
ウ　システムを構成する要素の属性や操作，要素同士の関係を表記する。
エ　データの流れに着目し，業務のデータの流れと処理の関係を表記する。

要点解説　DFDはデータの流れを表した図で，業務プロセスを把握・整理するために作成します。

確認問題 2 ▸令和4年度 問7 正解率▸低 基本

業務と情報システムを最適にすることを目的に，例えばビジネス，データ，アプリケーション及び技術の四つの階層において，まず現状を把握し，目標とする理想像を設定する。次に現状と理想との乖離を明確にし，目標とする理想像に向けた改善活動を移行計画として定義する。このような最適化の手法として，最も適切なものはどれか。

ア BI (Business Intelligence)
イ EA(Enterprise Architecture)
ウ MOT (Management of Technology)
エ SOA(Service Oriented Architecture)

EAは，現状の業務と情報システムの全体像を可視化し，将来あるべき理想の姿を設定して全体最適化を図る手法です。BIは意思決定を支援するツール（6-01参照），MOTは技術開発を通してイノベーションを創出し企業価値に結びつける経営のこと（10-07参照），SOAは異なる機能を持つサービスを組み合わせてシステムを構築する手法（3-06参照）です。

確認問題 3 ▸令和3年度 問27 正解率▸中 頻出 基本

BYODの事例として，適切なものはどれか。

ア 大手通信事業者から回線の卸売を受け，自社ブランドの通信サービスを開始した。
イ ゴーグルを通してあたかも現実のような映像を見せることで，ゲーム世界の臨場感を高めた。
ウ 私物のスマートフォンから会社のサーバにアクセスして，電子メールやスケジューラを利用することができるようにした。
エ 図書館の本にICタグを付け，簡単に蔵書の管理ができるようにした。

要点解説

英略語は，フルスペルが思い出せれば意味も思い出せます。BYODはBring Your Own Deviceの略で，「自分のデバイスを持ってくる」ということです。私物のスマートフォンを業務に活用する事例が該当します。

ア MVNO（4-05参照） イ VR（2-08参照） エ RFID（1-06参照）

確認問題 4 ▸令和6年度 問16 正解率▸中 頻出 応用

RPAが適用できる業務として，最も適切なものはどれか。

ア ゲームソフトのベンダーが，ゲームソフトのプログラムを自動で改善する業務
イ 従業員の交通費精算で，交通機関利用区間情報と領収書データから精算伝票を作成する業務
ウ 食品加工工場で，産業用ロボットを用いて冷凍食品を自動で製造する業務
エ 通信販売業で，膨大な顧客の購買データから顧客の購買行動に関する新たな法則を見つける業務

RPAは，人がPCで行う定型的な事務作業を，専用のソフトウェアに覚えさせて自動化しようとするものです。例えば，インターネットで受け付けた受注データを配送システムに転記するといった使い道があります。

確認問題 5 ▸令和4年度 問40 正解率▸高 基本

ITガバナンスに関する記述として，最も適切なものはどれか。

ア ITサービスマネジメントに関して，広く利用されているベストプラクティスを集めたもの
イ システム及びソフトウェア開発とその取引の適正化に向けて，それらのベースとなる作業項目の一つ一つを定義して標準化したもの
ウ 経営陣が組織の価値を高めるために実践する行動であり，情報システム戦略の策定及び実現に必要な組織能力のこと
エ プロジェクトの要求事項を満足させるために，知識，スキル，ツール，技法をプロジェクト活動に適用すること

ア ITIL (8-07参照)　イ 共通フレーム (8-01参照)
ウ ITガバナンス　エ PMBOK (8-05参照)

解答

問題1：エ　問題2：イ　問題3：ウ　問題4：イ　問題5：ウ

10-06 マーケティング戦略

イメージでつかむ

テレビのCMで顧客満足度No.1とうたったCMがよく流れています。これを聞くと，買ってみたいという気になりませんか？！

マーケティング戦略

マーケティング戦略は，市場を調査することによりターゲットとする市場を絞り込み，顧客ニーズに合致した製品やサービスを創出し提供することで，継続的に売れる仕組みを作る一連の戦略です。

最近は「顧客満足度ランキングNo.1」をうたったテレビのCMや雑誌の記事をよく見かけますが，マーケティング戦略において，顧客に対して精神的・主観的に満足させる**顧客満足度**（**CS**：Customer Satisfaction）も重要な要素の一つとなっています。

STP分析

SWOT分析や３C分析などで自社の取り巻く環境を分析したうえで，次は，自社がどのような市場や顧客を狙い，どのような立ち位置で勝負していくのかを分析します。

STP分析は，マーケティングの基本戦略の要素である，**「セグメンテーション」**・**「ターゲティング」**・**「ポジショニング」**の三つの視点から分析する手法です。STPはSegmentation（セグメンテーション）（細分化），Targeting（ターゲティング）（標的），Positioning（ポジショニング）（立ち位置）の頭文字です。

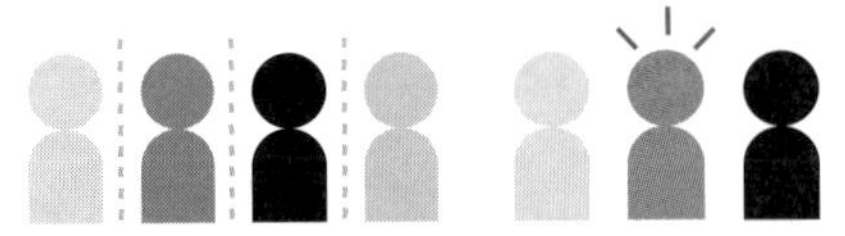

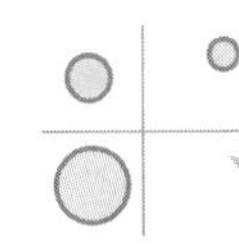

セグメンテーション　ターゲティング　ポジショニング

セグメンテーション	市場をいくつかの顧客層に細分化する。例えば，性別や年齢，地理的条件などで細分化する
⬇	
ターゲティング	細分化した顧客層から自社のターゲットを絞る。例えば，自社の強みを活かせる顧客層や競合の少ない顧客層などを選択する
⬇	
ポジショニング	絞った顧客層に対して，市場の成長や市場シェアなどの観点から，自社の立ち位置を決定する

もっと詳しく（絞り込む戦略）

＊ **ターゲットマーケティング**は，細分化した市場から特定の顧客層を絞り込んで行うマーケティングです。例えば，「20代女性向け」や「寒冷地向け」の商品などのように絞り込みます。

＊ **ペルソナ分析**は，ターゲットとなる顧客層を構成する仮想的な人物（ペルソナ）を定義し，それに合わせた商品やサービスを開発・販売する手法です。例えば，顧客層の人物を，性別，年齢，年収〇万円，家族構成…などと詳細に設定すれば，ターゲットをよりリアルに想定できます。

コトラーの競争戦略

コトラーの競争戦略は，市場シェアで**「リーダ」・「チャレンジャ」・「フォロワ」・「ニッチャ」**の四つに分類し，分析する手法です。これは競争上の地位に応じた戦略をとるポジショニング戦略です。業界のトップを走る「リーダ」，2番手・3番手グループの「チャレンジャ」，トップをまねる「フォロワ」，そして全く別を走る「ニッチャ」というイメージです。

リーダ	全市場をカバーし，トップシェアを維持する全方位戦略
チャレンジャ	リーダのトップシェアを奪取するための差別化戦略
フォロワ	リーダを参考にして，市場チャンスに素早く対応する模倣戦略
ニッチャ	他社が参入しにくい特定の市場や商品に絞った特定化戦略

マーケティングミックス

マーケティングミックスは，**「製品」・「価格」・「流通」・「販売促進」**の四つの要素を組み合わせてマーケティングを展開する手法です。売り手から見た要素は，Product（プロダクト）（製品），Price（プライス）（価格），Place（プレイス）（流通），Promotion（プロモーション）（販売促進）の頭文字をとって**4P**と呼ばれます。一方，買い手から見た要素は**4C**と呼ばれています。

売り手から見た要素(4P)		買い手から見た要素(4C)
Product(製品)	←→	Customer Value(顧客価値)
Price(価格)	←→	Customer Cost(顧客コスト)
Place(流通)	←→	Convenience(利便性)
Promotion(販売促進)	←→	Communication(コミュニケーション)

"くれば"で覚える

マーケティングミックスの4P　とくれば　**製品・価格・流通・販売促進**

製品戦略

プロダクトライフサイクル

プロダクトライフサイクルは，商品が市場に導入されて衰退するまでの期間を，**「導入期」・「成長期」・「成熟期」・「衰退期」**の四つのカテゴリに分類し，各段階に応じた戦略を設定する手法です。

導入期	市場に商品を投入した直後の時期。商品の認知度を高める戦略をとる
成長期	売上や利益が急激に上昇する時期。新規参入企業によって競争が激化してくるので，競合他社との差別化を図る戦略をとる
成熟期	売上や利益が鈍化してくる時期。商品の品質改良やスタイル変更などによって，シェアの維持・利益の確保を図る戦略をとる
衰退期	売上や利益が急激に減少する時期。場合によっては，市場からの撤退を検討する

"くれば"で覚える

プロダクトライフサイクル　とくれば　**導入期・成長期・成熟期・衰退期**

もっと詳しく（ブランド戦略）

* **ブランド戦略**は，企業や商品，サービスのブランドイメージを利用して差別化を図る戦略です。
* **ブランドエクステンション**は，現行商品とは異なるカテゴリに，同一ブランド名で参入する戦略です。これもブランド戦略の一つで，Brand Extension（ブランド エクステンション）は「ブランド拡張」という意味です。例えば，ソニーブランドを利用して，異なる業種に参入したソニー銀行やソニー生命などがあります。また，企業のブランドは**コーポレートブランド**と呼ばれています。

ニーズ志向とシーズ志向

顧客ニーズの視点から開発される**ニーズ志向**の製品やサービスは，すでに類似品があっても他社より高機能で価格が安ければ顧客に受け入れられます。一方，自社独自の技術やノウハウ，アイディアを活かして開発される**シーズ志向**の製品やサービスは，顧客ニーズに合致しなければ，顧客には受け入れられません。iPhoneはシーズ志向の製品ですが，顧客ニーズに合致した成功例といえます。

知っ得情報 優良顧客の抽出

RFM分析は，データベース化された顧客情報を活用し，「最終購買日」・「購買頻度」・「購買金額」の三つの指標を使って，顧客の購買行動を分析する手法です。この分析により優良顧客を抽出できます。RFMは，Recency（リーセンシー）（最終購買日），Frequency（フリークェンシー）（購買頻度），Monetary（マネタリー）（購買金額）の頭文字です。

イノベータ理論

新製品をすぐ購入する人もいれば，あまり関心のない人もいます。イノベータ理論では，消費者を新製品への関心が高い順に五つに分類しています。

イノベータ	革新者。新製品を他の人に先駆けて購入する
アーリーアダプタ	初期採用層。新製品が市場に流通し始めてから購入し，情報を友人や知人に伝える。オピニオンリーダやインフルエンサーとも呼ばれる
アーリーマジョリティ	前期追随層。新製品の信頼性や利便性を確認してから購入する
レイトマジョリティ	後期追随層。新製品には懐疑的で，周囲に利用者が増えてから購入する
ラガード	遅滞層。新製品には興味がなく保守的

この5段階の中でも「アーリーアダプタ」から「アーリーマジョリティ」へはハードルが最も高く，大きな溝（**キャズム**）があるとされています。新製品をアーリーマジョリティまで浸透させるには，目新しさよりも信頼性や利便性を伝えられるようにマーケティングを行います。

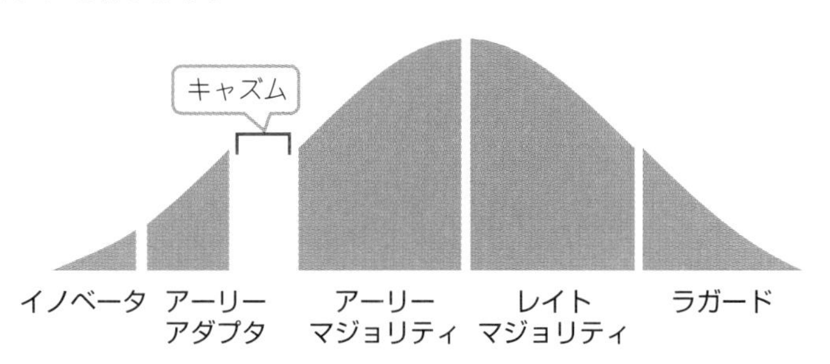

第10章 経営戦略とシステム戦略

知っ得情報 デジタルディスラプション

デジタルディスラプションは，デジタル技術によって既存の商品やサービスを破壊し，新たなビジネスモデルの出現や市場の構造の変化をもたらす現象です。Disruption（ディスラプション）は「破壊」という意味です。例えば，Netflixなどのインターネット動画配信サービスが登場したことで，レンタルビデオなどの既存の業界に大きな打撃を与えました。

価格戦略

製品やサービスの市場導入期には，価格の設定次第で顧客に受け入れられるかどうかが大きく左右されます。企業は，「高価格に設定して利益を得る」か「低価格に設定して市場シェアを得る」かのどちらかの戦略を決定します。製品ライフサイクルの導入期における価格設定には，大きく二つの戦略があります。

スキミングプライシング	導入期に，製品開発コストの回収や利益が獲得できるよう，高価格による販売で高利益を得る戦略。「上層吸収価格戦略」とも呼ばれる。富裕層などの「高くても買ってくれる顧客（イノベータ）」をターゲットにした戦略で，イノベータを攻略したら，徐々に価格を下げて全市場にターゲットを拡大していく
ペネトレーションプライシング	導入期に，低価格による販売で市場のシェアを得る戦略。「市場浸透価格戦略」とも呼ばれる。全市場をターゲットに，販売数量を最大にして収益化を図る。生産量が増えるに伴い製造コストが低下するので，競合他社が参入してきた頃には，更なる低価を設定でき，打ち勝つことができる

もっと詳しく ダイナミックプライシング

ダイナミックプライシングは，需要と供給に合わせて価格を変動させる戦略です。「動的価格戦略」とも呼ばれています。例えば，航空運賃や宿泊料金，最近ではユニバーサル・スタジオ・ジャパンなどがゴールデンウィークなどの繁忙（はんぼう）期には価格を高く設定して，閑散（かんさん）期には価格を低く設定しています。

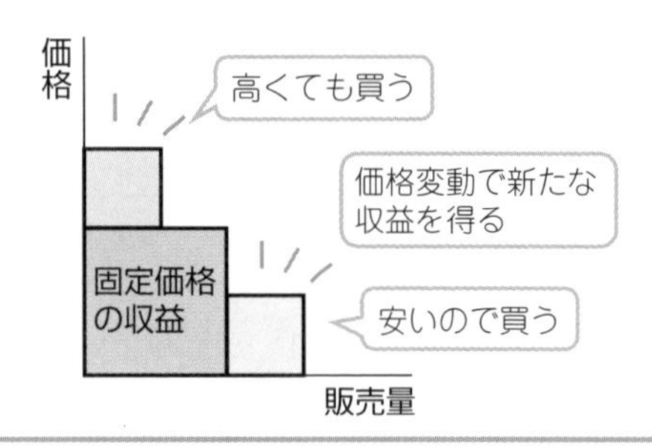

流通戦略と販売促進戦略

試験では次のような，様々な流通戦略と販売促進戦略が出題されています。

マス マーケティング	全ての顧客を対象に大量生産・大量流通させる手法。Mass（マス）は「大衆」という意味。競合他社も似たような商品を出してくるので，商品を差別化できなくなり，価格のみの競争になる**コモディティ化**を招くとされる
ワントゥワン マーケティング	個々の顧客ニーズに個別に対応する手法。市場シェアの拡大よりも，長期にわたって自社製品を購入する割合を高めることを重視する。例えばAmazonで何かを買うと，関連する商品をメールなどで勧められることがある。これは，顧客がアクセスしたWebページの閲覧履歴や商品の購入履歴を分析し，関連商品を表示することで購入を促す手法で，**レコメンデーション**という。Recommendation（レコメンデーション）は「推薦」という意味
マス カスタマイゼーション	大量生産・大量販売のメリットを活かしながら，個々の顧客の好みに対応する手法。例えば，DELLのPCは，顧客の仕様に合わせてCPUやメモリ，HDDなどの主要部品を選択できる。Customize（カスタマイズ）は「あつらえる」という意味

ダイレクトマーケティング

ダイレクトマーケティングは，流通業者を通さずに，企業が直接顧客に対して商品やサービスを販売する手法です。最近は通信販売やインターネット販売などが多く利用されています。例えば，ベネッセの進研ゼミなどがあります。

知っ得情報（販売促進）

＊**プッシュ戦略**は，営業などを通じて，自社の商品やサービスを顧客に積極的に売り込む戦略です。Push（プッシュ）は，「押す」という意味です。

＊**プル戦略**は，CMや広告，チラシなどを通じて，自社の商品やサービスを顧客が購入したくなるように促す戦略です。Pull（プル）は，「引く」という意味です。

インバウンドマーケティング

インバウンドマーケティングは，商品やサービスなどの情報を，広告やDMで見込み客に押し付けるのではなく，WebサイトやSNS，ブログなどを駆使して発信し，情報を探している見込み客を最終的に顧客に転換させることを目標とする手法です。Inbound（インバウンド）は，「外から内へ入ってくる」という意味です。

知っ得情報（クロスメディアマーケティング）

クロスメディアマーケティングは，複数のメディアを融合させてマーケティング上の相乗効果を図る手法です。テレビCMでよく見る「○○で検索」「続きはWebで」がその例です。

マーチャンダイジング

マーチャンダイジングは，自社の商品やサービスを顧客に販売するにあたり，顧客ニーズに合致した適切な商品を，適切な場所，適切な時期，適切な数量，適切な価格で提供するために行う一連の活動のことです。これらを適切に行うことで，商品の需要と供給を最適化し，売り上げを最大化できます。

カニバリゼーション

商品のラインナップを増やしたことで，かえって自社の売上が減ってしまう場合があります。**カニバリゼーション**は，**自社内の商品やサービスが競合し，売上を食い合うこと**です。Cannibalization（カニバリゼーション）は，「共食い」という意味です。

確認問題 1　▸令和元年度秋期　問15　正解率▸低　基本

自社の商品やサービスの情報を主体的に収集する見込み客の獲得を目的に，企業がSNSやブログ，検索エンジンなどを利用して商品やサービスに関連する情報を発信する。このようにして獲得した見込み客を，最終的に顧客に転換させることを目標とするマーケティング手法として，最も適切なものはどれか。

ア　アウトバウンドマーケティング　　イ　インバウンドマーケティング
ウ　ダイレクトマーケティング　　エ　テレマーケティング

WebサイトやSNSなどにより情報を発信し，商品を探している見込み客に自社の情報を見つけてもらうようにする手法をインバウンドマーケティングといいます。

確認問題 2　▸令和4年度　問2　正解率▸中

年齢，性別，家族構成などによって顧客を分類し，それぞれのグループの購買行動を分析することによって，集中すべき顧客層を絞り込むマーケティング戦略として，最も適切なものはどれか。

ア　サービスマーケティング　　イ　セグメントマーケティング
ウ　ソーシャルマーケティング　　エ　マスマーケティング

セグメントマーケティングは，市場をいくつかの顧客層に絞り込む戦略です。サービスマーケティングは無形のサービスを顧客に効果的に伝えたり売ったりする戦略，ソーシャルマーケティングは利益を追求するだけでなく企業の社会的責任を果たす活動を同時に行う戦略，マスマーケティングは全ての顧客を対象に大量生産・大量流通させる戦略です。

確認問題　3

▸令和3年度　問8　　正解率▸低　基本

画期的な製品やサービスが消費者に浸透するに当たり，イノベーションへの関心や活用の時期によって消費者をアーリーアダプタ，アーリーマジョリティ，イノベータ，ラガード，レイトマジョリティの五つのグループに分類することができる。このうち，活用の時期が2番目に早いグループとして位置付けられ，イノベーションの価値を自ら評価し，残る大半の消費者に影響を与えるグループはどれか。

ア　アーリーアダプタ　　　　イ　アーリーマジョリティ
ウ　イノベータ　　　　　　　エ　ラガード

要点解説　新製品を導入する時期が早い順に並べると，イノベータ，アーリーアダプタ，アーリーマジョリティ，レイトマジョリティ，ラガードとなります。アーリーアダプタは，オピニオンリーダやインフルエンサーなどとも呼ばれる人たちで，SNSなどで利便性や使い勝手を積極的に発信して，他の人々に影響を与えます。

確認問題　4

▸平成29年度秋期　問32　　正解率▸高　

マーケティングミックスにおける売り手から見た要素は4Pと呼ばれる。これに対応する買い手から見た要素はどれか。

ア　4C　　イ　4S　　ウ　AIDMA　　エ　SWOT

要点解説　4Pは，Product（製品），Price（価格），Place（流通），Promotion（販売促進）をいいます。
買い手側から見た要素は，4Cです。
Customer Value（顧客価値），Customer Cost（顧客コスト），Convenience（利便性），Communication（コミュニケーション）が該当します。

解答

問題1：イ　　問題2：イ　　問題3：ア　　問題4：ア

10-07 技術戦略

時々出　必須　**超重要**

イメージでつかむ

売れ筋製品であっても，新製品にあっという間にとって代わられることがあります。常に新技術の動向を追い続ける必要があります。

技術戦略

技術戦略は，企業が研究開発した高度な技術を核とした戦略です。技術開発に多くの時間とコストをかけても，日の目を見ないで消えていく技術はたくさんあります。「人生は山あり谷あり」とよくいわれますが，技術開発も同じです。

イノベーション

イノベーションは，今までにない，画期的な新しいものを創り出すことです。Inovation（イノベーション）は，「技術革新」・「新しい切り口」という意味です。大きく分けて，次のようなものがあります。

プロダクトイノベーション	製品そのものに関する技術革新。革新的な新製品の開発など
プロセスイノベーション	業務プロセスに関する技術革新。研究開発過程や製造工程，物流工程など

MOT

MOT（Management Of Technology：技術経営）は，**高度な技術を核とする技術開発に投資し，イノベーションを創出することで，技術革新を事業に結び付けていく経営**です。イノベーションを強く念頭に置いた経営です。

"くれば"で覚える

MOT とくれば **技術革新による経営**

技術ロードマップ

技術ロードマップは，**将来の技術動向を予測して進展の道筋を時間軸上に表した図**です。例えば，経済産業省の技術戦略マップがあります。特定技術分野の有識者によって作成され，将来的な研究開発や技術利用の方向性を示したものです。

	～2030年	～2040年	～2050年
拠点	地上基地整備 火星軌道周回基地建設		火星基地建設
輸送手段	火星軌道シャトル開発	火星軌道往復シャトル就航	商用大型火星シャトル開発

もっと詳しく（未来予測）

デルファイ法は，「複数の専門家からの意見を収集する」・「収集した意見を集約する」・「集約した意見をフィードバックする」という流れを繰り返すことで意見を収束させていく手法です。技術戦略の立案に必要となる将来の技術動向の予測などに用いられます。

技術ポートフォリオ

技術ポートフォリオは，**「技術の重要度」や「保有技術の水準」などを軸としたマトリックスに，市場における自社の技術の位置づけを表した図**で，技術戦略に役立てようとするものです。その分野である技術が重要であり，他社と比較して自社の技術が優位であれば，重点的な投資が必要と判断します。

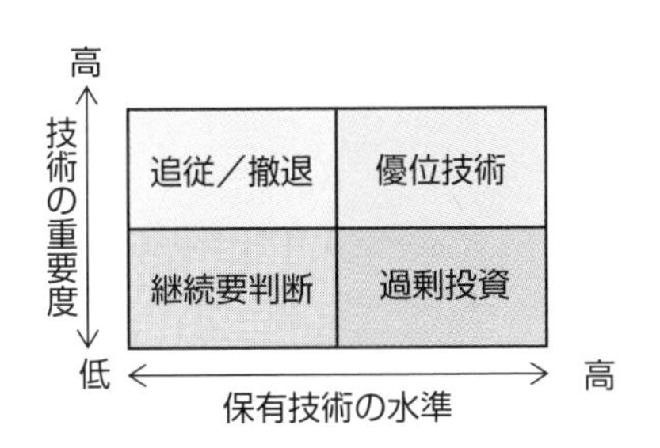

APIエコノミーとオープンイノベーション

API（Application Programming Interface）は，アプリケーションの機能を外部から簡単に利用できる仕組みです。

公開されているAPIを組み合わせて新しいサービスを作ることを**マッシュアップ**といい，**企業同士がAPIを使ってサービスを連携させることで生まれる新しい経済圏**を**APIエコノミー**といいます。例えば，配車サービスのUberのアプリは，Google MapsのAPIを使って地図を表示し，決済機能も外部のAPIを利用します。また，Uberで車を呼ぶボタンもAPIとして外部アプリに配置でき，新規顧客がそのアプリ経由でUberを使うと，Uberから外部アプリ製作者にキックバックがあります。

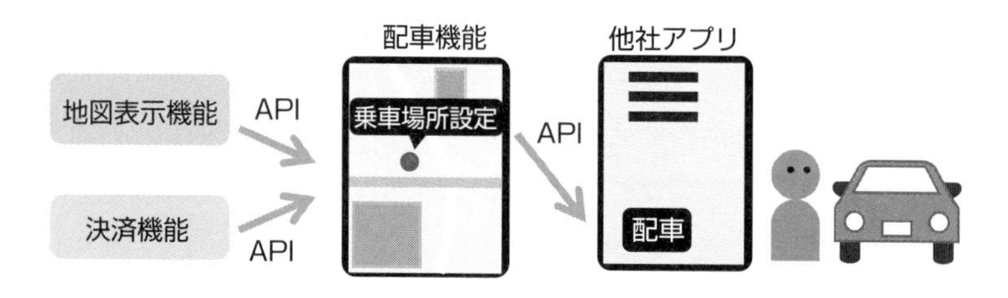

このように，企業や組織内部にとどまらず，他企業や他業種，国，地方自治体，大学などと協力して，互いの専門知識を活かしてイノベーションを起こそうという考えを**オープンイノベーション**といいます。APIエコノミーも広い意味ではオープンイノベーションの結果であるといえます。

知っ得情報（ハッカソン）

ハッカソンは，開発者やデザイナーなどが集まってチームを組み，数時間や数日間の日程で，与えられた課題にチャレンジするイベントです。

企業や組織を超えて協力し合うオープンイノベーションの一つで，新しいサービスや機能が生まれるきっかけになります。

デザイン思考

デザイン思考は，**利用者も気づかないような潜在的なニーズを掘り起こし，イノベーションを生み出そうとする考え方**です。デザイン制作における思考を経営や事業に活かしていくアプローチで，「利用者の立場で観測する」・「潜在的な問題点を抽出する」・「様々な解決策を出す」・「プロトタイプを作成する」・「評価して改善する」という流れを繰り返します。

ここでのデザインとは，色や形だけの話ではなく，もっと広く「設計する」，「問題を解決する」という意味です。例えば，この手法を使って，MDプレイヤーでの曲数の少なさやMDの入れ替えの手間を問題点とし，大量の音楽データをメディアの入れ替えなしに手軽に持ち歩けるiPodが開発されました。

リーンスタートアップ

リーンスタートアップは，**低コストで最小限の機能の試作品やサービスを市場に出し，市場からの反応をフィードバックして迅速に改善していく方法**です。Lean(リーン)は，「最低水準の」という意味です。

もっと詳しく（MVP）

リーンスタートアップを実践するときには，必要最低限の機能を実装した製品（**MVP**：Minimum(ミニマム) Viable(ヴァイアブル) Product(プロダクト)）を市場に投入し，市場のニーズの反応を確かめながら改良を進めていきます。新しいアイディアを市場に投入する際には不確実性が多いので，無駄な投資をできるだけ避けリスクを最小限に抑えながら進めていきます。

魔の川，死の谷，ダーウィンの海

それぞれ技術経営における課題を表す言葉です。**魔の川**は，基礎研究が製品開発に結び付かないことを，**死の谷**は，製品開発が事業に結び付かないことを，**ダーウィンの海**は，事業化できても市場・産業化できないことをいいます。

例えば，専用のメガネで立体映像が見える3Dテレビは，発売されたものの市場に浸透できないまま終わってしまいました。

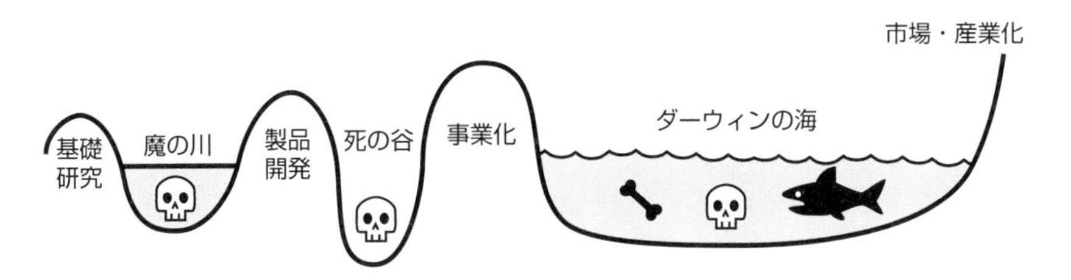

イノベーションのジレンマ

イノベーションのジレンマは，**優良な企業が，既存の製品や技術に固執している間に，市場の変化に対応できずに新しい製品や技術に敗北してしまう現象**です。

例えば，高画質を追及していたデジタルカメラが，画質は劣るものの手軽さやSNSとの親和性が高いスマートフォン内蔵のカメラを相手に苦戦しています。評価軸の違う新技術の動向を追い続け，新規市場に向けた製品開発の持続が重要です。

確認問題 1　▸令和2年度秋期　問3　正解率▸中　基本

技術経営における新事業創出のプロセスを，研究，開発，事業化，産業化の四つに分類したとき，事業化から産業化を達成し，企業の業績に貢献するためには，新市場の立上げや競合製品の登場などの障壁がある。この障壁を意味する用語として，最も適切なものはどれか。

ア　囚人のジレンマ　　イ　ダーウィンの海
ウ　ファイアウォール　　エ　ファイブフォース

事業化から産業化への障壁を示す用語は，ダーウィンの海です。
アの囚人のジレンマは，個人にとって最適な選択でも，全体でみると最適にならないことを表すモデルです。
ウのファイアウォールは5-06参照。エのファイブフォースは10-04参照。

確認問題 2　▸令和3年度　問31　正解率▸中　基本

APIエコノミーに関する記述として，最も適切なものはどれか。

ア　インターネットを通じて，様々な事業者が提供するサービスを連携させて，より付加価値の高いサービスを提供する仕組み
イ　著作権者がインターネットなどを通じて，ソフトウェアのソースコードを無料公開する仕組み
ウ　定型的な事務作業などを，ソフトウェアロボットを活用して効率化する仕組み
エ　複数のシステムで取引履歴を分散管理する仕組み

ア　APIエコノミー　　イ　OSS（2-01参照）
ウ　RPA（10-05参照）　　エ　ブロックチェーン（10-10参照）

確認問題 3

▸令和元年度秋期 問17　正解率▸低　基本

イノベーションのジレンマに関する記述として，最も適切なものはどれか。

ア　最初に商品を消費したときに感じた価値や満足度が，消費する量が増えるに従い，徐々に低下していく現象
イ　自社の既存商品がシェアを占めている市場に，自社の新商品を導入することで，既存商品のシェアを奪ってしまう現象
ウ　全売上の大部分を，少数の顧客が占めている状態
エ　優良な大企業が，革新的な技術の追求よりも，既存技術の向上でシェアを確保することに注力してしまい，結果的に市場でのシェアの確保に失敗する現象

市場で優位に立った製品をもつ大企業は，まったく新しい別の製品を一から作るよりも，優位に立っている製品を改良するほうがコストも安いので，なかなか新機軸の製品を生み出すことができません。そのうちに新しい観点で生み出された他社の製品が登場し，市場を奪われてしまいます。

確認問題 4

▸令和元年度秋期 問19　正解率▸低　頻出　基本

特定の目的の達成や課題の解決をテーマとして，ソフトウェアの開発者や企画者などが短期集中的にアイディアを出し合い，ソフトウェアの開発などの共同作業を行い，成果を競い合うイベントはどれか。

ア　コンベンション　　イ　トレードフェア
ウ　ハッカソン　　エ　レセプション

異業種や異なる職種の人々が集ってチームを組み，他のチームと競い合いながら短期間でソフトウェアやITサービスを生み出そうとするイベントをハッカソンといいます。

解答

問題1：イ　　問題2：ア　　問題3：エ　　問題4：ウ

10-08 業績評価と経営管理システム

時々出　必須　超重要

イメージでつかむ

「ITパスポート8割以上正解を目指す」と目標を立てたら，苦手な分野を分析して，「ストラテジを重点的に毎日2時間勉強する」など実践レベルまで落として勉強します。企業の経営も同じです。

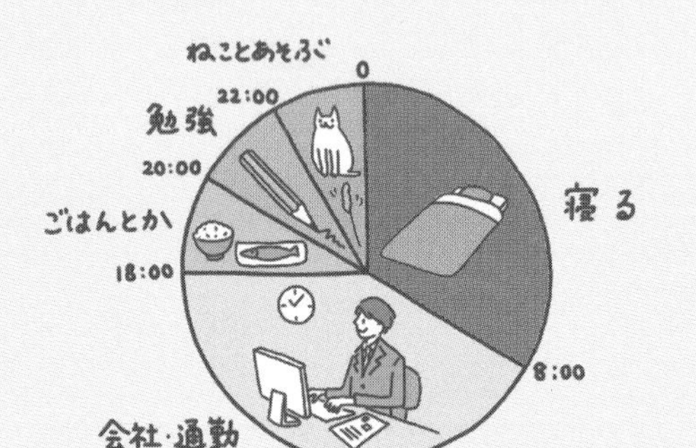

業績評価

経営理念に基づいた経営ビジョン（将来的な理想像）を具現化するために，経営戦略のシナリオを描いた後は，具体的な目標を定め，業績評価と改善を繰り返しながら理想像に近づけていきます。

BSC

BSC（Balance Score Card：**バランススコアカード**）は，経営ビジョンや経営戦略を実現するために，**「財務」・「顧客」・「業務プロセス」・「学習と成長」**の四つの視点から，具体的に目標を設定して業績を評価する手法です。

財務（過去の視点）	売上高，利益，キャッシュフローなど
顧客（外部の視点）	市場占有率，顧客満足度の結果など
業務プロセス（内部の視点）	開発効率，在庫回転率など
学習と成長（未来の視点）	特許取得件数，新技術の提案件数など

"くれば"で覚える

BSCの四つの視点　とくれば　**財務・顧客・業務プロセス・学習と成長**

BSCでは四つの視点において，KGIやCSF，KPIを設定し，モニタリングを繰り返して継続的に改善していきます。

KGI (Key Goal Indicator)	目指すべき最終目標となる数値。「重要目標達成指標」という意味
CSF (Critical Success Factor)	最終目標を達成するために必要不可欠となる要因。「重要成功要因」という意味
KPI (Key Performance Indicator)	最終目標を達成するための中間目標となる数値。「重要業績評価指標」という意味

これは，ダイエットを目指す人が，「1年後に10キロ減量する」ことを最終目標値(KGI)として，これを成功させるには「適度な運動と食事制限」が重要(CSF)で，その過程で「毎日1万歩以上歩く」という中間目標値(KPI)を設定して，歩数計と体重計でモニタリングしながら，最終目標値まで頑張る，というイメージです。

10%の物流コストの削減の目標を立てた例

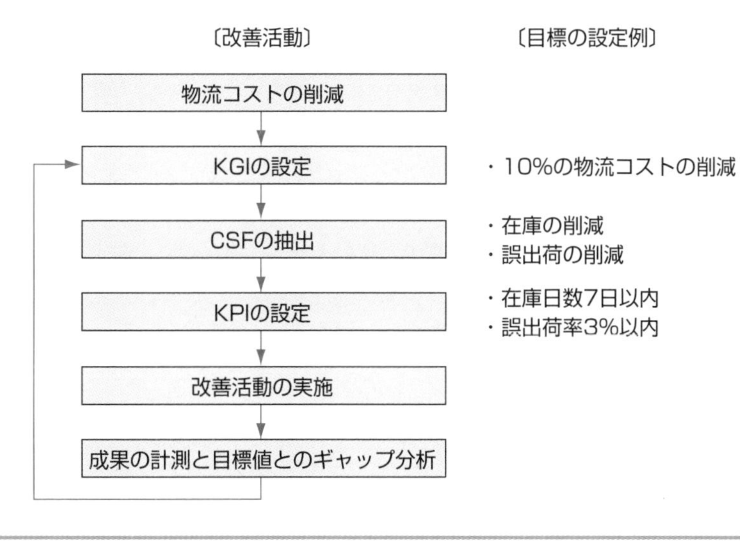

もっと詳しく 継続的な改善

PDCAは，マネジメントサイクルの一つで，Plan(計画)→Do(実行)→Check(評価)→Act(改善)，これを繰り返すことで，継続的に改善していく手法です。何事もやりっぱなしではなく，評価して改善していくことが重要です。この考え方は，試験のいろいろな分野で繰り返し登場します。

さらに，事前の計画より現状の分析を重視する**OODA**(ウーダ)という手法もあります。Observe(観察)→Orient(方向付け)→Decide(意思決定)→Act(行動)を繰り返します。

知っ得情報 価値の向上

バリューエンジニアリング（Value Engineering）は，利用者の立場で製品やサービスなどの価値を，機能と価格との関係で把握・分析する手法です。「価値＝機能÷価格」で表され，「機能が増えると価値も増える」，「価格が減ると価値が増える」など，最適な組み合わせを検討します。

経営管理システム

経営管理システムは，今まで個人または部署別にばらばらに管理していた情報を1か所に集約して管理（**一元管理**）し，全社的，さらには企業間で情報を共有することで，効率的な経営の実現を支援するシステムです。

CRM

CRM（Customer Relationship Management：顧客関係管理）は，**個別の顧客に関する情報や対応履歴などを一元管理し共有すること**で，長期的な視点から顧客との良好な関係を築き，収益の拡大を図る手法です。顧客の年齢や性別，趣味，購買履歴などの個人情報を収集し，顧客のニーズに細かく対応することで，顧客満足度や**顧客生涯価値**（一人の顧客が企業にもたらす価値）を向上させることが目的です。

もっと詳しく 営業活動の支援

SFA（Sales Force Automation：営業支援システム）は，個人が保持している営業に関する知識やノウハウなどを一元管理し共有することで，効率的・効果的に営業活動を支援する手法です。また，SFAの基本機能の一つに**コンタクト管理**があり，顧客訪問日，営業結果などの履歴を管理し，見込客や既存客に対して効果的な営業活動を行います。SFAは，CRMの一環として行われます。

SCM

SCM（Supply Chain Management：供給連鎖管理）は，**部品の調達から生産・物流・販売までの一連のプロセス**（サプライチェーンという）**の情報を一元管理し共有すること**で，業務プロセスの全体最適化を図る手法です。**リードタイム**（商品を受注してから納品するまでの期間）の短縮，在庫コストや流通コストの削減が目的です。試験では，**サプライチェーンマネジメント**という用語でも出題されます。

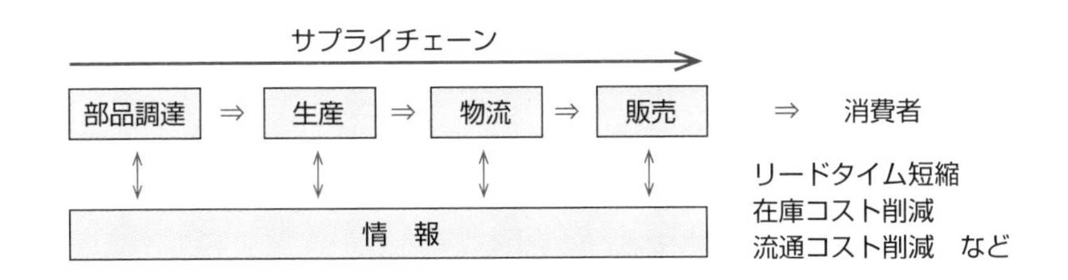

知っ得情報 物流の最適化

ロジスティクスは,「物流」という言葉と似ていますが,調達や生産,販売などの広い範囲を考慮に入れた上での物流の最適化を目指す考え方です。欠品防止や在庫の削減,物流の効率化,コスト削減を目的とします。ロジスティクスは,自社内で情報を共有するのに対して,SCMは自社内だけでなく関連取引企業も含んだ企業間で情報を共有します。

ERP

ERP(Enterprise Resource Planning:企業資源計画)は,生産・流通・販売・財務・経理などの**企業の基幹業務の情報を一元管理し共有すること**で,企業の経営資源の最適化を図る手法です。各業務の状況をリアルタイムに把握し,効率的な経営を実現することが目的です。

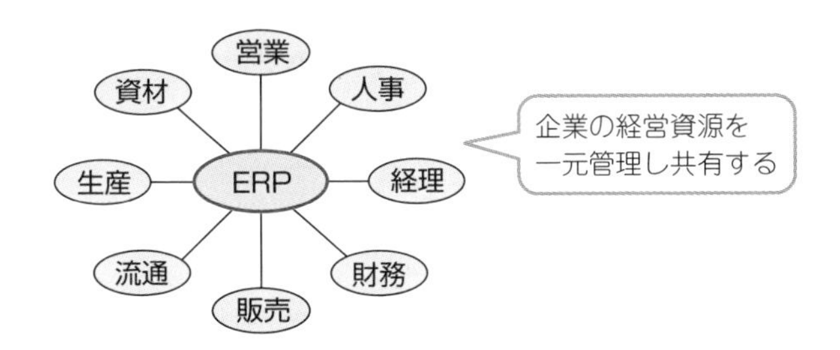

ナレッジマネジメント

ナレッジマネジメント(Knowledge Management:知識管理)は,社員個人が**ビジネス活動から得た客観的な知識や経験,ノウハウなどを一元管理し共有すること**で,全体の問題解決力を高める手法です。個人の知識や情報をばらばらなものとしてではなく,統合された経営資源として活用することが目的です。

“くれば”で覚える

CRM　とくれば　**顧客情報の一元管理**
SFA　とくれば　**営業の知識やノウハウの一元管理**
SCM　とくれば　**サプライチェーンの一元管理**
ERP　とくれば　**企業の経営資源の一元管理**

アドバイス［3文字のアルファベットの覚え方］

アルファベット3文字の略語が多くなってきました。どれも似たような感じで覚えにくいですね。本書では，省略する前のフルスペルも記載しているので，音読して意味と結び付けて下さい。正しいスペルを覚える必要はなく，カタカナでOKです。

例えば，CRMという文字を見て，カスタマー・リレーションシップ・マネジメントの略だ，と思い出せれば，意味するところも想像できます。

確認問題　1　▸令和4年度　問19　正解率▸低　応用

製造販売業A社は，バランススコアカードの考え方を用いて戦略テーマを設定した。業務プロセス（内部ビジネスプロセス）の視点に基づく戦略テーマとして，最も適切なものはどれか。

ア　売上高の拡大　　イ　顧客ロイヤルティの拡大
ウ　従業員の技術力強化　　エ　部品の共有化比率の向上

要点解説
ア　財務の視点　　イ　顧客の視点
ウ　学習と成長の視点　　エ　業務プロセスの視点

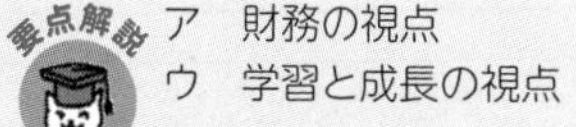

確認問題　2　▸令和3年度　問18　正解率▸中　応用

戦略目標の達成状況を評価する指標には，目標達成のための手段を評価する先行指標と目標達成度を評価する結果指標の二つがある。戦略目標が“新規顧客の開拓”であるとき，先行指標として適切なものはどれか。

ア　売上高増加額　　イ　新規契約獲得率
ウ　総顧客増加率　　エ　見込み客訪問件数

新規顧客を開拓するための手段を評価する先行指標(KPI)は，見込み客訪問件数です。見込み客は契約してくれる可能性がある客のことで，見込み客への訪問を増やすことで，新規で契約してくれる顧客も増えると考えられます。

確認問題 3 ▸令和3年度 問34 正解率▸中 応用

SCMの導入による業務改善の事例として，最も適切なものはどれか。

ア インターネットで商品を購入できるようにしたので，販売チャネルの拡大による売上増が見込めるようになった。
イ 営業担当者がもっている営業情報や営業ノウハウをデータベースで管理するようにしたので，それらを営業部門全体で共有できるようになった。
ウ ネットワークを利用して売上情報を製造元に伝達するようにしたので，製造元が製品をタイムリーに生産し，供給できるようになった。
エ 販売店の売上データを本部のサーバに集めるようにしたので，年齢別や性別の販売トレンドの分析ができるようになった。

要点解説

SCMはSupply Chain Managementの略で，供給連鎖管理という意味です。会社の垣根を越えて，製造会社や卸会社，販売会社の間で売上や生産，在庫などの情報を共有し，全体最適化をはかります。

ア オムニチャネル(10-10参照)
イ SFA
エ POS(10-09参照)

確認問題 4 ▸平成31年度春期 問3 正解率▸中 基本

購買，生産，販売，経理，人事などの企業の基幹業務の全体を把握し，関連する情報を一元的に管理することによって，企業全体の経営資源の最適化と経営効率の向上を図るためのシステムはどれか。

ア ERP　イ MRP　ウ SCM　エ SFA

ERPはEnterprise Resource Planningの略で，企業資源計画という意味です。経営資源の有効活用の観点から，企業活動全般を統合的に管理し，業務を横断的に連携させることによって経営資源の最適化と経営の効率化を図ります。

イ 資材所要量計画(10-09参照)
ウ サプライチェーンマネジメント
エ 営業支援システム

解答

問題1：エ　問題2：エ　問題3：ウ　問題4：ア

10 09 ビジネスシステムとエンジニアリング

時々出　必須　超重要

イメージでつかむ

あなたが商品の代金を支払うときには，商品の情報をバーコードで読み取りデータ化されています。明日からその商品が「つい買ってしまう商品」として，レジの横に置かれているかもしれません。

ビジネスシステム

ビジネスシステムは，企業の業務活動を効率よく進めるために活用されるシステムです。次のようなものがあります。

POS（ポス）システム

コンビニなどのレジでは必ず商品をバーコードで読み取っています。**POSシステム**（Point Of Sales：販売時点管理）は，**バーコードを読み取って商品の販売情報をリアルタイムに収集し，売れ筋商品や死に筋商品などの販売管理や在庫管理に役立てるシステム**です。欠品が起こらないように，ハンディターミナル（手持ちのデータ収集端末）から発注情報を取引先に送信できます。

ワークフローシステム

書類の回覧を紙でやり取りすると時間がかかります。**ワークフローシステム**は申請書類や通知書などを電子データ化し，**申請・りん議・決裁までの一連の流れ**（ワークフローという）**をネットワーク上で行うシステム**です。決裁者が出張先で決裁できる，どこで決裁が滞っているのかがすぐわかるなどの特徴があります。

トレーサビリティシステム

トレーサビリティシステムは，製品や食品などの生産段階から最終消費段階，さらには廃棄段階までの全工程について，履歴の追跡ができるシステムです。Traceability（トレーサビリティ）は，「追跡可能な」という意味です。いつだれが，どんな材料で作ったか，どのような流通経路をたどったかを把握することにより，顧客からの信頼が高まります。

GIS

GIS（Geographic Information System：地理情報システム）は，要素ごとの位置情報や海岸線，行政区域などの地理的なデータに，様々な統計データなどを組み合わせて視覚化したシステムです。GISデータの標準形式に**シェープファイル**があり，道路などの形状や属性などを表す複数のファイル群で構成されています。GISを活用した例として，地震や津波，洪水などの自然災害が発生したときのリスクや被害を想定したエリアに色を付け，地図上に重ね合わせたハザードマップが作成されています。

GPS

GPS（Global Positioning System）は，衛星からの情報を利用し，自分の位置情報を算出するシステムです。地図上に現在地を表示するカーナビや，路線バスの位置表示システムなどに応用されています。複数のGPS衛星のうち，最低三つ以上の衛星が発信している電波を受信し，電波の発信時刻と受信時刻の差を利用して端末の位置情報を求めています。

もっと詳しく（準天頂衛星）

GPSは全地球の上空を周回しているのに対し，**準天頂衛星**は特定地域の上空に長時間滞在するように設計されています。GPSを補完することで測位精度が飛躍的に向上し，都市部のビルの谷間や山間部などでも安定した位置情報が提供されます。日本では，「みちびき」と呼ばれる複数の衛星が運用されています。

ETC

ETC（Electronic Toll Collection）は，高速道路などの有料道路の利用時に自動で料金を精算するシステムです。料金所や検札所をスムーズに通過できます。

マイナンバー制度

マイナンバー制度は，**行政を効率化し，国民の利便性を高めるため，公平・公正な社会を実現する社会基盤**です。日本に住民票がある人に，氏名・住所・生年月日・性別と関連付けられる12桁の**マイナンバー**（**個人番号**）が与えられます。

社会保障や税，災害対策の分野で効率的に情報の管理を行うことが目的です。行政機関に書類を提出するときにマイナンバーの記載が必要となり，法に定めた目的以外にマイナンバーを使用できません。また，民間の事業者も用途は限られていますが特定の条件下で利用することができます。

希望者に配布される**マイナンバーカード**は，表に顔写真・氏名・住所・生年月日・性別が，裏にマイナンバーが記載され，身分証明書として利用できます。カードにはICチップによる公的個人認証機能があり，氏名・住所・生年月日・性別が含まれる**署名用電子証明書**と，個人情報が含まれない**利用者証明用電子証明書**の２種類が記録されています。これらの公的個人認証機能は，国税の電子申告や健康保険証に利用できるほか，オンラインバンキングをはじめ各種の民間のオンライン取引に利用できるようになるとされています。

エンジニアリングシステム

エンジニアリングシステムは，生産工程における生産性を上げるための考え方や，自動化を図るためのシステムです。次のようなものがあります。

ジャストインタイム

ジャストインタイム（JIT（ジット）：Just In Time）は，**「必要な物」を，「必要な時」に，「必要な量」だけを生産する方式**です。仕掛品（製造途中の中間在庫）や部品在庫数を極力減らし適切な量にするため，生産ラインにおいて，後工程が自工程の生産に合わせて，必要な部品を前工程から調達します。JITを採用しているトヨタ自動車では，部品のやり取りの際に「かんばん」と呼ばれる作業指示書を使うことから，**かんばん方式**とも呼ばれます。かんばん方式などを含めたトヨタの生産方式は，のちに製造業以外にも適用できるよう**リーン生産方式**として一般化されています。JITやかんばん方式は，ほぼ毎回出題される重要用語です。

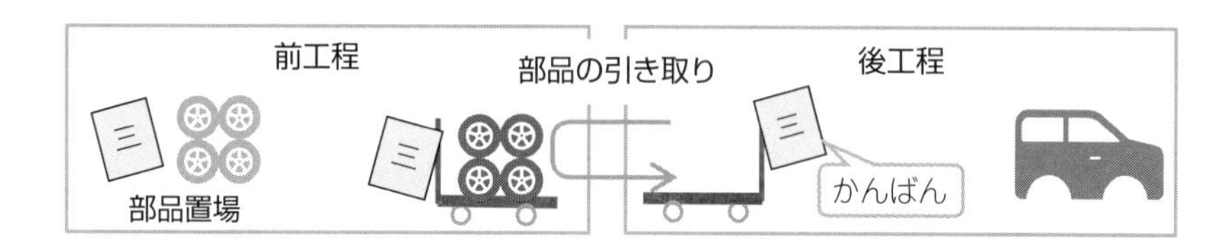

"くれば"で覚える

ジャストインタイム・リーン生産方式 とくれば **仕掛品・部品在庫数を減らす方式**

コンカレントエンジニアリング

コンカレントエンジニアリングは，**製品開発において，各作業工程のうち同時にできる作業を並行的に行うこと**で，期間の短縮やコストダウンを図る手法です。Concurrent（コンカレント）は，「同時の」という意味です。

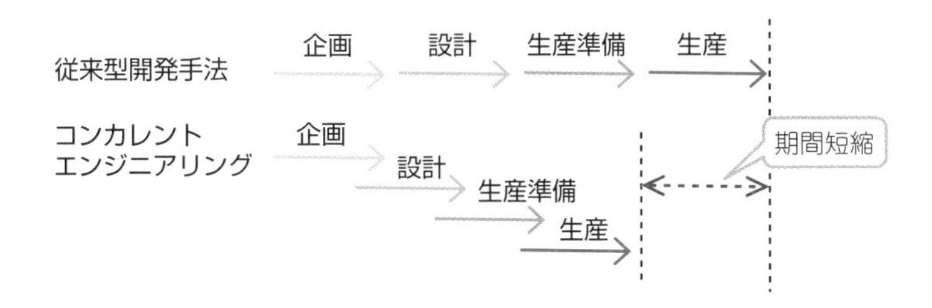

TOC

TOC（Theory Of Constraints：制約理論）は，全体のパフォーマンスを低下させている工程を特定し，改善することで全体の生産性を上げる考え方です。「ボトルネックを解消する」ということです。制約には，物理的制約や方針制約，市場制約の三つがあります。

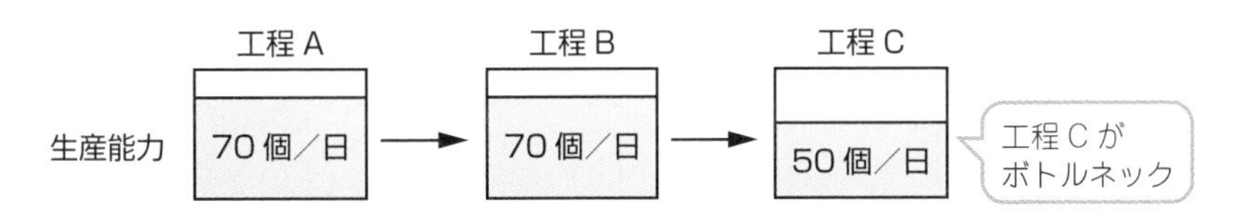

CAD（キャド）

CAD（Computer Aided Design：コンピュータ支援設計）は，**コンピュータを利用して設計を支援すること**です。工業製品や建築物などの設計図面を作成できます。

FMS

FMS（Flexible Manufacturing System：フレキシブル生産システム）は，工作機械や無人搬送車，産業用ロボットなどをネットワーク化してコンピュータで集中管理するシステムです。異なる製品やモデルを効果的に生産できます。

MRP

MRP（Material Requirements Planning：資材所要量計画）は，製品の生産計画に基づいて，必要となる部品の所要量と発注時期を決定する資材管理手法です。部品の在庫不足などを減らせます。

“くれば”で覚える

コンカレントエンジニアリング	とくれば	**同時にできる作業を並列的に行うこと**
CAD	とくれば	**コンピュータを利用して設計すること**

確認問題 1 ▸令和3年度 問35　正解率▸中　頻出　基本

ある製造業では，後工程から前工程への生産指示や，前工程から後工程への部品を引き渡す際の納品書として，部品の品番などを記録した電子式タグを用いる生産方式を採用している。サプライチェーンや内製におけるジャストインタイム生産方式の一つであるこのような生産方式として，最も適切なものはどれか。

ア　かんばん方式　　イ　クラフト生産方式

ウ　セル生産方式　　エ　見込み生産方式

要点解説　製造工程で使う，生産指示や納品書を記載したものをかんばんと呼びます。選択肢ではかんばん方式が該当します。

クラフト生産方式は，熟練した職人（クラフトマン）が全工程を一人で行う方式です。セル生産方式は，多品種少量生産のために，全工程を一人あるいは少人数で行うものです。見込み生産方式は，受注生産と異なり，需要を予想したうえで生産する方式です。

確認問題 2 ▸令和2年度秋期 問24　正解率▸中　基本

CADの導入効果として，適切なものはどれか。

ア　資材の所要量を把握して最適な発注ができる。

イ　生産工程の自動化と作業の無人化ができる。

ウ　生産に関連する一連のプロセスを統合的に管理できる。

エ　設計データを再利用して作業を効率化しやすくする。

要点解説　CADはコンピュータ支援設計のことで，工業製品や建築物などの設計データをコンピュータを用いて作成します。CADの導入により，設計データを再利用できます。

確認問題 3 ▸平成31年度春期 問2 正解率▸中 基本

グループウェアの機能を利用した事例のうち，ワークフロー管理機能を活用したものとして，最も適切なものはどれか。

ア 営業活動に有効な提案書テンプレートの共有
イ 会議出席予定者の空き時間の確認
ウ 出張申請から交通費の精算までの承認手続の電子化
エ ネットワーク上での本支店間会議の実施

要点解説 グループウェアについては10-05参照。ワークフローとは仕事や書類の流れのことです。申請書類などを電子化し，起案から決裁までの流れをネットワーク上で行うシステムです。

確認問題 4 ▸令和4年度 問16 正解率▸高

マイナンバーに関する説明のうち，適切なものはどれか。

ア 海外居住者を含め，日本国籍を有する者だけに付与される。
イ 企業が従業員番号として利用しても構わない。
ウ 申請をすれば，希望するマイナンバーを取得できる。
エ 付与されたマイナンバーを，自由に変更することはできない。

要点解説
ア 外国籍の人も含めて日本に住民票がある人に付与されます。
イ 社会保障や税，災害対策分野以外はマイナンバーを使えません。
ウ 車のナンバーとは異なり，希望するマイナンバーの取得はできません。
エ 自由に変更できません。マイナンバー漏えいなどの場合のみ認められます。

解答

問題1：ア 問題2：エ 問題3：ウ 問題4：エ

10 10 e-ビジネス

時々出　必須　超重要

イメージでつかむ

家に居ながら，ショッピングできる時代です。購入せず，眺めているだけでも楽しいものです。

e-ビジネス

e-ビジネスは，インターネット技術を活用したビジネス，またはその利用形態です。店舗や店員にかかるコストなどを低減でき，少ない投資で事業に参入できます。

EC

EC（Electronic Commerce：電子商取引）は，**個人間の取引や企業間の商取引などを，インターネットなどを利用して行うこと**です。誰と取引するかで，次のような取引形態があります。

C to C	Consumer to Consumer：個人間取引 （例）インターネットオークションで，商品を購入する
B to C	Business to Consumer：企業対個人取引 （例）バーチャルモール（後述）のオンラインショップで，商品を購入する
B to B	Business to Business：企業間取引 （例）インターネットを利用して，企業が外部ベンダに資材を発注する
B to E	Business to Employee：企業対従業員間取引 （例）企業内の社員販売サイトで，割引特典のあるサービスを申し込む
G to B	Government to Business：政府対企業間取引 （例）国や地方自治体が発注する工事に対して，企業が電子入札を行う

もっと詳しく〈電子商取引〉

* **バーチャルモール**（オンラインモール）は，インターネット上に配置された仮想商店街です。サイト内には，複数の企業や個人の商店が並び，また欲しい商品を家に居ながら購入でき，クレジットカードやコンビニ決済，代金引換などの決済方法を選択できます。楽天市場が有名です。
* **EDI**（Electronic Data Interchange：電子データ交換）は，商取引のためのデータをコンピュータ間で交換することです。標準化された規約に基づいて取引が行われます。
* **eKYC**（electronic Know Your Customer）は，本人確認をPCやスマートフォンを利用して，オンラインで完結することです。口座開設時などには，本人確認を対面や書類の郵送なしで行えます。利用者がPCやスマートフォンで撮影した顔写真と，本人確認書類の顔写真を照合して本人確認が行われます。顔写真や本人確認書類は，様々な角度から撮影することで偽造チェックが行われています。

カードシステム

様々な分野でICカードが利用されています。ICカードはICチップが埋め込まれたカードで，情報の暗号化を行っているので偽造にも強い特徴があり，決済分野やセキュリティ分野などで利用されています。

主なカードには，次のようなものがあります。

クレジットカード	申込者に対して，信用限度額内の買い物を代金後払いで行えるようにする
デビットカード	買物代金の支払いを銀行のキャッシュカードで行い，利用金額を預金口座から即時に引き落とす
プリペイドカード	商品購入を前提に代金を前払いしてもらい，商品購入の都度，カードから減額していく

知っ得情報〈PCI DSS〉

PCI DSS（Payment Card Industry Data Security Standard）は，クレジットカードの情報を安全に保護するためのセキュリティ要件をまとめた基準です。アクセス制御やファイアウォールの導入，カード利用者情報送信時の暗号化などが定められています。

金融システム

金融業界においても，インターネットを活用したサービスが登場しています。以前は銀行の窓口に行かなくてはできなかったサービスも，家にいながら営業時間を気にすることなくPCやスマートフォンなどで行えます。

Fintech（フィンテック）

Fintech（フィンテック）は，**銀行や証券，保険などの金融分野に，AIなどの情報技術を組み合わせることで，様々なサービスを創出すること**です。Finance（ファイナンス）（金融）とTechnology（テクノロジ）（技術）を合わせた造語です。

例えば，複数の銀行や証券会社の資産状況や出入金の履歴を，一つの画面に集約して一元管理する**アカウントアグリゲーション**などのサービスがあります。

電子マネー

電子マネーは，ICカードやスマートフォンに保存される貨幣的価値による決済手段です。あらかじめ**チャージ**（入金）した金額に達するまで利用でき，繰り返し金額を補充できるのが特徴です。

暗号資産（仮想通貨）

暗号資産（**仮想通貨**）は，**電子データでやりとりされる財産的価値**です。法定通貨やプリペイドカードではない手段ですが，代金の支払いなどに使用できます。ハッシュ関数を利用して，取引の履歴（**ブロックチェーン**：分散型台帳）を分散して持ち合うことで改ざんなどの不正を防ぐ仕組みになっています。

もっと詳しく（ブロックチェーンの応用）

ブロックチェーンは暗号資産のみならず，実際の商品の製造や仕入れ，販売の経路を追跡する**トレーサビリティ**の確保に応用できます。また，契約条件を自動実行するプログラム（**スマートコントラクト**という）をブロックチェーンに内包できるので，例えば「クラウドファンディング（後述）で目標額に達しなかったら自動的に返金する」ということが可能になります。

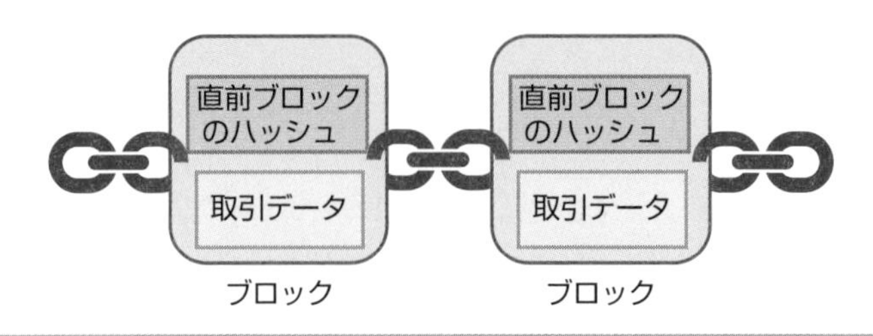

知っ得情報 NFT

デジタルデータは簡単に複製や改ざんができるので，オリジナルデータと区別することは難しく資産価値が生まれにくいという問題があります。そこで，ブロックチェーンを基盤に，デジタルデータに唯一無二の資産価値をもたせたものが**NFT**（Non-Fungible-Token：非代替性トークン）です。「替えがきかない（唯一無二の）しるし」という意味です。ブロックチェーンを基盤としているので，発行元や所有者，取引情報（誰が・いつ・いくらで売り・誰が買ったかなど）を誰でも確認できます。デジタルアートや音楽，ゲームのキャラクタのほか，様々なジャンルで利用されることが期待されています。

Webによる販売促進

コンバージョン率は，Webサイトへのアクセス件数のうち，最終的に商品やサービスなどの購入に至った件数です。コンバージョン率を上げるには，買うかもしれない人がWebサイトに来てもらうこと（集客）と，来た人が買ってくれるよう導くこと（接客）が重要です。次のような仕組みが使われています。

リスティング広告	検索誘導型広告。ある用語を検索したときに，その用語と関連した商品の広告を同じ画面に表示させる
ポップアップ広告	Webサイトを閲覧しているときに，自動的に新しい別のウィンドウを開いて広告を表示させる
バナー広告	Webサイトの一部に表示された広告用の画像をクリックすると，広告が表示される
オプトインメール広告	事前に許可を求め，承諾した受信者にだけ送信されるダイレクトメール
アフィリエイト	成果報酬型広告。個人のWebサイトなどに企業の広告や企業サイトへのリンクを掲載し，誘導実績に応じた報酬を支払う
SNS	Social Networking Service。登録された利用者同士が交流できるWebサイト。利用者が発信する情報を多数の利用者に伝播できる
CGM	Consumer Generated Media。消費者が情報発信することで，コンテンツが生成されるメディア。口コミサイトやQ&Aサイト，動画投稿サイトなど
CMS	Content Management System。Webサイトの記事の作成や更新・公開が容易に管理できるシステム

知っ得情報 A/Bテスト

A/Bテストは，Webページのデザインの効果を判断するためのテストです。AとBなど二つ以上のパターンのWebページを同時に用意し，検索でたどり着く人を均等に振り分け，どちらのデザインがコンバージョン率が高いかを比較します。

ロングテール

ロングテールは，**売れ筋商品に絞り込んで販売するのではなく，薄利多売によって大きな売上や利益を得ることができるという考え方**です。通常の店舗では，売り場面積などの制約もあり，売れる商品しか店頭に並びません。一方，バーチャルモールなどでは，販売数が少ない商品でもWebサイトで長く売り続けることができ，この売上や利益が無視できないくらい大きなものになってきます。

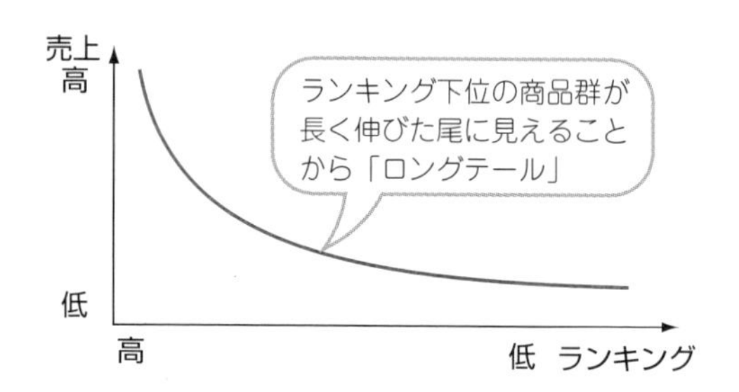

オムニチャネル

オムニチャネルは，実際の店舗での販売やカタログ通販，ネット通販など，**販売チャネルを複数もち，それらを統合してどの手段でも不便なく購入できるようにすること**です。Omni（オムニ）は，「あらゆる」という意味です。実店舗で在庫がなければ他店の在庫やネット通販用の在庫を自宅に直送で送るなどの例があります。ターゲットは主にリピーターの顧客です。

類似の考え方として，**O to O**（Online to Offline）があります。Webサイト（Online）を見た顧客を実店舗（Offline）に導くというような意味で，SNSで会員にクーポンを発行するなどの例があります。ターゲットは主に新規顧客です。

エスクローサービス

エスクローサービスは，**売り手と買い手の間に入って代金のやり取りを仲介するサービス**です。インターネットオークションなどで売り手や買い手が直接代金や商品のやり取りをすると，商品が送られなかったり，代金が支払われなかったりなどのリスクがあります。そのため，中立の立場のエスクロー業者が代金を一時的に預かり，取引の完了後に売り手に支払います。メルカリなどが有名です。

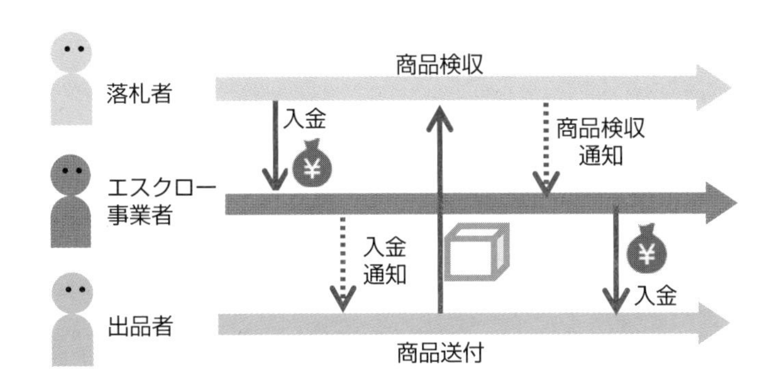

逆オークション

逆オークションは，インターネット上で，一般消費者が買いたい品物とその購入条件を提示し，売り手がそれに応じる取引形態です。インターネットオークションの買い手と売り手が逆という意味があります。

クラウドファンディングとクラウドソーシング

インターネットにより，知らない人同士を結び付けることが容易になりました。**Webサイトでやりたいことを公開し，賛同してくれた人から広く資金を集める仕組み**を**クラウドファンディング**といいます。Crowd（群衆）とFunding（資金調達）を合わせた造語です。

また，ネットでの公募により，主に個人に仕事を外部委託することを**クラウドソーシング**といいます。

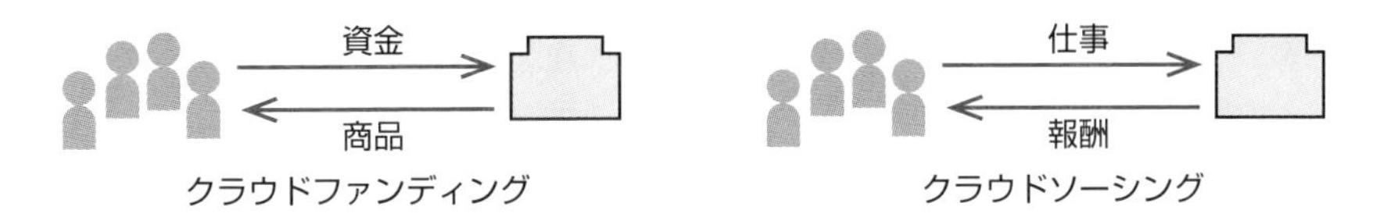

シェアリングエコノミー

Webサービスに仲介させた，物や場所の貸し借りも広まってきています。**保有している遊休資産の貸出しを仲介するサービス**を**シェアリングエコノミー**といいます。民泊やカーシェアリング，ライドシェアリングなどの例があります。

デジタルサイネージ

デジタルサイネージは，**ディスプレイに映像や文字などの情報を表示する電子看板**です。瞬時に別の表示内容や動画表示などに切り替えられます。例えば，新宿駅前のビルや大阪駅構内にある広告，空港や電車の時刻掲示板などに使われています。

知っ得情報 〈フリーミアム〉

フリーミアムは，基本的な製品やサービスを無料で提供し，さらに高度な機能やサービスは有料にすることで収益を得るビジネスモデルです。Free（フリー）とPremium（プレミアム）を合わせた造語です。例えば，PCやスマートフォンなどでラジオを聴けるradiko.jp（ラジコ）では，誰でも無料で現在いるエリアのラジオ放送が聴け，プレミアム会員になれば全国のエリアのラジオ放送を聴けます。

確認問題 1 ▸令和2年度秋期　問27　正解率▸中　頻出　基本

企業間で商取引の情報の書式や通信手順を統一し，電子的に情報交換を行う仕組みはどれか。

ア　EDI　　イ　EIP　　ウ　ERP　　エ　ETC

要点解説

発注や決済などの企業間のデータのやり取りを，事前に定めたデータ形式で直接行うことをEDIといいます。

EIPとはEnterprise Information Portalの略で，企業情報ポータルと訳されます。企業内に散在するデータを一括で閲覧できるものです。

ERPは10-08参照。ETCは10-09参照。

確認問題 2 ▸平成31年度春期　問35　正解率▸中　基本

ロングテールに基づいた販売戦略の事例として，最も適切なものはどれか。

ア　売れ筋商品だけを選別して仕入れ，Webサイトにそれらの商品についての広告を長期間にわたり掲載する。

イ　多くの店舗において，購入者の長い行列ができている商品であることをWebサイトで宣伝し，期間限定で販売する。

ウ　著名人のブログに売上の一部を還元する条件で商品広告を掲載させてもらい，ブログの購読者と長期間にわたる取引を継続する。

エ　販売機会が少ない商品について品ぞろえを充実させ，Webサイトにそれらの商品を掲載し，販売する。

要点解説

店舗販売では，商品の展示スペースに限りがあるので，売上高の小さな商品は扱えません。しかし，インターネットショッピングでは商品の展示スペースが不要なため，売上高の小さな商品を数多く扱うことができ，そこから利益を上げることができます。

確認問題 3

▸令和6年度 問4　正解率 ▸ 中　基本

従来の金融情報システムは堅ろう性が高い一方，柔軟性に欠け，モバイル技術などの情報革新に追従したサービスの迅速な提供が難しかった。これを踏まえて，インターネット関連技術の取込みやそれらを活用するベンチャー企業と組むなどして，新たな価値や革新的なサービスを提供していく潮流を表す用語として，最も適切なものはどれか。

ア オムニチャネル　イ フィンテック
ウ ブロックチェーン　エ ワントゥワンマーケティング

フィンテックは，金融サービスにAIなどの情報技術を組み合わせること，様々なサービスを創出することです。オムニチャネルは複数の販売チャネルを統合してどの手段でも不便なく購入できること，ブロックチェーンはデータを安全に記録し管理する分散型台帳，ワントゥワンマーケティングは個々の顧客ニーズに個別に対応する戦略（10-06参照）です。

確認問題 4

▸令和3年度 問97　正解率 ▸ 中　

基本

複数のコンピュータが同じ内容のデータを保持し，各コンピュータがデータの正当性を検証して担保することによって，矛盾なくデータを改ざんすることが困難となる，暗号資産の基盤技術として利用されている分散型台帳を実現したものはどれか。

ア クラウドコンピューティング　イ ディープラーニング
ウ ブロックチェーン　エ リレーショナルデータベース

ハッシュ関数を利用し，複数のコンピュータに分散して同じ内容のデータを持ち合うことで取引履歴の改ざんなどの不正を防ぐ仕組みをブロックチェーンといいます。

確認問題 5

▸平成31年度春期 問8　正解率 ▸ 中　基本

自社のWebサイトのコンテンツのバージョン管理や公開に労力が割かれている。それを改善するために導入するシステムとして，適切なものはどれか。

ア CAD　イ CMS　ウ CRM　エ SFA

Webサイトのコンテンツの管理や更新を効率的に行うようにするためには，CMSを導入し，HTMLについて詳しくない人でも簡単に更新できるようにします。

確認問題　6

▸令和2年度秋期　問31　　正解率▸高　**基本**

利用者と提供者をマッチングさせることによって，個人や企業が所有する自動車，住居，衣服などの使われていない資産を他者に貸与したり，提供者の空き時間に買い物代行，語学レッスンなどの役務を提供したりするサービスや仕組みはどれか。

ア　クラウドコンピューティング　　イ　シェアリングエコノミー
ウ　テレワーク　　エ　ワークシェアリング

カーシェアリングや民泊などが代表例で，シェアリングエコノミーのことです。

確認問題　7

▸令和5年度　問21　　正解率▸低　**応用**

フリーミアムの事例として，適切なものはどれか。

ア　購入した定額パスをもっていれば，期限内は何杯でもドリンクをもらえるファーストフード店のサービス
イ　無料でダウンロードして使うことはできるが，プログラムの改変は許されていない統計解析プログラム
ウ　名刺を個人で登録・管理する基本機能を無料で提供し，社内関係者との間での顧客情報の共有や人物検索などの追加機能を有料で提供する名刺管理サービス
エ　有料広告を収入源とすることによって，無料で配布している地域限定の生活情報などの広報誌

フリーミアムは，基本機能は無料ですが，そこに追加機能を追加して有料で提供しているサービスです。プレミアム版は有料ということです。

解答

問題1：ア　問題2：エ　問題3：イ　問題4：ウ　問題5：イ
問題6：イ　問題7：ウ

■数字・記号

■アルファベット

■さ行

■た行

■ま行

●著者紹介

栢木　厚（かやのき　あつし）

IT 企業の SE などに従事した後，現在は高等学校の情報の教員免許を取得して，複数の高等学校において情報の授業・共通テスト対策の夏期講習を担当。さらには，高校生・社会人向けの IT 国家試験対策の講師経験を活かし，執筆活動にあたる。

モットーは，「誰もがやっていない切り口から，“面白おかしく斬新に！”」

●装丁・本文デザイン

平塚兼右（PiDEZA）

●カバー・本文イラスト

石川ともこ

●本文レイアウト

(有)フジタ

■写真提供メーカー（順不同）

株式会社バッファロー（メモリ→ p.26）

●編集　藤澤奈緒美

■書籍連動 Web サイト

「実体験から始める情報講座」

https://kayalab.jp

本書の節に合わせた過去問題を大量に収録

「令和 07 年　かやのき先生の IT パスポート教室準拠　書き込み式ドリル」も発売！

本書に完全対応したサブノート＆ドリルです。書き込み式のまとめ集としても，簡単な問題集としても使える便利な 1 冊です。

令和 07 年　イメージ＆クレバー方式でよくわかる

かやのき先生の IT パスポート教室

2009 年　1 月 25 日　初　　版　第 1 刷発行

2024 年 12 月　7 日　第 17 版　第 1 刷発行

著　者　栢木　厚

発行者　片岡　巖

発行所　株式会社技術評論社

東京都新宿区市谷左内町 21-13

電　話　03-3513-6150　販売促進部

03-3513-6166　書籍編集部

印刷 / 製本　昭和情報プロセス株式会社

定価はカバーに表示してあります。

ISBN978-4-297-14532-3　C3055

Printed in Japan

■注意

本書に関するご質問は，FAX や書面でお願いいたします。電話での直接のお問い合わせには一切お答えできませんので，あらかじめご了承下さい。また，以下に示す弊社の Web サイトでも質問用フォームを用意しておりますのでご利用下さい。

ご質問の際には，書籍名と質問される該当ページ，返信先を明記して下さい。e-mail をお使いになれる方は，メールアドレスの併記をお願いいたします。

■連絡先

〒 162-0846

東京都新宿区市谷左内町 21-13

(株)技術評論社 書籍編集部

「令和 07 年

かやのき先生の IT パスポート教室」係

FAX　　：03-3513-6183

Web サイト：https://gihyo.jp/book